EXCEL 2003

POUR

LES NULS

EXCEL 2003 POUR LES NULS

Greg Harvey

Excel 2003 pour les Nuls
Publié par
Wiley Publishing, Inc.
909 Third Avenue
New york, NY 10022.

Copyright © 2003 par Wiley Publishing, Inc.

Pour les Nuls est une marque déposée de Wiley Publishing, Inc.
For Dummies est une marque déposée de Wiley Publishing, Inc.
Collection dirigée par Jean-Pierre Cano
Edition : Pierre Chauvot
Traduction : Christophe Billon
Couverture : Antoine Paolucci
Production : Emmanuelle Clément

Edition française publiée en accord avec Wiley Publishing, Inc.
© 2003 par Éditions First Interactive
27, rue Cassette
75006 Paris - France
Tél. 01 45 49 60 00
Fax 01 45 49 60 01
E-mail : firstinfo@efirst.com
Web : www.efirst.com
ISBN : 2-84427-456-0
Dépôt légal : 4e trimestre 2003
Imprimé en France

Sommaire

Troisième partie : S'organiser et rester organisé 209

Introduction

. . . .

*B*ienvenue dans *Excel 2003 pour les Nuls*, l'ouvrage de référence sur Excel 2003 pour tous ceux d'entre vous qui n'ont pas du tout l'intention de devenir un jour le grand maître des tableurs. Vous trouverez dans ce livre toutes les informations nécessaires pour vous maintenir la tête hors de l'eau lors de vos tâches quotidiennes avec Excel. Notre intention a été d'être simple, et de ne pas vous submerger sous un flot de détails techniques dont vous n'auriez que faire. Je me suis efforcé, autant que faire se peut, d'expliquer en termes clairs tout ce dont vous avez besoin pour exécuter une tâche avec Excel.

Excel 2003 pour les Nuls expose toutes les techniques fondamentales que vous devez connaître pour créer, modifier, mettre en forme et imprimer vos propres feuilles de calcul. En plus de vous montrer ce qu'est une feuille de calcul, ce livre explique comment créer des graphiques, des bases de données et comment convertir des feuilles de calcul en pages Web. Gardez cependant à l'esprit que ce livre ne fait qu'aborder ces notions de la manière la plus facile ; il n'a pas du tout été question pour moi d'aller au fond des choses. Le livre est essentiellement consacré à la création de feuilles de calcul avec Excel, car c'est bien cela qui intéresse la majorité des gens.

A propos de ce livre

Ce livre n'a pas été conçu pour être lu de la première à la dernière page. Bien que les chapitres se succèdent dans un ordre à peu près logique, un peu comme si vous appreniez à utiliser Excel dans un centre de formation, chacun des sujets couverts dans un chapitre est indépendant des autres.

Chaque sujet commence par un exposé qui explique son utilité et comment le mettre en œuvre. A l'instar d'autres logiciels sophistiqués, Excel propose toujours plusieurs moyens d'accomplir une tâche. Pour ne pas vous embrouiller, j'ai délibérément réduit le choix au cheminement le plus efficace. Plus tard, si vous en avez envie, vous pourrez toujours expérimenter d'autres moyens d'effectuer une tâche. Pour le moment, tenez-vous-en à la voie que je décrirai.

J'ai essayé autant que possible de vous éviter d'avoir à vous rappeler ce qui est traité ailleurs dans le livre. Cependant, de temps en temps, vous aurez droit à une référence croisée qui vous renverra à une autre section ou chapitre. Le plus souvent, ces références croisées sont censées vous aider à compléter votre information sur tel ou tel sujet, si vous en avez le temps et si cela vous intéresse. Sinon, faites simplement comme si elles n'existaient pas.

Si vous utilisez Excel 2002 pour Windows, parce que vous n'avez pas eu l'occasion de procéder à la mise à jour ou parce que votre budget est un peu serré ces temps-ci, ou parce que votre disque dur est tellement bourré que vous n'avez plus de place pour Excel 2003, vous pouvez utiliser ce livre avec Excel 2002. Gardez simplement à l'esprit que certaines fonctionnalités, tels les volets Accueil et Rechercher et la commande Comparer en côte à côte avec, n'existent pas dans Excel 2002 et que d'autres, telles l'Aide et la Recherche de fichiers, fonctionnent différemment.

Comment ce livre est structuré

Ce livre est organisé en cinq parties, ce qui vous laissera cinq occasions d'admirer les désopilants dessins de Rich Tennant. Chaque partie contient au moins deux chapitres – c'est l'éditeur qui va être content... – qui présentent une certaine continuité (pour que vous soyez content). Chaque chapitre est subdivisé en sections qui exposent les bases du sujet. Ne vous attachez pas trop à la structure de ce livre, car après tout peu importe que vous ayez appris à modifier une formule avant de savoir comment mettre les cellules en forme, ou si vous avez appris à imprimer avant de savoir éditer. L'important est que vous découvriez l'information nécessaire pour exécuter une tâche et que vous sachiez où la rechercher.

Voici un aperçu de ce que vous trouverez dans chaque partie :

Première partie : On se jette à l'eau

Cette partie explique les fondements du logiciel, notamment comment le démarrer. Vous apprendrez à reconnaître les différentes parties de l'écran, à saisir des informations dans la feuille de calcul, à enregistrer un document, etc. Si vous n'avez jamais vu un tableur de près, vous avez intérêt à parcourir le Chapitre 1 pour savoir à quoi ce programme peut servir avant de passer, dans le Chapitre 2, à la création des feuilles de calcul.

Deuxième partie : L'art et la manière de modifier un classeur

Dans cette partie, je vous explique comment éditer la feuille de calcul pour lui donner belle apparence, et aussi comment effectuer des modifications significatives sans courir au désastre. Parcourez le Chapitre 3 lorsque vous aurez besoin de savoir comment mettre les données en forme afin de mieux les présenter. Reportez-vous au Chapitre 4 pour réarranger, supprimer ou insérer de nouvelles informations dans une feuille de calcul. Et ne manquez pas de lire le Chapitre 5 pour connaître tous les ragots qui courent sur l'impression que vous faites.

Troisième partie : S'organiser et rester organisé

Là, je vous explique en long et en large comment ne pas vous faire piéger par les données que vous avez entrées dans vos feuilles de calcul. Le Chapitre 6 est truffé de bonnes idées sur l'art et la manière d'organiser rationnellement vos données dans une seule feuille. Le Chapitre 7 vous dit tout sur le travail avec différentes feuilles d'un même classeur et comment transférer des données entre elles.

Quatrième partie : Y a-t-il une vie après le tableur ?

Cette quatrième partie explore les voies obscures du tableur. Le Chapitre 8 vous démontrera combien il est ridiculement facile de créer des graphiques à partir de vos données. Dans le Chapitre 9, vous découvrirez combien il peut être utile de recourir à Excel pour confectionner une base de données, quand vous devez organiser et gérer une grande quantité d'informations. Dans le Chapitre 10, vous apprendrez à placer un lien hypertexte pour aller ailleurs dans la base de données ou vers un autre document, voire vers une page Web, et apprendrez aussi à convertir une feuille de calcul en page Web statique ou dynamique (interactive) pour agrémenter votre site.

Cinquième partie : Les dix commandements

Comme le veut la tradition dans les livres _pour les Nuls_, la dernière partie contient une liste des dix informations, astuces et suggestions les plus utiles.

Les conventions utilisées dans ce livre

Les informations qui suivent vous expliquent quelque peu comment les choses sont présentées dans le livre. Les éditeurs appellent cela des *conventions*, mais, contrairement aux conventions politiques américaines, il n'est besoin ni de faire campagne, ni de rameuter les *pom-pom girls*, ni de s'en prendre à l'adversaire.

Clavier et souris

Excel 2003 est un logiciel sophistiqué agrémenté de plein de boîtes marrantes, de barres et d'une foultitude de menus. J'explique dans le Chapitre 1 à quoi ils servent et comment les utiliser.

Bien que vous utiliserez abondamment la souris et les raccourcis clavier pour vous déplacer dans les feuilles de calcul, vous devrez néanmoins saisir les données manuellement. C'est pourquoi cet ouvrage vous encourage de temps en temps à taper des données spécifiques dans telle ou telle cellule. Vous pouvez bien sûr choisir de ne pas tenir compte de ces instructions. Lorsque je vous demande de saisir une formule, ce que vous devez taper apparaît en **gras.** Exemple : Tapez **=somme(A2:B2)** signifie que vous devez exactement taper cela, c'est-à-dire le signe "égal", le mot "somme", la parenthèse ouvrante, les mots "A2:B2" avec le signe "deux-points" entre les deux ensembles chiffre+lettre et la parenthèse fermante. Enfin, cerise sur le gâteau, vous devrez en plus appuyer sur la touche Entrée pour valider cette formule.

Si Excel ne s'adresse pas directement à vous au travers d'une boîte qui apparaît spontanément, il affiche de précieuses informations dans la barre d'état en bas de l'écran. Dans ce livre, ces messages apparaissent sous la forme :

```
= somme(A2:B2)
```

Il m'arrivera de vous demander d'appuyer sur une *combinaison de touches* pour exécuter une action. Elle se présente ainsi : Ctrl+S. Le signe "plus" signifie que vous devez maintenir les touches Ctrl et S enfoncées en même temps puis les relâcher. Ce genre de manipulation exige un peu de doigté...

Quand vous devrez parcourir des menus, je vous demanderai parfois (mais pas trop souvent) d'utiliser les *flèches de commande* qui vous font passer d'un menu à un sous-menu jusqu'à l'option recherchée. Par exemple, si je vous demande d'ouvrir le menu Fichier pour atteindre la commande Ouvrir, je l'écrirai ainsi : choisissez Fichier/Ouvrir.

Les pictogrammes

Les pictogrammes que voici sont fort judicieusement placés dans la marge pour attirer l'attention sur ce qui vaut ou non la peine d'être lu :

 Ce pictogramme vous signale des propos hautement techniques que vous ne voudrez certainement pas lire (sauf si personne ne vous regarde).

 Ce pictogramme signale un raccourci clavier ou toute autre astuce concernant le sujet en cours.

 Ce pictogramme est un pense-bête qui rappelle une information que vous avez sans doute encore en mémoire.

 Ce pictogramme indique ce que vous devez faire pour éviter une catastrophe.

 Enfin, ce pictogramme signale une nouveauté propre à Excel 2003.

Et maintenant, on va où ?

Si vous n'avez jamais touché à un tableur, je vous conseille de commencer par le Chapitre 1, histoire de voir ce qui vous attend. Si vous avez déjà tâté du tableur, mais que vous ne savez rien de la création d'une feuille de calcul avec Excel, plongez-vous dans le Chapitre 2, où vous apprendrez comment entrer des données et des formules. Ensuite, selon les nécessités qui ne manqueront pas de surgir, du genre "comment copier une formule ?" ou "comment imprimer telle partie de la feuille ?", vous vous reporterez au Sommaire ou à l'Index pour trouver l'information que vous recherchez, et par là même la bonne réponse.

Première partie
On se jette à l'eau

Dans cette partie...

Il suffit de jeter un coup d'œil sur Excel 2003 pour voir qu'avec tous les boutons, boîtes, zones, volets et onglets, il y a de quoi faire. Mais ne vous en faites pas. Dans le Chapitre 1, nous examinerons l'écran d'Excel 2003 en détail, et vous comprendrez à quoi sert cette débauche d'icônes, de boutons, de boîtes, de zones et de volets qui vous accompagneront jour après jour.

Ce n'est bien sûr pas tout de s'installer face à l'ordinateur et d'avoir quelqu'un comme moi qui vous explique ce qui se passe à l'écran. Pour exploiter Excel à fond, vous devez apprendre à utiliser tout ce fourbi (les boutons, les boîtes et tout le reste...). C'est là que le Chapitre 2 entre en jeu et vous fournit tous les tuyaux pour entrer efficacement vos données dans la feuille de calcul. A partir de cette humble entrée en matière, le chemin n'est pas très long jusqu'à la maîtrise complète du logiciel.

Chapitre 1

C'est quoi tout ça ?

Le seul fait que des tableurs comme Excel 2003 soient devenus de nos jours aussi courants sur un ordinateur qu'un logiciel de traitement de texte ou un jeu vidéo ne signifie pas pour autant qu'ils sont bien maîtrisés. J'ai rencontré une foule de gens qui étaient très versés dans l'art d'écrire et de mettre en page un texte avec Microsoft Word, mais qui n'avaient aucune idée, ou si peu, de ce qu'ils pourraient faire avec Excel.

Il n'y a pas de quoi en être fier, surtout à l'heure où Office 2003 semble être le seul logiciel que l'on trouve sur une majorité de PC, peut-être parce qu'à eux seuls Windows XP ou 2000 et Office 2003 accaparent tant de place sur le disque dur qu'ils ne laissent plus rien pour les autres logiciels. Si vous faites partie de ces gens qui ont installé Office 2003 sur leur machine mais sont incapables de différencier une feuille de calcul d'une feuille de vigne, vous aurez remarqué qu'Excel 2003 se contente d'occuper de la place sur le disque dur sans se rendre utile. Eh bien, le moment est venu de changer tout ça !

Que diable puis-je faire avec Excel ?

Excel est un remarquable outil d'organisation pour toutes sortes de données, qu'elles soient numériques, textuelles ou autres. Comme ce logiciel a été doté de capacités de calcul intégrées, la plupart des utilisateurs s'en servent quand ils doivent mouliner des données financières ou comptables. Leurs feuilles de calcul se remplissent de chiffres de ventes, de pertes et de profits, de taux de croissance, etc.

Les possibilités de création graphique d'Excel ont aussi contribué à sa réputation. Elles permettent de créer toutes sortes d'histogrammes et autres représentations graphiques à partir des chiffres provenant des feuilles de calcul. Excel sait transformer facilement d'ennuyeuses colonnes de chiffres en jolis graphiques et camemberts multicolores qui agrémenteront vos rapports – écrits sur Word 2003 – ou vos présentations créées avec PowerPoint.

Cependant, même si votre travail ne vous impose pas de créer des feuilles de calcul avec de sautillants calculs financiers et de joyeux graphiques, vous trouverez sans aucun doute mille et une bonnes raisons de vous mettre à Excel. Il vous faudra par exemple conserver des listes de données et d'informations ou créer des tableaux. Excel est un excellent logiciel de gestion de listes (bien que nous préférions parler en l'occurrence de *bases de données*) et un champion pour créer des tableaux. C'est pourquoi vous l'utiliserez chaque fois que vous devrez garder une trace des produits que vous vendez, ou encore un état de votre clientèle ou de votre personnel.

Des lignes et des colonnes...

Je vais vous expliquer ce qui fait la force d'Excel lorsqu'il s'agit de mouliner des calculs financiers au travers de formules sophistiquées ou de structurer des listes et des tableaux. Regardez une feuille de calcul vierge comme celle de la Figure 1.1 : qu'est-ce que vous y voyez ? Des tas de lignes et de colonnes ! L'intersection de ces lignes et de ces colonnes (il en existe des dizaines de milliers dans un seul dossier Excel) définit ce que l'on appelle, dans le jargon des tableurs, des *cellules*. Chaque donnée, qu'il s'agisse d'un nom propre, d'une adresse postale, de chiffres de ventes ou de la date de naissance de la tante Berthe, est placée dans une des cellules de la feuille de calcul que vous concoctez.

Si vous avez l'habitude d'utiliser un traitement de texte, l'idée d'entrer différents types d'informations dans une petite cellule peut vous paraître bizarre. En fait, il vaut mieux penser en terme d'élaboration d'un tableau de données

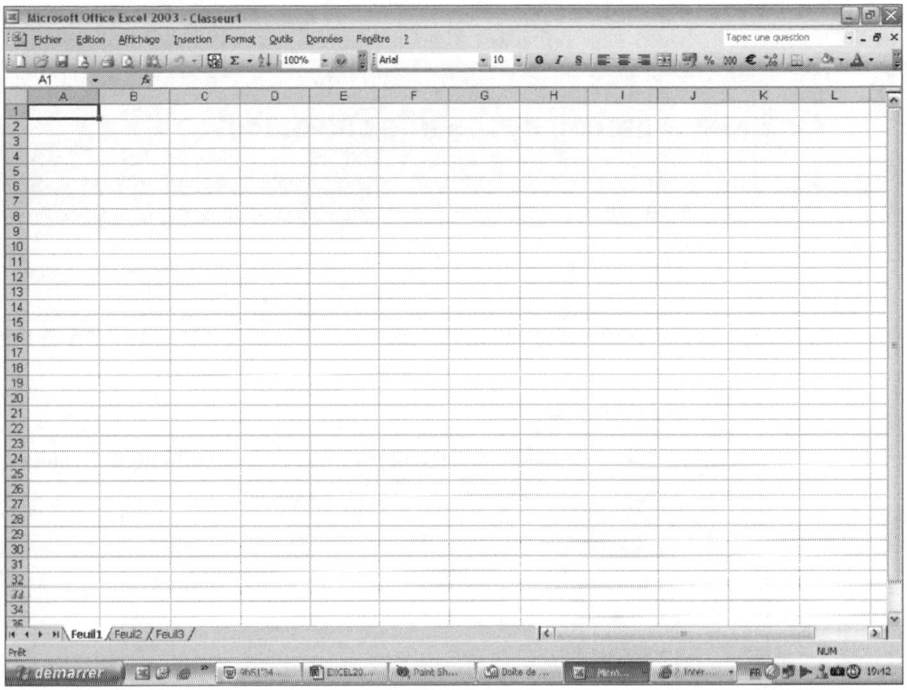

Figure 1.1
Des cellules
toutes pareilles...

plutôt qu'en terme de travail rédactionnel, comme pour une lettre ou un rapport.

Envoyez ça à l'adresse de ma cellule

Comme vous le constatez dans la Figure 1.1, la feuille de calcul d'Excel est bordée sur les côtés supérieur et gauche d'une série de lettres et de numéros qui identifient respectivement les colonnes et les lignes. Ce système de repérage est indispensable, car une feuille de calcul est très étendue ; la Figure 1.1 n'en montre qu'une toute petite partie. Les références d'une cellule identifient son emplacement aussi sûrement qu'une adresse postale et évitent que vous vous égariez dans la feuille.

Comme le montre la Figure 1.2, Excel indique toujours la position de la cellule active – celle que vous utilisez – de trois manières :

✔ Observez la petite fenêtre blanche, au-dessus du coin en haut à gauche de la feuille de calcul, qui contient l'indication G9. Il s'agit de la Zone Nom. Elle se trouve à gauche de la barre de formule. C'est dans la Zone

NOTE TECHNIQUE

Un tableur produit des feuilles de calcul

Un tableur comme Excel 2003 produit des feuilles de calcul et non des feuilles de tableur. Le terme "feuille de tableur" pourrait être accepté, mais il se trouve que personne ne l'utilise.

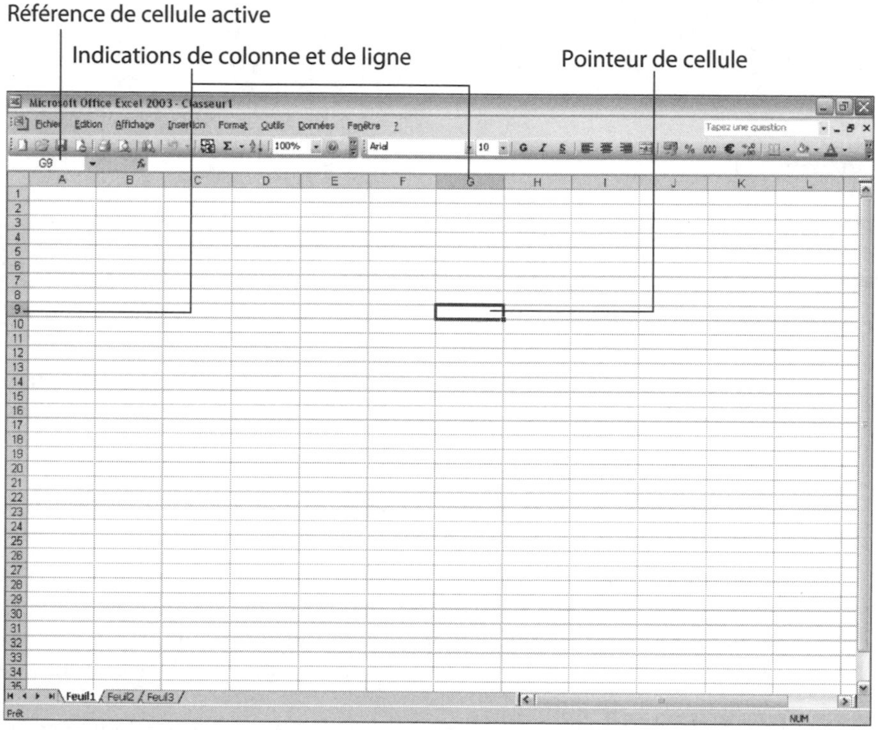

Référence de cellule active

Indications de colonne et de ligne

Pointeur de cellule

Figure 1.2
Excel vous indique où vous êtes dans la feuille de calcul.

Nom qu'Excel indique les références de la cellule active selon la colonne (G) et la ligne (9) ; vous en apprendrez plus sur les références de cellule dans l'encadré "La cellule A1, aussi appelée cellule C1L1", plus loin dans ce chapitre.

✔ Dans la feuille de calcul elle-même, le pointeur de cellule apparaît sous la forme d'une bordure épaisse. Il indique la ou les cellules sélectionnées.

✔ Dans les en-têtes de colonnes et de lignes, celles correspondant à l'emplacement de la cellule active sont plus sombres et d'une couleur dorée.

Vous vous demandez pourquoi Excel se donne tant de mal pour indiquer l'emplacement de la cellule active ? C'est une bonne question, car la réponse est importante :

Dans une feuille de calcul, vous ne pouvez entrer des données que dans la cellule active.

Ne pouvoir entrer des données que dans la cellule active a d'énormes répercussions ; en effet, si vous accordez plus d'attention à ce que vous comptez entrer dans la feuille de calcul qu'à ce qui s'y trouve déjà, vous risquez de remplacer par inadvertance les données déjà présentes. Cela signifie aussi que vous ne pouvez pas éditer une entrée de cellule particulière si cette dernière n'a pas d'abord été sélectionnée pour en faire la cellule active (*NdT* : une *entrée* désigne tout texte, chiffre, formule ou donnée placée dans une cellule. Le contenu d'une cellule est une entrée).

La cellule, base de toute feuille de calcul

La cellule est l'élément fondamental de toute feuille de calcul ; elle est formée par l'intersection d'une ligne et d'une colonne. Un tel arrangement est techniquement appelé *tableau*. Les différentes données qui s'y trouvent sont repérées selon leur ligne et leur colonne. Ces notions vous paraîtront plus claires quand vous aurez lu l'encadré "La cellule A1, aussi appelée cellule C1L1", plus loin dans ce chapitre.

On en arrive à combien de cellules ?

Je n'exagère pas du tout quand j'affirme que chaque feuille de calcul contient des millions de cellules, qui sont toutes susceptibles de recevoir des informations. Une feuille de calcul compte 256 colonnes, dont seulement les 9 à 12 premières (identifiées par les lettres A à I ou L) sont normalement visibles dans une nouvelle feuille, ainsi que 65 536 lignes, dont 15 à 25 sont affichées. La multiplication de 256 par 65 536 donne un total de 16 777 216 cellules par feuille de calcul !

De plus, comme si ce n'était pas suffisant, chaque nouveau classeur que vous créez est doté de trois feuilles de calcul, ce qui donne au bout du compte un total de 50 331 648 cellules. Et si ce n'est pas encore assez (eh oui... toujours plus...), il vous sera toujours possible d'ajouter des feuilles de calcul de 16 777 216 cellules chacune.

Les 26 lettres des 256 colonnes

Pour l'identification des 256 colonnes d'une feuille de calcul, les 26 lettres de notre alphabet s'avèrent nettement insuffisantes. Pour contourner cette limitation, Excel double les lettres, de sorte que la colonne AA suit immédiatement la colonne Z. Suivent ensuite les colonnes AB, AC et ainsi de suite jusqu'à AZ. Puis vous rencontrez les colonnes BA, BB, BC, etc. Selon ce système de doublage des lettres, la 256e et dernière colonne est la colonne IV. Nous y trouvons, tout en bas, la dernière cellule de la feuille de calcul, numérotée IV65536.

La cellule A1, appelée aussi L1C1

Le système de référence de cellule A1 est un reliquat de la lointaine époque de Visi-Calc, l'ancêtre de tous les tableurs. Mais, en plus de ce système, Excel supporte aussi un autre système, encore plus ancien, appelé L1C1. Dans cette convention, les lignes et les colonnes sont numérotées. La cellule A1 est ainsi appelée L1C1 (ligne 1, colonne 1), la cellule B1 étant numérotée R1C2 (ligne 1, colonne 2). Pour activer le système L1C1, choisissez Outils/Options, puis cliquez sur l'onglet Général, cochez la case Style de référence L1C1 et cliquez sur OK.

Ce que vous devez maintenant savoir d'Excel

Rappelez-vous ceci :

✔ Chaque fichier Excel est appelé *classeur*.

✔ Chaque classeur que vous ouvrez contient par défaut trois feuilles de calcul vierges.

Chacune de ces trois feuilles de calcul contient un grand nombre de cellules dans lesquelles vous pouvez entrer des données.

Chacune des cellules de ces trois feuilles de calcul est identifiée par une adresse précise constituée de la ou des lettres de colonne et d'un numéro de ligne.

Ce que vous devez aussi savoir concernant Excel

Vous pourriez être tenté de croire qu'un tableur comme Excel n'est jamais qu'une sorte de traitement de texte avec un quadrillage qui vous oblige à entrer vos informations dans de minuscules petites cellules au lieu de les étaler en pleine page.

Quoi qu'il en soit, Bill Gates ne serait sans doute pas devenu multimilliardaire en fourguant des pseudo-traitements de texte (les utilisateurs de Microsoft Word sont invités à ne pas faire de commentaires impertinents). La grande différence entre la cellule d'un tableur et une page d'un traitement de texte est que les cellules permettent d'effectuer des calculs extrêmement sophistiqués qui s'ajoutent aux capacités de traitement de texte et de mise en page. Cette puissance de calcul découle des formules que vous créez dans les différentes cellules de la feuille de calcul.

On passe aux choses sérieuses

Si Windows XP ou 2000 vous sont familiers, vous ne serez pas étonné d'apprendre qu'il existe mille et une manières de démarrer et d'utiliser le logiciel une fois qu'il a été installé sur le disque dur. Bon, disons une demi-douzaine de manières, mais je les aborderai toutes... Bref, il vous suffit de savoir pour le moment que le démarrage d'Excel exige que Windows XP ou 2000 ait été installé dans votre ordinateur. Il vous suffira ensuite simplement d'allumer la machine et d'appliquer l'une des méthodes qui suivent pour démarrer Excel 2003.

Encore des questions de taille

Si vous deviez imprimer l'intégralité d'une feuille de calcul, il vous faudrait un feuillet d'environ 6,40 m de large sur 416 m de haut. Sur un écran de 14 pouces de diagonale, vous ne voyez pas plus de 10 à 12 colonnes complètes et 20 à 25 lignes. Si ces colonnes font environ 2,5 cm de large et 8 mm de haut, une dizaine de colonnes représentent moins de 4 % de la largeur totale de la feuille de calcul tandis que les 20 lignes ne représentent que 0,03 % de la hauteur totale. Cela donne une idée de l'étroitesse de la partie visible à l'écran, ainsi que de la surface totale de la feuille de calcul.

- ✔ Toutes les informations que contient une feuille de calcul sont stockées dans chacune des cellules du classeur. Vous ne pouvez toutefois entrer des données que dans la cellule courante (c'est-à-dire celle sélectionnée par le pointeur).

- ✔ Excel indique quelle cellule, parmi les 16 millions qu'elle contient, est la cellule courante (active). Son emplacement est affiché dans la Zone Nom, à côté de la barre de formule (reportez-vous à la Figure 1.2).

- ✔ Le système de référencement des cellules d'une feuille de calcul – le système de référence A1 – identifie la colonne par une lettre et la ligne par un numéro.

Contrairement à un tableau sur papier, qui ne contient que des valeurs calculées une fois pour toutes par ailleurs, une feuille de calcul électronique stocke à la fois les formules et les valeurs produites par ces formules. Mieux, les formules peuvent utiliser des valeurs stockées dans d'autres cellules de la feuille de calcul et, comme je l'explique dans le Chapitre 2, Excel met automatiquement la feuille de calcul à jour chaque fois que vous en modifiez les valeurs.

La puissance de calcul d'Excel associée à ses capacités d'édition et de mise en forme font de ce logiciel l'outil idéal pour créer n'importe quel type de document contenant à la fois du texte et des chiffres qui doivent sans cesse être recalculés. Comme les formules peuvent être dynamiques – c'est-à-dire que des valeurs référencées contenues dans d'autres cellules du classeur sont automatiquement mises à jour –, vous apprécierez d'avoir toujours sous les yeux des chiffres à jour et corrects.

Lancer Excel 2003 depuis le menu Démarrer

Le moyen le plus courant de lancer Excel est de le sélectionner dans le menu Démarrer de Windows, comme n'importe quel programme. Pour ce faire, procédez comme suit :

1. **Dans la barre des tâches, cliquez sur le bouton Démarrer afin d'accéder au menu contextuel.**

2. **Mettez l'option Tous les programmes en surbrillance.**

3. **Dans le menu Programmes, mettez l'option Microsoft Office en surbrillance, puis cliquez sur Microsoft Office Excel 2003.**

Le chargement d'Excel commence. Une page d'accueil s'affiche brièvement puis, dès la fin du chargement, un écran semblable à celui de la Figure 1.4 apparaît. Il montre un nouveau classeur que vous pouvez commencer à utiliser.

Une fois que vous avez lancé Excel à partir du sous-menu Tous les programmes, Windows ajoute Microsoft Office Excel 2003 dans le volet de gauche du menu Démarrer. La prochaine fois, il vous suffira donc de cliquer sur le bouton Démarrer de la barre des tâches Windows, puis sur l'option Microsoft Office Excel 2003 figurant sur la partie gauche du menu Démarrer pour lancer votre tableur favori.

Lancer Excel 2003 à l'aide d'un raccourci

Si, comme moi, vous utilisez sans arrêt Excel, vous souhaiterez sans doute éviter de le lancer à chaque fois à partir du menu Démarrer. Bonne nouvelle, vous avez la possibilité de créer un raccourci sur le Bureau : un simple double clic sur cette icône démarre Excel. Mais, si cette solution vous pose problème, vous pouvez toujours ajouter ce raccourci sur la barre d'outils Lancement rapide. Il vous suffira alors d'effectuer un simple clic sur le bouton Excel pour démarrer le programme.

Pour créer le raccourci Excel, procédez comme suit :

1. **Cliquez sur le bouton Démarrer de la barre des tâches Windows.**

   Le menu Démarrer s'ouvre.

2. **Cliquez sur Rechercher, dans la partie inférieure droite du menu Démarrer.**

La boîte de dialogue Résultats de la recherche apparaît.

3. **Cliquez sur le lien Tous les fichiers et tous les dossiers.**

   Le volet de l'Assistant Recherche apparaît dans la partie gauche de la boîte de dialogue Résultats de la recherche.

4. **Tapez excel.exe dans la zone de texte Une partie ou l'ensemble du nom de fichier.**

   Excel.exe est le nom du fichier exécutable qui lance Excel. Une fois que vous l'avez trouvé sur votre disque dur, vous pouvez créer son raccourci.

5. **Cliquez sur le bouton Rechercher.**

   Windows cherche le fichier sur votre disque dur. Une fois localisé, il apparaît dans la partie droite de la boîte de dialogue Résultats de la recherche. Vous pouvez alors cliquer sur le bouton Arrêter situé dans le volet de gauche.

6. **Cliquez avec le bouton droit de la souris sur le fichier excel.exe, mettez en surbrillance l'option Envoyer vers du menu contextuel, puis cliquez sur Bureau (créer un raccourci) dans le sous-menu.**

   Un raccourci intitulé Raccourci vers EXCEL apparaît sur votre Bureau.

7. **Cliquez sur le bouton Fermer, dans le coin supérieur droit de la boîte de dialogue Résultats de la recherche.**

   Une fois la boîte de dialogue Résultats de la recherche refermée, vous pouvez constater que l'icône Raccourci vers EXCEL repose sur votre Bureau. Vous pouvez la renommer en utilisant un nom plus sympa.

8. **Cliquez avec le bouton droit de la souris sur l'icône Raccourci vers EXCEL, puis, dans le menu contextuel qui surgit, cliquez sur Renommer.**

9. **Remplacez le nom actuel par celui de votre cru, Excel 2003, par exemple, puis cliquez n'importe où sur le Bureau.**

Désormais, vous pouvez lancer Excel en cliquant sur le raccourci que vous venez de créer.

TRUC

Pour démarrer Excel en cliquant sur un seul bouton, glissez l'icône de votre raccourci vers la barre d'outils Lancement rapide, au début de la barre d'outils

Windows, juste à droite du bouton Démarrer. Lorsque vous placez l'icône au-dessus de la barre d'outils, Windows indique, en dessinant une barre verticale noire entre les boutons existants (le cas échant), l'endroit où le nouveau bouton Excel apparaîtra. Dès que vous relâchez le bouton de la souris, Windows ajoute un bouton Excel 2003 sur la barre d'outils Lancement rapide. Un seul clic vous permet désormais de démarrer Excel.

La Figure 1.3 représente mon Bureau après la création du raccourci Excel 2003 et son ajout à la barre d'outils Lancement rapide. Vous avez désormais le choix entre utiliser le raccourci du Bureau (via un double clic) ou le bouton Excel 2003 de la barre d'outils Lancement rapide (via un simple clic).

Raccourci Excel 2003 sur le Bureau

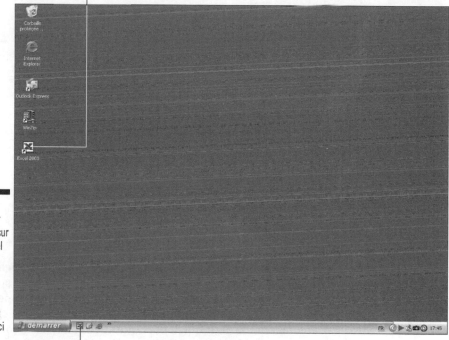

Figure 1.3
Pour démarrer Excel, cliquez sur lc bouton Excel de la barre d'outils Lancement rapide ou double-cliquez sur le raccourci du bureau.

Bouton Excel 2003 de la barre d'outils Lancement rapide

Balader la souris

Bien que la plupart des fonctionnalités d'Excel soient accessibles au clavier, la souris s'avère souvent la plus efficace pour sélectionner une commande ou exécuter telle ou telle procédure. Aussi, si vous comptez utiliser fréquemment Excel, avez-vous intérêt à vous familiariser avec les différents usages de la souris.

La souris en action

Un logiciel sous Windows comme Excel se base sur quatre actions élémentaires pour sélectionner et manipuler les différents objets du logiciel et les fenêtres du classeur :

- **Cliquez sur un objet pour le sélectionner :** Amenez le pointeur de la souris et appuyez très brièvement sur le bouton principal (celui de gauche à moins que, gaucher, vous ayez permuté les boutons de la souris).

- **Cliquez sur un objet avec le bouton droit de la souris pour afficher son menu contextuel :** Amenez le pointeur quelque part et appuyez brièvement sur le bouton droit de la souris (à moins que, gaucher, vous ayez quelque peu permuté les boutons).

- **Double-cliquez sur un objet pour l'ouvrir :** Amenez le pointeur de la souris sur un élément et appuyez deux fois sur le bouton, à intervalles très brefs (*NdT* : car "double-cliquer" n'est pas l'équivalent de "cliquer deux fois", c'est-à-dire une fois, et encore une fois).

- **Faites glisser un objet pour le déplacer ou le copier :** Amenez le pointeur sur un objet puis, le bouton gauche de la souris enfoncé, tirez cet objet dans la direction de votre choix. Une fois qu'il se trouve à l'emplacement désiré, relâchez le bouton pour déposer l'objet.

Quand vous cliquez sur un objet pour le sélectionner, vous devez veiller qu'au moment de cliquer l'extrémité du pointeur de la souris soit placée sur l'objet que vous désirez sélectionner. Pour éviter tout déplacement intempestif au moment du clic, maintenez fermement la souris entre votre pouce – placé sur un côté – et l'annulaire et le petit doigt, et cliquez avec l'index. Si vous n'avez pas assez d'espace pour déplacer la souris, levez-la et repositionnez-la ailleurs (ce qui n'entraîne aucun déplacement du pointeur).

Les formes du pointeur de la souris

Dans Excel, la forme du pointeur de la souris ne cesse de changer. Elle varie selon l'endroit où vous l'amenez, et par conséquent la fonction qu'elle assure.

Le Tableau 1.1 montre les diverses apparences du pointeur de la souris, accompagnées d'une brève description.

NOTE TECHNIQUE

Quand un simple clic en vaut un double

Rappelez-vous que Windows XP ou Me vous permettent de modifier, depuis l'onglet Général de la boîte de dialogue Options (Outils/Options des dossiers dans Mes documents ou Poste de travail par exemple), la manière d'ouvrir une icône sur le Bureau de Windows. Si l'option Ouvrir les éléments par simple clic (sélection par pointage) est cochée, les logiciels comme Excel 2003 ainsi que leurs dossiers et fichiers s'ouvrent sur le Bureau, dans l'Explorateur Windows ou dans la fenêtre Poste de travail, en cliquant une seule fois sur leur icône. Si vous avez configuré l'ordinateur de cette manière, l'époque du double clic est révolue.

Tableau 1.1 : Les formes du pointeur de la souris dans Excel.

Icône	Apparition et fonction
✛	Cette épaisse croix blanche apparaît lorsque le pointeur de la souris survole les cellules de la feuille de calcul courante. Elle sert à sélectionner les cellules avec lesquelles vous comptez travailler ; ces dernières sont entourées d'une bordure après avoir été sélectionnées.
↖	Cette flèche apparaît lorsque le pointeur survole la barre d'outils ou la barre de menus d'Excel, ou lorsqu'il se trouve sur la bordure d'une plage de cellules sélectionnées. Elle sert à choisir des commandes Excel ou à déplacer ou copier les cellules sélectionnées par une action de type glisser-déposer.
I	La barre d'insertion apparaît lorsque vous cliquez dans la Zone Nom ou dans la barre de formule, lorsque vous double-cliquez dans une cellule ou quand vous appuyez sur la touche de fonction F2 pour modifier le contenu d'une cellule. Ce type de pointeur sert aussi à indiquer l'endroit où vous effectuerez une modification, que ce soit dans une cellule ou dans la barre de formule.

Tableau 1.1 : Les formes du pointeur de la souris dans Excel. (*suite*)

Icône	Apparition et fonction
+	Cette croix noire n'apparaît qu'au moment où vous placez le pointeur dans le coin en bas à droite de la cellule sélectionnée. Elle sert à copier automatiquement le contenu d'une cellule dans des cellules adjacentes, avec ou sans incrémentation.
↔	Cette barre à double flèche apparaît lorsque le pointeur se trouve au bord d'un objet susceptible d'être redimensionné. Elle sert notamment à modifier la largeur ou la hauteur d'une colonne ou d'une ligne, ou d'une zone de texte.
⇳	La barre de fractionnement apparaît lorsque le pointeur est placé au-dessus d'un curseur de fractionnement horizontal ou vertical (voir Chapitre 6). Elle sert à diviser la fenêtre du classeur en deux volets ou à réduire ou augmenter la taille des barres de défilement.
✛	Ce pointeur à quatre flèches apparaît lorsque vous choisissez la commande Déplacer, sous le menu Commandes (*NdT*: ouvert en cliquant sur l'icône d'Excel, dans la barre de titre), ou quand vous appuyez sur les touches Ctrl+F7 alors que la fenêtre du classeur n'est pas à sa taille maximale. Il sert à déplacer le classeur dans la zone comprise entre la barre de formule et la barre d'état.

Ne confondez pas *pointeur de la souris* avec *pointeur de cellule*. Le *pointeur de la souris* change de forme selon l'endroit où il se trouve. Le *pointeur de cellule* est le liseré qui entoure la ou les cellules sélectionnées. Le pointeur de la souris réagit au moindre mouvement de la souris sur son tapis ; il est de plus indépendant du pointeur de cellule. Ce dernier est positionné en amenant l'épais pointeur en forme de croix au-dessus de la cellule à sélectionner et en appuyant ensuite sur le bouton principal de la souris.

Que faire de tous ces boutons ?

La Figure 1.4 montre les différentes parties d'une fenêtre Excel telle qu'elle apparaît lorsque vous démarrez le tableur pour la première fois (c'est-à-dire sans avoir préalablement ouvert une feuille de calcul existante). Comme vous le constatez, cette fenêtre est remplie d'éléments ô combien utiles, même si elle vous paraît de prime abord assez compliquée.

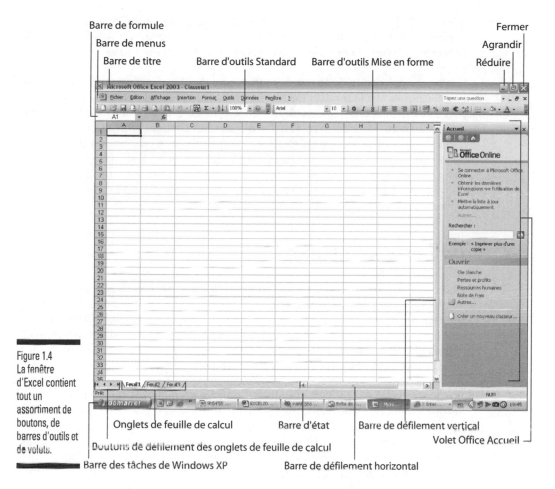

Barre de formule

Barre de menus

Barre de titre

Barre d'outils Standard

Barre d'outils Mise en forme

Fermer

Agrandir

Réduire

Figure 1.4
La fenêtre
d'Excel contient
tout un
assortiment de
boutons, de
barres d'outils et
de volets.

Onglets de feuille de calcul

Barre d'état

Barre de défilement vertical

Volet Office Accueil

Boutons de défilement des onglets de feuille de calcul

Barre des tâches de Windows XP

Barre de défilement horizontal

Un coup d'œil sur la barre de titre

La première barre d'Excel est appelée *barre de titre*, car elle affiche le nom du
logiciel présent dans la fenêtre, Microsoft Excel en l'occurrence. Lorsque la
fenêtre du classeur est agrandie au maximum, comme c'est le cas dans la
Figure 1.4, le nom du classeur suit le nom du logiciel, comme dans cet
exemple :

```
Microsoft Office Excel 2003 Classeur1
```

A gauche du nom du logiciel et du fichier, vous apercevez l'icône d'Excel (un L
en italique, barré pour former un X). Cliquer sur cette icône fait apparaître le
menu Commandes avec toutes les options permettant de redimensionner ou

déplacer la fenêtre d'Excel. Si vous choisissez la commande Fermer (le bouton avec un X, à droite de la barre de titre) ou si vous appuyez sur Alt+F4, qui est le raccourci clavier, vous quittez Excel et retournez dans le Bureau de Windows.

Les boutons à droite de la barre de titre sont des boutons de redimensionnement. Cliquer sur le bouton Réduire (celui avec un signe de soulignement) place Excel dans la barre des tâches de Windows. Cliquer sur le bouton Niveau inférieur (celui avec deux rectangles qui se chevauchent) réduit la taille d'Excel. Le bouton Niveau inférieur est remplacé par le bouton Agrandir, reconnaissable à son unique rectangle. Il sert à rétablir Excel à sa taille maximale dans l'écran. Si vous cliquez sur le bouton Fermer (celui avec un X), vous quittez Excel, exactement comme si vous aviez choisi Fermer dans le menu Commandes ou appuyé sur Alt+F4.

La barre de menus

La deuxième barre de la fenêtre d'Excel est la *barre de menus*. Elle contient des menus déroulants dont le premier est nommé Fichier et le dernier, indiqué seulement par un point d'interrogation, Aide. Ils servent à sélectionner les commandes d'Excel dont vous aurez besoin pour créer ou modifier vos feuilles de calcul (reportez-vous à la section "Commander directement le menu", pour en savoir plus sur la sélection des commandes).

Une icône Excel se trouve à gauche de la barre de menus. Cliquer dessus déroule un menu Commandes presque identique à celui de la barre de titre ; il contient diverses commandes de redimensionnement et de déplacement de la fenêtre du classeur Excel. Choisissez la commande Fermer (ou appuyez sur les touches de raccourci Ctrl+W ou Ctrl+F4) pour fermer le classeur d'Excel courant, mais sans quitter Excel.

A droite des menus, se trouve une zone de texte contenant le texte "Tapez une question". Vous pouvez l'utiliser pour poser n'importe quelle question sur Excel 2003 et accéder aux rubriques d'aide correspondantes. Elles sont affichées sous la zone de texte ; cliquer sur l'une de ces rubriques ouvre automatiquement l'aide d'Excel (pour en savoir plus, reportez-vous à la section "Les appels à l'aide", plus loin dans ce chapitre).

Les boutons de redimensionnement à droite de la barre de menus opèrent pour le classeur courant de la même manière que pour le logiciel Excel. Cliquez sur le bouton Réduire et la fenêtre du classeur se ratatine sous la forme d'une petite barre de titre, tout en bas de la fenêtre d'Excel. Cliquez sur le bouton Niveau inférieur, la fenêtre active réduit sa taille. L'icône de classeur, le nom du fichier et les boutons de redimensionnement restent visibles sur cette fenêtre de classeur quelque peu réduite ; le bouton Niveau inférieur est alors remplacé par un bouton Agrandir, que vous pouvez utiliser pour rétablir la fenêtre à sa taille maximale. Si vous cliquez sur le bouton Fermer (celui avec un X), vous fermez le fichier du classeur courant, tout comme si vous aviez choisi Fermer dans le menu Commandes ou appuyé sur Ctrl+W ou sur Ctrl+F4.

Pour chaque classeur que vous ouvrez, Excel 2003 ajoute automatiquement un bouton dans la barre des tâches de Windows. Cette nouvelle fonctionnalité fort commode permet de passer rapidement d'un classeur à un autre. Lorsque vous réduisez Excel dans la barre des tâches, un bouton comportant le nom du classeur courant est placé dans la barre des tâches.

Examen des barres d'outils Standard et Mise en forme

La troisième barre d'Excel 2003 est en fait la juxtaposition des deux barres d'outils les plus connues, Standard et Mise en forme. Elles contiennent les boutons (appelés aussi *outils*) utilisés pour effectuer les tâches les plus communes dans Excel. Les outils de la barre Standard servent essentiellement à effectuer des opérations élémentaires sur les fichiers comme la création, l'enregistrement, l'ouverture ou l'impression des classeurs. Les outils de la barre Mise en forme servent à modifier l'apparence des données, en sélectionnant notamment une nouvelle police, en modifiant sa taille et en appliquant des enrichissements tels que le **gras,** le soulignement ou l'*italique* aux chiffres et aux textes.

Pour savoir à quoi servent les différents outils de ces deux barres (et des autres), immobilisez simplement le pointeur de la souris au-dessus de l'un d'eux jusqu'à ce qu'une petite étiquette (appelée *info-bulle*) apparaisse sous la flèche. Pour qu'Excel exécute la commande associée à un outil, cliquez simplement sur son bouton.

Du fait que les barres d'outils Standard et Mise en forme contiennent chacune un grand nombre de boutons, il est impossible de les afficher tous sur une seule et même rangée. Aussi, chacune de ces barres affiche-t-elle un bouton Options de barre d'outils, matérialisé par une petite flèche pointée vers le bas, surmontée d'un double chevron de continuation (>>). La seule présence de ce symbole vous indique que la barre est tronquée et que tous ses boutons ne sont pas affichés.

Lorsque vous cliquez sur le bouton Options de barre d'outils, Excel affiche une palette contenant les boutons non affichés dans la barre d'outils. Deux commandes se trouvent en bas de cette palette :

✔ **Afficher les boutons sur deux lignes.** Les barres Standard et Mise en forme sont affichées chacune sur des rangées séparées.

✔ **Ajouter/supprimer des boutons.** Cette commande est accompagnée d'un menu déroulant qui permet de personnaliser la présence des boutons sur la barre d'outils Standard ou Mise en forme.

Empilez-moi ça !

Si vous préférez avoir un accès immédiat à *tous* les boutons des barres d'outils Standard et Mise en forme, et à *tout* moment, il vous suffit d'empiler les deux barres l'une sur l'autre plutôt que de les juxtaposer, comme ce fut le cas jusqu'à présent. Pour ce faire, cliquez avec le bouton droit de la souris dans l'une des barres d'outils puis, tout en bas du menu contextuel qui apparaît, choisissez l'option Personnaliser. Dans la boîte de dialogue qui s'ouvre, cochez la case Afficher les barres d'outils Standard et Mise en forme sur deux lignes. Vous n'aurez désormais plus jamais besoin du bouton Options de barre d'outils.

Lorsque vous sélectionnez l'option Ajouter/Supprimer des boutons, dans les Options de barre d'outils, Excel affiche un sous-menu dans lequel vous sélectionnez la barre d'outils Standard ou Mise en forme. Un autre menu présente alors tous les boutons associés à la barre choisie. Les cases de tous les boutons actuellement affichés sont cochées. Pour ajouter des boutons, il suffit de cocher leurs cases. Pour supprimer temporairement des boutons, cliquez dans une case afin d'en ôter la coche. Nous reviendrons dans le Chapitre 12 sur la personnalisation des boutons des différentes barres d'outils d'Excel.

Le Tableau 1.2 indique les noms et les fonctions de chacun des outils de la barre Standard d'Excel 2003. Le Tableau 1.3 contient ceux de la barre d'outils Mise en forme. Ne vous laissez pas impressionner par cette liste, car, au fur et à mesure que vous utiliserez Excel, vous finirez par bien les connaître.

Fureter dans la barre de formule

La barre de formule indique l'adresse d'une cellule et affiche son contenu. Elle est divisée en trois parties :

Tableau 1.2 : Les outils de la barre Standard.

Bouton	Outil	Fonction
	Nouveau	Ouvre un nouveau classeur avec trois feuilles de calcul vierges.
	Ouvrir	Sert à ouvrir un classeur Excel existant.
	Enregistrer	Enregistre les modifications dans le classeur courant.
	Permission	Indique le type d'accès accordé pour le classeur actif et permet de définir ou modifier ces permissions.
	Message électronique	Ouvre l'en-tête d'un message électronique afin d'envoyer la feuille de calcul à quelqu'un via l'Internet.
	Bibliothèque de recherche	Ouvre dans la partie droite d'Excel le volet Office Rechercher permettant de localiser en ligne une donnée particulière. Pour ce faire, entrez votre requête dans la zone de texte Rechercher.
	Imprimer	Imprime le classeur.
	Aperçu avant impression	Visualise l'apparence de la feuille de calcul une fois qu'elle sera imprimée.
	Orthographe	Vérifie l'orthographe du texte de la feuille de calcul.
	Couper	Supprime la sélection courante, dans la feuille de calcul, et la place dans le Presse-papiers en prévision d'un collage.
	Copier	Copie la sélection courante dans le Presse-papiers.
	Coller	Colle le contenu du Presse-papiers dans la feuille de calcul.
	Reproduire la mise en forme	Applique le format de la cellule courante à la sélection de cellule que vous choisissez.

Tableau 1.2 : Les outils de la barre Standard. (*suite*)

Bouton	Outil	Fonction
	Annuler	Annule la ou les dernières actions.
	Rétablir	Répète les dernières actions.
	Insérer un lien hypertexte	Permet de placer un lien hypertexte pointant vers un autre fichier, une adresse Internet (URL) ou un endroit spécifique dans un autre document (reportez-vous au Chapitre 10 pour en savoir plus sur les liens hypertextes).
Σ	Somme automatique	Additionne, effectue la moyenne, compte ou trouve les valeurs minimale et maximale d'une sélection de cellules. Permet aussi de choisir d'autres fonctions d'Excel.
	Conversion en euros	Remplace le signe monétaire d'un chiffre par le signe monétaire de l'euro (€). Si le format de la cellule est de type Comptabilité, cliquer sur ce bouton affiche un convertisseur francs/euros.
	Tri croissant	Trie les données d'une sélection de cellules dans l'ordre alphabétique et/ou numérique, selon le type des données.
	Tri décroissant	Trie les données d'une sélection de cellules dans l'ordre alphabétique et/ou numérique inverse, selon le type des données.
	Assistant Graphique	Vous assiste dans toutes les étapes de la création d'un graphique à partir des données de la feuille de calcul courante.
	Dessin	Affiche ou masque la barre d'outils Dessin. Comme nous le verrons dans le Chapitre 8, elle contient de quoi tracer diverses sortes de flèches et de formes géométriques.
100%	Zoom	Agrandit ou réduit l'affichage de la feuille de calcul.

Tableau 1.2 : Les outils de la barre Standard. (*suite*)

Bouton	Outil	Fonction
	Aide sur Microsoft Excel	Affiche, dans la partie droite du tableur, la fenêtre de l'aide en ligne dans laquelle vous pouvez poser une question concernant l'utilisation d'Excel (reportez-vous à la section "Appel à l'aide", plus loin dans ce chapitre, pour en savoir plus).
	Options de barre d'outils	Cliquer sur cet outil fait apparaître un menu déroulant permettant d'afficher les barres Standard et Mise en forme sur deux rangées (si ce n'est pas déjà le cas) ou sur une rangée (si elles sont superposées). Il est aussi possible de configurer l'affichage ou non de tel ou tel bouton. Si la barre d'outils est tronquée (signalée par le symbole de continuation >>), une palette montre tous les outils qui ne sont actuellement pas visibles.

Tableau 1.3 : Les outils de la barre Mise en forme.

Bouton	Outil	Fonction
Arial	Police	Applique une nouvelle police aux données figurant dans les cellules sélectionnées.
10	Taille de police	Applique une nouvelle taille à la police des données figurant dans les cellules sélectionnées.
G	Gras	Met en gras ou supprime le gras des données des cellules sélectionnées.
I	Italique	Met en italique ou supprime l'italique des données des cellules sélectionnées.
S	Souligné	Souligne ou supprime le soulignement des données des cellules sélectionnées (mais ne souligne pas la ou les cellules).
	Aligné à gauche	Cale les données des cellules sélectionnées à gauche.

Tableau 1.3 : **Les outils de la barre Mise en forme. (*suite*)**

Bouton	Outil	Fonction
	Au centre	Centre le contenu des cellules sélectionnées.
	Aligné à droite	Cale les données des cellules sélectionnées à droite.
	Fusionner et centrer	Transforme plusieurs cellules contiguës en une seule et centre les données qui s'y trouvent.
	Monétaire	Applique le format monétaire aux chiffres figurant dans la ou les cellules sélectionnées, avec séparation des milliers, deux décimales et le symbole monétaire.
	Euro	Affiche un convertisseur de devises en euros, applicable aux cellules sélectionnées.
	Style de pourcentage	Applique un format de pourcentage à la ou aux cellules sélectionnées. Les valeurs sont multipliées par 100 et affichées avec le signe %, sans décimales.
	Séparateur de milliers	Segmente un chiffre par milliers, affiche une virgule ainsi que deux décimales.
	Ajouter une décimale	Ajoute une décimale à la ou aux cellules sélectionnées chaque fois que vous cliquez sur cet outil. L'effet est inversé lorsque vous maintenez la touche Maj enfoncée pendant le clic.
	Réduire les décimales	Supprime une décimale à la ou aux cellules sélectionnées chaque fois que vous cliquez sur cet outil. L'effet est inversé lorsque vous maintenez la touche Maj enfoncée pendant le clic.
	Diminuer le retrait	Diminue le retrait, vers la gauche dans la cellule courante, d'une largeur de caractère de la police standard.
	Augmenter le retrait	Augmente le retrait, vers la droite dans la cellule courante, d'une largeur de caractère de la police standard.

Tableau 1.3 : Les outils de la barre Mise en forme. (*suite*)

Bouton	Outil	Fonction
	Bordure	Applique aux cellules sélectionnées la bordure sélectionnée dans la palette déroulante associée à cet outil.
	Couleur de remplissage	Permet de choisir dans une palette la couleur de fond des cellules sélectionnées, de l'appliquer et de la mémoriser.
	Couleur de police	Permet de choisir dans une palette la couleur des données contenues dans les cellules sélectionnées, de l'appliquer et de la mémoriser.
	Options de barre d'outils	Cliquer sur cet outil fait apparaître un menu déroulant permettant d'afficher les barres Standard et Mise en forme sur deux rangées (si ce n'est pas déjà le cas) ou sur une rangée (si elles sont superposées). Il est aussi possible de configurer l'affichage ou non de tel ou tel bouton. Si la barre d'outils est tronquée (signalée par le symbole de continuation >>), une palette montre tous les outils qui ne sont actuellement pas visibles.

✔ **La Zone Nom.** La partie la plus à gauche contient l'adresse de la cellule courante.

✔ **Les boutons de la barre de formule.** La deuxième partie de la barre, en grisé, contient le bouton qui déploie le menu déroulant de la Zone Nom ainsi qu'un bouton d'insertion de formule marqué *fx*.

✔ **Le contenu de la cellule.** Cette troisième zone s'étend jusqu'au bord droit du tableur.

Si la cellule courante est vide, cette troisième partie de la barre de formule est vierge. Dès que vous commencez à entrer des données dans la feuille de calcul ou à taper une formule, les deuxième et troisième parties de la barre de formule prennent vie. Dès la saisie d'un premier caractère, les boutons Annuler et Entrer apparaissent dans la zone en grisé, entre le bouton de la Zone Nom – qui se transforme automatiquement en bouton listant les fonctions, chaque fois que vous entrez une formule – et le bouton Insérer une fonction (voir Figure 1.5). Nous reviendrons sur tous ces boutons dans le Chapitre 2.

ATTENTION !

Barres d'outils et chaises musicales !

Ne vous habituez pas trop à l'arrangement de boutons que vous découvrirez la première fois lorsque vous utiliserez les barres d'outils Standard et Mise en forme. Excel 2003 a en effet été doté d'une fonction qui place automatiquement dans la barre d'outils le bouton que vous avez utilisé en dernier. Par exemple, si vous avez utilisé un bouton de la palette des options de barre d'outils, ce dernier est aussitôt inséré dans la partie visible de la barre d'outils ; Excel 2003 évince par la même occasion l'un des boutons inutilisés situés à proximité de la partie invisible de la barre. Il en résulte un effet de chaises musicales qui fait apparaître et disparaître des boutons sans que vous puissiez connaître à l'avance ceux qui seront affichés (ou qui ne le seront pas).

Excel 2003 ne propose, hélas ! aucune option permettant de figer la position des boutons une fois pour toutes. Il est cependant possible de restaurer la disposition d'origine des boutons dans les barres d'outils – et aussi les commandes des menus – en cliquant avec le bouton droit de la souris dans une barre d'outils et en choisissant, dans le menu, l'option Personnaliser. Dans la boîte de dialogue qui s'ouvre, cliquez sur l'onglet Options puis sur le bouton Rétablir les données d'utilisation des menus et des barres d'outils. Excel affiche une boîte d'alerte indiquant que l'historique des dernières commandes utilisées sera supprimé. Cliquez sur le bouton Oui ; les boutons des barres d'outils ainsi que les commandes des menus retrouvent leur disposition d'origine.

Juste après le bouton Insérer une fonction, vous apercevez les caractères que vous êtes en train de taper dans la cellule de la feuille de calcul. Lorsque vous avez terminé de taper – ce que vous signalez en cliquant sur la touche Entrée –, Excel affiche les données ou la formule dans la barre de formule tandis que les boutons Annuler et Entrer disparaissent. Le contenu d'une cellule apparaît toujours dans la barre de formule chaque fois que vous sélectionnez cette cellule avec le pointeur.

La fenêtre d'un classeur

Lorsque vous démarrez le logiciel – autrement qu'en ayant double-cliqué sur l'icône d'un fichier Excel –, un classeur Excel vierge est ouvert dans la fenêtre située juste sous la barre de formule, en même temps qu'à droite, le volet Office. Comme vous le constatez dans la Figure 1.6, lorsque vous cliquez sur le bouton Restaurer la fenêtre, le classeur occupe toute la place disponible à

Bouton Zone Nom ou Liste des fonctions
Bouton Annuler
Zone Nom | Bouton Entrer   Bouton Insérer une fonction

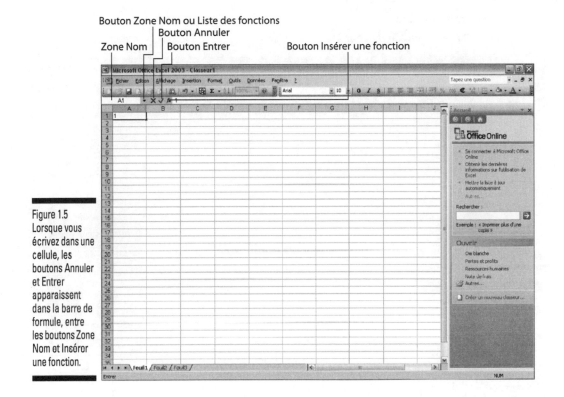

Figure 1.5
Lorsque vous
écrivez dans une
cellule, les
boutons Annuler
et Entrer
apparaissent
dans la barre de
formule, entre
les boutons Zone
Nom et Insérer
une fonction.

gauche du volet. La barre de titre du classeur contient un nom de fichier provisoire, comme Classeur1 ou, si vous en ouvrez un autre, Classeur2, et ainsi de
suite.

Des boutons de défilement des onglets de feuille de calcul se trouvent en bas
de la fenêtre du classeur. Ils précèdent les onglets qui activent les diverses
feuilles de calcul du classeur (rappelez-vous que, par défaut, tout nouveau
classeur comporte trois feuilles de calcul). Vous trouvez ensuite la barre de
défilement horizontal qui permet d'accéder aux diverses colonnes. A droite de
la fenêtre du classeur, une barre de défilement vertical donne accès aux lignes
de la feuille de calcul, dont seul un faible pourcentage est affiché. Au point de
rencontre des barres de défilement horizontal et vertical, en bas à droite, une
zone de redimensionnement permet de modifier manuellement les dimensions
d'une fenêtre lorsqu'elle n'est pas agrandie au maximum.

Dès que vous avez démarré Excel, vous pouvez aussitôt commencer à
travailler dans la feuille de calcul Feuil1 du classeur Classeur1 qui apparaît en
mode agrandi. Si vous désirez séparer la barre de titre et le menu Commandes

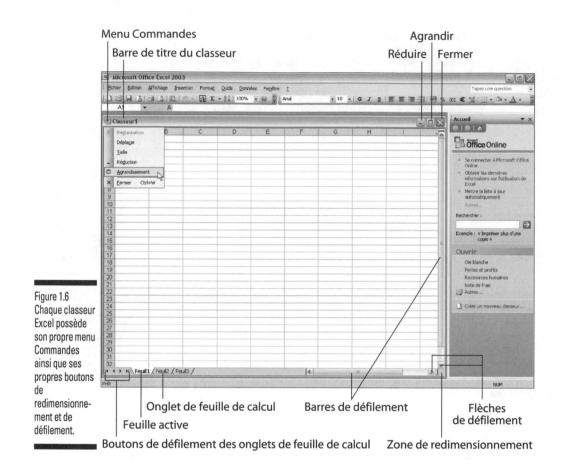

Menu Commandes

Barre de titre du classeur

Agrandir

Réduire Fermer

Figure 1.6
Chaque classeur
Excel possède
son propre menu
Commandes
ainsi que ses
propres boutons
de
redimensionne-
ment et de
défilement.

Onglet de feuille de calcul   Barres de défilement

Flèches
de défilement

Feuille active

Boutons de défilement des onglets de feuille de calcul   Zone de redimensionnement

de la barre de menus d'Excel, cliquez sur le bouton Restaurer la fenêtre ; vous réduisez ainsi la fenêtre du classeur comme dans la Figure 1.6.

Manipuler manuellement la fenêtre du classeur

Lorsque la fenêtre d'un classeur dans lequel vous travaillez n'est pas agrandie au maximum, comme celle de la Figure 1.6, vous pouvez la déplacer et la dimensionner manuellement grâce à la zone de redimensionnement, en bas à droite.

Pour modifier la taille d'une fenêtre de classeur, amenez le pointeur de la souris sur la zone de redimensionnement puis, dès qu'il se transforme en flèche à deux pointes, cliquez et, bouton enfoncé, déplacez la souris et ajustez les dimensions de la fenêtre à votre convenance. Remarquez que la transformation du pointeur ne se produit que si ce dernier se trouve sur un bord de la fenêtre ou sur un coin. Il conserve cette forme aussi longtemps qu'il reste dans la zone de redimensionnement.

- ✔ Si vous placez le pointeur en bas de la fenêtre et le faites remonter, vous réduisez la hauteur du classeur. Si vous le tirez vers le bas, vous augmentez cette hauteur.

- ✔ En plaçant le pointeur à droite de la fenêtre et en le tirant vers la gauche, la fenêtre du classeur devient plus étroite ; si vous le tirez vers la droite, vous élargissez la fenêtre.

- ✔ Si vous placez le pointeur dans le coin inférieur droit de la fenêtre et le faites ensuite glisser en diagonale vers le coin opposé, la fenêtre du classeur est réduite en hauteur et en largeur. Si vous faites glisser le pointeur en diagonale mais en l'éloignant, la fenêtre devient plus haute et plus large.

Dès que le contour de la fenêtre du classeur est à la taille désirée, relâchez le bouton de la souris. Excel redessine aussitôt le classeur à la nouvelle taille.

Après avoir utilisé la zone de redimensionnement pour mettre la fenêtre du classeur à la taille voulue, vous devrez l'utiliser de nouveau pour rétablir manuellement la fenêtre à ses dimensions d'origine. Excel n'est malheureusement pas doté d'un bouton permettant d'effectuer automatiquement cette opération.

Outre le redimensionnement, vous pouvez déplacer une fenêtre de classeur dans la zone comprise entre la barre de formule et la barre d'état.

Pour déplacer la fenêtre d'un classeur :

1. **Prenez-la par la peau du cou, c'est-à-dire, en l'occurrence, en cliquant sur la barre de titre.**

2. **Ensuite, bouton de la souris enfoncé, faites glisser la fenêtre jusqu'à l'emplacement désiré, puis relâchez le bouton.**

Si vous éprouvez quelques difficultés à déplacer des objets avec la souris, vous pouvez aussi procéder comme suit :

1. **Dans la barre de titre du classeur, cliquez sur l'icône Excel afin de déployer le menu Commandes, puis sélectionnez l'option Déplacer ou appuyez sur les touches Ctrl+F7.**

   Le pointeur de la souris, qui avait la forme d'une épaisse croix blanche, prend la forme d'une flèche à quatre pointes.

2. **Faites glisser la fenêtre avec le pointeur ou appuyez sur les touches fléchées du clavier pour la déplacer jusqu'à l'endroit désiré.**

3. **Appuyez sur la touche Entrée pour immobiliser la fenêtre du classeur.**

   Le pointeur reprend sa forme initiale, soit une épaisse croix blanche.

Passer d'une feuille à une autre

Tout en bas de la fenêtre du classeur, au niveau de la barre de défilement horizontal, se trouvent les boutons de défilement des onglets des feuilles de calcul ainsi que les onglets de chacune des trois feuilles du classeur. Excel indique la feuille de calcul active en mettant l'onglet en blanc et son nom en gras. Pour activer une nouvelle feuille, c'est-à-dire y accéder, cliquez simplement sur son onglet.

Lorsque vous ajoutez des feuilles de calcul (nous verrons comment dans le Chapitre 7) et si l'onglet de la feuille que vous désirez atteindre n'est pas visible, utilisez les boutons de défilement des onglets pour amener la feuille en vue. Cliquer sur le bouton avec un triangle pointant vers la gauche ou vers la droite décale les feuilles d'une à la fois dans la direction correspondante. Cliquer sur l'un des boutons pointant vers une petite barre verticale décale les feuilles jusqu'à ce que la première ou la dernière de la série soit visible.

La barre d'état

La barre qui se trouve tout en bas d'Excel est appelée *barre d'état*, car elle fournit des informations sur l'état courant d'Excel. La partie gauche affiche des messages concernant l'avancement des tâches en cours. Lorsque vous venez de démarrer Excel, le message Prêt est visible dans cette zone, comme le montre la Figure 1.7 ; il indique que le logiciel est prêt à accepter vos *entrées* ou des commandes.

La partie droite de la barre d'état contient différentes fenêtres qui indiquent si Excel est dans un état susceptible d'affecter le fonctionnement du logiciel. Par exemple, lorsque vous démarrez Excel pour la première fois, l'indicateur de verrouillage du pavé numérique affiche NUM dans la barre d'état ; si vous appuyez sur la touche de verrouillage des majuscules, vous verrez apparaître la mention MAJ à gauche de NUM. Et si vous appuyez sur la touche d'arrêt du défilement – pour naviguer dans la feuille de calcul avec les touches fléchées –, la mention DEF apparaît à droite.

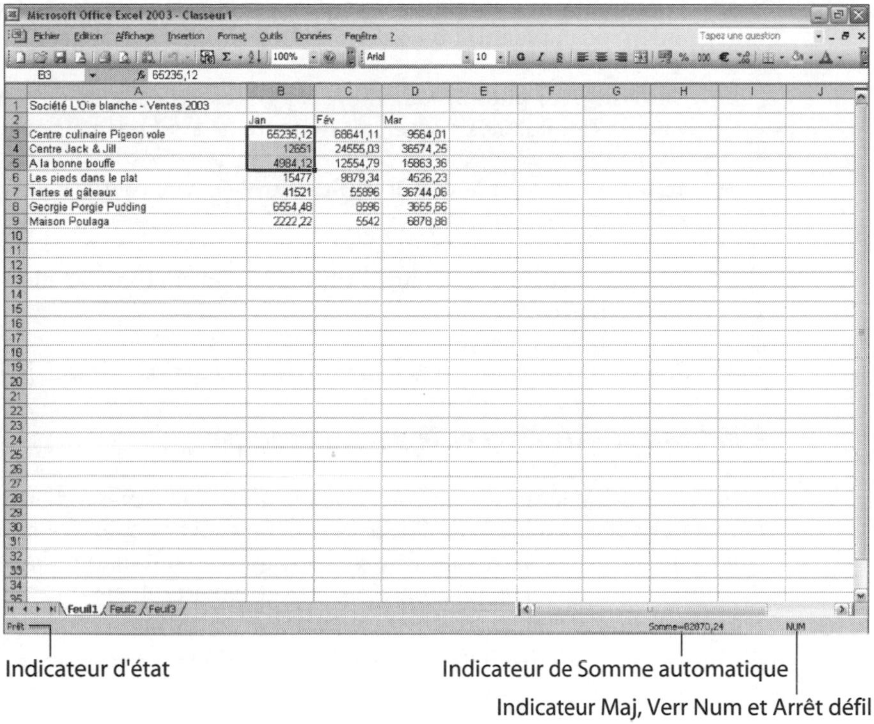

Figure 1.7
La somme des
valeurs
actuellement
sélectionnées
apparaît
automatique-
ment dans la
barre d'état,
dans l'indicateur
du calcul
automatique.

Indicateur d'état

Indicateur de Somme automatique

Indicateur Maj, Verr Num et Arrêt défil

Calculez automatiquement une somme

La fenêtre la plus grande, la deuxième à partir de la gauche, est celle de l'indicateur de somme automatique. Il permet d'obtenir un total reporté de
n'importe quel groupe de valeurs de la feuille de calcul (vous apprendrez au
début du Chapitre 3 comment sélectionner un groupe de cellules). La
Figure 1.7 montre une feuille de calcul type contenant notamment des valeurs
dont quelques-unes ont été sélectionnées. Le total des valeurs sélectionnées
apparaît en temps réel dans la fenêtre de la Somme automatique, dans la barre
d'état.

L'indicateur de somme automatique ne se contente pas de donner un total des
cellules actuellement sélectionnées ; il est aussi capable de fournir d'autres
statistiques comme le nombre de valeurs ou leur moyenne. Pour ce faire, il
suffit de cliquer avec le bouton droit de la souris dans la fenêtre de la somme
automatique puis de choisir l'une des options suivantes :

✔ **Moyenne** pour obtenir la moyenne de toutes les cellules sélectionnées.

- ✔ **Compteur** pour obtenir le compte de toutes les cellules sélectionnées, indépendamment du type de données qu'elles contiennent.

- ✔ **Chiffres** pour obtenir le nombre de toutes les cellules contenant des valeurs (les cellules contenant du texte ne sont pas prises en compte).

- ✔ **Max** pour afficher la valeur la plus élevée parmi toutes celles qui ont été sélectionnées.

- ✔ **Min** pour afficher la valeur la plus faible parmi toutes celles qui ont été sélectionnées.

- ✔ **Somme** pour revenir à la fonction de totalisation par défaut.

L'indicateur Verr Num et le pavé numérique

La mention NUM indique que vous pouvez utiliser le pavé numérique pour entrer des valeurs dans la feuille de calcul. Si vous appuyez sur la touche Verr Num, l'indicateur NUM disparaît, signalant que ce sont maintenant les flèches directionnelles du pavé qui sont actives. Autrement dit, si vous appuyez maintenant sur ce qui était la touche 6, le pointeur se déplace d'une cellule vers la droite au lieu d'entrer un 6 dans la barre de formule.

Maîtriser le volet Office d'Excel 2003

Quand vous démarrez Excel avec un classeur vierge, un volet intitulé Accueil s'ouvre à droite de l'écran (il est notamment visible dans la Figure 1.4). Appelé volet Office – ou volet Tâche de démarrage –, il sert à modifier les classeurs récemment ouverts ou à en créer d'autres, comme nous le verrons plus en détail dans le Chapitre 2. En plus du volet Accueil, Excel 2003 en propose de nombreux autres : Aide, Résultats de la recherche, Image clipart, Rechercher, Presse-papiers et Nouveau classeur, ainsi que des volets plus spécialisés tels que Aide sur les modèles, Espace de travail partagé, Mises à jour du document et Source XML.

L'affichage de n'importe quel volet Office peut être désactivé en appuyant sur Ctrl+F1 ou en cliquant sur le bouton Fermer, dans le coin supérieur droit de sa fenêtre. En procédant ainsi, vous libérez de la place pour l'affichage des cellules. Pour réafficher un volet, appuyez de nouveau sur Ctrl+F1 ou cliquez dans la barre de menus sur Affichage/Volet Office, ou sur Affichage/Barres d'outils/Volet Office.

Lorsque le volet Office est affiché, vous pouvez sélectionner le type de volet désiré en cliquant sur le bouton de menu déroulant situé juste à gauche du bouton Fermer. Après avoir sélectionné des volets, il est possible de passer de l'un à l'autre en cliquant sur les boutons Précédent et Suivant, respectivement signalés par des icônes avec une flèche vers la gauche ou vers la droite. Pour revenir au volet Accueil, cliquez sur le bouton Accueil (représenté par une maison).

Si vous désirez ne plus voir le volet Office s'afficher automatiquement chaque fois que vous démarrez Excel avec un classeur vierge, désactivez cette fonctionnalité en décochant l'option Volet Office au démarrage de la boîte de dialogue Options, onglet Affichage (Outils/Options).

Sortez-moi de cette cellule !

Excel propose plusieurs méthodes pour aller de l'une à l'autre des vastes feuilles de calcul d'un classeur. La méthode la plus facile consiste à cliquer sur l'onglet de la feuille que vous comptez utiliser, puis à vous servir des barres de défilement pour atteindre la zone voulue. Le logiciel est en outre doté de nombreux raccourcis clavier qui permettent non seulement d'accéder à n'importe quelle partie de la feuille de calcul, mais aussi d'activer une cellule en y amenant directement le pointeur.

L'art du défilement

Pour comprendre ce qu'est le défilement dans Excel, imaginez la feuille de calcul sous la forme d'un gigantesque papyrus qui se déroule horizontalement. Pour arriver à une partie de ce papyrus située à droite, vous le déroulez en faisant tourner le rouleau de gauche jusqu'à ce que vous soyez arrivé à la zone voulue. A l'inverse, pour parvenir à une zone située à gauche, vous agirez sur le rouleau de droite.

Accéder à de nouvelles colonnes avec la barre de défilement horizontal

Vous pouvez utiliser la *barre de défilement horizontal* pour accéder aux différentes colonnes d'une feuille de calcul. Pour voir les colonnes qui se trouvent à droite, cliquez sur le bouton de défilement dont la flèche pointe vers la droite, dans la barre horizontale. Pour voir celles qui sont à gauche (à supposer que la colonne A n'est pas en vue), cliquez sur le bouton de défilement dont la flèche pointe vers la droite.

Pour faire défiler très rapidement les colonnes dans une direction ou dans l'autre, cliquez sur le bouton de défilement fléché approprié en maintenant le bouton de la souris enfoncé jusqu'à ce que vous soyez arrivé à la colonne voulue. Lorsque vous effectuez ainsi un défilement vers la droite, la taille du *curseur de défilement* (c'est la barrette mobile visible dans la barre de défilement) réduit considérablement, et devient même minuscule si vous vous aventurez dans des contrées éloignées, du côté de la colonne BA. Si vous cliquez sur le bouton de défilement vers la gauche en le maintenant continûment enfoncé, vous observez que le curseur de défilement s'agrandit rapidement et finit par occuper presque toute la barre de défilement lorsque apparaît de nouveau la colonne A.

Le curseur de défilement peut aussi servir à effectuer de longs sauts d'une colonne à une autre. Il suffit de le tirer à l'emplacement approprié, sur la barre de défilement.

Découvrir de nouvelles lignes avec la barre de défilement vertical

Utilisez la *barre de défilement vertical* pour parcourir les lignes de la feuille de calcul. Pour atteindre les lignes situées sous celles actuellement en vue, cliquez sur le bouton de défilement dont la flèche pointe vers le bas ; pour remonter (à condition que la ligne 1 ne soit pas visible), cliquez sur le bouton avec une flèche pointée vers le haut.

Pour faire défiler très rapidement les lignes dans une direction ou dans l'autre, cliquez continûment sur le bouton de défilement vertical comme vous l'avez fait pour les colonnes. Observez comment la taille du *curseur de défilement vertical,* également appelé "ascenseur", devient de plus en plus petite, et même minuscule dès que vous dépassez la ligne 100. Si vous cliquez sur le bouton de défilement qui permet de revenir à la première ligne, observez comment le curseur grandit, jusqu'à occuper presque toute la barre de défilement à bout de course.

Vous pouvez utiliser le curseur de défilement vertical pour effectuer de grands sauts parmi les lignes de la feuille de calcul, en le faisant glisser dans la direction voulue, jusqu'à l'emplacement approprié.

Faire défiler par écran

Les barres de défilement horizontal et vertical peuvent aussi servir à se déplacer parmi les colonnes et les lignes par écran entier. Pour ce faire, cliquez dans la zone en grisé de part et d'autre du curseur de défilement. Par exemple, pour faire défiler les colonnes d'un écran vers la droite lorsque le curseur de défilement est calé contre le bouton fléché pointant vers la gauche, il suffit de cliquer dans la zone en grisé située entre le curseur et le bouton fléché pointant vers la droite.

De même, pour descendre et monter parmi les lignes d'un écran à la fois, vous cliquez dans la zone en grisé sous ou sur le curseur de défilement.

Les touches de déplacement du pointeur de cellule

Le seul inconvénient des barres de défilement est qu'elles permettent, certes, de se déplacer dans la feuille de calcul, mais sans changer en rien la position du pointeur de cellule. Si vous comptez entrer des données dans une autre partie de la feuille, vous devrez d'abord sélectionner une cellule en cliquant dedans, ou un groupe de cellules en tirant le pointeur autour d'elles.

Excel est doté d'une grande diversité de raccourcis clavier qui permettent d'amener le pointeur de cellule à l'emplacement désiré. Quand vous utilisez l'un de ces raccourcis, le logiciel cadre immédiatement la partie de feuille concernée si cela s'avère nécessaire. Le Tableau 1.4 récapitule ces raccourcis clavier et signale jusqu'à quelle distance le pointeur est déplacé depuis sa position d'origine.

Remarque : si l'un des raccourcis clavier du Tableau 1.4 utilise les touches fléchées, vous devrez soit utiliser les flèches du petit pavé de quatre touches directionnelles, soit désactiver la touche Verr Num du pavé numérique. Si vous tentiez d'utiliser ces touches alors que l'indicateur NUM est visible dans la barre d'état d'Excel, vous entreriez des chiffres dans la cellule au lieu de déplacer le pointeur (de plus, c'est à moi que vous vous en prendriez).

Tableau 1.4 : Les raccourcis clavier du pointeur de cellule.

Touche	Action sur le pointeur de cellule
Flèche droite ou Tab	Vers la cellule immédiatement à droite.
Flèche gauche ou Maj+Tab	Vers la cellule immédiatement à gauche.
Flèche haut	Une cellule vers le haut.
Flèche bas	Une cellule vers le bas.
Origine	Vers la colonne A de la ligne courante.
Ctrl+Origine	Vers A1 (première cellule de la feuille de calcul).

Tableau 1.4 : Les raccourcis clavier du pointeur de cellule. (*suite*)

Touche	Action sur le pointeur de cellule
Ctrl+Fin ou Fin-Origine	Cellule située à l'intersection de la dernière colonne et de la dernière ligne contenant des données (c'est-à-dire à la fin de la zone active de la feuille de calcul).
PageHaut	Vers la cellule située à un écran de distance vers le haut, dans la même colonne.
PageBas	Vers la cellule située à un écran de distance vers le bas, dans la même colonne.
Ctrl+Flèche droite ou Fin-Flèche droite	Vers la première cellule occupée à droite sur la même ligne, précédée ou suivie par une cellule vide. Si aucune cellule n'est occupée, le pointeur va jusqu'à la dernière cellule de la ligne.
Ctrl+Flèche gauche ou Fin-Flèche gauche	Vers la première cellule occupée à gauche sur la même ligne, précédée ou suivie par une cellule vide. Si aucune cellule n'est occupée, le pointeur va jusqu'à la première cellule de la ligne.
Ctrl+Flèche haut ou Fin-Flèche haut	Vers la première cellule occupée en haut de la colonne, précédée ou suivie par une cellule vide. Si aucune cellule n'est occupée, le pointeur va jusqu'à la cellule située tout en haut de la colonne.
Ctrl+Flèche bas ou Fin-Flèche bas	Vers la première cellule occupée en bas de la colonne, précédée ou suivie par une cellule vide. Si aucune cellule n'est occupée, le pointeur va jusqu'à la cellule située tout en bas de la colonne.
Ctrl+PageBas	Vers la dernière cellule occupée de la prochaine feuille de calcul du classeur.
Ctrl+PageHaut	Vers la dernière cellule occupée de la feuille de calcul précédente du classeur.

Les déplacements par plage

Les raccourcis clavier qui, dans le Tableau 1.4, combinent l'utilisation des touches Ctrl ou Fin avec des touches fléchées sont les plus utiles pour se déplacer rapidement d'un bord à un autre d'une vaste feuille de calcul ou pour aller d'un tableau de données à un autre dans une feuille de calcul qui contient de nombreuses plages de cellules.

- ✔ Si le pointeur de cellule est placé sur une cellule vide quelque part à gauche d'un tableau de données que vous voudriez voir, appuyer sur Ctrl+Flèche droite déplace le pointeur vers la première entrée de cellule – c'est-à-dire une cellule occupée – située à l'extrême gauche du tableau (sur la même ligne, bien sûr).

- ✔ Si vous appuyez de nouveau sur Ctrl+Flèche droite, le pointeur de cellule se déplace vers la dernière cellule occupée la plus à droite (à condition qu'il n'y ait pas de cellules vides dans cette ligne du tableau).

- ✔ Si vous changez de direction et appuyez sur Ctrl+Flèche haut, Excel va directement vers la dernière entrée de cellule en bas du tableau (à condition qu'il n'y ait pas de cellules vides dans cette colonne du tableau).

- ✔ Si, alors que le pointeur de cellule est en bas d'un tableau, vous appuyez de nouveau sur Ctrl+Flèche haut, Excel amène le pointeur jusqu'à la première entrée en haut du prochain tableau situé en dessous (à condition qu'il n'y ait pas de cellules vides dans cette colonne).

- ✔ Si vous appuyez sur une combinaison de touches Ctrl ou Fin et une touche fléchée, et qu'il ne se trouve plus aucune cellule occupée dans la direction de la flèche, Excel avance le pointeur de cellule jusqu'à la cellule située tout au bord de la feuille de calcul, dans cette direction.

- ✔ Si le pointeur de cellule se trouve par exemple à la cellule C15 et qu'il n'y a pas d'autres cellules occupées dans la ligne 15, appuyer sur les touches Ctrl+Flèche droite amène le pointeur de cellule jusqu'à la cellule IV15, qui est la plus à droite de toute la feuille de calcul.

- ✔ Si le curseur est dans la cellule C15, qu'il n'y a pas d'autres entrées dans la colonne C et que vous appuyez sur les touches Ctrl+Flèche haut, Excel envoie le pointeur vers la cellule C65536, qui se trouve tout en bas de la feuille de calcul.

Si vous comptez utiliser la touche Ctrl avec une touche fléchée pour vous déplacer dans un tableau ou entre les tableaux d'une feuille de calcul, maintenez la touche Ctrl enfoncée tout en appuyant sur l'une des quatre touches fléchées. Cette manipulation est indiquée dans le tableau par le signe "plus", comme dans Ctrl+Flèche haut.

Si vous comptez utiliser la touche Fin conjointement avec une touche fléchée, vous devez appuyer sur la touche Fin et la relâcher *avant* d'appuyer sur la touche fléchée. Dans le tableau, cette opération est indiquée par un tiret, comme dans Fin-Flèche haut. Appuyer et relâcher la touche Fin fait apparaître l'indicateur FIN dans la barre d'état. C'est le signe qu'Excel est prêt à reconnaître l'appui sur l'une des quatre touches fléchées.

Comme il est facile de maintenir la touche Ctrl enfoncée tout en appuyant sur les touches fléchées, la méthode Ctrl+Touche fléchée est plus agréable à utiliser que la méthode Fin-Touche fléchée.

Alors ? Tu la trouves, cette cellule ?

La fonction Atteindre d'Excel propose un moyen facile d'aller directement à une cellule lointaine, dans la feuille de calcul. Pour utiliser cette fonctionnalité, vous devez afficher la boîte de dialogue Atteindre en cliquant, dans la barre de menus, sur Edition/Atteindre ou en appuyant sur les touches Ctrl+T, ou encore en appuyant sur la touche de fonction F5. Tapez ensuite, dans la zone de texte Référence de la boîte de dialogue, l'adresse de la cellule que vous désirez rejoindre, puis cliquez sur OK ou appuyez sur la touche Entrée. Les lettres peuvent indifféremment être tapées en minuscule ou en majuscule.

Chaque fois que vous utilisez la fonction Atteindre pour déplacer le pointeur de cellule, Excel mémorise les références des quatre dernières cellules que vous avez visitées. Elles apparaissent dans la fenêtre Atteindre. Notez que l'adresse de la dernière cellule visitée apparaît également dans la boîte Référence. Il est ainsi possible de se mouvoir très rapidement de l'actuel emplacement vers un emplacement précédent en appuyant sur F5 puis sur Entrée, à condition bien sûr que vous ayez effectué vos déplacements avec la fonction Atteindre.

Les déplacements avec Verr Num

Vous pouvez utiliser la touche Verr Num pour figer la position du pointeur de cellule dans la feuille de calcul, ce qui vous permet de faire défiler la feuille avec des touches telles que PageHaut et PageBas sans que le pointeur change de position. Ces actions sont semblables à l'utilisation des barres de défilement.

Après avoir enclenché Verr Num et fait défiler la feuille de calcul avec les touches fléchées, Excel ne sélectionne pas pour autant une autre cellule. Pour "libérer" le pointeur de cellule, vous devez de nouveau appuyer sur la touche Verr Num.

Commander directement le menu

Si la fonction que vous recherchez ne se trouve ni sur la barre d'outils Standard ni sur la barre d'outils Mise en forme, vous devrez recourir aux menus. Dans Excel, ils sont particulièrement nombreux car, en plus des menus déroulants qui, à l'instar de la plupart des applications sous Windows, se trouvent sur la barre de menus, le logiciel propose aussi des *menus contextuels*.

Les menus contextuels offrent un accès rapide aux commandes habituellement utilisées pour manipuler les objets auxquels ils sont associés (barres d'outils, fenêtre de classeur, cellule, etc.). Ils affichent souvent une commande qui nécessiterait le déroulement de plusieurs menus et sous-menus si elle devait être sélectionnée à partir de la barre de menus principale.

Les menus déroulants (mais pas déroutants)

A l'instar du déplacement du pointeur de cellule dans la feuille de calcul, Excel laisse le choix, pour la sélection des commandes dans un menu déroulant, entre l'utilisation de la souris ou le recours aux touches. Pour déployer un menu avec la souris, il suffit de cliquer sur le nom de ce menu, dans la barre de menus. Pour ouvrir un menu à l'aide du clavier, maintenez la touche Alt enfoncée tout en appuyant sur la touche correspondant à la lettre qui, dans le nom du menu, est soulignée. Par exemple, si vous appuyez sur Alt+E, Excel ouvre le menu Edition car, dans la barre de menus, la lettre "E" est soulignée (Edition).

Vous pouvez aussi enfoncer et relâcher la touche Alt ou la touche de fonction F10 pour accéder à la barre de menus et appuyer ensuite sur la touche Flèche droite jusqu'à ce que le menu désiré soit en surbrillance ; ensuite, pour ouvrir le menu, appuyez sur la touche Flèche bas.

Après avoir déployé le menu déroulant, vous pouvez sélectionner n'importe laquelle des commandes qu'il contient en cliquant dessus avec la souris, ou en appuyant sur la touche correspondant à une lettre soulignée d'un nom de commande, ou en appuyant sur la touche Flèche bas autant de fois que néces-saire pour arriver à une commande et en appuyant ensuite sur la touche Entrée.

Au fur et à mesure que vous vous familiariserez avec les commandes Excel, vous finirez par combiner l'ouverture d'un menu et le choix d'une commande en cliquant dans la barre de menus et en faisant glisser le pointeur vers le bas jusqu'à la commande désirée, après quoi vous relâcherez le bouton. La même chose peut être accomplie au clavier, en maintenant la touche Alt enfoncée tout en tapant les lettres soulignées des différentes commandes. Par exemple, pour fermer la fenêtre du classeur actif en choisissant la commande Fermer du menu Fichier, vous maintiendrez la touche Alt enfoncée et appuierez sur la touche F puis de nouveau sur F.

Certaines commandes des menus déroulants d'Excel sont accompagnées de raccourcis clavier ; ils sont visibles à droite de la commande. Vous pouvez les utiliser au lieu de naviguer dans les menus. Par exemple, pour enregistrer les modifications apportées à un classeur, vous utiliserez le raccourci Ctrl+S au lieu de déployer le menu Fichier pour accéder à la commande Enregistrer. (*NdT* : quelques raccourcis clavier ne sont pas indiqués ; c'est le cas de Ctrl+W qui, dans de nombreuses applications Windows, ferme le document en cours, le classeur en l'occurrence, ou de la touche de fonction F12 pour Enregistrer sous.)

De nombreuses commandes des menus déroulants affichent une boîte de dialogue qui contient d'autres commandes ainsi que des options (voir "Utiliser les boîtes de dialogue", plus loin dans ce chapitre). Vous pouvez reconnaître les commandes qui ouvrent une boîte de dialogue aux points de suspension qui suivent leur nom. Vous saurez ainsi que la commande Fichier/Enregistrer sous affiche une boîte de dialogue, car dans le menu la commande d'enregistrement apparaît sous la forme *Enregistrer sous...*

Notez aussi que les commandes des menus déroulants ne sont pas toutes disponibles en permanence. Si l'une d'elles n'est pas utilisable pour le moment, elle apparaît en grisé et le reste aussi longtemps que le contexte ne permet pas de l'utiliser. Par exemple, la commande Coller, dans le menu Edition, est en grisé aussi longtemps que le Presse-papiers est vide. Mais, sitôt que vous avez placé des informations dans le Presse-papiers à l'aide de la commande Couper ou Copier, l'option Coller apparaît en caractères normaux, indiquant qu'elle peut désormais être utilisée.

Menus à géométrie variable

Les menus déroulants d'Excel 2003 n'apparaissent pas toujours sous la même forme. Grâce à (ou à cause de) une fonction d'affichage "intelligent" inventée par Microsoft, chaque fois que vous ouvrez un menu, il n'apparaît que partiellement, certaines commandes n'étant pas affichées. Cette forme abrégée des menus est censée ne présenter que les commandes que vous avez récemment utilisées, et éviter d'encombrer le menu avec les commandes que vous n'avez pas activées depuis un certain temps. Remarquez qu'il est possible de savoir si un menu est abrégé grâce au bouton de continuation qui se trouve à son pied, reconnaissable aux chevrons inversés (deux V superposés) qui symbolisent une flèche inversée.

Si vous avez le temps et la patience d'attendre un peu tandis que le menu est affiché, Excel finit par le remplacer par une version intégrale, non expurgée. Si vous n'avez vraiment pas que ça à faire, vous pouvez forcer Excel à afficher les menus entiers en cliquant sur le bouton de continuation, comme nous le décrivons dans les étapes qui suivent.

Lorsque le menu intégral est affiché, la marge de gauche du menu, qui contient des icônes, est plus claire en regard des commandes qui sont habituellement masquées. Ce marquage permet de différencier d'un seul coup d'œil les commandes normalement affichées de celles qui ne le sont que sur demande. Mais il ne vous aide en rien à trouver l'emplacement des différents éléments du menu, car leur positionnement varie selon que vous utilisez la version abrégée ou intégrale !

Si comme moi vous n'avez pas du tout l'intention de jouer à cache-cache avec les menus déroulants d'Excel, vous pouvez désactiver cette redoutable fonction en procédant comme suit :

1. **Cliquez avec le bouton droit de la souris dans une barre de menus ou dans la barre d'outils Standard ou Mise en forme afin d'accéder au menu contextuel.**

2. **Sélectionnez la commande Personnaliser.**

   La boîte de dialogue Personnalisation s'ouvre.

3. **Sélectionnez l'onglet Options.**

   Sous l'onglet Options, la case Toujours afficher les menus dans leur intégralité n'est pas cochée. Par défaut, la case Afficher les menus entiers après un court délai est cochée.

4. **Cochez la case Toujours afficher les menus dans leur intégralité. L'option Afficher les menus entiers après un court délai se met automatiquement en grisé.**

   En toute logique, Excel a désactivé, après un court délai, l'option Afficher les menus entiers qui n'a plus de raison d'être disponible.

5. **Cliquez sur le bouton Fermer afin de quitter la boîte de dialogue Personnalisation.**

Si vous êtes un vrai débutant, je vous recommande d'activer la case Toujours afficher les menus dans leur intégralité. Vous éviterez ainsi de perdre de vue l'option de menu que vous recherchez et, en ayant toujours sous les yeux la totalité des commandes, vous vous familiariserez peu à peu avec les fonctionnalités qu'offre Excel.

Remarque : si vous aimez jouer à cache-cache avec les commandes et qu'attendre un instant pour les avoir en intégralité ne vous intéresse pas, vous pouvez désactiver cette fonction en ôtant la coche dans la case Afficher les menus entiers après un court délai. Cette option se trouve juste sous Toujours afficher les menus dans leur intégralité, et n'est accessible que si cette dernière est cochée.

Gardez à l'esprit que lorsque vous modifiez l'affichage des menus et des barres d'outils dans la boîte de dialogue Personnalisation, la nouvelle configuration affecte les menus déroulants et les barres d'outils de toutes les autres applications d'Office 2003, comme Word 2003, PowerPoint 2003, etc.

Comprendre les menus contextuels

Contrairement aux menus déroulants, auxquels vous accédez avec la souris ou par le clavier, les menus contextuels ne peuvent être affichés qu'avec la souris. Comme ils sont attachés à des objets bien précis, comme la fenêtre d'un classeur, une barre d'outils ou une cellule, Excel utilise le *deuxième* bouton de la souris, celui de droite (pour les droitiers du moins, car pour les gauchers – minoritaires dans la population – qui activent la permutation des boutons, ce deuxième bouton est à gauche).

La Figure 1.8 montre le menu contextuel attaché aux barres d'outils d'Excel. Pour l'ouvrir, amenez le pointeur de la souris sur la barre puis cliquez sur le bouton droit. Veillez à ne pas utiliser le bouton principal de la souris (celui dit "de gauche"), car vous activeriez inopinément l'outil qui se trouve dessous.

Après avoir ouvert le menu contextuel de la barre d'outils, vous pouvez utiliser les commandes qu'elle contient pour afficher ou masquer n'importe laquelle des barres d'outils d'Excel ou pour les personnaliser (reportez-vous au Chapitre 13 pour les détails).

Observez dans la Figure 1.9 le menu contextuel propre à chacune des cellules d'une feuille de calcul. Pour ouvrir ce menu, amenez le pointeur sur une cellule puis cliquez avec le bouton droit de la souris. **Remarque :** vous pouvez aussi ouvrir ce menu et appliquer les commandes qu'il contient à une plage de cellules sélectionnée.

Comme les commandes des menus contextuels contiennent des lettres soulignées, vous pouvez sélectionner une commande en cliquant dessus avec l'un des boutons de la souris, ou en tapant la lettre soulignée au clavier. Ou encore,

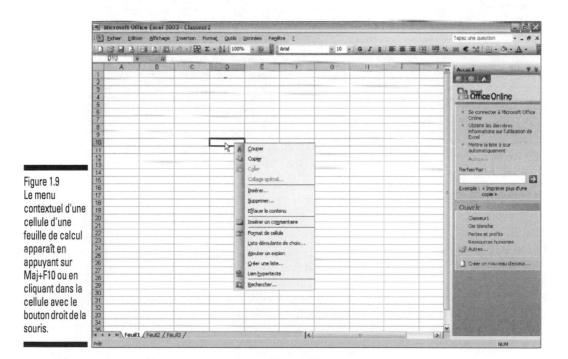

Figure 1.8
Le menu
contextuel de la
barre d'outils
apparaît en
cliquant dans la
barre avec le
bouton droit de la
souris.

Figure 1.9
Le menu
contextuel d'une
cellule d'une
feuille de calcul
apparaît en
appuyant sur
Maj+F10 ou en
cliquant dans la
cellule avec le
bouton droit de la
souris.

vous pouvez appuyer sur la touche Flèche bas ou Flèche haut pour atteindre la commande et appuyer ensuite sur Entrée.

Le seul menu contextuel que vous pouvez ouvrir à partir du clavier est celui attaché à une cellule d'une feuille de calcul. Pour le voir apparaître attaché au coin supérieur gauche de la cellule courante, appuyez sur les touches Maj+F10. Notez que cette combinaison de touches fonctionne pour tous les types de feuilles Excel excepté pour les graphiques, qui ne comportent pas de menu contextuel de ce type.

Utiliser les boîtes de dialogue

De nombreuses commandes d'Excel renvoient vers une boîte de dialogue qui contient de nombreuses options. C'est le cas de la boîte de dialogue Options, représentée Figures 1.10 et 1.11. Vous trouvez dans cette boîte quasiment tous les types de boutons, d'onglets et de cases décrits dans le Tableau 1.5.

Zones de texte avec boutons rotatifs   Listes modifiables

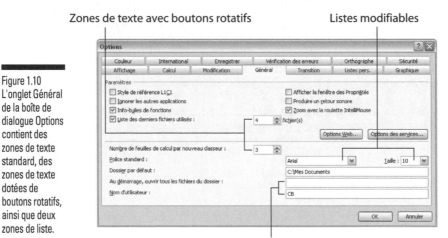

Figure 1.10
L'onglet Général de la boîte de dialogue Options contient des zones de texte standard, des zones de texte dotées de boutons rotatifs, ainsi que deux zones de liste.

Zones de texte standard

Remarque : bien qu'une boîte de dialogue puisse être déplacée pour voir ce qui se trouve dessous, il n'est pas possible de la redimensionner.

De nombreuses boîtes de dialogue contiennent des options par défaut ou des entrées qui sont automatiquement sélectionnées, à moins que vous ne les modifiiez vous-même.

Bouton radio ou case d'option

Case à cocher

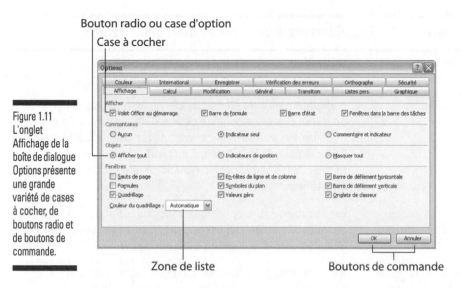

Figure 1.11
L'onglet
Affichage de la
boîte de dialogue
Options présente
une grande
variété de cases
à cocher, de
boutons radio et
de boutons de
commande.

Zone de liste   Boutons de commande

Tableau 1.5 : Les éléments des boîtes de dialogue.

Elément	Utilisation
Onglet	Permet d'afficher un ensemble d'options thématiques dans une boîte de dialogue complexe comme la boîte de dialogue Options, représentée Figure 1.11.
Zone de texte	Appelée aussi "champ de saisie", elle permet d'entrer des commandes ou des données. Beaucoup de zones de texte contiennent une option par défaut que vous pouvez accepter telle quelle ou modifier.
Zone de liste	Déploie une liste déroulante dans laquelle vous choisissez un élément. Si la liste contient plus d'éléments qu'elle ne peut en afficher, une barre de défilement permet d'accéder aux éléments cachés. Certaines zones de liste sont attachées à une zone de texte, ce qui permet d'entrer des données en les tapant directement dedans ou en les choisissant dans la liste.

Tableau 1.5 : Les éléments des boîtes de dialogue. (*suite*)

Elément	Utilisation
Zone de liste modifiable	Version condensée de la zone de liste standard. Au lieu d'afficher plusieurs éléments, elle ne montre que l'option courante (qui est à l'origine celle par défaut). Pour l'ouvrir et accéder aux autres options, vous devez cliquer sur le bouton associé puis, dans la liste qui apparaît, cliquer sur l'option désirée. Vous pouvez également saisir une option directement à l'intérieur.
Case à cocher	Est associée à une option que vous pouvez activer ou désactiver. Lorsqu'elle est cochée, l'option est sélectionnée. Si la case est vide, l'option n'est pas active.
Bouton radio ou case d'option	Il se présente sous la forme d'un cercle placé à côté de l'intitulé d'une option. Il n'est jamais seul mais disposé en groupe, et un seul peut être activé. Le bouton actif est signalé par un point en son centre. Officiellement appelé "bouton d'option" par Microsoft, le *bouton radio* doit son surnom au fait que le bouton actif ressemble aux boutons des anciens postes de radio.
Bouton rotatif	Un bouton rotatif est divisé en deux petites boîtes superposées. La boîte supérieure contient une flèche pointée vers le haut, la boîte inférieure une flèche pointée vers le bas. Le bouton rotatif sert à entrer une valeur en cliquant autant de fois que nécessaire sur l'une des boîtes. Une autre variété de bouton rotatif contient une liste de valeurs prédéfinies. Dans la boîte de dialogue Options, l'onglet Général en contient plusieurs.
Bouton de commande	Il démarre une action. Un bouton de commande est rectangulaire et son nom est inscrit dessus. Si le nom est suivi de points de suspension, Excel affiche une boîte de dialogue contenant des options complémentaires.

✔ Pour fermer une boîte de dialogue et appliquer vos choix, cliquez sur le bouton OK ou, sur certaines boîtes, sur le bouton Fermer.

✔ Si le bouton OK est entouré d'une bordure noire, ce qui est souvent le cas, vous pouvez appuyer sur Entrée pour valider vos choix.

✔ Pour fermer une boîte de dialogue sans appliquer les sélections, vous pouvez cliquer sur le bouton Annuler ou, dans la barre de titre, sur le bouton Fermer (celui avec un X), ou appuyer tout simplement sur la touche Echap.

La plupart des boîtes de dialogue regroupent les éléments de même nature, généralement à l'intérieur d'un liseré. Lorsque vous procédez à des choix à la souris dans une boîte de dialogue, il suffit de cliquer sur les options désirées ou, dans le cas d'entrées textuelles, de cliquer dans une boîte pour y placer le point d'insertion avant de commencer la saisie.

Mais quand vous effectuez des choix au clavier, il vous faut parfois activer d'abord un élément avant de pouvoir sélectionner l'une de ses options.

✔ Appuyez sur la touche Tab jusqu'à ce que l'option désirée soit activée (Maj+Tab fait reculer parmi les options).

✔ Quand vous appuyez sur Tab ou sur Maj+Tab, Excel indique quelle option est activée en la mettant en surbrillance ou en entourant son nom d'un liseré en pointillé.

✔ Après avoir activé une option, vous pouvez la modifier en appuyant sur une touche fléchée haut ou bas (ce procédé fonctionne avec les boutons radio ou les listes déroulantes), en appuyant sur la barre Espace (pour cocher une case ou la désactiver) ou en tapant une nouvelle saisie (dans une zone de texte).

Vous pouvez aussi sélectionner une option en appuyant sur la touche Alt et en tapant la lettre soulignée d'une commande ou d'un élément.

✔ En appuyant sur Alt et en tapant la lettre soulignée d'une commande de zone de texte, vous activez la saisie dans cette zone de texte. Il vous suffit ensuite de taper la donnée.

✔ En appuyant sur Alt et en tapant la lettre soulignée d'une case, vous l'activez ou la désactivez (apparition/disparition de la coche).

✔ En appuyant sur Alt et en tapant la lettre soulignée d'un bouton radio, vous sélectionnez l'option (au détriment de celle qui l'était).

✔ En appuyant sur Alt et en tapant la lettre soulignée d'un bouton de commande, vous exécutez la commande ou accédez à une boîte de dialogue.

En plus des boîtes de dialogue sophistiquées des Figures 1.10 et 1.11, vous rencontrerez des boîtes de dialogue plus simples qui affichent des messages et des alertes. Elles sont appelées *boîtes d'alerte.* Beaucoup ne comportent qu'un bouton OK sur lequel vous devrez cliquer après avoir lu le message.

Les appels à l'aide

Vous pouvez à tout moment faire appel à l'aide en ligne d'Excel 2003. Le seul problème avec le système d'aide traditionnel est qu'il n'est véritablement utile que si vous avez assimilé le jargon d'Excel. Si vous ne connaissez pas l'appellation exacte d'une fonction, vous aurez du mal à la trouver (autant chercher dans un dictionnaire le sens d'un mot dont vous ne connaissez pas du tout l'orthographe). Pour contourner ce problème, Excel a été doté d'un moteur de recherche qui comprend le langage courant. La langue de Descartes étant fort compliquée, cette fonctionnalité est absente de la version francisée d'Excel ; elle n'est présente que dans les versions anglaises du logiciel.

La version française d'Excel 2003 est cependant dotée d'un système d'aide relativement sophistiqué. Par exemple, si vous tapez la question **Comment imprimer une feuille de calcul ?** dans la zone de texte à droite de la barre de menus (Figure 1.2), Excel est capable d'en déduire que vous voulez imprimer et propose différentes options, comme le montre la Figure 1.13.

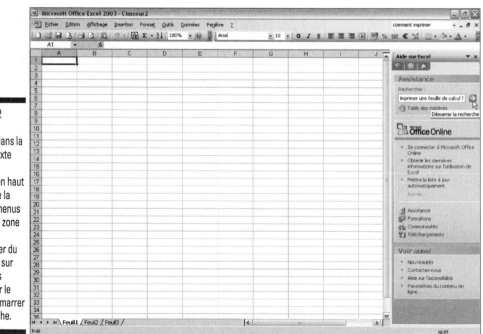

Figure 1.12
Tapez une question dans la zone de texte Tapez une question en haut à droite de la barre de menus ou dans la zone de texte Rechercher du volet Aide sur Excel, puis cliquez sur le bouton Démarrer la recherche.

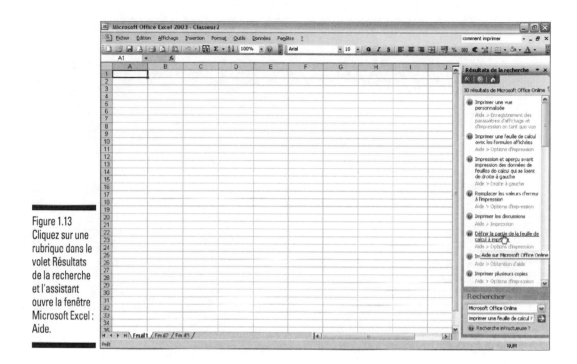

Figure 1.13
Cliquez sur une
rubrique dans le
volet Résultats
de la recherche
et l'assistant
ouvre la fenêtre
Microsoft Excel :
Aide.

Parmi les propositions, choisissez celle correspondant le mieux à ce que vous comptez faire. Excel ouvre ensuite la fenêtre Microsoft Excel : Aide de la Figure 1.14. Elle contient plusieurs rubriques sur le sujet qui vous intéresse. Chaque titre est précédé par un symbole triangulaire qui déploie le contenu de la rubrique ou le rétracte. Remarquez qu'au moment où le pointeur survole un titre ou le symbole triangulaire, le texte est affiché avec un soulignement, à l'instar d'un lien hypertexte.

Dès que vous cliquez sur un titre ou sur le symbole triangulaire, l'information est déployée (et le triangle pointe vers le bas au lieu de pointer vers la droite). Au cours de votre lecture, vous rencontrerez des sous-titres. Pour déployer les commentaires qui leur sont associés, cliquez sur ces sous-titres ou sur leur symbole.

Pour déployer tous les titres d'une aide, cliquez sur la mention Afficher tout, dans le coin en haut à droite de la fenêtre d'aide. Pour afficher l'aide en plein écran, cliquez sur le bouton Agrandir, dans la barre de titre. Pour imprimer l'aide, cliquez sur le bouton Imprimer, reconnaissable à son icône avec une imprimante, sous la barre de titre.

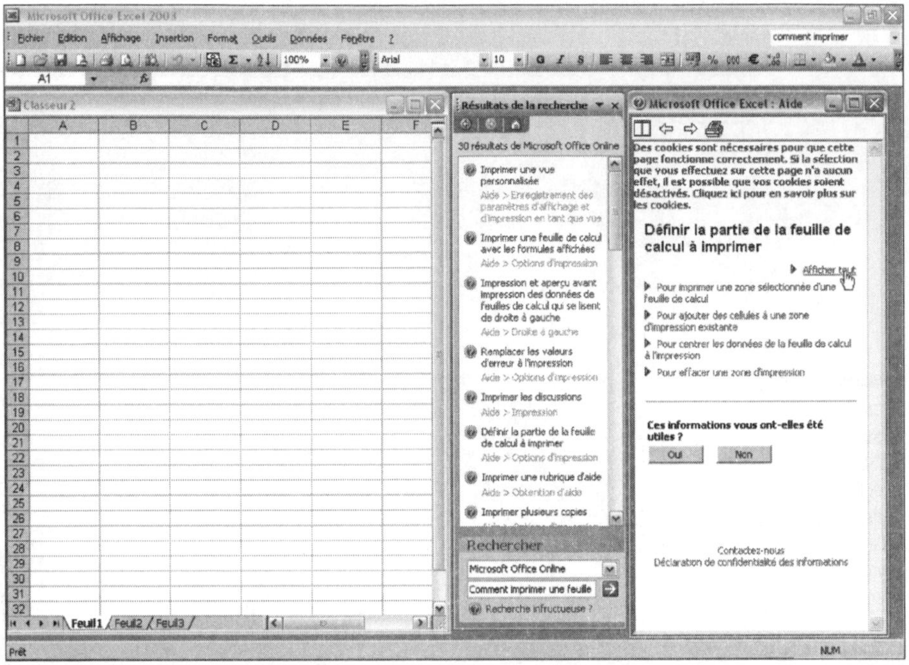

Figure 1.14
Affichage de la
fenêtre
Microsoft Excel :
Aide.

Dès que vous avez fini d'explorer les rubriques d'aide de Microsoft Excel, cliquez sur le bouton Fermer de la fenêtre d'aide. Excel 2003 prend alors ses aises et comble automatiquement l'espace auparavant occupé par la fenêtre d'aide. Vous pouvez alors refermer le volet Office Aide en appuyant sur Ctrl+F1.

Demandez à votre chat

Vous pouvez personnaliser le Compagnon Office, l'assistant d'aide qui apparaît par défaut sous les traits de Trombine, le trombone animé. Pour afficher Trombine, choisissez Aide/Afficher le Compagnon Office. (*NdT* : il existe d'autres compagnons, notamment un adorable chat nommé Tifauve. Pour l'activer, cliquez avec le bouton droit de la souris sur le compagnon actuellement affiché et sélectionnez l'option Choisir un Compagnon.)

Une fois le Compagnon à l'écran, cliquez sur son icône. Apparaît immédiatement au-dessus de lui une bulle de dessin animé comprenant une zone de texte dans laquelle vous pouvez saisir votre question. Après avoir appuyé sur Entrée ou cliqué sur le bouton Rechercher, Excel ouvre le volet Résultats de la recherche lequel affiche une liste d'éléments plus ou moins pertinents (liste qui s'apparente à celle qui s'affiche lorsque vous utilisez la zone de texte Tapez une question de la barre de menus ou la zone de texte Rechercher du volet Office Microsoft Excel Aide). Dès que vous cliquez sur un des éléments de la liste Résultats de la recherche, la fenêtre Microsoft Excel : Aide surgit.

Le Compagnon Office demeure à l'écran même après avoir refermé la fenêtre d'aide. Le problème le plus gênant posé par le Compagnon est sa propension à empiéter sur le volet Office Microsoft Excel Aide ou sur la fenêtre Microsoft Excel : Aide lorsque vous le placez sur la partie droite de l'écran. Vous devez alors le faire glisser plus loin pour pouvoir accéder à l'aide que vous avez cherchée si obstinément.

Pour vous en débarrasser complètement, cliquez dessus avec le bouton droit de la souris puis choisissez Masquer. Cependant, si j'étais vous, je garderais à la fois le personnage et sa bulle (*NdT* : pour ma part, je préfère le chat sans bulle, car double-cliquer dessus affiche de toute façon la bulle).

Utiliser la Table des matières

Si vous avez accès à Internet, vous pouvez également obtenir de l'aide grâce à la Table des matières. Pour télécharger et utiliser ces informations, procédez comme suit :

1. **Appuyez sur la touche F1.**

   Excel ouvre le volet Office Aide sur Excel.

2. **Cliquez sur le lien** Table des matières, **situé juste en dessous de la zone de texte Rechercher.**

   Excel vous connecte au site Internet de Microsoft et télécharge la Table des matières d'Excel 2003.

3. **Cliquez sur l'icône (un livre) de la rubrique principale que vous souhaitez explorer.**

   Excel télécharge alors des pages d'information correspondant à des thèmes associés à la rubrique principale sélectionnée.

4. **Cliquez sur le lien de la page que vous désirez consulter.**

   Excel télécharge les données dans la fenêtre Microsoft Excel : Aide qui apparaît à la droite du volet Office Aide sur Excel.

5. **(Facultatif) Pour afficher toutes les informations liées au thème sélectionné, cliquez sur le bouton Agrandir de la fenêtre Microsoft Excel : Aide et, si nécessaire, sur le bouton Afficher tout.**

6. **(Facultatif) Pour imprimer le thème, cliquez sur le bouton Imprimer de la barre d'outils de la fenêtre Microsoft Excel : Aide.**

   Lorsque vous avez fini de lire ou d'imprimer les informations, vous pouvez sélectionner une autre rubrique depuis le volet Office Aide sur Excel ou fermer la fenêtre Microsoft Excel : Aide.

7. **Pour fermer la fenêtre Microsoft Excel : Aide, cliquez sur le bouton Fermer situé dans le coin supérieur droit.**

   Excel redimensionne sa propre fenêtre et vient combler l'espace libéré. Vous pouvez alors refermer le volet Office Aide sur Excel en appuyant sur Ctrl+F1.

Quand le moment est venu de sortir

Quand le moment est venu de changer d'air et de quitter Excel, plusieurs choix s'offrent à vous :

✔ Cliquer sur le bouton Fermer, dans la barre de titre.

✔ Cliquer, dans la barre de menus, sur Fichier/Quitter.

✔ Double-cliquer, à l'extrême gauche de la barre de titre, sur l'icône Excel (celle avec un X et un L vert).

✔ Appuyez sur Alt+F4.

Si vous tentez de quitter Excel sans avoir enregistré le classeur sur lequel vous venez de travailler, le logiciel affiche une boîte d'alerte qui demande s'il faut enregistrer les modifications. Pour cela, cliquez sur le bouton Oui (des explications détaillées sur l'enregistrement des documents sont fournies dans le Chapitre 2). Si vous vous êtes simplement exercé et ne tenez pas à conserver les modifications, vous pouvez y renoncer en cliquant sur le bouton Non.

Chapitre 2

Créer une feuille de calcul à partir de zéro

Dans ce chapitre :

▶ Démarrer un nouveau classeur.

▶ Entrer trois types de données dans la feuille de calcul.

▶ Créer des formules simples.

▶ Corriger des entrées erronées.

▶ Utiliser la fonction de correction automatique.

▶ Utiliser la recopie automatique pour entrer des séries de données.

▶ Entrer et modifier des formules contenant des fonctions prédéfinies.

▶ Totaliser les colonnes et les lignes avec le bouton Somme automatique.

▶ Enregistrer votre précieux travail et récupérer les classeurs quand le logiciel ne répond plus.

Maintenant que vous savez démarrer Excel 2003, le moment est venu de passer à l'action sans que cela tourne au cauchemar. Vous découvrirez dans ce chapitre comment entrer toutes sortes d'informations dans toutes ces petites cellules vierges décrites dans le chapitre précédent. Vous apprendrez à utiliser les fonctions de correction automatique et de saisie semi-automatique qui vous évitent de faire des erreurs et augmentent votre productivité. Vous découvrirez aussi comment réduire au minimum des saisies aussi fastidieuses grâce à la recopie automatique et au remplissage simultané d'une série de cellules.

Après avoir appris à entrer des données brutes dans la feuille de calcul, vous aborderez ce qui est sans doute la plus importante des leçons : l'enregistrement de toutes ces informations sur le disque afin que vous n'ayez plus à ressaisir tout ça !

Qu'est-ce qu'on va bien pouvoir ranger dans ce nouveau classeur ?

Quand vous démarrez Excel sans ouvrir un document spécifique – ce qui est le cas quand vous le lancez à partir du menu Démarrer de Windows XP (voir Chapitre 1) –, il affiche un classeur vierge, provisoirement nommé Classeur1, qui contient trois feuilles de calcul nommées Feuil1, Feuil2 et Feuil3. Pour commencer à travailler, il suffit d'entrer des informations dans l'une d'elles, la première par exemple.

Les tenants et les aboutissants de la saisie des informations

Voici quelques règles simples à garder à l'esprit chaque fois que vous envisagez de créer une nouvelle feuille de calcul dans le classeur :

- Autant que possible, organisez vos informations en tableaux de données utilisant des colonnes et des lignes adjacentes (voisines). Commencez en haut à gauche de la feuille de calcul, puis allez plutôt vers le bas de la feuille que vers le côté. Si ça vous arrange, séparez les tableaux par une seule colonne ou ligne.

- Quand vous élaborez ces tableaux, ne sautez pas des lignes et des colonnes "rien que pour ménager de la place" pour les informations. Vous apprendrez dans le Chapitre 3 comment aérer efficacement un tableau en élargissant les colonnes, en augmentant la hauteur des lignes et en réglant l'alignement.

- Réservez une colonne à gauche du tableau pour y placer les en-têtes de lignes.

- Réservez une ligne en haut du tableau pour y placer les en-têtes de colonnes.

- Si le tableau doit comporter un titre, placez-le dans la ligne au-dessus de celle des en-têtes de colonnes. Mettez-le dans la même colonne que celle des en-têtes de lignes. Vous apprendrez dans le Chapitre 3 comment le centrer par rapport à toutes les colonnes du tableau.

Dans le Chapitre 1, j'ai longuement insisté sur la très grande taille physique d'une feuille de calcul. Or, vous devez certainement vous demander pourquoi je vous invite maintenant à ne pas éparpiller les données. Après tout, vu l'espace disponible dans chacune des feuilles d'Excel, en faire l'économie est sans doute le moindre de vos soucis.

C'est très vrai, à un minuscule petit détail près : réduire l'espace dans la feuille de calcul réduit aussi l'occupation de la feuille dans la mémoire vive (ou RAM) de l'ordinateur. Car, selon l'utilisation des colonnes et des lignes, Excel détermine la quantité de mémoire qu'il doit réserver, juste pour le cas où il vous viendrait l'idée saugrenue de remplir toutes les cellules de votre zone de travail, c'est-à-dire entre la première et la dernière cellule que vous accaparez. Autrement dit, en laissant des lignes et des colonnes inutilisées dans votre zone de travail, vous gaspillez de la mémoire qui pourrait être utilisée pour stocker les informations de votre feuille de calcul.

Mettez-vous bien ça en tête...

Vous le savez maintenant : c'est de la mémoire disponible dans votre ordinateur que dépend la taille maximale du document que vous pouvez créer, et non du nombre total de cellules d'un classeur. Si la mémoire vient à manquer, vous ne pourrez plus entrer d'informations, quel que soit par ailleurs le nombre de colonnes et de lignes vides dont vous disposez. Pour optimiser la quantité de données que vous pouvez placer dans une feuille de calcul, adoptez systématiquement la technique dite "du camion de déménagement" : concentrez toujours les données au maximum, sans perdre le moindre espace.

La saisie des données

Commencez par réciter (tous ensemble, à l'unisson) la règle de base de toute saisie de données :

> *Pour entrer des données dans une feuille de calcul, il faut cliquer avec le pointeur dans la cellule qui doit les recevoir puis les taper.*

Notez qu'avant de positionner le pointeur de cellule là où la saisie (ou entrée) doit avoir lieu, Excel doit être en mode Prêt ; ce mode est affiché en toutes lettres dans la barre d'état. Mais, dès que vous commencez à saisir des données, Excel passe en mode Entrer (ce mot remplace le mot Prêt, dans la barre d'état).

Si le mode Prêt n'est pas enclenché, appuyez sur la touche Echap.

Dès lors que vous commencez à saisir en mode Entrer, les caractères que vous tapez apparaissent à la fois dans la cellule de la feuille de calcul et dans la barre de formule, en haut de l'écran. Tout ce que vous tapez dans une cellule a un effet dans la barre de formule, à commencer par l'apparition des boutons Annuler, Entrer et Insérer une fonction, entre la Zone Nom et la barre de formule.

Au fur et à mesure que vous tapez, Excel affiche votre saisie à la fois dans la barre de formule et dans la cellule active de la feuille de calcul, comme l'illustre la Figure 2.1. Le point d'insertion n'est toutefois présent qu'après les caractères affichés dans la cellule.

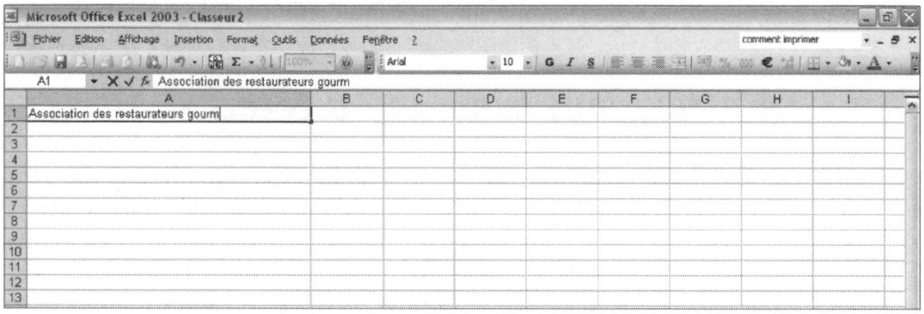

Figure 2.1
Ce que vous tapez apparaît à la fois dans la cellule courante et dans la barre de formule.

Après avoir effectué la saisie, vous devez faire en sorte qu'elle demeure dans la cellule. Pour ce faire, le logiciel doit quitter le mode Entrer et revenir au mode Prêt afin que vous puissiez déplacer le pointeur vers une autre cellule et y entrer éventuellement d'autres données.

Pour terminer la saisie et par là même passer du mode Entrer au mode Prêt, vous pouvez au choix cliquer sur le bouton Entrer (dans la barre de formule), appuyer sur la touche Entrée, ou encore appuyer sur l'une des touches fléchées pour déplacer le pointeur vers une cellule voisine. Il est aussi possible d'appuyer sur la touche Tab ou Maj+Tab.

Bien que chacune de ces manipulations serve à valider la saisie des données dans une cellule, ce qui s'ensuit diffère quelque peu :

✔ Si vous cliquez sur le bouton Entrer, dans la barre de formule, la saisie est validée mais le pointeur de cellule reste en place.

✔ Si vous appuyez sur la touche Entrée, la saisie est validée mais le pointeur se place sur la cellule située juste en dessous.

✔ Si vous appuyez sur l'une des touches fléchées, la saisie est validée, après quoi le pointeur de cellule se déplace dans le sens de la flèche.

✔ Si vous appuyez sur la touche Tab, la saisie est validée, après quoi le pointeur se déplace vers la cellule immédiatement à droite (ce qui équivaut à appuyer sur la touche Flèche droite). L'appui sur Maj+Tab déplace le pointeur vers la cellule immédiatement à gauche (équivalent de la touche Flèche gauche).

Quelle que soit la méthode que vous adoptez pour effectuer une saisie, Excel désactive la barre de formule dès que la frappe est validée en faisant disparaître les boutons Annuler et Entrer. Les données continuent d'être présentes dans la feuille de calcul, à quelques exceptions près que nous évoquerons plus loin dans ce chapitre. Chaque fois que vous sélectionnerez cette cellule, les données seront de nouveau affichées dans la barre de formule.

Si, pendant la saisie – et aussi longtemps qu'elle n'a pas été validée –, vous vous rendez compte d'une erreur, vous pouvez purger et désactiver la barre de formule en cliquant sur le bouton Annuler (celui avec un X) ou en appuyant sur la touche Echap. Mais si vous ne repérez cette erreur qu'après la validation, vous devrez revenir à cette cellule pour la corriger ou supprimer l'entrée (nous verrons ces opérations dans le Chapitre 4) et refaire la saisie.

Choisir le sens du déplacement du pointeur avec la touche Entrée

Lorsque vous validez une saisie en appuyant sur la touche Entrée, Excel place automatiquement le pointeur vers la cellule située juste en dessous. Il est possible de personnaliser ce comportement afin que le pointeur de cellule se déplace dans une autre direction, à droite, à gauche ou vers le haut. Pour ce faire, cliquez sur Outils/Options, dans la barre de menus, puis, dans la boîte de dialogue Options, choisissez l'onglet Modification.

Pour empêcher le pointeur de cellule de se déplacer, ôtez la coche de l'option Déplacer la sélection après validation. Pour que le pointeur aille dans une direction donnée après validation, déroulez la liste Sens et choisissez Bas, Droite, Haut ou Gauche (*NdT* : veillez que la case Déplacer la sélection après validation soit cochée). Cliquez ensuite sur OK ou appuyez sur Entrée.

Tous les types sont les bienvenus

Pendant que vous entrez joyeusement des données dans le tableur, Excel analyse constamment à votre insu le type de ces données et les classe selon l'un des trois types qu'il connaît : du *texte,* une *valeur* ou une *formule.*

Si Excel découvre qu'il s'agit d'une formule, le logiciel la calcule aussitôt, puis affiche le résultat dans la cellule de la feuille de calcul (la formule elle-même reste cependant visible dans la barre de formule). Si la saisie n'a rien d'une formule, Excel détermine s'il s'agit d'un texte ou d'une valeur.

Il effectue cette distinction pour savoir comment aligner ces données dans la feuille de calcul. Les textes sont calés à gauche des cellules tandis que les valeurs sont calées à droite. De plus, comme la plupart des formules se nourrissent de valeurs, en différenciant les textes des valeurs, Excel sait quelles sont les données qui seront admises par une formule et lesquelles ne le seront pas. Disons sans trop nous y attarder qu'il est facile de faire tourner une formule en bourrique en lui donnant à mouliner du texte là où elle attend des valeurs.

Les signes révélateurs d'un texte

Un texte n'est rien d'autre qu'une entrée qu'Excel ne reconnaît ni comme formule ni comme valeur. Autant dire que, en ce qui concerne les types de données, il s'agit carrément d'une catégorie fourre-tout. En pratique, la plupart des entrées de texte (appelées aussi *intitulés*) sont des combinaisons de lettres et de ponctuations, ou de lettres et de chiffres. Les textes servent principalement à créer des titres, des en-têtes ou des annotations.

Il est facile de savoir si une saisie a produit un texte, car ce type de données est automatiquement aligné contre le bord gauche de la cellule. Si le texte est plus long que la cellule, il déborde sur la ou les cellules à droite, *aussi longtemps que celles-ci sont vides* (voir Figure 2.2).

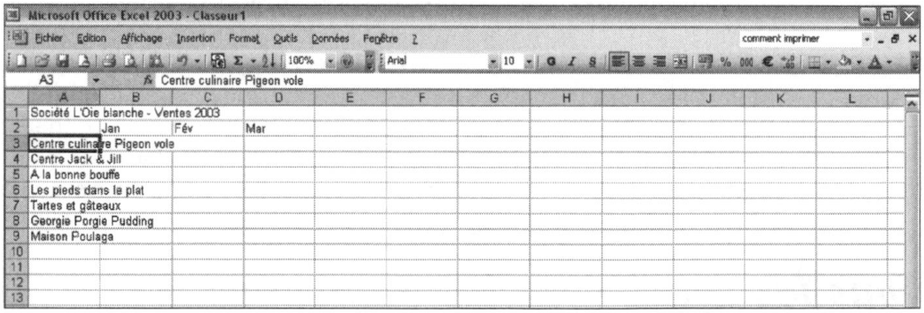

Figure 2.2
Un texte long déborde de la cellule vers ses voisines vides de droite.

Si par la suite vous entrez une information dans une cellule sur laquelle du texte a débordé, Excel tronque le texte, comme le montre la Figure 2.3. Ne vous inquiétez pas. Excel n'a pas du tout coupé le texte, il a simplement évité de l'afficher pour libérer de la place pour les nouvelles données. Pour récupérer la partie masquée du texte, vous devrez élargir la colonne qui le contient (nous verrons comment dans le Chapitre 3).

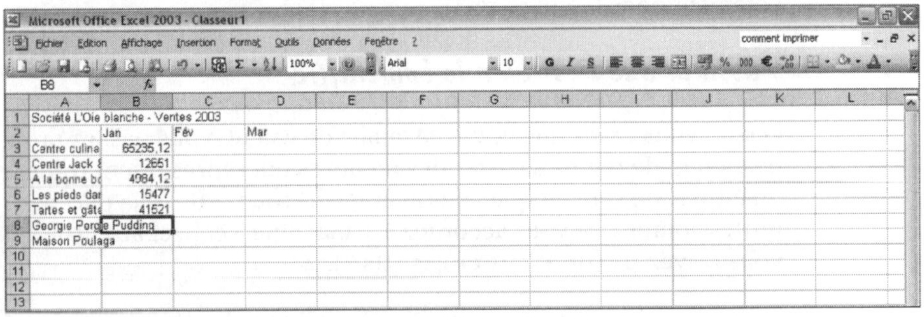

Figure 2.3
Les données de la colonne B masquent partiellement les textes longs qui débordent.

Comment Excel évalue les valeurs

Les *valeurs* sont les blocs de construction de la plupart des formules que vous élaborerez dans Excel. Il en existe deux sortes : les chiffres qui représentent des quantités (14 en stock ou 140 000 €...) et les chiffres qui représentent une date (le 19 décembre 2001) ou une heure (13:30).

Pour Excel, du texte, c'est zéro

La fonction Somme automatique prouve qu'Excel attribue une valeur 0 à du texte. A titre d'exemple, entrez le nombre **10** dans une cellule puis, dans la cellule juste en dessous, un texte aussi loufoque qu'**Excel lent ? Sûrement pas !** (le sens profond de cette affirmation dépend de l'espace...). Bref, le bouton gauche de la souris enfoncé, tirez le pointeur par-dessus ces deux cellules afin de les mettre en surbrillance. Jetez un coup d'œil à l'indicateur de la Somme automatique, dans la barre d'état. Vous y lisez : Somme=10, ce qui prouve bien que, dans le total des deux cellules, le texte compte pour zéro.

Vous pouvez savoir si Excel a accepté une entrée comme valeur en observant comment il l'a alignée ; une valeur est toujours calée à droite. Si elle est trop grande pour tenir dans la cellule, Excel la convertit automatiquement en *notation scientifique*. Par exemple, la valeur 6E+08 indique que 6 est suivi par 8 zéros, soit une valeur de 600 millions. Pour obtenir l'affichage décimal d'un nombre en notation scientifique, il suffit d'élargir la cellule (nous verrons comment dans le Chapitre 3).

S'assurer que c'est bien le bon chiffre

Quand vous créez une nouvelle feuille de calcul, vous passez probablement beaucoup de temps à entrer des nombres qui représentent toutes sortes de quantités, de l'argent que vous avez gagné (ou perdu) à la part de votre budget professionnel que vous accordez à la machine à café et aux croissants (ah bon, vous n'avez pas droit aux croissants ?).

Pour entrer une valeur numérique représentant une quantité positive, comme vos revenus de l'année écoulée, vous sélectionnez une cellule, tapez le chiffre – **259600** par exemple –, puis validez cette saisie avec la touche Entrée ou en cliquant sur le bouton Entrer, et ainsi de suite. Pour entrer une valeur numérique négative, comme les dépenses de café et de croissants, vous tapez d'abord sur la touche - (moins) avant de taper le chiffre, **-1750** par exemple (ce qui n'est finalement pas beaucoup comparé à ce que vous avez gagné), après quoi vous validez cette entrée.

Si vous avez l'habitude de la comptabilité, vous pouvez placer les chiffres négatifs, comme vos dépenses, entre parenthèses. Vous taperez alors **(1750)**. Remarquez qu'en procédant ainsi Excel convertit automatiquement les parenthèses en signe moins : vous tapez (1750) mais Excel affiche -1750.

Pour des valeurs monétaires comme l'euro, vous pouvez ajouter le symbole monétaire € et obtenir la séparation en milliers de vos chiffres. Dès que vous tapez une valeur suivie d'un signe monétaire, Excel met automatiquement cette valeur en forme. (*NdT* : les symboles monétaires reconnus – F, € et $ – sont déclarés dans les options régionales de Windows. Pour y accéder, cliquez sur Démarrer/Panneau de configuration, puis sur l'icône Options régionales, date, heure et langue, enfin sur l'icône Options régionales et linguistiques. Les informations figurent sous l'onglet Options régionales.)

Pour entrer des valeurs décimales, vous utilisez la virgule. Au besoin, Excel ajoute automatiquement un zéro avant la virgule ; par exemple, si vous tapez **,34** dans une cellule, elle devient automatiquement 0,34 au moment de la validation. De même, les zéros superflus sont éliminés : taper **12,50** donne 12,5 (*NdT* : mais il est bien sûr possible de forcer la mise en forme pour faire apparaître ces zéros décimaux).

Pour obtenir l'équivalence décimale d'une valeur exprimée sous la forme d'une fraction, il suffit de taper cette valeur fractionnaire. Par exemple, si vous ignoriez que 2,1875 est la représentation décimale de 2 et 3/16e, tapez simplement **2 3/16** en veillant à placer un espace entre 2 et 3/16. Après avoir validé cette saisie, rien n'a changé dans la cellule, mais dans la barre de formule vous lisez le résultat 2,1875. Comme vous le découvrirez dans le Chapitre 3, il s'agit là d'une petite astuce qu'utilise Excel pour afficher l'équivalent de 2 3/16e dans la barre de formule.

Remarque : si vous devez entrer des fractions simples comme 3/4 ou 5/8, vous devez les faire précéder d'un zéro suivi d'un espace ; par exemple : **0 3/4** ou **0 5/8**. Autrement, Excel penserait que vous entrez des dates qu'il traduirait respectivement par 03-avr et 05-août.

Quand vous entrez dans une cellule une valeur numérique qui représente un pourcentage, vous avez le choix entre :

- Diviser le nombre par 100 et entrer son équivalent décimal (en décalant la virgule de deux chiffres vers la gauche, comme vous l'avez appris à l'école). Vous taperez par exemple **,12** pour 12 %.

- Entrer le nombre suivi du signe de pourcentage : **12 %**.

Quelle que soit la méthode choisie, Excel stocke la valeur décimale dans la cellule (0,12 dans notre exemple). Si vous utilisez le signe de pourcentage, Excel applique la mise en forme correspondante, c'est-à-dire 12 %.

Fixer la virgule décimale

Si vous devez entrer une série de chiffres qui doivent comporter un même nombre de décimales, activez la fonction Décimale fixe d'Excel. Elle s'avère vraiment commode lorsque vous devez saisir des centaines de valeurs financières ou comptables avec deux décimales pour les centimes.

Procédez comme suit pour fixer le nombre de décimales des chiffres que vous entrez :

1. **Dans la barre de menus, choisissez Outils/Options.**

   La boîte de dialogue Options apparaît.

2. **Cliquez sur l'onglet Modification.**

3. **Cochez la case Décimale fixe.**

Par défaut, Excel place la virgule de façon à réserver deux décimales. Pour modifier ce paramètre, allez à l'Etape 4, sinon passez directement à l'Etape 5.

4. **Tapez une nouvelle valeur dans Place ou utilisez le bouton rotatif pour la régler.**

Par exemple, si vous voulez afficher trois décimales, mettre la valeur de Place à 3 donnera : 00,000.

5. **Cliquez sur OK ou appuyez sur Entrée.**

Excel affiche la mention FIX dans la barre d'état pour bien indiquer que la fonction Décimale fixe est active.

Attention à la place de la décimale fixe !

Lorsque la fonction Décimale fixe est active, Excel ajoute automatiquement deux décimales à toutes les valeurs que vous entrez. Mais, si vous comptez entrer un chiffre sans décimale ou un chiffre avec un nombre différent de décimales, vous devrez penser à taper la virgule vous-même. Par exemple, pour entrer le nombre 1099 au lieu de 10,99 lorsque deux décimales fixes ont été définies dans Excel, vous devez taper **1099,** (le chiffre suivi d'une virgule) dans la cellule.

Et, s'il vous plaît, n'oubliez pas de désactiver la fonction Décimale fixe avant de passer à une autre feuille de calcul ou de quitter Excel ! Car autrement, chaque fois que vous voudrez la valeur 20, Excel affichera 0,2 (avec tous les risques que cela comporte, car Excel ne vous prévient pas).

Après avoir fixé les décimales, Excel ajoute automatiquement la virgule décimale à toutes les valeurs numériques que vous serez amené à entrer. Tout ce que vous avez à faire est de taper des chiffres et de les valider. Par exemple, pour entrer 100,99 dans une cellule lorsque la place de la décimale fixe est 2, vous taperez **10099** sans jamais taper la virgule. Dès que vous validez ces chiffres, Excel fait apparaître 100,99 dans la cellule.

Pour revenir au mode de saisie habituel, dans lequel vous tapez vous-même la virgule, ouvrez la boîte de dialogue Options, retournez sous l'onglet Modification, puis cliquez dans la case Décimale fixe afin d'ôter la coche. Cliquez ensuite sur OK ou appuyez sur Entrée. La mention FIX disparaît de la barre d'état.

Taper comme avec la bonne vieille calculatrice

Vous pouvez obtenir plus encore de la fonction Décimale fixe en sélectionnant la plage de cellules dans laquelle vous voulez entrer des chiffres (voir la section "La saisie dans les plages", plus loin dans ce chapitre) et en appuyant ensuite sur la touche Verr Num afin de procéder aux saisies à partir du pavé numérique, comme avec une calculatrice.

En procédant ainsi, tout ce que vous avez à faire pour entrer des plages de données dans les cellules est de les taper et d'appuyer sur la touche Entrée (ou Enter) du pavé numérique. Excel insère la virgule au bon endroit puis décale le pointeur vers la prochaine cellule. Mieux, lorsque vous avez tapé la dernière valeur d'une colonne, appuyer sur Entrée déplace automatiquement le pointeur en haut de la prochaine colonne de la sélection.

Regardez les Figures 2.4 et 2.5 pour voir en quoi la méthode de la calculatrice peut vous être utile. Dans la Figure 2.4, la fonction Décimale fixe est active, avec 2 places décimales, et la plage de cellules allant de B3 à D9 est sélectionnée. Vous remarquez aussi que six entrées ont été faites dans les cellules B3 à B8 et une septième, 30834,63, est en cours de saisie dans la cellule B9. Pour procéder à cette entrée en mode Décimale fixe, il suffit de taper **3083463** à partir du pavé numérique.

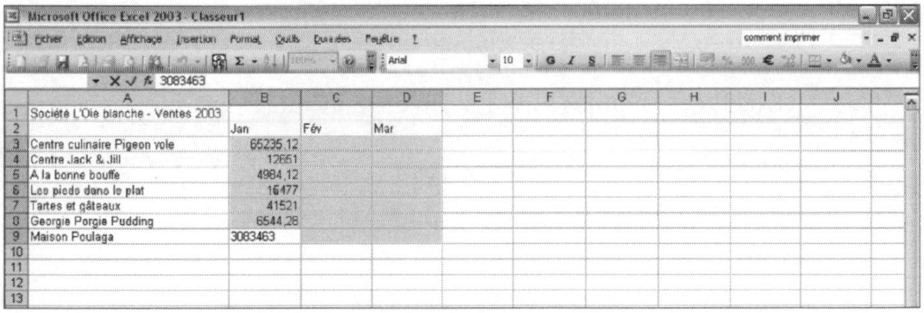

Figure 2.4
Pour entrer la valeur 30834,63 dans la cellule B9, tapez **3083463** et appuyez sur la touche Entrée.

Dans la Figure 2.5, observez ce qui se passe juste après avoir appuyé sur Entrée (la touche habituelle ou celle du pavé numérique). Excel a non seulement placé la virgule dans la valeur de la cellule B9, mais il a aussi déplacé le pointeur vers la cellule B3, en haut de la colonne suivante.

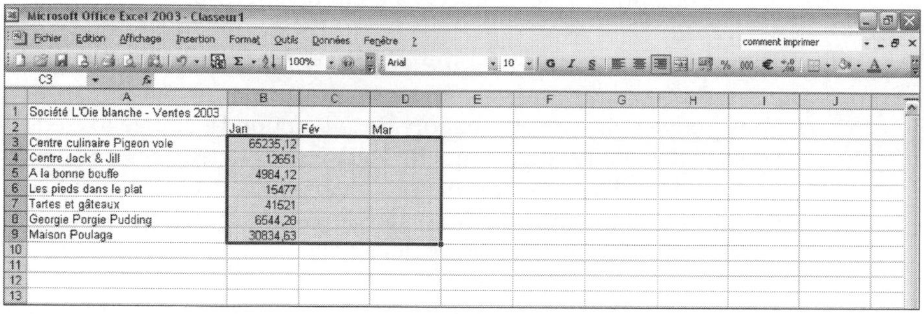

Figure 2.5
La touche Entrée
vient d'être
appuyée pour
valider la valeur
30834,63 tapée
dans la cellule
B9. Le pointeur
passe ensuite
automatiquement
à la cellule C3.

La saisie des dates et des heures

De prime abord, il peut sembler assez curieux que dans une feuille de calcul les dates et les heures soient considérées comme des valeurs plutôt que comme du texte. La raison en est simple : les dates et les heures peuvent être utilisées dans des formules, ce qui ne serait pas envisageable si elles étaient du texte. Il est par exemple possible d'entrer deux dates, puis d'élaborer une formule qui soustraie la plus récente de la plus ancienne et retourne le nombre de jours qui les sépare.

Excel détermine si la valeur que vous venez d'entrer est une date ou une heure, ou bien du texte, selon le format utilisé. Si celui-ci correspond à l'un des formats de date ou d'heure d'Excel, le logiciel considère ces valeurs comme une date ou comme une heure. Autrement, si le format n'est pas reconnu, l'entrée est considérée comme du texte.

Excel reconnaît les formats d'heure suivants :

3	AM ou PM
3	A ou P (pour AM et PM)
3:21	
3:21:04	AM ou PM
15:21	
15:21:04	

(*NdT* : Les initiales AM et PM, utilisées dans les pays anglophones, sont respectivement celles des termes latins *ante meridiem* (avant midi) et *post meridiem* (après midi). Elles sont utilisées pour différencier les heures dans un système horaire basé sur 12 heures.)

Excel reconnaît les formats de date suivants :

6 novembre 2003 ou 6 novembre 03

6/11/01 ou 6-11-01

6-nov-03, 6/nov/03 ou 6nov03

6/11, 6-nov, 6/nov ou 6nov

06nov ou 06-nov

Les systèmes de dates

Les dates sont stockées dans Excel sous la forme d'un nombre de série correspondant au nombre de jours écoulés depuis une certaine date. Les heures sont stockées sous une forme fractionnaire indiquant la partie de temps écoulée d'une période de 24 heures. Excel reconnaît deux systèmes de datation : le système basé 1900 utilisé sous Windows, dans lequel la date de départ est le 1er janvier 1900 (numéro de série 1), et le système 1904 utilisé sur les Macintosh, dans lequel la date de départ est le 2 janvier 1904.

Si vous récupérez sous Windows un fichier Excel créé sur un Macintosh et dont les dates semblent erronées, vous pourrez rectifier ce problème en choisissant, dans la barre de menus, Outils/Options, en cliquant sur l'onglet Calcul et en cochant ensuite la case Calendrier depuis 1904. Cliquez ensuite sur OK.

Les siècles d'Excel

Contrairement à ce que vous pourriez penser, l'entrée dans le XXIe siècle n'empêche pas de n'entrer que les deux derniers chiffres d'un millésime. Par exemple, pour entrer la date du 6 janvier 2004 dans une feuille de calcul, vous pouvez taper 6/1/04. Ou encore 15/2/10 pour entrer la date du 10 février 2010.

Notez toutefois que ce système de datation sur deux chiffres ne fonctionne que pour les trois premières décades du nouveau siècle, y compris la dernière année du siècle échu, c'est-à-dire de 2000 à 2029. Dès 2030, vous devrez entrer la date sur quatre chiffres (*NdT* : un autre beau bogue médiatique en perspective ?).

Cela signifie aussi que, pour entrer les dates des trois premières décades du XXᵉ siècle, de 1900 à 1929, vous devez taper les quatre chiffres de l'année. Par exemple, pour entrer le 21 juillet 1925, vous devez taper **21/7/1925** dans la cellule. Autrement, si vous vous contentez de taper 25, Excel considérera qu'il s'agit de l'année 2025 et non de 1925 !

Excel 2003 affiche toujours les quatre chiffres d'une date dans une cellule ou dans la barre de formule, même si vous n'en avez tapé que deux. Autrement dit, si vous tapez **6/11/04** dans une cellule, Excel affichera néanmoins **6/11/2004** dans la cellule et dans la barre de formule.

Vous saurez ainsi toujours si une date appartient au XXᵉ siècle ou au XXIᵉ siècle, même si vous n'arrivez pas à retenir les dates qui peuvent être entrées sur deux chiffres et celles qui doivent l'être sur quatre (vous apprendrez dans le Chapitre 3 comment formater les dates pour n'afficher que les deux derniers chiffres dans une feuille de calcul).

Pour en savoir plus sur les opérations arithmétiques simples à base de dates et d'heures, reportez-vous au Chapitre 3.

Concocter ces fabuleuses formules !

Les formules sont les véritables chevaux de bataille d'Excel. Pour peu qu'une formule ait été correctement élaborée, elle renverra le résultat recherché dès sa validation. Par la suite, elle réagira en temps réel à toutes les modifications apportées aux cellules dont elle dépend.

Vous indiquez à Excel que vous tapez une formule – et non du texte ou une valeur – en commençant la saisie par le signe = (égal). Il précède toutes les formules, même les plus élémentaires comme SOMME ou MOYENNE (reportez-vous à la section "Placer une fonction dans une formule avec le bouton Insérer une fonction", plus loin dans ce chapitre, pour en savoir plus sur l'utilisation des fonctions d'Excel). D'autres formules simples se basent sur une série de valeurs ou de références de cellules contenant des valeurs. Ces dernières sont séparées par un ou plusieurs des opérateurs mathématiques suivants :

- + Addition

- - Soustraction

- * Multiplication

- / Division

- ^ Puissance

Par exemple, pour créer dans la cellule C2 une formule qui multiplie la valeur contenue dans la cellule B2, vous taperez la formule suivante : **=A2*B2**.

Procédez comme suit pour entrer cette formule :

1. **Sélectionnez la cellule C2.**

2. **Tapez l'intégralité de la formule : =A2*B2.**

3. **Appuyez sur la touche Entrée.**

Ou :

1. **Sélectionnez la cellule C2.**

2. **Tapez le signe = (égal).**

3. **Sélectionnez la cellule A2 en cliquant dedans ou avec les touches fléchées.**

   Cette action place la cellule de référence A2 dans la formule, comme le montre la Figure 2.6.

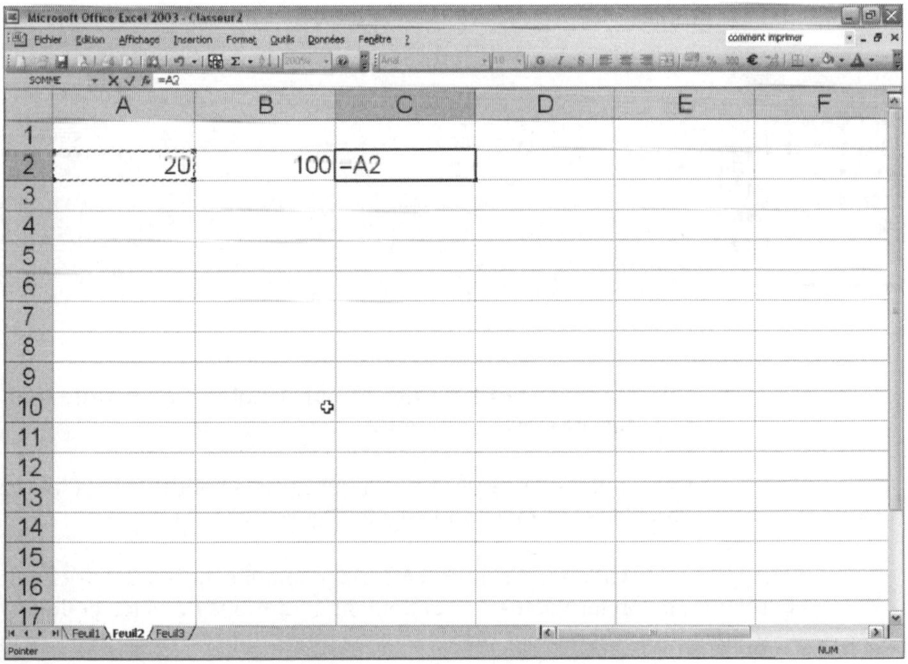

Figure 2.6
Pour commencer à créer la formule, tapez le signe = puis sélectionnez la cellule A2.

4. **Tapez * (ce caractère se trouve dans le coin décrit par les touches Entrée et Maj droit).**

   L'astérisque est le signe de multiplication. Il se substitue au signe "x" appris à l'école.

5. **Sélectionnez la cellule B2 avec la souris ou au clavier.**

   Cette action insère le contenu de la cellule B2 dans la formule, comme le montre la Figure 2.7.

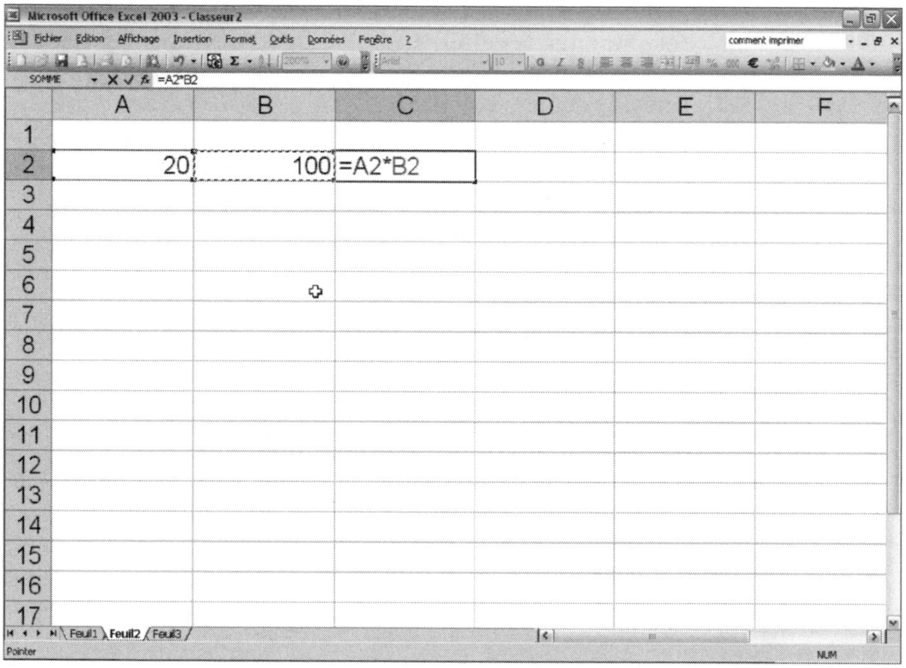

Figure 2.7
Pour entrer la deuxième partie de la formule, tapez * puis sélectionnez la cellule B2.

6. **Cliquez sur le bouton Entrer pour terminer la formule tout en laissant le pointeur sur la cellule C2.**

   Excel affiche le résultat du calcul dans la cellule C2 ; la formule apparaît dans la barre de formule (voir Figure 2.8).

Après avoir validé la formule **=A2*B2**, dans la cellule C2, Excel affiche le résultat selon les valeurs actuellement contenues dans les cellules A2 et B2. La grande force du tableur réside dans la possibilité de recalculer immédiatement

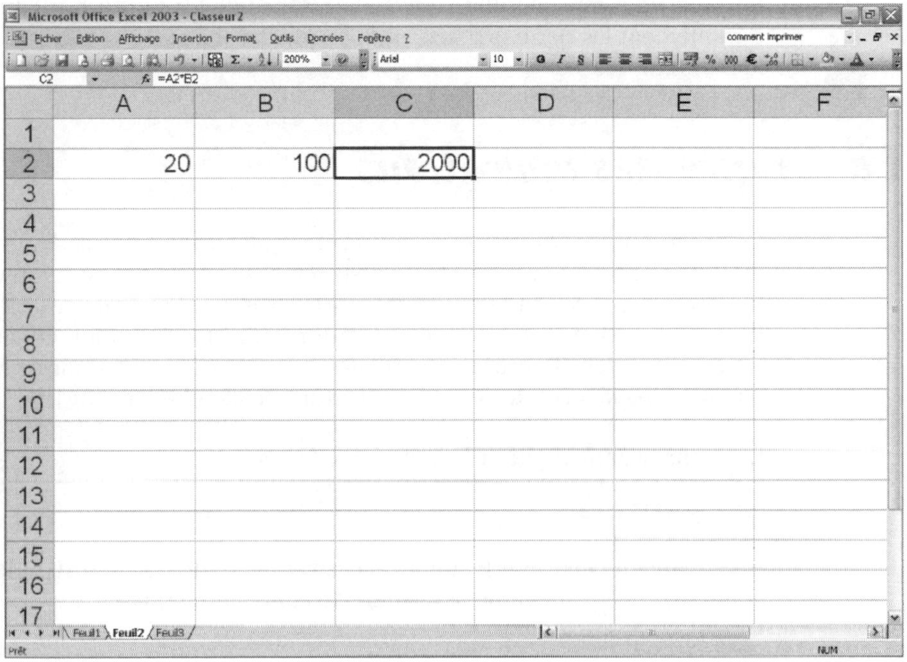

Figure 2.8
Cliquez sur le bouton Entrer. Excel affiche le résultat dans la cellule C2 ; la formule apparaît dans la barre de formule.

et automatiquement la formule dès qu'une des cellules dépendant d'une formule est modifiée.

Nous en arrivons à la partie intéressante : après avoir créé une formule qui, comme celle de notre exemple, se réfère à des valeurs contenues dans certaines cellules (et non à des valeurs appartenant à la formule), tout changement apporté à ces valeurs entraîne le recalcul de la formule puis l'affichage du résultat dans la feuille de calcul. Dans l'exemple de la Figure 2.8, si vous remplacez la valeur de la cellule B2 par 50 au lieu de 100, Excel recalcule la formule et affiche le nouveau résultat dans la cellule C2, soit 1000.

Pour l'avoir, il suffit de pointer

Cette méthode de sélection des cellules à utiliser dans une formule, différente de la frappe de leurs références au clavier, est appelée *pointage*. Le pointage est non seulement plus rapide que la saisie des références, mais aussi plus sûr, car il élimine tout risque de faute de frappe. Or, la moindre erreur dans la lettre d'une colonne ou le numéro d'une ligne peut avoir des conséquences désastreuses.

Lorsque vous devez utiliser une cellule dans une formule, vous limiterez considérablement les risques d'erreur en cliquant dans cette cellule ou en amenant le pointeur dessus.

La priorité des opérations

De nombreuses formules que vous créerez effectueront plus d'une opération mathématique. Excel les exécute de la gauche vers la droite selon un ordre hiérarchique strict, qui est en fait l'ordre naturel des opérations arithmétiques. La multiplication et la division sont prioritaires sur l'addition et la soustraction, et de ce fait effectuées en premier, même si ces opérations ne figurent pas en tête dans la formule (lors d'une lecture de gauche à droite).

Etudions la série d'opérations de cette formule :

    =A2+B2*C2

Si la cellule A2 contient le nombre 5, la cellule B2 le nombre 10 et la cellule C2 le nombre 2, Excel évalue la formule de la manière suivante :

    =5+10*2

Dans cette formule, Excel commence par multiplier 10 par 2, ce qui donne 20, puis il ajoute 5, ce qui donne 25.

Si vous tenez à ce qu'Excel effectue l'addition entre les valeurs des cellules A2 et B2 avant de procéder à la multiplication du résultat par la valeur de la cellule C2, vous devez mettre l'addition entre parenthèses, comme suit :

    =(A2+B2)*C2

La parenthèse indique à Excel que cette opération doit être effectuée avant la multiplication. Dans ce cas de figure où A2 contient 5, B2 contient 10 et C2 contient 2, Excel commence par additionner 5 et 10, ce qui donne 15, après quoi il multiplie ce résultat par 2 pour produire le résultat final 30.

Dans des formules plus alambiquées, vous devrez jongler avec beaucoup plus de parenthèses, en les imbriquant parfois (comme les fameuses poupées russes) pour imposer l'ordre dans lequel les calculs doivent être exécutés. Lorsque des parenthèses sont imbriquées, Excel commence par calculer celle qui est le plus à l'intérieur. Voyons par exemple la formule :

    =(A4+(B4-C4))*D4

Excel soustrait d'abord la valeur de la cellule C4 de celle de la cellule B4, puis il ajoute la différence à la valeur de la cellule A4 et multiplie enfin le résultat par la valeur de D4.

Sans les deux paires de parenthèses imbriquées, livré à lui-même, Excel aurait d'abord multiplié la valeur de la cellule C4 par celle de la cellule D4, puis il aurait ajouté la valeur de la cellule A4 à celle de la cellule B4, et enfin effectué la soustraction.

Ne vous inquiétez pas trop du risque d'oublier une parenthèse lorsque vous en utilisez plusieurs dans une formule. S'il en manque une, Excel affiche une boîte d'alerte et propose de corriger la formule afin d'apparier les parenthèses. Si vous êtes d'accord avec cette correction, cliquez simplement sur le bouton Oui. Quoi qu'il en soit, veillez toujours à utiliser des parenthèses et non des crochets [" ou des accolades { }, ce qu'Excel n'apprécie pas du tout.

Les erreurs de formule

Dans certaines circonstances, même la formule la mieux écrite peut faire des siennes une fois qu'elle a été validée. Vous vous rendez compte que quelque chose ne va pas lorsque, au lieu de voir apparaître le résultat attendu, la cellule affiche un étrange message en majuscules précédé d'un dièse (#) et terminé par un point d'exclamation (!) ou, dans un cas bien particulier, par un point d'interrogation (?). Cette bizarrerie est appelée, dans le jargon des tableurs, *valeur d'erreur*. Elle est censée vous prévenir qu'un élément – que ce soit dans la formule elle-même ou dans une cellule à laquelle elle se réfère – empêche Excel de procéder au calcul.

Lorsque l'une de vos formules renvoie une valeur d'erreur, un signal d'alerte (sous la forme d'un point d'exclamation placé dans un losange) apparaît à gauche de la cellule lorsque le pointeur de cellule est situé sur celle-ci. Dans le coin supérieur gauche de la cellule, figure un petit triangle vert. Lorsque vous placez le pointeur de la souris sur ce signal d'alerte, Excel affiche une description sommaire de l'erreur de formule, ainsi qu'un bouton de liste déroulante. Lorsque vous cliquez dessus, un menu contextuel doté de plusieurs options apparaît. Pour obtenir de l'aide en ligne sur cette erreur de formule, notamment des suggestions pour la corriger, cliquez sur l'option Aide sur cette erreur.

Le pire avec les valeurs d'erreur est qu'elles peuvent se répercuter dans d'autres formules de la feuille de calcul. Si une formule retourne une valeur d'erreur dans une cellule et qu'une autre formule d'une autre cellule s'y réfère, cette deuxième formule retourne à son tour la même erreur, qui risque d'être reprise ailleurs et ainsi de suite.

Lorsqu'une valeur d'erreur apparaît dans une cellule, vous devez découvrir son origine puis modifier la formule. Le Tableau 2.1 recense quelques-unes des valeurs d'erreur que vous risquez de rencontrer et indique les causes les plus communes.

Tableau 2.1 : Les valeurs d'erreur susceptibles d'entacher des formules.

Ce qu'affiche la cellule	Cause probable
#DIV/0!	Se produit lorsqu'un élément de la formule doit être divisé par le contenu d'une cellule dont la valeur est 0 ou, ce qui est le plus souvent le cas, lorsque cette cellule est vide. En mathématique, la division par zéro est une aberration.
#NOM?	Se produit lorsque la formule se réfère à un *nom de plage* (reportez-vous au Chapitre 6 pour en savoir plus sur ce sujet) qui n'existe pas dans le classeur. Ce type d'erreur apparaît lorsque vous faites une faute de frappe en tapant le nom ou lorsque du texte utilisé dans une formule n'est pas placé entre guillemets, ce qui laisse croire à Excel qu'il s'agit d'un nom de plage.
#NUL!	Se produit le plus souvent lorsque vous insérez un espace, au lieu du point-virgule utilisé pour séparer les références de cellules utilisées comme arguments pour les fonctions.
#NOMBRE!	Se produit lorsque Excel rencontre dans la formule un problème avec un nombre comme un type d'argument erroné dans une fonction, ou un calcul qui produit un nombre trop grand ou trop petit pour être représenté dans la feuille de calcul.
#REF!	Se produit lorsque Excel rencontre une référence de cellule non valide. C'est le cas lorsque vous supprimez une cellule utilisée par une formule ou, dans certains cas, quand vous collez des cellules par-dessus celle à laquelle se réfère la formule.
#VALEUR!	Se produit lorsque vous utilisez le mauvais type d'argument ou d'opérateur dans une fonction, ou lors de l'appel à une opération mathématique qui se réfère à des cellules contenant du texte.

Corriger les entrées erronées

Nous visons tous à la perfection, mais comme bien peu d'entre nous peuvent s'en prévaloir – en ce qui concerne Excel bien sûr –, nous finissons tous par nous planter plus ou moins. Quand il s'agit d'entrer de grandes quantités de données, la faute de frappe n'attend qu'un moment d'inattention pour s'immiscer dans le travail. Mais, dans notre quête de la feuille parfaite, nous ne sommes pas sans armes. Voici quelques recommandations. La première est de configurer Excel pour qu'il rectifie automatiquement certaines fautes de frappe grâce à la fonction de correction automatique. La deuxième est de corriger manuellement les petites erreurs, soit au moment de la saisie, soit après validation.

La correction automatique

La correction automatique est une aubaine pour tous ceux d'entre nous qui ont tendance à répéter toujours les mêmes erreurs. Grâce à cette fonction, vous pouvez signaler vos fautes de frappe favorites à Excel 2003 et obtenir de lui qu'il les corrige aussitôt.

La première fois que vous installez Excel, la correction automatique est d'ores et déjà configurée pour corriger les deux premières lettres majuscules des textes que vous entrez (il met automatiquement la deuxième lettre en minuscule). Il met une majuscule aux noms des jours, ou remplace fort judicieusement un texte erroné par un autre, corrigé.

Vous pouvez à tout moment ajouter vos propres termes à la liste de mots à corriger. Ces textes de remplacement peuvent être de deux types : ceux qui corrigent des fautes de frappe que vous ne pouvez vous empêcher de faire, et des abréviations ou des acronymes que vous devez tout le temps taper en entier.

Pour déclarer un texte de remplacement :

1. **Dans la barre de menus, choisissez Outils/Options de correction automatique afin d'accéder à la boîte de dialogue correspondante.**

2. **Sous l'onglet Correction automatique, entrez le texte ou l'abréviation dans le champ Remplacer.**

3. **Entrez la correction ou la forme complète de l'abréviation dans le champ Par.**

4. **Cliquez sur le bouton Ajouter ou appuyez sur la touche Entrée afin d'insérer la correction dans la liste.**

5. **Cliquez sur OK pour quitter la boîte de dialogue Correction automatique.**

Les règles de modification d'une cellule

En dépit de la correction automatique, des erreurs peuvent néanmoins se produire. Leur correction varie selon que vous les avez repérées au cours de la saisie ou après validation.

✔ Si vous avez repéré la bourde avant d'avoir validé l'entrée, vous pouvez la corriger en appuyant sur la touche Ret.Arr. jusqu'à ce que vous ayez supprimé tous les caractères erronés de la cellule. Il ne vous reste plus ensuite qu'à retaper le reste de l'entrée.

✔ Si vous n'avez découvert l'erreur qu'après coup, vous avez le choix entre le remplacement de toute l'entrée ou la seule correction de l'erreur.

✔ Si le contenu de la cellule est facile à retaper, vous choisirez sans doute de le remplacer. Pour ce faire, positionnez le pointeur sur cette cellule, tapez la nouvelle entrée, puis validez-la en cliquant sur le bouton Entrer ou en appuyant sur la touche Entrée ou sur une flèche de direction.

✔ Si l'erreur est facile à corriger mais que l'entrée est longue, vous aurez sans doute intérêt à modifier le contenu de la cellule plutôt que tout retaper. Pour éditer l'entrée, double-cliquez dedans ou appuyez sur la touche de fonction F2.

✔ L'une et l'autre de ces actions activent la barre de formule qui affiche de nouveau les boutons Entrer et Annuler tandis que le point d'insertion réapparaît dans la cellule. Notez que quand vous double-cliquez le point d'insertion apparaît là où vous avez cliqué ; si vous appuyez sur F2, il apparaît après le dernier caractère de l'entrée.

✔ Remarquez aussi que, dans la barre d'état, l'indicateur de mode se met sur Modifier. Dans ce mode, vous pouvez utiliser la souris ou les touches fléchées pour déplacer le point d'insertion jusqu'à l'endroit à corriger.

Le Tableau 2.2 contient les touches du clavier que vous pouvez utiliser pour positionner le point d'insertion dans une entrée de cellule et supprimer les caractères indésirables. Pour insérer de nouveaux caractères au point d'insertion, il suffit de les taper. Pour supprimer des caractères au fur et à mesure que vous tapez les nouveaux, appuyez une seule fois sur la touche Insert pour passer du mode d'insertion normal au mode de remplacement, dans lequel les caractères tapés écrasent ceux qu'ils rencontrent. Pour revenir au mode d'insertion normal, appuyez de nouveau sur Insert. Lorsque les corrections auront été faites, vous devrez appuyer sur Entrée afin qu'Excel valide les modifications et les prenne en compte.

Quand Excel est en mode Modifier, vous devez entrer le contenu d'une cellule modifiée en cliquant sur le bouton Entrer ou en appuyant sur Entrée. Vous ne pouvez utiliser les touches fléchées pour terminer l'entrée que si Excel est en mode Entrer. En mode Modifier, les touches flèches déplacent le point d'insertion dans la cellule, mais pas du tout le pointeur vers d'autres cellules.

Tableau 2.2 : Les touches de modification du contenu d'une cellule.

Touche	Action
Suppr	Supprime le caractère à droite du point d'insertion.
Ret.Arr.	Supprime le caractère à gauche du point d'insertion.
Flèche droite	Décale le point d'insertion d'un caractère vers la droite.
Flèche gauche	Décale le point d'insertion d'un caractère vers la gauche.
Flèche haut	Si le point d'insertion est la fin de l'entrée, il est déplacé à la position qu'il occupait précédemment.
Fin ou Flèche haut	Place le point d'insertion après le dernier caractère de l'entrée.
Origine	Place le point d'insertion avant le premier caractère de l'entrée.
Ctrl+Flèche droite	Place le point d'insertion devant le prochain mot de l'entrée.
Ctrl+Flèche gauche	Place le point d'insertion devant le mot précédent de l'entrée.
Inser	Fait passer du mode Insertion au mode Ecrasement et inversement.

> ## Modifier dans la cellule ou dans la barre de formule ?
>
> Excel vous propose de modifier le contenu d'une cellule soit directement dans la cellule, soit dans la barre de formule. Bien que le plus souvent la modification dans la cellule soit parfaite, il n'en va plus de même lorsque cette entrée est gigantesque, comme ces formules bourrées de parenthèses imbriquées et de fonctions qui s'étalent sur un paragraphe tout entier. Dans ce cas, il est préférable d'intervenir dans la barre de formule, car Excel l'étend au besoin sur plusieurs lignes afin que son contenu soit totalement visible. Or, quand une cellule est éditée, son contenu peut se retrouver partiellement hors de l'écran.
>
> Pour modifier le contenu dans la barre de formule plutôt que dans la cellule, vous devez placer le pointeur sur la cellule en question puis double-cliquer dans la barre de formule à l'endroit où vous voulez intervenir.

La saisie semi-automatique

La fonction de saisie semi-automatique d'Excel 2003 ne fera pas tout à votre place, mais elle vous aidera néanmoins à saisir vos données. Dans le but louable de vous décharger des tâches les plus ingrates, les programmeurs de Microsoft ont mis au point une intéressante fonction qui facilite vos saisies.

La *saisie semi-automatique* est une sorte de mémoire qui anticipe la frappe selon ce que vous avez commencé à taper. Elle n'entre en jeu que quand vous tapez du texte, mais pas avec les chiffres ou les formules. Lorsque vous entrez du texte, la saisie semi-automatique recherche si, ailleurs dans la colonne, du texte commençant par les mêmes lettres existe déjà. Si c'est le cas, elle complète aussitôt votre saisie, vous évitant ainsi d'avoir à taper le reste.

Supposons par exemple que j'aie tapé **Centre culinaire Pigeon vole** (l'un des partenaires de la société L'Oie blanche) dans la cellule A3, puis que le pointeur ait été déplacé vers la cellule A4. Dès l'appui sur la touche **C** – en majuscule ou en minuscule, cela n'a pas d'importance –, la saisie semi-automatique ajoute aussitôt le restant, soit *_entre culinaire Pigeon vole* juste après le C, comme le montre la Figure 2.9.

La saisie semi-automatique est parfaite si les cellules A3 et A4 doivent contenir les mêmes entrées. Mais supposons que les entrées commencent par les mêmes lettres, mais qu'elles diffèrent ensuite. La saisie semi-automatique fonc-

Figure 2.9
La saisie semi-automatique complète une entrée selon une autre entrée déjà existante qui, dans la même colonne, commence par la ou les mêmes lettres.

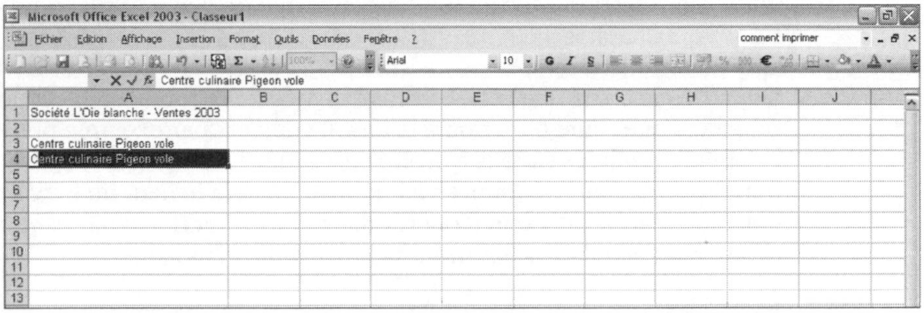

tionnera aussi longtemps que les lettres seront identiques – le mot *Centre* en l'occurrence – ; il suffit de continuer à taper. Dès que le texte diffère, comme dans *Centre Jack & Jill,* la saisie semi-automatique cesse dès la frappe du J, vous laissant libre de compléter l'entrée à votre guise.

Si vous trouvez qu'en proposant systématiquement des entrées chaque fois que vous commencez à taper du texte la fonction Saisie semi-automatique est plus gênante qu'utile, vous pouvez la désactiver en cliquant sur Outils/ Options, puis en allant sous l'onglet Modification. Ôtez ensuite la coche dans la case Saisie semi-automatique des valeurs de cellule et cliquez sur OK.

La recopie automatique

Bon nombre des feuilles de calcul que vous créez avec Excel exigent la saisie de séries de chiffres ou de dates qui se suivent. Vous devrez par exemple entrer les douze mois de l'année dans un classeur, ou numéroter des cellules de 1 à 100.

La fonction de recopie d'Excel, appelée aussi *recopie incrémentée*, facilite considérablement ces tâches répétitives. Tout ce que vous avez à faire est de taper la première valeur d'une série. Le plus souvent, la recopie automatique se fera un plaisir de remplir les cellules voisines en tirant une poignée de recopie vers la droite pour incrémenter sur une ligne, ou vers le bas pour incrémenter dans une colonne.

La poignée de recopie, qui a la forme d'une croix noire, n'apparaît que quand vous placez le pointeur de la souris sur le coin inférieur droit d'une cellule, ou de la dernière cellule si une plage a été sélectionnée. Gardez à l'esprit qu'en faisant glisser une sélection de cellules avec le pointeur de souris en forme d'épaisse croix blanche Excel se contente d'étendre la sélection aux cellules par-dessus lesquelles vous avez tiré le pointeur (voir Chapitre 3). Si vous faites glisser la sélection avec le pointeur en forme de flèche, Excel déplace la sélection (voir Chapitre 4).

Quand vous créez une série avec la poignée de recopie, vous ne pouvez tirer que dans une seule direction à la fois. Il vous est par exemple possible de remplir les cellules situées à droite ou à gauche sur la même ligne que la cellule initiale contenant les données à recopier, ou vers le haut ou le bas de la même colonne. Mais il est exclu d'opérer dans deux directions, par exemple vers la droite puis vers le bas, en tirant la poignée en diagonale.

Lorsque vous actionnez la souris, le logiciel vous tient informé des données qu'il entre dans la dernière cellule de la plage sélectionnée en affichant son contenu à proximité du pointeur, dans une sorte d'info-bulle. Dès que vous relâchez le bouton de la souris après avoir étendu la recopie, Excel crée une série de données dans toutes les cellules que vous avez sélectionnées ou recopie simplement la valeur initiale sans la modifier. A droite de la dernière entrée qu'il vient d'effectuer, Excel affiche un bouton contextuel qui déroule un menu proposant plusieurs options. Elles servent à outrepasser l'option de recopie par défaut, par laquelle Excel recopie la valeur de départ dans une plage de cellules, et à activer à la place la recopie incrémentée.

Les Figures 2.10 et 2.11 montrent comment utiliser la fonction de recopie automatique pour entrer des mois de l'année sur une ligne, en commençant par janvier dans la cellule B2 et en finissant par le mois de juin en G2. Pour ce faire, tapez simplement **Janvier** dans la cellule B2, amenez le pointeur de la souris sur la poignée de recopie située sur le coin inférieur droit de la cellule, puis tirez-la jusqu'à sur la cellule G2, comme le montre la Figure 2.10. Lorsque vous relâchez le bouton de la souris, Excel remplit les cellules avec les différents mois, de février à juin, comme l'illustre la Figure 2.11. Remarquez que les mois ainsi créés restent sélectionnés, ce qui vous laisse une possibilité de modifier la série ; si vous étiez allé trop loin, tirer la poignée de recopie vers la gauche aurait limité la recopie à celle voulue. Ou encore, si vous n'étiez pas allé assez loin, tirer la poignée aurait ajouté des mois.

Vous pouvez aussi utiliser les options du menu contextuel de la recopie automatique, ouvert en cliquant sur le bouton qui apparaît à proximité de la poignée de recopie, et choisir un autre type de recopie que celui proposé par défaut. Pour qu'Excel recopie le mot *janvier* dans chaque cellule, choisissez l'option Copier les cellules. Pour ne recopier que le format de la cellule d'origine (le gras ou l'italique par exemple, ainsi que les couleurs, les bordures, etc.), sélectionnez l'option Ne recopier que la mise en forme. Pour recopier les mois sans recopier la mise en forme de la cellule B2, choisissez l'option Recopier les valeurs sans la mise en forme.

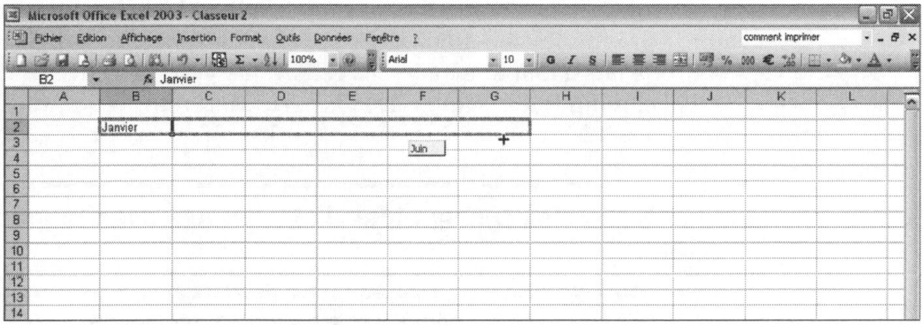

Figure 2.10
Pour obtenir une
série de mois,
tapez **Janvier**
dans une cellule,
puis tirez la
poignée de
recopie pour
créer automati-
quement les
autres mois.

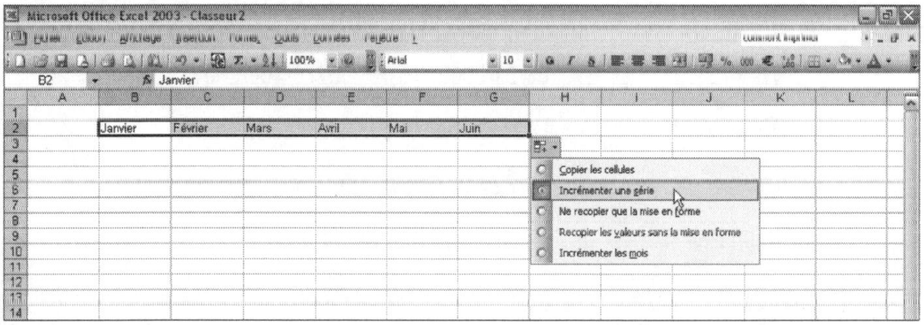

Figure 2.11
Au moment où
vous relâchez le
bouton de la
souris, Excel
remplit les
cellules avec les
différents mois.
Un bouton
contextuel
affiche un menu
permettant de
sélectionner un
type de recopie.

Le Tableau 2.3, dans la section suivante, indique les valeurs initiales susceptibles d'être utilisées pour une recopie automatique et les résultats qu'elle
produit.

Travailler avec des séries échelonnées

La recopie automatique utilise la valeur initiale sélectionnée (date, heure, jour,
année...) pour produire une série. Toutes les séries énumérées dans le
Tableau 2.3 varient de 1 (un jour, un mois, une unité...). Il est toutefois possible
de faire en sorte que la recopie automatique s'effectue selon une autre
valeur en entrant deux valeurs de départ dans des cellules voisines, qui quan-
tifient la modification d'une valeur à une autre. Ces deux valeurs constitueront
la sélection initiale que vous étendrez avec la poignée de recopie.

Par exemple, pour démarrer une série le lundi et entrer un jour sur deux dans une ligne, vous taperez **Samedi** dans une cellule et **Lundi** dans la cellule suivante. Après avoir sélectionné ces deux cellules, tirez la poignée de recopie vers la droite aussi loin que nécessaire. Lorsque vous relâchez le bouton de la souris, Excel remplit les cellules avec la série Mercredi, Vendredi, Dimanche, Mardi et ainsi de suite.

Tableau 2.3 : Séries susceptibles d'être créées avec la recopie automatique.

Entrée initiale	Série produite par la recopie automatique
Juillet	Août, Septembre, Octobre...
Juil	Août, Sept, Oct, Nov...
Mardi	Mercredi, Jeudi, Vendredi...
Mar	Mer, Jeu, Ven, Sam...
01/04/2002	02/04/2002, 03/04/2002, 04/04/2002...
Janv-00	Févr-00, Mars-00, Avr-00...
15-Févr	16-Févr, 17-Févr, 18-Févr...
10:00 PM	11:00 PM, 12:00 PM, 1:00 AM
8:01	9:01, 10:01, 11:01, 12:01...
1er trim	2e trim, 3e trim, 4e trim...
Tr1	Tr2, Tr3, Tr4, Tr5, Tr6...
T3	T4, T1, T2, T3, T4, T1...
Produit 1	Produit 2, Produit 3, produit 4...
1er produit	2e produit, 3e produit...

Copier avec la recopie automatique

Vous pouvez utiliser la recopie automatique pour copier un texte sur une plage de cellules, mais sans incrémentation. Pour ce faire, maintenez la touche Ctrl enfoncée tout en cliquant et en tirant la poignée de recopie. Un petit signe + apparaît près de la poignée, indiquant qu'une *copie* est en cours, et non une copie incrémentée. Vous pouvez vérifier que l'entrée dupliquée ne change pas en observant l'info-bulle dont le contenu reste identique à celui de la cellule d'origine. Si vous voulez néanmoins incrémenter la recopie, il suffit de cliquer sur le bouton contextuel et choisir, dans le menu, l'option Incrémenter une série ; les éléments copiés sont aussitôt transformés en série d'éléments numérotés ou successifs.

Alors que maintenir la touche Ctrl enfoncée pendant la recopie automatique empêche l'incrémentation du texte, il en va tout autrement avec les valeurs numériques ! Supposons que vous ayez entré le nombre **17** dans une cellule et que vous tiriez la poignée de recopie pour remplir les cellules voisines. Dans ce cas, Excel recopie le nombre 17 dans chacune des cellules. Mais, si la touche Ctrl est enfoncée, la recopie sera incrémentée et donnera 18, 19, 20 et ainsi de suite. Si vous avez oublié ce détail et créé une série de nombres incrémentés alors que vous vouliez simplement recopier le nombre à l'identique dans les cellules, corrigez la manipulation en cliquant sur le bouton contextuel et choisissez l'option Copier les cellules.

Créer une liste personnalisée

En plus de pouvoir varier l'incrémentation d'une série de recopies automatiques, vous pouvez créer vos propres séries. Par exemple, la société L'Oie blanche travaille avec les entreprises suivantes :

- Centre culinaire Pigeon vole

- Centre Jack & Jill

- À la bonne bouffe

- Les pieds dans le plat

- Tartes et gâteaux

- Georgie Porgie Pudding

- Maison Poulaga

Au lieu d'avoir à taper sans cesse le nom de chacune de ces entreprises chaque fois que vous devez les lister dans une feuille de calcul, vous pouvez en faire une liste personnalisée. Il vous suffira ensuite de taper Centre culinaire Pigeon vole dans la première cellule, puis de tirer sur la poignée de recopie pour placer automatiquement tous les autres noms dans les cellules sélectionnées.

Procédez comme suit pour créer une liste personnalisée :

1. **Dans la barre de menus, choisissez Outils/Options.**

2. **Dans la boîte de dialogue Options, cliquez sur l'onglet Liste pers.,
    visible dans la Figure 2.12.**

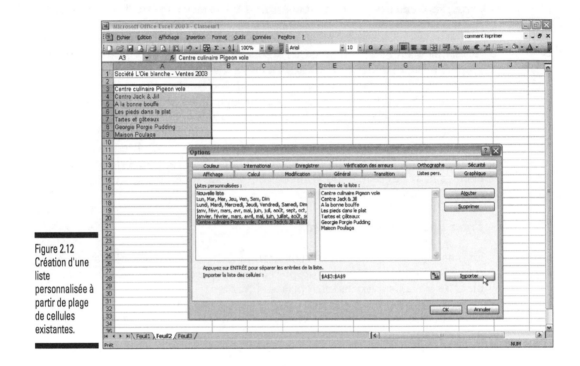

Figure 2.12
Création d'une
liste
personnalisée à
partir de plage
de cellules
existantes.

Ce faisant, l'option Nouvelle liste est automatiquement sélectionnée
dans la fenêtre Listes personnalisées.

Si vous vous êtes déjà coltiné la saisie d'une liste dans la feuille de
calcul, passez à l'Etape 3. Sinon, rendez-vous plutôt à l'Etape 6.

3. **Cliquez dans la zone de texte Importer la liste des cellules, puis
    cliquez sur le bouton Minimiser (il se trouve à droite de la zone de
    texte) ; la boîte de dialogue Options se réduit à une toute petite taille,
    vous laissant de la place pour sélectionner confortablement une plage
    de cellules (nous y reviendrons dans le Chapitre 3).**

4. **Après avoir sélectionné la plage de cellules dans la feuille de calcul,
    cliquez sur le bouton Agrandir afin de réafficher intégralement la
    boîte de dialogue Options.**

Ce bouton se substitue automatiquement au bouton Minimiser, à droite de la zone de texte Importer la liste des cellules.

5. **Cliquez ensuite sur le bouton Importer pour copier le contenu des cellules dans la fenêtre Entrées de la liste.**

    Passez à l'Etape 8.

6. **Cliquez dans la fenêtre Entrées de la liste. Tapez ensuite chaque entrée dans l'ordre qui vous convient ; n'oubliez pas de taper sur la touche Entrée après chaque saisie.**

    Après avoir tapé tous les intitulés dans la fenêtre Entrées de la liste, vous pouvez passer à la prochaine étape.

7. **Cliquez sur le bouton Ajouter afin de transférer les éléments dans la fenêtre Listes personnalisées.**

    Créez éventuellement d'autres listes personnalisées en procédant comme nous venons de l'indiquer, avant de passer à la prochaine et dernière étape.

8. **Cliquez sur OK ou appuyez sur Entrée pour fermer la boîte de dialogue Options et revenir à la feuille de calcul courante du classeur actif.**

Après avoir ajouté une liste personnalisée dans Excel, il vous suffira simplement de taper la première entrée dans une cellule puis de tirer la poignée de recopie dans une direction pour que les autres éléments de la liste apparaissent dans la plage de cellules.

Si vous n'avez pas l'intention de taper la première ligne, utilisez la fonction de saisie semi-automatique décrite précédemment dans ce chapitre ; créez une entrée sous la forme d'un acronyme qui affichera automatiquement le nom complet comme *albb* pour *A la bonne bouffe*.

Insérer des symboles et des caractères spéciaux

Avec Excel 2003, l'insertion de caractères spéciaux est très facile (symboles de devises, marque déposée, copyright, etc.). Pour insérer un symbole ou un caractère spécial, choisissez Insertion/Caractères spéciaux dans la barre de menus Excel.

Lorsque vous activez cette commande, la boîte de dialogue Caractères spéciaux s'affiche, comme dans la Figure 2.13. Elle est dotée de deux onglets : Symboles et Caractères spéciaux. Pour insérer un signe mathématique ou le symbole d'une devise, sous l'onglet Symboles, localisez-le dans la liste, cliquez dessus, puis sur le bouton Insérer. (A la place, vous pouvez également double-cliquer dessus.) Pour insérer des caractères de langue étrangère ou des lettres accentuées appartenant à d'autres jeux de caractères, déroulez la liste Sous-ensemble, puis cliquez sur un nom de sous-ensemble. Ensuite, vous n'avez plus qu'à trouver dans la zone de liste le caractère souhaité, puis à cliquer dessus. L'insertion des symboles monétaires ou signes mathématiques utilisés très souvent (tels que le symbole de l'euro et les signes + ou -) est un jeu d'enfant : ils figurent, toujours sous l'onglet Symboles, dans la section Caractères spéciaux récemment utilisés.

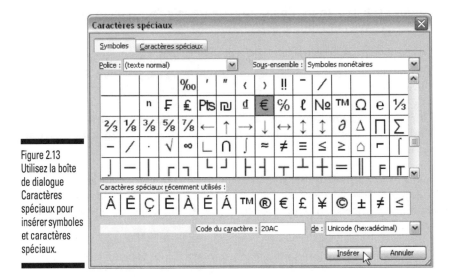

Figure 2.13
Utilisez la boîte de dialogue Caractères spéciaux pour insérer symboles et caractères spéciaux.

Pour insérer des caractères spéciaux, tels que le symbole de la marque déposée, une marque de paragraphe ou des points de suspension, cliquez sur l'onglet Caractères spéciaux de la boîte de dialogue du même nom. Repérez le caractère dans la liste, cliquez dessus, puis cliquez sur le bouton Insérer (l'insertion par double clic fonctionne également).

Une fois vos travaux d'insertion achevés, fermez la boîte de dialogue Caractères spéciaux en cliquant sur le bouton Fermer situé dans le coin supérieur droit.

Les entrées de la plage

Si vous devez saisir un tableau de données dans un nouveau classeur, vous vous simplifierez le travail – et votre existence – en sélectionnant d'abord toutes les cellules vides qui devront contenir ces données avant même de procéder à leur entrée. Pour cela, placez le pointeur dans la première cellule de ce qui sera le tableau, puis sélectionnez toutes les cellules dans les colonnes et les lignes voisines (reportez-vous au Chapitre 3 pour apprendre à sélectionner des plages de cellules). Enfin, commencez à entrer la première donnée.

Quand vous sélectionnez une *plage* de cellules avant de commencer à entrer des informations, Excel restreint la saisie des données à cette plage de la façon suivante :

- ✔ Le logiciel avance automatiquement le pointeur de cellule à la prochaine cellule de la plage lorsque vous cliquez sur le bouton Entrer ou appuyez sur la touche Entrée pour valider une saisie.

- ✔ Dans une plage contenant plusieurs lignes et colonnes, Excel fait descendre le pointeur de cellule dans la colonne afin que vous puissiez procéder aux entrées ; lorsqu'il atteint la dernière cellule dans la partie sélectionnée de la colonne, Excel place le pointeur tout en haut de la prochaine colonne à droite. Si le tableau n'occupe qu'une ligne, le pointeur est décalé de gauche à droite.

- ✔ Lorsque vous finissez d'entrer des informations dans la dernière cellule de la plage sélectionnée, Excel positionne le pointeur de cellule sur la première cellule du tableau de données qui vient d'être terminé. Pour désélectionner la plage de cellules, cliquez sur l'une des cellules de la feuille de calcul, hors du tableau ou à l'intérieur, ou appuyez sur une touche fléchée.

Veillez à ne pas appuyer sur une touche fléchée pour valider la saisie dans l'une des cellules de la plage sélectionnée, au lieu de cliquer sur le bouton Entrer ou d'appuyer sur la touche Entrée. L'appui sur une touche fléchée désélectionne en effet la plage au moment où Excel déplace le pointeur de cellule. Utilisez l'une de ces méthodes pour déplacer le pointeur de cellule sans désélectionner la plage :

- ✔ Appuyez sur Entrée pour passer à la cellule inférieure puis, le moment venu, passer à la prochaine colonne. Appuyez sur Maj+Entrée pour reculer à la cellule précédente.

✔ Appuyez sur la touche Tab pour passer à la prochaine cellule de la colonne de droite et descendre ensuite dans la colonne. Appuyez sur Maj+Tab pour revenir à la cellule précédente.

✔ Appuyez sur Ctrl+. (point du pavé numérique) pour aller d'un coin de la plage à un autre.

La saisie express

Quand une même entrée (texte, valeur ou formule) doit apparaître dans plusieurs cellules d'un classeur, vous économiserez beaucoup de temps et d'énergie en la plaçant dans toutes ces cellules en une seule opération. Sélectionnez d'abord la plage de cellules qui doit contenir l'information (comme nous le verrons dans le Chapitre 3, Excel permet de sélectionner plusieurs cellules à la fois), procédez à la saisie puis validez avec les touches Ctrl+Entrée pour répartir la saisie dans toutes les plages sélectionnées.

Pour que cette opération réussisse, vous devez maintenir la touche Ctrl enfoncée au moment où vous appuyez sur Entrée afin qu'Excel puisse répartir la saisie dans toutes les cellules sélectionnées. Si vous oubliez d'appuyer sur Ctrl, Excel ne place les données que dans la première cellule de la plage.

Vous pouvez aussi accélérer la saisie des données dans une liste comportant des formules en vous assurant que, dans l'onglet Modification de la boîte de dialogue Options (sous le menu Outils), la case Etendre les formules et formats de liste est cochée. Dans ce cas, Excel met automatiquement en forme les nouvelles données que vous tapez dans la dernière colonne d'une liste en fonction de la mise en forme existant dans les colonnes déjà remplies, et copie les formules présentes dans ces colonnes. Notez cependant que, pour utiliser cette nouvelle fonctionnalité, vous devez d'abord manuellement entrer les formules et configurer la mise en forme dans au moins trois colonnes avant la nouvelle colonne.

Améliorer les formules

Précédemment dans ce chapitre, vous avez appris (dans la section "Concocter ces fabuleuses formules !") à créer des formules qui exécutent un certain nombre d'opérations mathématiques simples telles que l'addition, la soustraction, la multiplication et la division. Au lieu de créer des formules complexes à partir de zéro et/ou d'une combinaison plus ou moins compliquée de ces opérations, vous pouvez demander à une fonction d'Excel de se charger de cette tâche.

Une *fonction* est une formule prédéfinie qui exécute un certain type de calcul. Tout ce que vous avez à faire est de fournir les valeurs que cette fonction utilisera pour déterminer le résultat. En jargon de tableur, ces valeurs sont appelées *arguments de la fonction*. A l'instar des fonctions simples, vous pouvez entrer les arguments de la plupart des fonctions soit sous une forme numérique, comme **22** ou **-4,56**, soit, comme c'est souvent le cas, sous la forme d'une référence de cellule (**B10**) ou d'une plage de cellules (C3:F3).

Comme pour les formules que vous créez vous-même, chaque fonction doit commencer par le signe = (égal) afin qu'Excel sache que vous allez taper une fonction ou une formule, et non du texte. Juste après le signe égal, vous entrez le nom de la fonction (en majuscules ou en minuscules) suivi des arguments indispensables pour que les calculs puissent être effectués. Tous les arguments d'une fonction sont toujours entre parenthèses.

Si vous tapez la fonction directement dans une cellule, rappelez-vous qu'il ne faut pas insérer d'espace après le signe égal, avant ou après le nom de la fonction, ni entre les parenthèses. Certaines fonctions exigent plusieurs arguments ; dans ce cas, chaque argument est séparé des autres par un point-virgule, en aucun cas par un espace.

Après avoir tapé le signe égal, le nom de la fonction et la parenthèse ouvrante qui indique le début des arguments, vous pouvez pointer vers n'importe quelle cellule ou plage de cellules devant être utilisée comme premier argument, au lieu de taper les références au clavier. Si la fonction utilise plusieurs arguments, vous pouvez pointer la cellule ou plage à utiliser à condition d'avoir d'abord placé un point virgule (;) après le premier argument.

Après avoir entré le dernier argument, tapez la parenthèse fermante pour indiquer la fin de la liste des arguments. Cliquez ensuite sur le bouton Entrer ou appuyez sur Entrée ou sur une touche fléchée pour valider la fonction et obtenir d'Excel qu'il calcule le résultat.

Placer une fonction dans une formule avec le bouton Insérer une fonction

Bien qu'il soit possible d'entrer une fonction en la tapant directement dans une cellule, Excel n'en propose pas moins, dans la barre de formule, un bouton Insérer une fonction fort utile pour choisir n'importe laquelle des fonctions intégrées d'Excel. Quand vous cliquez sur ce bouton, Excel ouvre la boîte de dialogue Insérer une fonction (voir Figure 2.14) dans laquelle vous pouvez choisir l'une des fonctions prédéfinies. Après en avoir sélectionné une, Excel ouvre la boîte de dialogue Arguments de la fonction dans laquelle vous spécifiez les différents paramètres à utiliser. Le gros intérêt de cette boîte de dialogue se révèle lorsque vous rencontrez une fonction qui ne vous est pas familière ou est vraiment très complexe (certaines sont plutôt trapues). Vous obtiendrez une aide extrêmement détaillée sur les arguments requis en cliquant sur le lien hypertexte Aide sur cette fonction, dans le coin inférieur gauche de la boîte de dialogue.

Pour accéder à la boîte de dialogue Insérer une fonction, sélectionnez la cellule qui doit recevoir la formule, puis cliquez sur le bouton Insérer une fonction (reconnaissable à l'icône *fx*). Une boîte de dialogue semblable à celle de la Figure 2.14 apparaît.

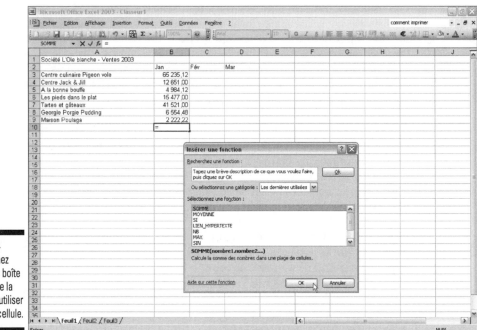

Figure 2.14
Sélectionnez dans cette boîte de dialogue la fonction à utiliser dans une cellule.

La boîte de dialogue Insérer une fonction contient trois sections : Recherchez une fonction, Ou sélectionnez une catégorie et Sélectionnez une fonction. Lorsque vous ouvrez la boîte de dialogue, Excel sélectionne automatiquement, dans la liste déroulante des catégories de fonctions, la catégorie Les dernières utilisées. Ces fonctions communément utilisées sont listées dans la fenêtre Sélectionner une fonction.

Si la fonction que vous recherchez ne figure pas parmi les plus récemment utilisées, vous devrez la rechercher dans la catégorie appropriée en déroulant la liste Ou sélectionnez une catégorie. Si vous n'avez aucune idée de la catégorie où la chercher, tapez une description de ce que vous voulez en faire dans la fenêtre Recherchez une fonction, puis cliquez sur le bouton OK qui se trouve juste à droite (*NdT* : pas celui d'en bas qui ferme la boîte de dialogue), ou appuyez sur la touche Entrée. Par exemple, pour localiser la fonction qui totalise des valeurs, il suffit d'entrer le mot **total** dans la fenêtre Recherchez une fonction et de cliquer sur OK. Excel affiche ensuite une liste de fonctions effectuant des totaux. Vous pouvez les examiner chacune en cliquant tour à tour dessus. Quand vous sélectionnez une fonction dans cette liste, la boîte de dialogue Insérer une fonction en présente, en bas, tous les arguments suivis d'une description de ce qu'elle fait.

Après avoir localisé et sélectionné la fonction à utiliser, cliquez sur le bouton OK (tout en bas, à gauche de Annuler) pour insérer la fonction dans la cellule courante et ouvrir la boîte de dialogue Arguments de la fonction. Elle affiche tous les arguments requis ainsi que ceux qui sont facultatifs. Supposons que vous choisissiez, dans la fenêtre Sélectionnez une fonction, la fonction SOMME (qui est sans aucun doute la plus utilisée), puis que vous cliquiez sur OK. Excel insère aussitôt dans la cellule courante :

    SOMME()

Cette fonction apparaît aussi dans la barre de formule, après le signe égal. La boîte de dialogue Arguments de la fonction s'ouvre, affichant les arguments de SOMME, comme le montre la Figure 2.15.

Comme vous pouvez le lire dans la boîte de dialogue Arguments de la fonction visible dans la Figure 2.15, vous pouvez sélectionner jusqu'à 30 arguments. Ce qui n'est cependant pas évident – il y a sûrement un truc, non ? –, c'est que chacun de ces arguments ne se trouve pas forcément dans une seule et même cellule. En fait, la plupart du temps, un seul argument recouvrira un grand nombre de chiffres (sélection multiple) que vous désirez totaliser.

Pour sélectionner le premier argument de la boîte de dialogue, cliquez dans une cellule (ou sélectionnez une plage de cellules) en laissant le point d'insertion dans la zone de texte Nombre1 de la boîte de dialogue Arguments de la fonction. Excel affiche l'adresse de cellule (ou l'adresse de la plage) dans le champ Nombre1, tout en indiquant, en bas à droite de la zone SOMME le total calculé. Cette même somme apparaît aussi en bas de la boîte de dialogue, en regard de la mention Résultat =.

Rappelez-vous qu'en sélectionnant des cellules vous pouvez réduire la taille de cette boîte de dialogue afin qu'elle n'affiche que la ligne Nombre1 ; pour ce faire, cliquez sur le bouton Minimiser, à droite de la zone de texte Nombre1.

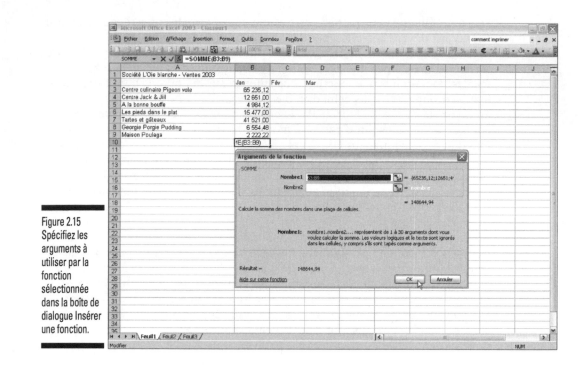

Figure 2.15
Spécifiez les arguments à utiliser par la fonction sélectionnée dans la boîte de dialogue Insérer une fonction.

Après avoir sélectionné les cellules à utiliser comme premier argument, vous pouvez de nouveau déployer la boîte de dialogue en cliquant sur le même bouton à droite du champ Nombre1. Au lieu de minimiser la boîte de dialogue, vous pouvez aussi la mettre momentanément de côté en cliquant dedans et en la faisant glisser ailleurs.

Si vous calculez sur plus d'une cellule ou groupe de cellules d'un classeur, appuyez sur la touche Tab ou cliquez dans la zone de texte Nombre2 pour y placer le point d'insertion (Excel réagit à cette action en ouvrant aussitôt une zone de texte Nombre3). Indiquez dans le champ Nombre2 la deuxième cellule ou plage de cellules à ajouter au premier argument. Après avoir cliqué dans une cellule ou défini une plage, Excel affiche l'adresse de la ou des cellules ainsi que les valeurs des cellules à droite de la zone de texte. Les différents boutons de minimisation permettent de réduire la boîte de dialogue en n'affichant que la ligne (Nombre1, Nombre2...) à utiliser.

Après avoir sélectionné les cellules à totaliser, cliquez sur OK pour quitter la boîte de dialogue Arguments de la formule et placer la fonction SOMME dans la cellule courante.

Modifier une fonction avec le bouton Insérer une fonction

Vous pouvez utiliser le bouton Insérer une fonction pour modifier une fonction directement dans la barre de formule. Sélectionnez la cellule contenant la formule, puis cliquez sur le bouton Insérer une fonction (celui avec un *fx*, à gauche de la barre de formule).

Sitôt après avoir cliqué sur le bouton Insérer une fonction, Excel ouvre la boîte de dialogue Arguments de la fonction. Pour éditer et modifier les arguments de la fonction, sélectionnez les références de cellule dans la zone de texte appropriée (marquée Nombre1, Nombre2, Nombre3...), puis effectuez les modifications que vous jugez utiles pour telle ou telle cellule ou plage. Rappelez-vous qu'Excel ajoute automatiquement à l'argument courant toute cellule ou plage que vous sélectionnez dans la feuille de calcul. Pour remplacer l'argument courant, vous devez le mettre en surbrillance et éliminer les adresses de cellules en appuyant sur la touche Suppr avant de sélectionner la nouvelle cellule ou plage à utiliser comme argument. Rappelez-vous qu'il vous est à tout moment possible de minimiser la boîte de dialogue ou de la déplacer si elle occulte des cellules.

Après avoir modifié la fonction, appuyez sur la touche Entrée ou cliquez sur le bouton OK afin de fermer la boîte de dialogue Arguments de la cellule et mettre la formule à jour, dans le classeur.

La somme automatique : l'essayer c'est l'adopter

Je ne peux en finir avec cette intéressante discussion sur la saisie des fonctions sans mentionner le bouton Somme automatique présent dans la barre d'outils. Recherchez le bouton avec la lettre grecque sigma ("). Ce petit outil vaut son pesant d'or (*NdT* : ce qui dans le virtuel ne mange pas de pain). Outre qu'il est capable de déterminer la somme, la moyenne, le compte, les valeurs maximales et minimales d'une liste, il sait également sélectionner une plage de cellules dans la colonne courante ou dans la ligne, l'utiliser comme argument et entrer automatiquement le résultat du calcul en tant qu'argument dans une fonction. Neuf fois sur dix, Excel sélectionne correctement la plage de cellules à utiliser ; dans le dixième cas, vous pouvez facilement corriger la sélection en tirant le pointeur de cellule par-dessus la plage à calculer.

Par défaut, cliquer sur le bouton Somme automatique insère la fonction SOMME dans la cellule courante. Si vous comptez utiliser ce bouton pour insérer une autre fonction comme MOYENNE, NOMBRE, MAX ou MIN, vous devrez déployer la liste déroulante du bouton et sélectionner la fonction désirée dans le menu contextuel. Remarquez qu'en sélectionnant l'option Autres fonctions Excel ouvre la boîte de dialogue Insérer une fonction, comme si vous aviez cliqué sur le bouton *fx*, dans la barre de formule.

Observez dans la Figure 2.16 comment l'outil Somme automatique est utilisé pour calculer le total du Centre culinaire Pigeon vole, à la Ligne 3 : placez le pointeur dans la cellule E3, où le total du premier trimestre devrait être calculé, puis cliquez sur le bouton Somme automatique. Excel insère dans la barre de formule la fonction SOMME avec le signe égal et tout le reste, entoure les cellules B3, C3 et D3 avec un rectangle de sélection (un liseré en pointillé animé) et utilise la plage de cellules B3:D3 comme argument de la fonction SOMME.

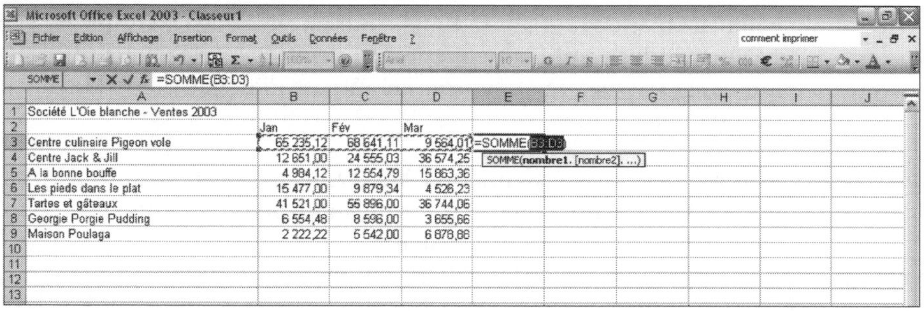

Figure 2.16
Pour obtenir le total trimestriel du Centre culinaire Pigeon vole, sélectionnez la cellule E3 puis cliquez sur le bouton Somme automatique.

Regardez maintenant à quoi ressemble la feuille de calcul après avoir inséré une fonction dans la cellule E3 (voir Figure 2.17). Le total apparaît dans la cellule E3 tandis que la fonction suivante est affichée dans la barre de formule :

=SOMME(B3:D3)

Après avoir entré la fonction qui totalise les ventes du Centre culinaire Pigeon vole, vous pouvez copier cette formule pour totaliser les ventes trimestrielles de toutes les autres sociétés en tirant la poignée de recopie vers le bas, jusqu'à ce que la plage de cellule E3:E9 soit en surbrillance.

Regardez la Figure 2.18 pour voir comment utiliser l'outil Somme automatique pour totaliser, dans la colonne B, les chiffres du mois de janvier pour toutes les entreprises partenaires de la société L'Oie blanche. Vous devez placer le pointeur de cellule en B10, là où le total doit apparaître. Cliquez ensuite sur l'outil Somme automatique ; Excel place un rectangle de sélection autour des cellules

B3 à B9 et entre correctement la plage B3:B9 comme argument de la fonction SOMME.

La Figure 2.19 montre la feuille de calcul après avoir inséré la fonction SOMME dans la cellule B10 et utilisé la fonction de recopie automatique pour reporter la formule vers la droite, dans les cellules C10, D10 et E10. Pour utiliser cette fonction, tirez sur la poignée située dans le coin inférieur droit de la cellule, et tirez-la jusqu'à la cellule E10 ; relâchez ensuite le bouton de la souris.

Stocker les données en lieu sûr

Le travail effectué dans une feuille de calcul d'un classeur est exposé à tous les risques aussi longtemps que vous ne l'avez pas enregistré sur une disquette ou sur le disque dur. Avant l'enregistrement, la moindre coupure de courant ou un

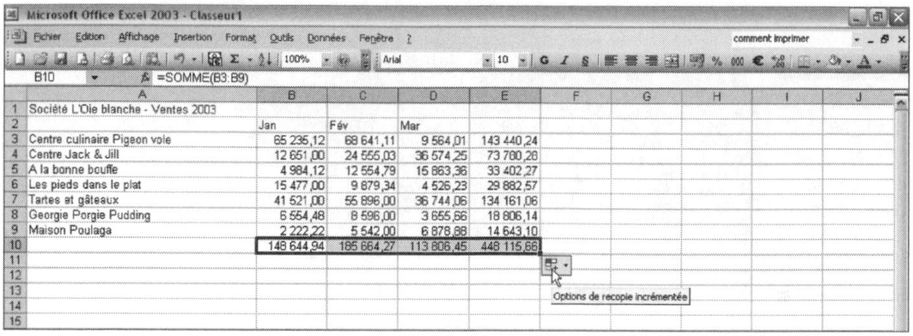

Figure 2.19
La feuille de calcul après avoir recopié la fonction SOMME à l'aide de la poignée de recopie.

plantage de l'ordinateur peut tout compromettre. Vous auriez à refaire toutes les saisies, entrer les formules, une tâche d'autant plus fastidieuse qu'elle était évitable. Pour se prémunir contre ce genre de mésaventure, adoptez une fois pour toutes cette règle d'or : enregistrez chaque fois que vous estimez qu'il n'est pas question de perdre ce que vous venez de faire.

Pour faciliter les sauvegardes, Excel a été doté, dans la barre d'outils Standard, d'un bouton Enregistrer, reconnaissable à l'icône en forme de disquette 3"1/4. C'est le troisième à partir de la gauche. Vous n'avez pas même à dérouler le menu Fichier pour cliquer sur la commande Enregistrer. Encore plus rapide, le raccourci clavier Ctrl+S finit par devenir une seconde nature. N'hésitez pas à l'utiliser, vous n'en abuserez jamais.

Lorsque vous enregistrez pour la première fois, Excel affiche la boîte de dialogue Enregistrer sous. Profitez-en pour remplacer le nom générique des classeurs (Classeur1, Classeur2, Classeur3...) par un nom plus explicite et sélectionnez le dossier de destination du classeur avant de cliquer sur le bouton Enregistrer.

Ce n'est pas plus difficile que cela :

- ✔ Pour renommer le classeur, tapez un nouveau nom dans le champ Nom de fichier. La première fois que vous ouvrez la boîte de dialogue Enregistrez sous, Excel propose comme nom Classeur1. Vous pouvez taper directement le nouveau nom par-dessus.

- ✔ Pour choisir un nouveau lecteur, cliquez sur le bouton à droite du champ Enregistrer dans, puis, dans la liste qui apparaît, cliquez sur le nom du lecteur approprié comme Disque local (C:) ou Disquette 3½ (A:).

- ✔ Pour choisir un autre dossier, sélectionnez éventuellement le lecteur, comme nous l'avons expliqué précédemment, puis naviguez jusqu'au dossier voulu. Double-cliquez sur un dossier pour accéder à son sous-dossier : le nom du dossier dans lequel le classeur sera enregistré apparaît dans le champ Enregistrer dans.

Pour enregistrer le classeur dans un dossier qui n'existe pas encore, cliquez sur le bouton Créer un dossier. Une boîte de dialogue Nouveau dossier apparaît ; nommez-le puis cliquez sur OK pour le créer en aval du dossier courant.

La boîte de dialogue Enregistrer sous d'Excel 2003 contient plusieurs gros boutons superposés sur la partie de gauche. Ils ont pour noms Mes documents récents, Bureau, Mes documents, Poste de travail et Favoris réseau. Utilisez ces boutons pour sélectionner les dossiers suivants pour y stocker vos classeurs Excel :

- ✔ Cliquez sur le bouton Mes documents récents pour enregistrer un classeur dans le dossier Récents. Ce dossier se trouve, dans Windows XP, dans le chemin Windows\Application Data\Microsoft\Office\Recents.

- ✔ Cliquez sur le bouton Bureau pour enregistrer le dossier directement sur le Bureau de Windows.

- ✔ Cliquez sur le bouton Mes documents pour enregistrer vos classeurs dans ce dossier (*NdT* : présent sur le Bureau).

- ✔ Cliquez sur le bouton Poste de travail pour enregistrer le classeur sur un des disques de votre ordinateur, ou dans votre propre dossier ou dans un dossier partagé.

- ✔ Cliquez sur le bouton Favoris réseau pour enregistrer le classeur dans un des dossiers du réseau de votre société.

Sous Windows XP, un nom de fichier peut contenir des espaces et comporter jusqu'à 255 caractères (vous avez vraiment l'intention de nommer un fichier par un paragraphe tout entier ?). C'est une bonne nouvelle pour les rescapés de l'époque désormais lointaine du DOS ou de Windows 3.1x qui n'acceptaient que des noms de huit caractères avec une extension de trois caractères (format dit "8.3") ; sachez cependant que si votre fichier doit être repris par un ordinateur qui n'utilise pas les versions XP/98/Me/ ou 2000 de Windows, les noms seront considérablement abrégés (*NdT* : tronqués à six caractères seulement, un tilde et un numéro d'ordre). Il faut aussi que le nom de fichier soit suivi de l'extension XLS, qui est de toute façon ajoutée automatiquement (*NdT* : mais elle n'apparaît dans l'Explorateur Windows que si ce dernier a été configuré pour afficher les extensions communément utilisées).

Quand vous aurez fini de configurer la boîte de dialogue Enregistrer sous, cliquez sur le bouton Enregistrer ou appuyez sur Entrée pour enregistrer votre précieux travail. Lorsque Excel enregistre le fichier de votre classeur, il enregistre aussi toutes les informations concernant les feuilles de calcul, y compris la position du pointeur de cellule. Par la suite, vous n'aurez plus à vous coltiner la boîte de dialogue Enregistrer sous, à moins que vous ne désiriez renommer le classeur ou enregistrer un exemplaire du classeur dans un autre dossier. Dans ce cas, vous devrez choisir la commande Enregistrer sous dans le menu Fichier au lieu de cliquer sur l'outil Enregistrer ou appuyer sur les touches Ctrl+S.

A la recherche du document perdu

Excel 2003 est équipé d'une fonction de récupération de document qui vous sauvera la mise lors d'une coupure de courant ou si, pour une raison ou pour une autre, l'ordinateur se bloque. La fonction de récupération automatique enregistre votre travail à intervalles réguliers. En cas de plantage, Excel affiche un volet de récupération de données dès que l'ordinateur a été redémarré et Excel relancé.

Quand vous démarrez Excel 2003 pour la première fois, la fonction de récupération automatique est configurée pour sauvegarder vos données toutes les dix minutes, à condition toutefois que votre fichier ait déjà été enregistré. Cet intervalle peut être réduit ou prolongé. Pour ce faire, choisissez Outils/ Options, cliquez sur l'onglet Enregistrer, puis réglez la durée avec le bouton rotatif Minutes, dans l'option Enregistrer les informations de récupération automatique toutes les *x* minutes. Cliquez ensuite sur OK.

Le volet Récupération de document montre les versions disponibles des classeurs qui étaient ouverts au moment où l'ordinateur a planté. Il identifie la version originale du fichier du classeur ainsi que le moment où il a été enregistré et compare le tout avec la version sauvegardée automatiquement (estimation du travail non enregistré par l'utilisateur au moment de l'incident). La position du pointeur est également enregistrée. Cliquez sur le menu déroulant – sous la flèche pointée vers le bas – et choisissez Ouvrir dans le menu contextuel. Après avoir ouvert la version récupérée, vous pouvez éventuellement enregistrer les modifications en cliquant, dans la barre de menus d'Excel, sur Fichier/Enregistrer.

Pour enregistrer la version récupérée d'un classeur sans devoir l'ouvrir d'abord, placez le pointeur de la souris sur la version récupérée, déployez le menu déroulant, puis choisissez l'option Enregistrer sous. Pour renoncer définitivement à la version récupérée (ce qui ne vous laisse que les données de la version originale), cliquez sur le bouton Fermer, en bas du volet Récupération de document. Lorsque vous cliquez sur le bouton Fermer, une boîte d'alerte vous laisse une dernière chance de revenir à la version récupérée afin de la visionner. Pour conserver le fichier afin de l'examiner ultérieurement, sélectionnez le bouton radio Oui (Je veux consulter ces fichiers plus tard) puis cliquez sur OK. Sinon, pour conserver les versions originales des fichiers listés dans le volet Récupération de données, sélectionnez plutôt Non (Supprimer ces fichiers. J'ai enregistré les fichiers dont j'ai besoin).

Notez bien que la fonction de récupération automatique ne fonctionne que sur des fichiers qui ont été enregistrés au moins une fois, comme nous l'avons mentionné dans la section "Mettre les données en lieu sûr". Autrement dit, si vous créez un nouveau classeur et n'avez pas pris soin de l'enregistrer, la récupération automatique sera incapable d'en restituer une miette en cas de plantage. C'est pourquoi il est de la plus grande prudence de prendre l'habitude de cliquer sur Fichier/Enregistrer, ou d'appuyer sur Ctrl+S, dès que vous avez commencé à créer une feuille de calcul.

Deuxième partie
L'art et la manière de modifier un classeur

"A mon avis, Monsieur Dunt, le pointeur ne bouge pas parce que vous maniez l'éponge du tableau noir et non la souris."

Dans cette partie...

La vie en entreprise serait moins stressante si, au moment même où vous finissez un travail, il n'y avait pas quelqu'un pour tout remettre en question. A l'heure de la flexibilité, changer d'avis tout le temps risque néanmoins de froisser des gens. Or, la triste vérité avec Excel 2003 est que vous n'avez jamais fini de modifier les données que vous avez eu tant de mal à entrer.

Dans cette partie, nous éditerons et modifierons une feuille de calcul de trois manières : en mettant les données brutes en forme, en réorganisant les données mises en forme et/ou en les supprimant dans certains cas, enfin en imprimant les données mises en forme. Croyez-moi, quand vous saurez comment modifier vos données et les mettre en forme, vous aurez bien avancé dans la connaissance d'Excel 2003.

Chapitre 3

On enjolive tout

Dans un tableur comme Excel, vous n'avez normalement pas à vous soucier de l'apparence des données avant de les avoir saisies et enregistrées (voir Chapitres 1 et 2). C'est après seulement que vous les mettrez en forme pour les rendre plus lisibles et plus attrayantes.

Après avoir décidé du type de mise en forme à appliquer à tout ou partie de la feuille de calcul, sélectionnez toutes les cellules à embellir, puis cliquez sur l'outil approprié ou choisissez une commande dans l'un des menus. Cependant, avant de découvrir les remarquables fonctions esthétiques d'Excel, vous devez d'abord savoir comment désigner les cellules qui doivent recevoir la mise en forme, c'est-à-dire les *sélectionner*, ou encore comment *procéder à une sélection de cellules*.

Sachez dès à présent qu'entrer des données dans une cellule et mettre ces données en forme sont deux choses très différentes. C'est pourquoi, quand vous entrez de nouvelles données dans une cellule, elles adoptent la mise en forme qui a été définie pour cette cellule. Ce qui vous permet de mettre en forme des cellules vides dans lesquelles vous entrerez ultérieurement des données qui seront à ce moment automatiquement mises en forme.

Choisir un groupe de cellules sélectionnées

Comme rien n'est plus monotone que la nature rectangulaire d'une feuille de calcul et ses composants, vous ne serez pas surpris de constater qu'une sélection est elle aussi rectangulaire. Après tout, les feuilles de calcul ne sont que des plages de cellules disposées sur des colonnes et des rangées.

Une *sélection de cellules* (ou *plage de cellules*) est un ensemble de cellules contiguës susceptibles d'être mises en forme ou modifiées. La petite sélection de cellule, dans une feuille de calcul, se limite à une seule cellule : la cellule dite *active.* Une seule cellule entourée par le pointeur de cellule est une sélection d'une cellule. La sélection de cellules la plus vaste comprend toutes les cellules de la feuille de calcul. La plupart des sélections que vous aurez à effectuer se situent dans un moyen terme ; elles concerneront quelques cellules adjacentes disposées en colonne(s) et/ou en rangée(s).

Excel met une sélection de cellules en évidence en mettant la plage en surbrillance ; la Figure 3.1 montre diverses sélections de cellules de différentes tailles et formes.

Dans Excel, vous pouvez sélectionner plusieurs cellules ou plages de cellules à la fois (c'est-à-dire des *sélections multiples*, des *sélections non contiguës* ou des *sélections non adjacentes*). La Figure 3.1 contient plusieurs sélections non adjacentes. La cellule G8 contient une sélection limitée à une seule cellule active, indiquée par le pointeur de cellule.

Les sélections par pointer-cliquer

La souris est l'outil naturel pour sélectionner des plages de cellules : amenez le pointeur de souris (l'épaisse croix blanche) au-dessus de la première cellule, cliquez, puis, bouton de la souris enfoncé, tirez dans la direction où vous désirez étendre la sélection.

✠   ✔ Pour étendre la sélection de cellules vers les colonnes à droite, tirez la souris vers la droite, ce qui met les cellules concernées en surbrillance.

     ✔ Pour étendre la sélection vers le bas, tirez vers le bas.

✔ Pour étendre la sélection à la fois vers le bas et vers la droite, tirez la souris en diagonale vers la cellule située dans le coin inférieur droit de la plage que vous définissez.

Les sélections avec Maj

Pour accélérer la sélection des cellules, vous pouvez utiliser la bonne vieille méthode Maj+clic, qui s'effectue de la façon suivante :

1. **Cliquez sur la première cellule de la sélection.**

   La cellule est sélectionnée.

2. **Déplacez le pointeur de la souris vers la dernière cellule de la sélection.**

   Elle est au coin opposé de la première cellule. Ne cliquez pas encore.

3. **La touche Maj enfoncée, cliquez dans la dernière cellule.**

Au moment de ce deuxième clic, Excel sélectionne dans les lignes et dans les colonnes toutes les cellules situées entre la première et la dernière cellule.

Avec la souris, la touche Maj agit comme *touche d'extension* entre le premier objet sélectionné et le deuxième (reportez-vous à la section "Etendre une sélection", plus loin dans ce chapitre). L'utilisation de la touche Maj permet de sélectionner la première et la dernière cellule, ainsi que toutes les cellules qui se trouvent entre elles, ou de sélectionner tous les noms de documents dans la liste d'une boîte de dialogue.

Si, lors d'une sélection à la souris, vous avez inclus des cellules dont vous ne voulez pas, avant de relâcher le bouton de la souris, vous pouvez désélectionner les cellules et redimensionner la sélection en déplaçant le pointeur dans la direction opposée. Si vous avez relâché le bouton de la souris, cliquez dans la première cellule de la plage afin de la sélectionner (ce qui désélectionne toutes les autres cellules), puis recommencez la sélection.

Les sélections de cellules non adjacentes

Pour sélectionner des cellules ou des plages non adjacentes, sélectionnez une cellule ou tirez une plage de cellules. Ensuite, touche Ctrl enfoncée, sélectionnez la deuxième cellule ou plage de cellules. Aussi longtemps que la touche Ctrl est enfoncée, Excel ne désélectionne aucune cellule pendant que vous en sélectionnez d'autres.

La touche Ctrl fonctionne avec la souris en tant que *touche d'addition* d'objets (reportez-vous à la section "Les sélections de cellules non adjacentes au clavier", plus loin dans ce chapitre). La touche Ctrl permet d'ajouter des cellules à une sélection ou de sélectionner des noms épars dans la liste d'une boîte de dialogue sans risque de désélection intempestive.

Les sélections de grande envergure

Vous pouvez sélectionner toutes les cellules d'une ligne ou d'une colonne, voire toutes les cellules d'une feuille de calcul, en appliquant les techniques suivantes :

- Pour sélectionner toutes les cellules d'une colonne, cliquez dans la lettre qui l'identifie, en haut de la feuille de calcul.

- Pour sélectionner toutes les lignes d'une colonne, cliquez dans son numéro, à gauche de la feuille de calcul.

✔ Pour sélectionner plusieurs lignes ou colonnes à la fois, tirez dans les en-têtes de lignes ou de colonnes.

✔ Pour sélectionner des lignes et/ou des colonnes qui ne sont pas contiguës, maintenez la touche Ctrl enfoncée tout en cliquant et/ou en tirant dans les en-têtes des lignes et des colonnes à placer dans la sélection.

✔ Pour sélectionner l'intégralité des cellules d'une feuille de calcul, appuyez sur Ctrl+A ou cliquez sur le bouton de sélection globale. Il se trouve au point de rencontre des en-têtes de lignes et de colonnes, dans le coin supérieur gauche de la feuille de calcul.

Sélectionner des données d'un tableau avec la sélection automatique

Excel propose une méthode de sélection extrêmement rapide, appelée "sélection automatique", pour sélectionner toutes les cellules d'un tableau d'un seul tenant. Procédez comme suit pour utiliser la sélection automatique :

1. **Cliquez dans la première cellule du tableau afin de la sélectionner.**

   Cette cellule se trouve en haut à gauche du tableau.

2. **Maintenez la touche Maj enfoncée tout en double-cliquant, avec le pointeur en forme de flèche, sur le bord droit ou inférieur de la cellule (voir Figure 3.2).**

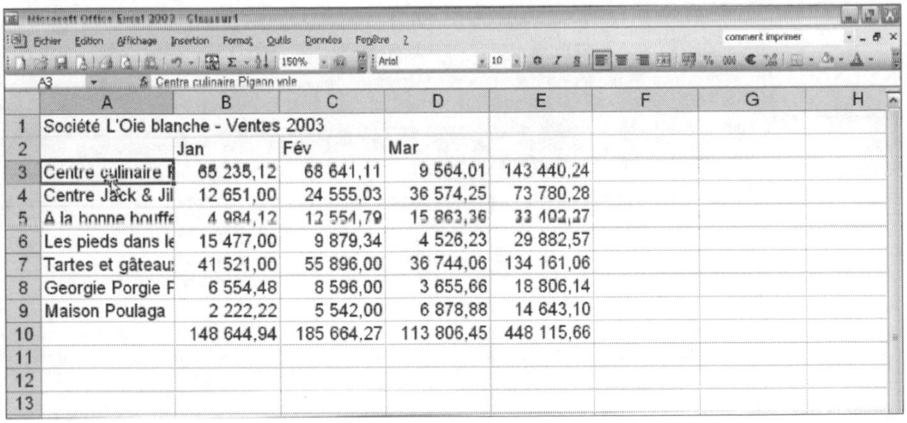

Figure 3.2
Placez le pointeur de la souris sur la première cellule du tableau.

Double-cliquer sur le *bas* de la cellule, touche Maj enfoncée, étend automatiquement la sélection jusqu'à la dernière cellule en bas de la première colonne, comme le montre la Figure 3.3. Si vous aviez double-cliqué sur le bord *droit* de la cellule, la sélection se serait étendue jusqu'à la dernière cellule de la ligne courante.

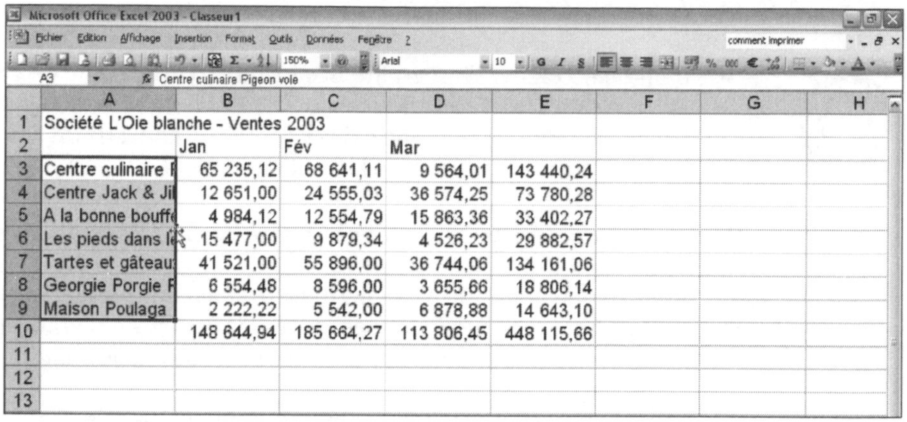

	A	B	C	D	E	F	G	H
1	Société L'Oie blanche - Ventes 2003							
2		Jan	Fév	Mar				
3	Centre culinaire P	65 235,12	68 641,11	9 564,01	143 440,24			
4	Centre Jack & Jil	12 651,00	24 555,03	36 574,25	73 780,28			
5	A la bonne bouffe	4 984,12	12 554,79	15 863,36	33 402,27			
6	Les pieds dans le	15 477,00	9 879,34	4 526,23	29 882,57			
7	Tartes et gâteau	41 521,00	55 896,00	36 744,06	134 161,06			
8	Georgie Porgie F	6 554,48	8 596,00	3 655,66	18 806,14			
9	Maison Poulaga	2 222,22	5 542,00	6 878,88	14 643,10			
10		148 644,94	185 664,27	113 806,45	448 115,66			
11								
12								
13								

Figure 3.3 En double-cliquant sur le bord inférieur de la première cellule, touche Maj enfoncée, vous avez étendu la sélection vers le bas.

3a. Si vous avez d'abord sélectionné une colonne, double-cliquez sur le bord droit de la sélection, touche Maj enfoncée (voir Figure 3.3).

Vous sélectionnez ainsi les autres colonnes du tableau, comme l'illustre la Figure 3.4.

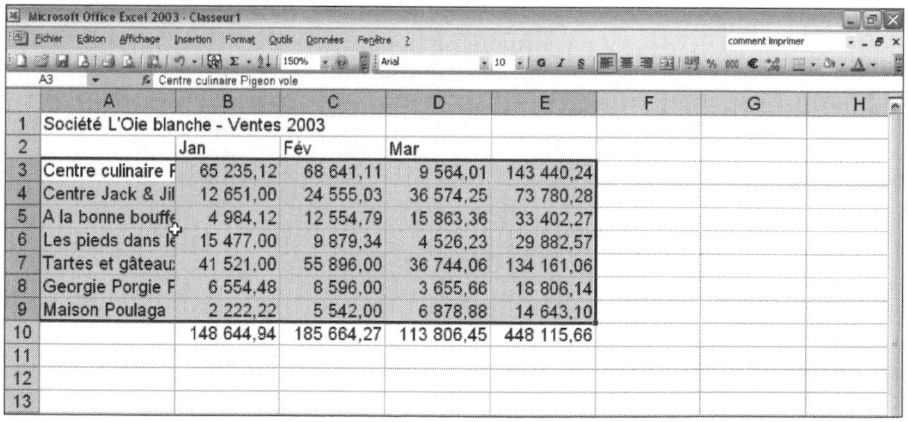

	A	B	C	D	E	F	G	H
1	Société L'Oie blanche - Ventes 2003							
2		Jan	Fév	Mar				
3	Centre culinaire P	65 235,12	68 641,11	9 564,01	143 440,24			
4	Centre Jack & Jil	12 651,00	24 555,03	36 574,25	73 780,28			
5	A la bonne bouffe	4 984,12	12 554,79	15 863,36	33 402,27			
6	Les pieds dans le	15 477,00	9 879,34	4 526,23	29 882,57			
7	Tartes et gâteau	41 521,00	55 896,00	36 744,06	134 161,06			
8	Georgie Porgie F	6 554,48	8 596,00	3 655,66	18 806,14			
9	Maison Poulaga	2 222,22	5 542,00	6 878,88	14 643,10			
10		148 644,94	185 664,27	113 806,45	448 115,66			
11								
12								
13								

Figure 3.4 En double-cliquant sur le bord droit de la sélection, touche Maj enfoncée, vous avez étendu la sélection vers les colonnes de droite du tableau.

3b. Si vous avez d'abord sélectionné une ligne, double-cliquez sur le bord inférieur de la sélection, touche Maj enfoncée.

Vous sélectionnez ainsi toutes les lignes restantes du tableau.

Bien que les étapes précédentes laissent à penser que pour utiliser la sélection automatique vous devez d'abord sélectionner la première cellule d'un tableau, vous pouvez en réalité sélectionner la cellule de n'importe quel coin. Ensuite, touche Maj enfoncée, vous étendrez la sélection dans la direction qui vous convient (en cliquant sur le bord approprié) pour sélectionner les lignes et les colonnes.

Les sélections au clavier

Si vous n'aimez pas travailler à la souris, vous pouvez sélectionner des cellules au clavier. A l'instar de la méthode Maj+clic, les techniques de sélection au clavier utilisent les touches fléchées conjointement avec la touche Maj. Les touches de déplacement du pointeur de cellule ont été mentionnées dans le Chapitre 1.

Commencez par placer le pointeur dans la première cellule de la sélection puis, touche Maj enfoncée, appuyez sur les touches fléchées appropriées (haut, droite, bas ou gauche, ou PageHaut et PageBas). Ce faisant, Excel ancre la sélection à la cellule courante puis l'étend dans la direction choisie, mettant les cellules sélectionnées en surbrillance au fur et à mesure que vous appuyez sur les touches fléchées.

En sélectionnant de la sorte, vous pouvez modifier l'étendue de la plage de cellules aussi longtemps que vous n'avez pas relâché la touche Maj. Dès qu'elle est relâchée, toute action sur une touche fléchée désélectionne aussitôt la plage, réduisant la sélection à la cellule indiquée par le pointeur de cellule.

Etendre une sélection

Si maintenir la touche Maj enfoncée tout en déplaçant le pointeur vous semble peu commode, vous pouvez mettre Excel en mode Extension en appuyant brièvement sur la touche de fonction F8 avant d'appuyer sur une touche fléchée. Excel affiche alors l'indicateur EXT dans la barre d'état. Quand vous appuyez sur les touches fléchées alors que ce mode est actif, Excel sélectionne les cellules comme si la touche Maj. était enfoncée.

L'indicateur EXT apparaît en bas à droite d'Excel, près de l'indicateur NUM (Verr. Num.).

Après avoir mis les cellules désirées en surbrillance, appuyez de nouveau sur F8 pour désactiver le mode Extension. L'indicateur EXT disparaît de la barre d'état, et vous pouvez de nouveau utiliser les touches fléchées pour déplacer le pointeur sans sélectionner des cellules.

La sélection automatique au clavier

La sélection automatique au clavier (et non à la souris, comme précédemment) combine l'utilisation de la touche F8 avec les touches fléchées ou les touches Origine et Fin. En fait, l'opération consiste tout bonnement à sélectionner les cellules au fur et à mesure des appuis sur ces touches.

Procédez comme suit pour sélectionner la totalité d'un tableau de données avec la sélection automatique au clavier :

1. **Placez le pointeur de cellule dans la première cellule.**

   Elle se trouve en haut à gauche du tableau.

2. **Appuyez une seule fois sur F8 (ou maintenez la touche Maj appuyée) puis sur les touches Ctrl+Flèche droite (ou Fin-Flèche droite) pour étendre la sélection aux colonnes de droite.**

3. **Ensuite, appuyez sur Ctrl+Flèche bas (ou Fin-Flèche bas) pour étendre la sélection aux lignes d'en bas.**

Rappelez-vous que les directions indiquées dans les étapes précédentes ne sont qu'indicatives. Vous pouvez choisir celles qui conviennent. Assurez-vous simplement, si vous utilisez la touche Maj plutôt que le mode Extension, que vous devez la maintenir enfoncée tout au long des manipulations. Et si vous appuyez sur la touche F8 pour enclencher le mode Extension, n'oubliez pas d'appuyer de nouveau sur cette touche après avoir sélectionné des cellules, afin que d'autres cellules ne soient pas ajoutées par inadvertance lorsque vous déplacerez le pointeur.

Les sélections de cellules non adjacentes au clavier

La sélection de plusieurs plages est un peu plus compliquée au clavier qu'avec la souris, car vous devez passer de l'ancrage du pointeur de cellule au déplacement du pointeur pour sélectionner la plage, puis à la libération du pointeur afin de pouvoir le positionner au début d'une autre plage. Pour libérer le pointeur de cellule afin de le positionner ailleurs, appuyez sur la touche F8. Vous passez ainsi en mode Ajout, qui permet de passer à une autre plage sans sélectionner d'autres cellules. Quand ce mode est actif, l'indicateur AJT est affiché dans la barre d'état, montrant ainsi que le pointeur de cellule est libre.

Appliquez ces étapes générales pour sélectionner plusieurs plages de cellules au clavier :

1. **Placez le pointeur dans la première cellule de la première plage à sélectionner.**

2. **Appuyez sur F8 pour enclencher le mode Extension.**

3. **Appuyez sur Maj+F8 pour passer du mode Extension au mode Ajout.**

   L'indicateur AJT apparaît dans la barre d'état.

4. **Amenez le pointeur de cellule à la première plage non adjacente que vous désirez sélectionner.**

5. **Appuyez de nouveau sur F8 pour revenir au mode Extension, puis déplacez le pointeur de cellule afin de sélectionner une nouvelle plage.**

6. **Si d'autres plages non adjacentes doivent être définies, répétez les étapes 3, 4 et 5 jusqu'à ce que vous ayez sélectionné toutes les plages à utiliser.**

La sélection de cellules avec Atteindre

Si vous devez sélectionner une très vaste plage de cellules, qu'il serait long et fastidieux de sélectionner au clavier, utilisez la fonction Atteindre :

1. **Placez le pointeur de cellule dans la première cellule de la plage.**

2. **Appuyez sur F8 pour ancrer le pointeur de cellule et enclencher le mode Extension.**

3. **Appuyez sur la touche de fonction F5 ou choisissez Edition/Atteindre, dans la barre de menus, pour ouvrir la boîte de dialogue Atteindre. Tapez l'adresse de la dernière cellule de la plage (celle du coin opposé à la première cellule) et appuyez sur Entrée.**

Du fait qu'Excel est en mode Extension lorsque vous utilisez Atteindre pour aller à une autre cellule, le logiciel ne se contente pas d'envoyer le pointeur de cellule à l'adresse spécifiée, mais sélectionne aussi toutes les cellules intermédiaires. Après avoir sélectionné une plage de cellules avec Atteindre, n'oubliez pas d'appuyer de nouveau sur F8 (la touche d'extension) pour empêcher Excel de compromettre la sélection en y ajoutant d'autres cellules dès que vous aurez déplacé le pointeur de cellule.

Présenter des tableaux avec la Mise en forme automatique

Voici une technique de mise en forme qui n'exige aucune sélection de cellule préalable. Elle repose sur une fonction appelée Mise en forme automatique ; elle est si bien conçue qu'il suffit de placer le pointeur de cellule quelque part dans la table de données, puis de choisir la commande Format/Mise en forme automatique dans la barre de menus pour que la présentation des données soit notablement améliorée.

Dès que vous ouvrez la boîte de dialogue Format automatique, Excel sélectionne automatiquement toutes les cellules du tableau (vous aurez droit à un message d'alerte sans aménité si vous choisissez la mise en forme automatique alors que le pointeur de cellule est hors d'un tableau).

La mise en forme automatique n'est pas disponible si des plages non adjacentes sont sélectionnées.

Vous gagnerez beaucoup de temps en choisissant l'une des seize mises en forme de tableaux prédéfinies. Voici comment :

1. **Choisissez Format/Mise en forme automatique afin d'ouvrir la boîte de dialogue Format automatique.**

2. **Dans la boîte de dialogue Format automatique, cliquez sur le modèle de mise en forme (voir Figure 3.5) que vous désirez appliquer à un tableau de données.**

   Au besoin, faites défiler la liste de la boîte de dialogue Format automatique pour voir toutes les variantes possibles. Lorsque vous choisissez un modèle, Excel l'entoure d'un liseré noir pour indiquer qu'il est sélectionné.

3. **Cliquez sur le bouton OK ou appuyez sur Entrée afin de quitter la boîte de dialogue Format automatique et d'appliquer la mise en forme sélectionnée au tableau de la feuille de calcul.**

Lorsque vous connaîtrez suffisamment les formats de tableau pour savoir lequel utiliser, vous gagnerez du temps en double-cliquant directement sur le modèle, dans la boîte de dialogue Format automatique, qui ferme à la fois la boîte de dialogue et applique la mise en forme.

Si vous vous êtes complètement fourvoyé et avez choisi une mise en forme que vous trouvez hideuse, choisissez Edition/Annuler Mise en forme automatique

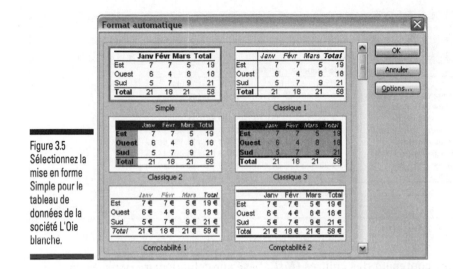

Figure 3.5
Sélectionnez la
mise en forme
Simple pour le
tableau de
données de la
société L'Oie
blanche.

dans la barre de menus (ou cliquez sur le bouton Annuler dans la barre d'outils Standard) avant de faire quoi que ce soit d'autre. Excel rétablit le tableau tel qu'il était auparavant. Nous reviendrons sur les annulations dans le prochain chapitre. Si par la suite vous vous rendez compte que vous ne voulez aucune mise en forme automatique, vous pourrez vous en débarrasser – même s'il est trop tard pour recourir à l'annulation – en ouvrant la boîte de dialogue Format automatique et en choisissant le modèle Aucun ; il se trouve à la fin des différents modèles proposés. Cliquez ensuite sur OK ou appuyez sur Entrée.

Chacun des modèles de mise en forme de la boîte de dialogue Format automatique n'est rien de plus qu'un arrangement prédéfini de plusieurs sortes de mises en forme de cellules qu'Excel applique d'un seul coup (mais qu'est-ce que ça fait gagner comme temps !). Chacune améliore la présentation des titres et des données à sa manière.

Reportez-vous à la Figure 3.5 pour voir la mise en forme Simple sélectionnée pour améliorer la présentation du tableau des ventes du premier trimestre de la société L'Oie blanche. La Figure 3.6 montre le résultat de l'application du modèle Simple. Remarquez que le format automatique a mis en gras les titres des lignes 1 et 2 ; il a aussi ajouté des bordures pour séparer ces titres du reste du tableau, et centré le titre de la première ligne sur les colonnes A à E, ainsi que les titres des colonnes B2 à E2. Ce modèle de mise en forme simple n'a cependant pas ajouté de symboles monétaires aux chiffres.

Vous voulez voir d'autres styles de mises en forme ? Dans la Figure 3.7, j'ai choisi un format Comptabilité 1 pour la même plage de cellules. Lorsque vous sélectionnez ce modèle, Excel applique un format monétaire à toutes les

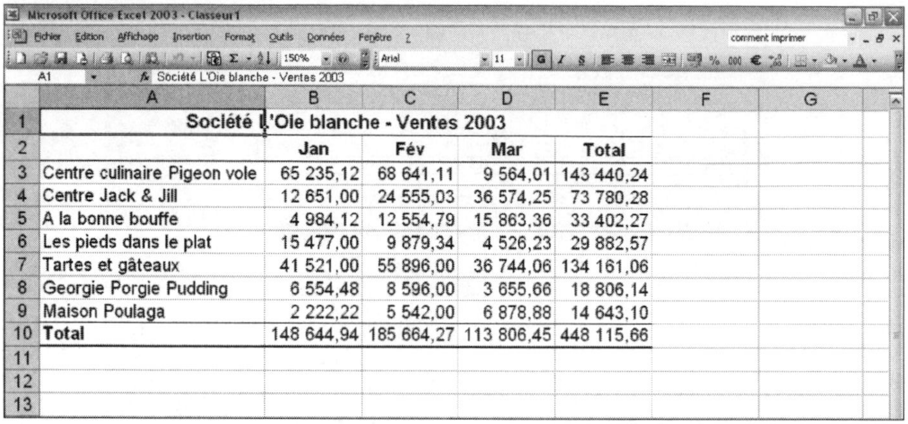

Figure 3.6
Présentation du premier trimestre des ventes de la société L'Oie blanche avec une mise en forme Simple.

	A	B	C	D	E	F	G
1	Société L'Oie blanche - Ventes 2003						
2		Jan	Fév	Mar	Total		
3	Centre culinaire Pigeon vole	65 235,12	68 641,11	9 564,01	143 440,24		
4	Centre Jack & Jill	12 651,00	24 555,03	36 574,25	73 780,28		
5	A la bonne bouffe	4 984,12	12 554,79	15 863,36	33 402,27		
6	Les pieds dans le plat	15 477,00	9 879,34	4 526,23	29 882,57		
7	Tartes et gâteaux	41 521,00	55 896,00	36 744,06	134 161,06		
8	Georgie Porgie Pudding	6 554,48	8 596,00	3 655,66	18 806,14		
9	Maison Poulaga	2 222,22	5 542,00	6 878,88	14 643,10		
10	**Total**	148 644,94	185 664,27	113 806,45	448 115,66		

cellules contenant des chiffres (*NdT :* basé sur celui déclaré dans les paramètres régionaux de Windows), et affiche ces chiffres avec deux décimales et en séparant les milliers. Comme dans le modèle précédent, des bordures séparent les titres des données, et les données des totaux de colonnes.

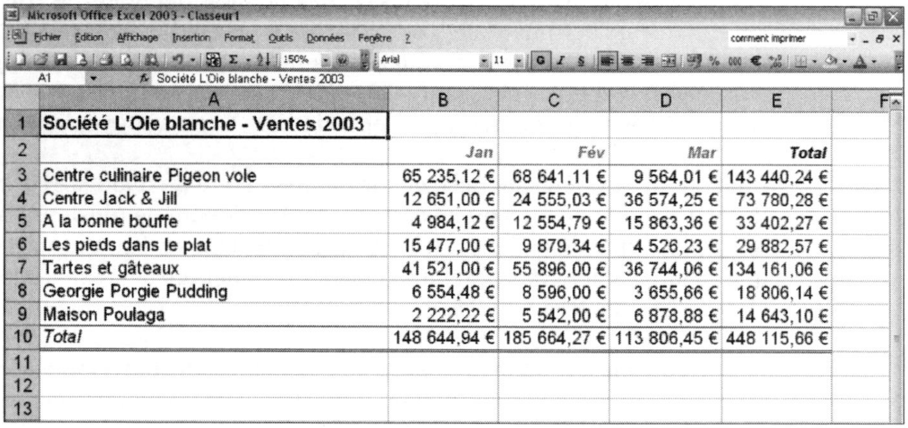

Figure 3.7
Présentation du premier trimestre des ventes avec une mise en forme Comptabilité 1.

	A	B	C	D	E
1	Société L'Oie blanche - Ventes 2003				
2		*Jan*	*Fév*	*Mar*	*Total*
3	Centre culinaire Pigeon vole	65 235,12 €	68 641,11 €	9 564,01 €	143 440,24 €
4	Centre Jack & Jill	12 651,00 €	24 555,03 €	36 574,25 €	73 780,28 €
5	A la bonne bouffe	4 984,12 €	12 554,79 €	15 863,36 €	33 402,27 €
6	Les pieds dans le plat	15 477,00 €	9 879,34 €	4 526,23 €	29 882,57 €
7	Tartes et gâteaux	41 521,00 €	55 896,00 €	36 744,06 €	134 161,06 €
8	Georgie Porgie Pudding	6 554,48 €	8 596,00 €	3 655,66 €	18 806,14 €
9	Maison Poulaga	2 222,22 €	5 542,00 €	6 878,88 €	14 643,10 €
10	*Total*	148 644,94 €	185 664,27 €	113 806,45 €	448 115,66 €

Si vous mettez en forme un tableau comportant un titre centré dans plusieurs colonnes avec la commande Fusionner et centrer, sur la barre d'outils Mise en forme, vous devrez cliquer dans une autre cellule que celle qui a été fusionnée et centrée avant d'appliquer la mise en forme automatique. Car si cette cellule est sélectionnée à ce moment-là, elle seule sera mise en forme. Pour qu'Excel puisse sélectionner toutes les cellules du tableau, y compris celle qui a été fusionnée et centrée, vous devez placer le pointeur dans une autre cellule que celle-ci avant de choisir Format/Mise en forme automatique.

Agrémenter les cellules avec la barre d'outils Mise en forme

Certaines feuilles de calcul exigent une mise en forme plus légère que celle appliquée par la mise en forme automatique. Vous désirerez par exemple ne mettre en gras que le haut de la colonne contenant des titres, et ne séparer par une bordure que les totaux en bas du tableau.

Les commandes de la barre d'outils Mise en forme (elle apparaît par défaut à droite de la barre d'outils Standard, mais il vaut mieux la placer dessous) permettent d'appliquer la plupart des mises en forme à une cellule sans même devoir dérouler des menus.

Vous utiliserez les outils de mise en forme pour affecter de nouvelles polices et formats de nombres aux cellules, pour modifier l'alignement de leur contenu, ou encore pour ajouter des bordures, des motifs ou des couleurs aux cellules.

Les barres d'outils transitoires

Normalement, les barres d'outils apparaissent l'une derrière l'autre sur la deuxième ligne de l'interface d'Excel 2003, à un emplacement fixe ; la barre est dite – assez peu joliment – *ancrée*. Bien qu'Excel ancre automatiquement les barres en haut de l'écran, vous pouvez néanmoins les déplacer où bon vous semble en les faisant glisser à l'emplacement désiré.

Lorsque vous faites glisser les barre d'outils Standard ou Mise en forme ailleurs que là où elles sont, elles apparaissent chacune dans une petite fenêtre qui affiche tous leurs boutons, comme le montre la Figure 3.8. De telles barres d'outils transformées en panneau sont appelées *barres d'outils flottantes*, car elles apparaissent toujours au-dessus de la feuille de calcul. Il est non seulement possible de les déplacer, mais aussi de les redimensionner :

- ✔ Une barre d'outils flottante est déplacée au-dessus de la feuille de calcul en la tirant par sa petite barre de titre.

- ✔ Une barre d'outils flottante peut être redimensionnée en tirant l'un de ses côtés. Attendez que le pointeur se transforme en flèche à deux pointes avant de commencer à tirer.

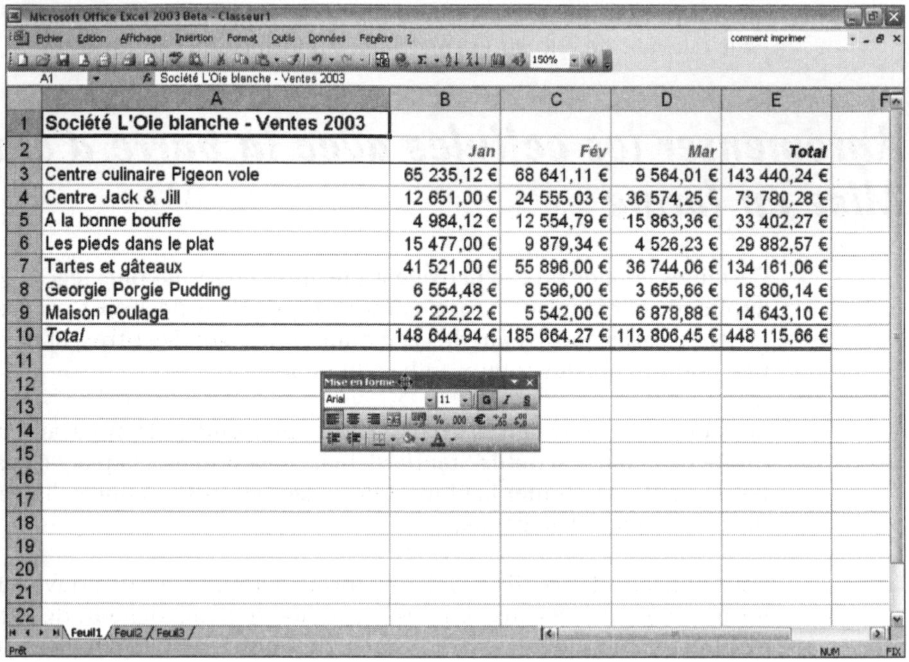

Figure 3.8
La barre d'outils flottante Mise en forme est déplacée par-dessus les cellules de la feuille de calcul.

✔ Quand vous redimensionnez une barre d'outils flottante, le nouveau contour apparaît sous la forme d'un pointillé. Dès que vous relâchez le bouton de la souris, Excel redessine la barre d'outils.

✔ Pour fermer une barre d'outils flottante devenue inutile, cliquez sur le bouton fermer (celui avec un "X" dans sa barre de titre).

Les manœuvres d'ancrage

Les barres d'outils flottantes peuvent parfois s'avérer fort gênantes lorsqu'il faut sans cesse les déplacer pour découvrir les cellules qu'elles occultent. Dans ce cas, il vaut mieux ancrer la barre.

Excel est doté de quatre points d'ancrage : au-dessus de la barre de formule, à gauche de l'écran, à droite de l'écran, et en bas, juste au-dessus de la barre d'état. La Figure 3.9 montre Excel après avoir ancré en bas, côte à côte, la barre d'outils Dessin et la barre d'outils Formulaires.

Pour ancrer une barre d'outils flottante dans l'une de ces quatre zones, faites-la glisser par sa barre de titre, bouton de la souris enfoncé, aussi loin que

Faire flotter la barre de menus

Les barres d'outils ne sont pas, dans Excel, les seuls éléments susceptibles de flotter. Même la barre de menus et ses menus déroulants peuvent devenir flottants. Lorsque vous sélectionnez un menu dans la barre flottante, les commandes peuvent apparaître au-dessus du nom de menu, et pas seulement en dessous, selon l'espace entre la barre flottante et le bas de l'écran. Pour faire flotter la barre de menus, placez le curseur sur les deux barrettes bosselées qui se trouvent à l'extrême gauche de la barre puis, bouton de la souris enfoncé, faites glisser la barre où vous le voulez. Pour ramener une barre d'outils à sa position d'origine, ancrée, faites glisser sa barre de titre jusqu'à cette position.

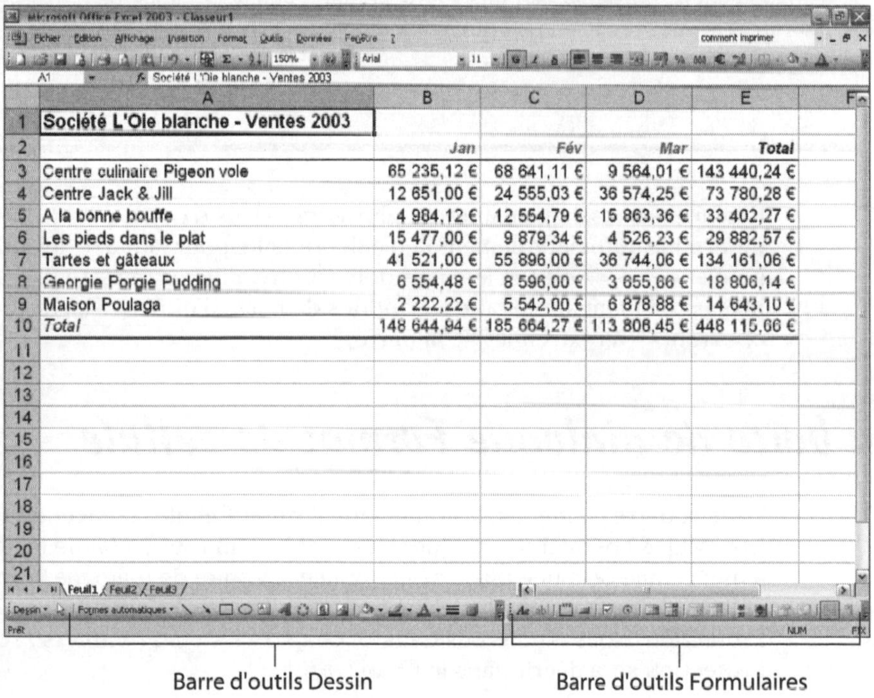

Figure 3.9
Les barres
d'outils Dessin et
Formulaires ont
été ancrées côte
à côte en bas de
la zone de travail.

Barre d'outils Dessin   Barre d'outils Formulaires

possible vers le côté de la fenêtre. Relâchez le bouton dès qu'apparaît un contour ayant une forme rectangulaire très allongée. Que la barre soit horizontale ou verticale, les outils qu'elle contient se présentent toujours à l'endroit, dans le bon sens.

Certaines barres d'outils, comme Standard, Mise en forme et Web, sont dotées de boutons qui déroulent des menus. Remarquez que, quand vous ancrez une barre de ce type contre un côté vertical d'Excel, elle n'affiche plus les boutons contenant un menu déroulant ; pour les conserver, ancrez la barre horizontalement, en haut ou en bas de l'écran.

Format ou mise en forme ?

(*NdT*: Excel utilise aussi bien l'anglicisme "format" [comme dans la barre de menus Format ou dans les titres des boîtes de dialogue" que l'appellation "mise en forme" [comme dans la commande Format/Mise en forme automatique".)

Dans l'absolu, un *format* est une représentation codifiée d'une valeur (format monétaire, pourcentage, date...) alors qu'une *mise en forme* est purement esthétique (couleur de police, bordure, motif...).

Remarquez aussi qu'en ancrant plusieurs barres d'outils côte à côte Excel détermine automatiquement la meilleure taille pour la barre, les outils qui peuvent être visibles et lesquels doivent être affichés (éventuellement accessibles en cliquant sur le bouton Options de barre d'outils, celui avec le double chevron >>, à l'extrémité de la barre).

La boîte de dialogue Format de cellule

Dans la barre de menus, la commande Format/Cellule (le raccourci clavier est Ctrl+Maj+&) permet d'appliquer très rapidement tout un lot de mises en forme à une cellule ou à une plage sélectionnée. La boîte de dialogue Format de cellule contient six onglets : Nombre, Alignement, Police, Bordure, Motifs et Protection. Nous étudierons dans ce chapitre les cinq premiers ; l'onglet Protection sera décrit dans le Chapitre 6.

Bien qu'un peu long à mettre en œuvre – il exige l'appui sur trois touches (à cause de la disposition du clavier français) –, le raccourci clavier pour la boîte de dialogue Format de cellule mérite d'être connu, car vous serez très souvent amené à mettre des cellules en forme.

Connaître les formats de nombre

Ainsi que nous l'avons expliqué dans le Chapitre 2, la saisie des valeurs dans la feuille de calcul définit le type de la mise en forme. Voici quelques exemples :

✔ Lorsque vous saisissez au clavier un chiffre suivi d'un symbole monétaire reconnu par Windows (par défaut : l'euro et le dollar), Excel applique le format Monétaire.

✔ Si vous entrez une valeur représentant un pourcentage sous la forme d'un entier suivi du signe %, Excel applique automatiquement le format Pourcentage.

✔ Si vous entrez une date (les dates sont aussi des valeurs) en respectant l'un des formats intégrés, comme 11/06/02 ou 11-juin-02, le logiciel affecte un format de nombre Date et lui attribue une valeur interne spéciale qui est la représentation de cette date.

Bien qu'il soit possible de mettre les valeurs en forme de cette manière au cours de la saisie, ce qui est nécessaire pour les dates, vous n'êtes pas obligé de procéder de la sorte. Vous pouvez à tout moment affecter un format de nombre à un groupe de valeurs avant ou après les avoir entrées. A vrai dire, formater les nombres après les avoir saisis est souvent le moyen le plus efficace, car la procédure s'effectue en deux étapes seulement :

1. **Sélection des valeurs nécessitant une mise en forme.**

2. **Sélection du format de nombre à appliquer, soit depuis la barre d'outils Mise en forme, soit depuis la boîte de dialogue Format de nombre.**

Même si vous êtes vraiment très doué pour la frappe et préférez entrer directement les valeurs sous leur forme définitive, vous devrez néanmoins recourir aux formats de nombre pour faire en sorte que les valeurs calculées par les formules correspondent à d'autres valeurs que vous aurez entrées, et ce parce qu'Excel applique un format de nombre Standard – celui que la boîte de dialogue Format de cellule définit comme "n'ayant pas de format de nombre spécifique" – à toutes les cellules qu'il calcule ainsi qu'à toutes les entrées qui ne correspondent pas à l'un de ses formats de nombre. Le plus gros problème du format de nombre Standard est qu'il a la désagréable habitude de supprimer tous les zéros qui précèdent un nombre, et aussi ceux qui suivent les décimales, d'où l'impossibilité de les aligner parfaitement dans les colonnes, selon la virgule décimale.

Ce triste comportement est visible dans la Figure 3.10, qui représente les ventes du premier trimestre de la société L'Oie blanche sans qu'aucune valeur n'ait été mise en forme. Remarquez comme les chiffres se calent maladroitement contre le bord droit selon le nombre de décimales, sans aucun alignement sur la virgule décimale. Cette mauvaise présentation est causée par le format de nombre Standard d'Excel. Le seul moyen d'y remédier est de choisir un format de nombre plus rationnel.

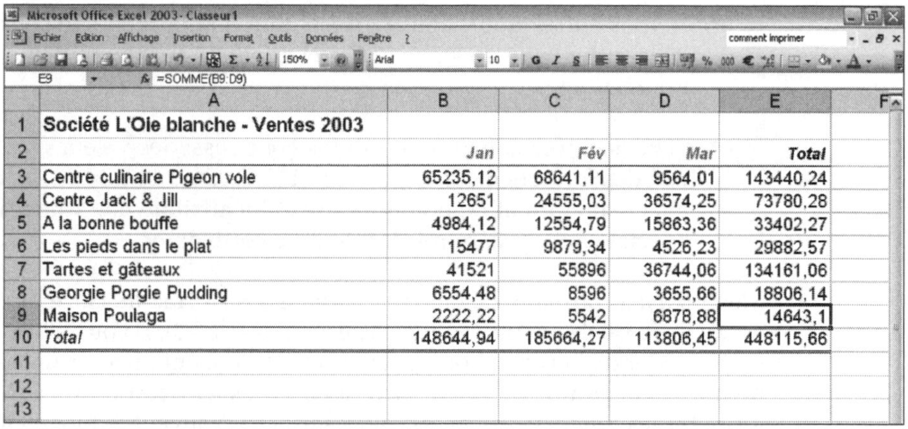

Figure 3.10
Les chiffres comportant des décimales ne s'alignent pas correctement lorsque le format de nombre Standard est utilisé.

	A	B	C	D	E	F
1	Société L'Oie blanche - Ventes 2003					
2		*Jan*	*Fév*	*Mar*	*Total*	
3	Centre culinaire Pigeon vole	65235,12	68641,11	9564,01	143440,24	
4	Centre Jack & Jill	12651	24555,03	36574,25	73780,28	
5	A la bonne bouffe	4984,12	12554,79	15863,36	33402,27	
6	Les pieds dans le plat	15477	9879,34	4526,23	29882,57	
7	Tartes et gâteaux	41521	55896	36744,06	134161,06	
8	Georgie Porgie Pudding	6554,48	8596	3655,66	18806,14	
9	Maison Poulaga	2222,22	5542	6878,88	14643,1	
10	*Total*	148644,94	185664,27	113806,45	448115,66	
11						
12						
13						

Appliquer un style Monétaire

Du fait de la nature financière de la plupart des feuilles de calcul, vous serez sans doute amené à utiliser le format Monétaire plus souvent qu'un autre. C'est une mise en forme très facile à mettre en œuvre, car la barre d'outils contient un bouton Monétaire qui ajoute le symbole monétaire, sépare les milliers, place une virgule et affiche deux décimales à toutes les valeurs numériques sélectionnées. Si des valeurs sélectionnées sont négatives, le format Monétaire les affiche précédées du signe moins (*NdT* : les nombres négatifs peuvent être affichés en rouge, sans signe moins, comme il est de règle en comptabilité).

Comme le montre la Figure 3.11, seules les cellules qui ont été sélectionnées (plages E3:E10 et B10:D10) ont reçu le format Monétaire. Il a été appliqué en cliquant sur le bouton Monétaire de la barre d'outils Mise en forme (son icône montre un billet de banque et des pièces, ce qui va de soi).

Remarque : bien qu'il soit possible de mettre tous les chiffres du tableau en format Monétaire, il en résulterait une surabondance de signes euro.

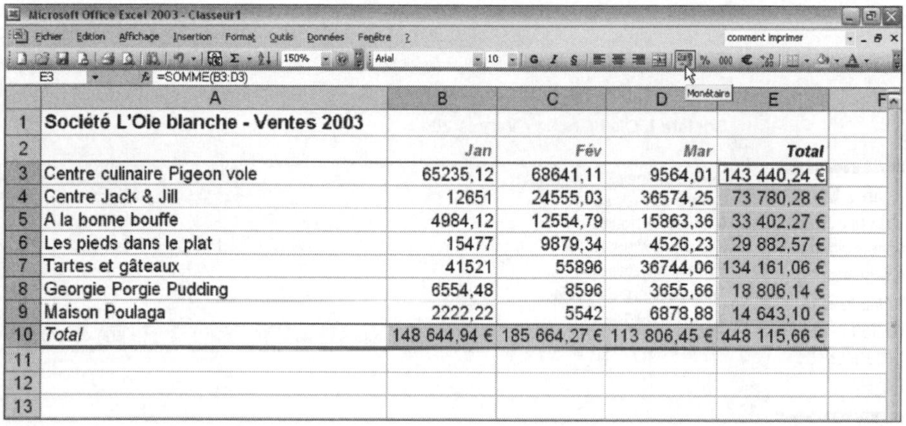

Figure 3.11
Les totaux de la
société L'Oie
blanche ont été
mis dans un
format monétaire
en cliquant, dans
la barre d'outils
Mise en forme,
sur le bouton
Monétaire.

Halte aux formats encombrants !

En appliquant un format monétaire aux cellules des plages E3:E:10 et B10:D10, Excel ne s'est pas contenté de mettre les chiffres en forme comme nous venons de le décrire ; il a aussi élargi automatiquement les colonnes B, C, D et E juste assez pour y faire tenir les chiffres nouvellement mis en forme. Dans les versions précédentes d'Excel, vous deviez le faire vous-même, car au lieu d'obtenir des chiffres parfaitement alignés vous vous seriez retrouvé avec des colonnes de cellules contenant chacune les signes #######. Ces successions de dièses sont des indicateurs de dépassement qui indiquent qu'Excel ne peut afficher l'intégralité d'un nombre dans une colonne aussi étroite.

Fort heureusement, Excel élimine les indicateurs de dépassement en élargissant automatiquement la ou les colonnes. Le seul moment où vous serez de nouveau confronté à ces dièses est si vous réduisez vous-même, manuellement, la largeur des colonnes (reportez-vous à la section "Calibrer les colonnes", plus loin dans ce chapitre) au point qu'Excel ne parvienne plus à afficher les chiffres.

Présenter les cellules avec le style Séparateur de milliers

Le format Séparateur de milliers est une excellente alternative au format Monétaire, car, comme ce dernier, il permet de séparer les milliers, les millions, les milliards, etc.

Ce format règle aussi le nombre de décimales et la représentation des nombres négatifs. Mais il n'affiche aucun symbole monétaire. Observez Figure 3.12 comment le bouton d'activation du format Séparateur de milliers, présent dans la barre d'outils Mise en forme (son icône montre un groupe de trois zéros), a affiché les nombres sélectionnés.

Remarquez Figure 3.12 comment le format Séparateur de milliers gère les décimales ; les chiffres sont désormais parfaitement alignés sur leur virgule décimale, et surtout par rapport à la virgule qui se trouve dans les totaux mis en forme avec le format Monétaire. Ils ont même été légèrement décalés vers la gauche pour parfaire l'alignement.

Le format Pourcentage

De nombreuses feuilles de calcul contiennent des pourcentages (taux d'intérêt, de croissance, d'inflation, etc.). Pour insérer un pourcentage dans une cellule, placez le signe % après le chiffre. Par exemple, pour entrer un taux d'intérêt de 12 pour 100, vous taperez **12 %** dans la cellule. Ce faisant, Excel applique le format Pourcentage tout en divisant la valeur par 100 et en plaçant le résultat dans la cellule (0,12 en l'occurrence).

Remarquez que, dans une feuille de calcul, tous les pourcentages sont entrés à la main de cette manière. Certains peuvent être calculés par une formule et retournés dans leur cellule sous la forme d'une valeur décimale brute. Dans ce cas, vous devez ajouter le format Pourcentage pour convertir la valeur décimale en pourcentage (division de la valeur par 100 et ajout du signe %).

La ligne 12 de notre feuille de calcul, qui montre des ventes trimestrielles, contient des formules qui indiquent le pourcentage des ventes par mois, par rapport au total (cellule E10). Dans la Figure 3.13, ces valeurs ont été converties en pourcentage. Pour ce faire, il suffit de sélectionner les cellules et de cliquer sur le bouton Pourcentage, dans la barre Mise en forme (faut-il préciser que c'est l'icône avec le symbole % ?).

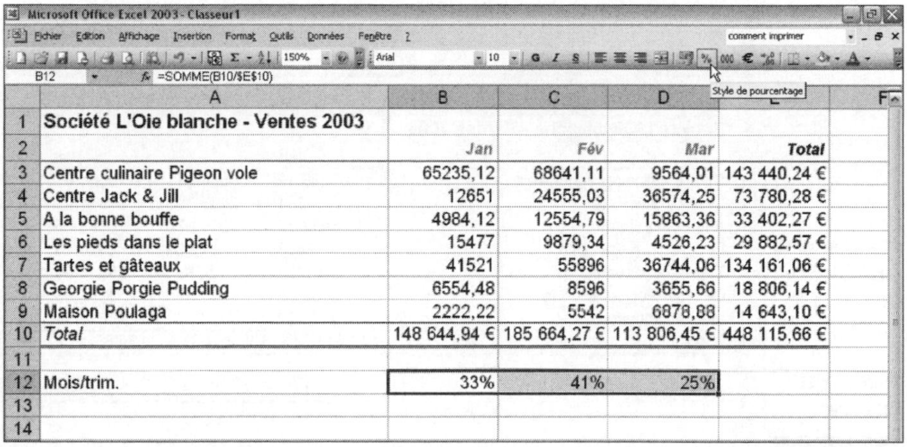

Figure 3.13
Les
pourcentages
mensuels ont été
mis en forme
avec le format
Pourcentage.

Définir les décimales

Il est possible d'augmenter et de réduire le nombre des décimales d'un nombre ayant reçu un format Monétaire, Séparateur de milliers ou Pourcentage en cliquant tout simplement sur les boutons Ajouter une décimale et Réduire les décimales. Ces deux commandes se trouvent sur la barre d'outils Mise en forme.

Chaque fois que vous cliquez sur le bouton Ajouter une décimale (celui avec une flèche pointée vers la gauche), Excel place une autre décimale après la virgule. Dans la Figure 3.14, deux décimales ont été ainsi ajoutées aux pourcentages de la plage B12:D12. Remarquez que le bouton Pourcentage ne définit jamais de décimales ; vous les obtenez avec le bouton Ajouter une décimale.

Les valeurs qui se cachent sous une mise en forme

Ne vous laissez pas induire en erreur par les formats qui enjolivent la présentation des cellules d'une feuille de calcul. Comme le ferait tout bon illusionniste, un format peut changer l'apparence d'une valeur comme par magie, mais en réalité le chiffre brut que vous avez entré reste immuable. Supposons qu'une formule retourne la valeur suivante :

25,6456

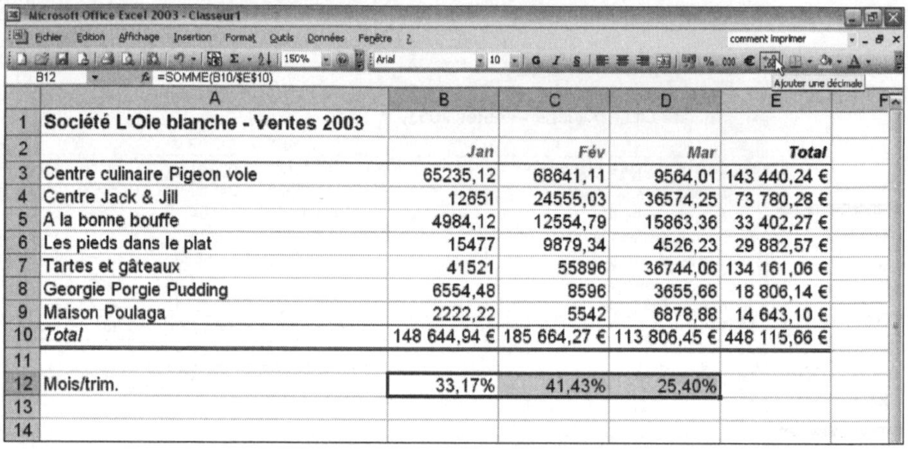

	A	B	C	D	E	F
1	Société L'Oie blanche - Ventes 2003					
2		*Jan*	*Fév*	*Mar*	*Total*	
3	Centre culinaire Pigeon vole	65235,12	68641,11	9564,01	143 440,24 €	
4	Centre Jack & Jill	12651	24555,03	36574,25	73 780,28 €	
5	A la bonne bouffe	4984,12	12554,79	15863,36	33 402,27 €	
6	Les pieds dans le plat	15477	9879,34	4526,23	29 882,57 €	
7	Tartes et gâteaux	41521	55896	36744,06	134 161,06 €	
8	Georgie Porgie Pudding	6554,48	8596	3655,66	18 806,14 €	
9	Maison Poulaga	2222,22	5542	6878,88	14 643,10 €	
10	*Total*	148 644,94 €	185 664,27 €	113 806,45 €	448 115,66 €	
11						
12	Mois/trim.	33,17%	41,43%	25,40%		
13						
14						

Figure 3.14
Deux décimales
ont été ajoutées
aux
pourcentages
des ventes.

Supposons maintenant que vous mettiez en forme la cellule qui contient ce chiffre avec l'outil Monétaire. La valeur est affichée sous la forme :

    25,65

Ce changement peut vous inciter à penser qu'Excel a arrondi la deuxième décimale à la valeur supérieure. En réalité, le logiciel n'a arrondi que l'*affichage* de la valeur ; la cellule contient toujours la valeur 25,6456. Si vous utilisez le contenu de cette cellule dans une formule, rappelez-vous qu'Excel utilise toujours la valeur véritable pour ses calculs, celle qui est stockée dans la mémoire et non celle qui apparaît à l'écran sous une forme ou sous une autre.

Comment ferez-vous pour que la valeur mise en forme soit la même que la valeur stockée en mémoire ? Excel peut satisfaire à votre demande en une seule étape. Sachez qu'il s'agit d'une opération irréversible. Il est en effet possible d'afficher les valeurs telles qu'elles sont stockées en mémoire, mais avec une mise en forme particulière, en cochant une seule case. Mais vous ne pourrez pas revenir à la présentation précédente en la désactivant.

Puisque vous insistez pour connaître ce truc, voici comment il faut procéder :

1. **Assurez-vous que toutes les cellules de la feuille de calcul ont été mises en forme avec le nombre de décimales que vous désirez.**

    Cette étape doit être accomplie avant de convertir l'affichage de la précision des valeurs dans la feuille de calcul.

2. **Dans le menu, choisissez Outils/Options.**

3. **Dans la boîte de dialogue Options, cliquez sur l'onglet Calcul.**

4. **Dans la zone Options de classeur, cochez la case Calcul avec la précision au format affiché. Cliquez ensuite sur OK.**

   Excel affiche un message d'alerte indiquant que "La précision pour ces données sera définitivement perdue".

5. **Cliquez sur OK ou appuyez sur Entrée (nous vivons dangereusement) pour convertir toutes les valeurs affichées en valeurs exactes.**

Après avoir converti toutes les valeurs d'une feuille de calcul grâce à la commande Calcul avec la précision au format affiché, comme nous venons de le décrire ci-dessus, il est recommandé d'appliquer la commande Fichier/Enregistrer sous et de modifier, dans la zone de texte Nom de la boîte de dialogue, le nom du fichier courant (en ajoutant par exemple les mots **au format affiché**) avant de cliquer sur le bouton Enregistrer ou d'appuyer sur la touche Entrée. Vous conserverez ainsi une copie de sauvegarde du classeur avec les valeurs entrées et calculées par Excel, mais sans l'affichage de la précision.

Dates et heures dans des calculs

Dans le Chapitre 2, j'ai indiqué qu'il était très simple de créer des formules qui calculent le temps écoulé entre deux dates ou deux heures. Le hic est qu'Excel affiche automatiquement le résultat du calcul au format date ou heure. Par exemple, si vous entrez 15-8-04 dans la cellule B4, 15/4/04 dans la cellule C4 et, dans la cellule E4, la formule suivante permettant de trouver le nombre de jours écoulés entre les deux dates :

```
=B4-C4
```

Excel renvoie le résultat de 122 déguisé en 01/05/1900 dans la cellule E4. Pour remettre en forme ce résultat, vous devez affecter le format Nombre à la cellule E4 (pour ce faire, choisissez Format/Cellule, sous l'onglet, cliquez sur Nombre, puis sur OK). La valeur 122 remplace alors 01/05/1900, indiquant que 122 jours se sont écoulés entre les deux dates.

Il en va de même avec les formules calculant le temps écoulé entre deux heures. Vous devez modifier le format de la cellule abritant le résultat. Prenons un exemple : vous saisissez 8:00 AM dans la cellule C8, 4:00 PM dans la cellule D8 et, dans la cellule E8, la formule suivante permettant de calculer le nombre d'heures écoulées entre ces deux instants :

```
=D8-C8
```

Il vous faut là aussi transformer au format Standard le résultat de la cellule E8, qui apparaît automatiquement sous la forme 8:00 AM. Une fois converti, le résultat est de 0,333333333 à la place de 8:00 AM, soit sa fraction sur une période de 24 heures. Pour obtenir le nombre d'heures correspondant, il suffit de multiplier 0,333333333 par 24, ce qui donne 8.

Un coup d'œil sur les différents formats de nombre

Excel supporte bien d'autres formats que Monétaire, Séparateur de milliers et Pourcentage. Pour les utiliser, sélectionnez la cellule ou la plage à mettre en forme, puis cliquez dedans avec le bouton droit de la souris. Dans le menu contextuel qui apparaît, sélectionnez l'option Format de cellule. Ou encore, dans la barre de menus, cliquez sur Format/Cellule. Dans les deux cas, la boîte de dialogue Format de cellule apparaît.

Dans la boîte de dialogue Format de cellule, cliquez sur l'onglet Nombre puis sélectionnez le format désiré dans la liste Catégorie. Certains, comme Date, Heure, Fraction et Spécial, proposent un choix encore plus étendu de formats. D'autres, comme Nombre et Monétaire, possèdent leur propre boîte permettant de paramétrer la mise en forme. Chaque fois que vous sélectionnez un format, Excel affiche dans la zone Aperçu la présentation de la première cellule de la plage sélectionnée. Si cet aperçu vous convient, cliquez sur OK ou appuyez sur Entrée pour appliquer la mise en forme choisie aux cellules sélectionnées.

La catégorie Spécial de la boîte de dialogue Format de cellule, onglet Nombre, contient des mises en forme très particulières. Les formats que voici vous intéresseront certainement :

- **Sécurité sociale.** Divise automatiquement les treize chiffres du numéro INSEE mentionnant le sexe, l'année de naissance, le mois, le lieu ainsi que les deux codes à trois chiffres. Exemple : 1 68 05 75 123 456.

- **Code postal.** Conserve les zéros qui précèdent un nombre (important pour entrer des codes postaux comme 04120 ou 07000).

- **Numéro de téléphone.** Sépare les dix chiffres des numéros de téléphone français deux par deux, en plaçant un espace entre chaque groupe (exemple : 01 40 21 46 20). D'autres options mettent en forme les numéros de téléphone belges, canadiens, luxembourgeois, marocains et suisses.

Ces mises en forme spéciales sont extrêmement commodes lorsqu'il s'agit de créer des bases de données avec Excel, qui exigent souvent la saisie d'un grand nombre de codes postaux, de numéros de téléphone ou de numéros INSEE (reportez-vous au Chapitre 9 pour apprendre à créer des bases de données).

Régler les colonnes

Si Excel 2003 ne se charge pas lui-même de régler la largeur des colonnes, vous n'aurez aucune difficulté à le faire par vous-même. Le moyen le plus simple de les ajuster consiste à appliquer la largeur la plus appropriée grâce à la commande Ajustement automatique. Elle demande à Excel de réduire ou d'augmenter la largeur des colonnes selon le contenu le plus long qui s'y trouve.

Procédez comme suit pour appliquer un ajustement automatique aux colonnes :

1. **Placez le pointeur de la souris sur la bordure grise de droite de l'en-tête de la colonne, tout en haut de la feuille de calcul.**

   Le pointeur de la souris se transforme en double flèche pointant vers la gauche et vers la droite.

2. **Double-cliquez.**

   Excel ajuste automatiquement la largeur de la colonne selon la donnée la plus longue qui s'y trouve.

L'ajustement automatique peut être appliqué à plusieurs colonnes à la fois. Il suffit de sélectionner toutes les colonnes à régler (si elles sont adjacentes, cliquez et tirez dans leur en-tête ; sinon, la touche Ctrl enfoncée, cliquez dans les différents en-têtes). Après avoir sélectionné les colonnes, double-cliquez sur n'importe quelle bordure de droite d'un en-tête.

L'ajustement automatique ne produit pas toujours le résultat escompté : un titre très long qui déborde sur les autres cellules, à droite, est exagérément élargi.

Si l'ajustement automatique ne vous convient pas, au lieu de double-cliquer, tirez la bordure de droite de l'en-tête jusqu'à ce que vous ayez obtenu la largeur désirée. Cette méthode manuelle est parfaite pour régler plusieurs colonnes à la fois. La largeur de celle que vous ajustez sera répercutée sur toutes celles qui sont sélectionnées.

Vous pouvez aussi fixer la largeur des colonnes à partir de la boîte de dialogue Largeur de colonne. La valeur que vous entrez correspond au nombre de caractères maximal qu'elle affichera. Pour accéder à cette boîte de dialogue, cliquez dans un en-tête de colonne avec le bouton droit de la souris et choisissez l'option Largeur de colonne. Ou encore, dans la barre de menus, cliquez sur Format/Colonne/Largeur.

Le champ Largeur de colonne, dans la boîte de dialogue, indique le nombre de caractères affichés dans la colonne standard d'une feuille de calcul, ou dans la colonne que vous venez de régler. Pour modifier la largeur de toutes les colonnes que vous sélectionnez dans la feuille de calcul (hormis celles qui ont déjà été ajustées manuellement ou automatiquement), tapez une nouvelle valeur dans la boîte de dialogue Largeur de colonne, puis cliquez sur OK.

Pour qu'Excel règle automatiquement la largeur des colonnes selon leur contenu, choisissez Format/Colonne/Ajustement automatique, dans la barre de menus. Remarquez que cette commande peut être appliquée pour n'ajuster la largeur que selon quelques entrées spécifiques. Supposons que vous ne vouliez utiliser l'ajustement automatique que pour une série de sous-titres, mais sans tenir compte du titre général qui déborde sur plusieurs colonnes. Tout ce que vous avez à faire est de sélectionner les cellules contenant les sous-titres sur lesquels l'ajustement automatique doit se baser, puis de cliquer sur Format/Colonne/Ajustement automatique.

Pour ramener une sélection de colonne à sa largeur standard (par défaut), choisissez Format/Colonne/Largeur standard. Cette manipulation ouvre la boîte de dialogue Largeur standard, qui est par défaut de 10,71 caractères pour toutes les nouvelles feuilles de calcul d'un classeur. Pour ramener toutes les colonnes sélectionnées à cette largeur standard, cliquez sur OK ou appuyez sur Entrée.

Ajuster les lignes

Le réglage de la hauteur des lignes est comparable à celui de la largeur des colonnes, à ce détail près que vous serez moins souvent amené à ajuster des lignes que des colonnes. Excel modifie en effet automatiquement la hauteur de ligne selon les entrées, notamment lors d'un changement de taille de police ou d'un retour à la ligne à l'intérieur d'une cellule. Ces cas seront évoqués dans la section "Modifier l'alignement". La plupart des modifications de hauteur de ligne sont effectuées pour augmenter l'espace réservé au titre d'un tableau sans ajouter des lignes vides (nous y reviendrons dans la section "De haut en bas", un peu plus loin dans ce chapitre).

Pour augmenter la hauteur d'une ligne, tirez le bas de l'en-tête de ligne jusqu'à ce que vous ayez obtenu la hauteur désirée, puis relâchez le bouton de la souris. Pour réduire la hauteur d'une ligne, inversez la manipulation en faisant remonter le bas de l'en-tête. Pour appliquer un ajustement automatique, double-cliquez sur la bordure inférieure de l'en-tête.

A l'instar des colonnes, vous pouvez aussi ajuster la hauteur des lignes sélectionnées au travers d'une boîte de dialogue. Pour ce faire, choisissez l'option Hauteur de ligne dans le menu contextuel affiché en cliquant dans un en-tête de ligne avec le bouton droit de la souris, ou choisissez Format/Ligne/Hauteur dans la barre de menus. Tapez une valeur pour définir une nouvelle hauteur pour la ou les lignes sélectionnées, puis cliquez sur OK. La hauteur de ligne par défaut est de 12,75 points typographiques. Pour revenir à l'ajustement automatique appliqué à une colonne, choisissez Format/Ligne/Ajustement automatique dans la barre de menus.

On la voit, on ne la voit plus !

Un détail amusant concernant les lignes et les colonnes : il est possible de les réduire à tel point qu'elles semblent avoir disparu de la feuille de calcul ! Ce comportement est très pratique pour masquer des données. Supposons qu'une feuille de calcul contienne la liste des employés et leur salaire ; vous avez besoin de ces chiffres pour calculer un budget, mais vous ne tenez pas à ce que ces données sensibles apparaissent dans le rapport imprimé. Au lieu de perdre du temps à déplacer la colonne des salaires hors de la zone à imprimer, il suffit de masquer la colonne au moment de l'impression.

Masquer et afficher des lignes et des colonnes avec le menu contextuel

Bien qu'il soit possible de masquer des lignes et des colonnes manuellement, Excel propose une méthode autrement plus rapide et efficace, au travers du menu Format ou des menus contextuels. Supposons que vous deviez masquer la colonne B d'une feuille de calcul parce qu'elle contient des informations sensibles ou sans rapport avec le sujet qui ne doivent pas être imprimées. Pour masquer cette colonne, vous pourriez procéder ainsi :

1. **Cliquer n'importe où dans la colonne B pour la sélectionner.**

2. **Choisir Format/Colonne/Masquer, dans la barre de menus.**

La colonne *s'évanouit !* Toutes les informations de la colonne B disparaissent de la feuille de calcul. Remarquez notamment la succession des lettres des entêtes de colonne : A, C, D, E... Il manque la lettre B.

Vous obtiendriez le même résultat en cliquant dans l'en-tête de la colonne avec le bouton droit de la souris et en choisissant, dans le menu contextuel, l'option Masquer.

Supposons maintenant que vous ayez imprimé la feuille de calcul et qu'il vous faut modifier une des entrées de la colonne B. Procédez comme suit pour réafficher la colonne :

1. **Placez le pointeur de la souris sur l'en-tête de la colonne A, puis tirez-le vers la droite pour sélectionner les colonnes A et C.**

   En tirant de A à C, vous incluez la colonne B dans la sélection. Ne cliquez surtout pas sur A *et* C, touche Ctrl enfoncée, car vous omettriez la colonne B.

2. **Dans la barre de menus, choisissez Format/Colonne/Afficher.**

Excel fait réapparaître la colonne B ; les trois colonnes A, B et C sont sélectionnées. Pour les désélectionner, cliquez sur n'importe quelle cellule de la feuille de calcul.

Il est aussi possible de réafficher la colonne B en sélectionnant les colonnes A à C, en cliquant sur l'une d'elles avec le bouton droit de la souris et en choisissant la commande Afficher dans le menu contextuel.

Masquer et afficher des colonnes et des lignes avec la souris

Vous pouvez me croire : masquer et réafficher des colonnes et des lignes avec la souris peut s'avérer *très* délicat. Cette opération exige un degré de précision que vous n'avez peut-être pas si vous débutez. Mais, si vous maîtrisez parfaitement le mulot, rien ne vous empêche de procéder comme suit :

 ✔ Pour masquer une colonne avec la souris, tirez son bord droit vers la gauche jusqu'à ce qu'elle ait rejoint l'autre bord, puis relâchez le bouton de la souris.

 ✔ Pour masquer une ligne avec la souris, faites remonter son bord inférieur jusqu'à ce qu'il ait rejoint celui du dessus.

Pendant que vous tirez un bord, Excel affiche près du pointeur une info-bulle indiquant la largeur ou la hauteur de la colonne, ou de la ligne (elle ressemble à celle qui apparaît en actionnant les barres de défilement ou lors d'une recopie automatique). Relâchez le bouton de la souris dès que cet indicateur indique 0,00.

Réafficher une colonne ou une ligne s'effectue par le processus inverse : vous tirez le bord de la colonne ou de la ligne située entre deux colonnes ou lignes non consécutives dans la direction opposée, c'est-à-dire vers la droite pour les colonnes et vers le bas pour les lignes. Le seul truc est que vous devez placer le pointeur de la souris juste à côté du bord de colonne ou de ligne afin qu'il se transforme non pas en double flèche de part et d'autre d'une barre noire, mais en double flèche de part et d'autre d'une double barre (ces deux types de barres sont visibles dans le Tableau 1.1).

Si vous avez masqué manuellement une colonne ou une ligne et n'arrivez décidément pas à faire apparaître ce satané pointeur fléché à double barre, rien ne sert de s'énerver. Tirez simplement le curseur sur les en-têtes situés de part et d'autre de l'endroit où la colonne ou la ligne se cache, puis cliquez dans l'une d'elles avec le bouton droit de la souris. Dans le menu contextuel, choisissez l'option Afficher.

Du côté de la police

Quand vous ouvrez une nouvelle feuille de calcul, Excel assigne une même police à la même taille à toutes les entrées auxquelles vous procédez. Cette police varie selon l'imprimante que vous utilisez ; pour une imprimante laser comme la HP Laserjet ou l'Apple LaserWriter, Excel utilise une police Arial de taille 10. Bien que cette police convienne parfaitement pour la saisie, vous serez tenté d'en choisir d'autres pour agrémenter les titres et les en-têtes d'un tableau.

Si vous ne tenez pas à conserver la police standard utilisée par Excel, choisissez-en une autre en cliquant, dans la barre de menus, sur Outils/Options et en sélectionnant l'onglet Général. Recherchez dans la zone inférieure du panneau les paramètres Police standard et Taille. Choisissez une nouvelle police dans la liste déroulante ainsi qu'une nouvelle taille de police dans le menu déroulant Taille.

La plupart des choix concernant la police peuvent être effectués directement depuis la barre d'outils Mise en forme, ce qui évite d'avoir à afficher la boîte de dialogue Format de cellule.

✔ Pour appliquer une nouvelle police à une cellule ou à une plage, cliquez sur le bouton fléché de la boîte Police, dans la barre d'outils Mise en forme. Sélectionnez ensuite le nom de la police à utiliser. Remarquez qu'Excel 2003 affiche désormais le nom de chaque police avec sa typographie réelle, ce qui facilite le choix.

✔ Pour modifier la taille de la police, cliquez sur le bouton fléché de la boîte Taille de police, dans la barre d'outils Mise en forme, et sélectionnez une nouvelle taille dans la liste.

Vous pouvez aussi appliquer du **gras**, de l'*italique*, un soulignement ou barrer des données. La barre d'outils contient des boutons permettant d'appliquer ou de supprimer les trois premiers styles ; remarquez que ces boutons sont encadrés chaque fois que vous sélectionnez une cellule dont le contenu en a reçu un ou plusieurs. Lorsque vous cliquez sur un bouton encadré afin de supprimer le style, le petit cadre ne réapparaît plus lorsque la cellule est de nouveau sélectionnée.

Vous procéderez probablement à la plupart des modifications de police à partir de la barre d'outils, mais il vous sera parfois plus commode de les faire sous l'onglet Police de la boîte de dialogue Format de cellule.

Comme le montre la Figure 3.15, l'onglet Police de la boîte de dialogue Format de cellule réunit tous les paramètres de police, y compris les styles (gras, italique...), les effets (barré, exposant et indice) et les couleurs. Si vous devez effectuer plusieurs modifications de police dans une sélection, travailler avec l'onglet Police sera beaucoup plus rapide et rationnel. La boîte de dialogue contient d'ailleurs une fenêtre d'aperçu qui montre l'effet – à l'écran du moins – des différents paramètres.

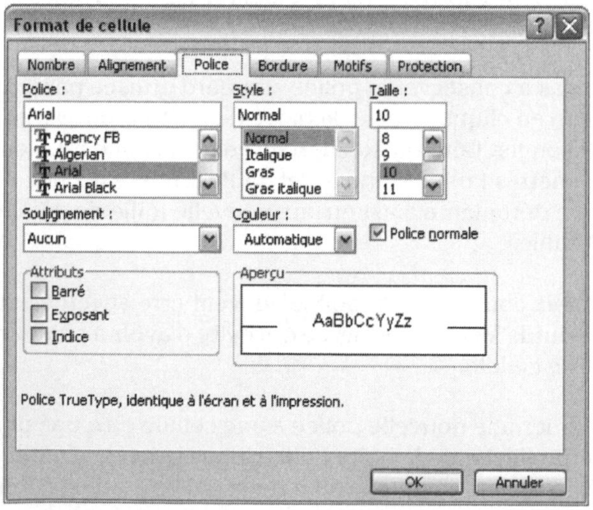

Figure 3.15
L'onglet Police
de la boîte de
dialogue Format
de cellule permet
d'appliquer
plusieurs
modifications à
la fois.

Si vous changez la couleur de la police, mais êtes équipé d'une imprimante en noir et blanc, les couleurs seront rendues en niveaux de gris. Sous l'onglet Police de la boîte de dialogue Format de cellule, dans la liste Couleur, le choix Automatique prélève dans Windows la couleur considérée comme couleur de texte. Cette couleur est le noir, à moins que vous en n'ayez choisi une autre dans l'onglet Apparence de la boîte de dialogue Propriétés de Affichage de Windows XP et 2000. (Pour en savoir plus à ce sujet, référez-vous à l'ouvrage *Windows XP pour les Nuls* d'Andy Rathbone, en n'oubliant pas de dire à Andy que c'est Greg qui vous envoie.)

Modifier l'alignement

Lorsque vous commencez à saisir des entrées, leur alignement dans les cellules dépend de leur type. Tous les textes sont alignés à gauche et toutes les valeurs à droite. Vous pouvez cependant modifier cette disposition à votre guise.

La barre d'outils Mise en forme contient trois outils d'alignement : Aligné à gauche, Au centre et Aligné à droite. Ils disposent le contenu de la cellule ou d'une plage exactement comme vous le désirez. A droite de ces boutons d'alignement, se trouve l'outil Fusionner et centrer.

Ce bouton mérite d'être connu, car il sert à centrer instantanément un titre sur toute la largeur d'un tableau. Les Figures 3.16 et 3.17 montrent comment l'utiliser. Dans la Figure 3.16, remarquez que le titre "Société L'Oie blanche – Ventes 2003" se trouve dans la cellule A1. Comme ce texte est assez long, il déborde sur les cellules à droite (B1 et C1). Pour centrer ce titre dans le tableau, qui s'étend des colonnes A à E, sélectionnez la plage de cellules A1:E1 puis, dans la barre d'outils Mise en forme, cliquez sur le bouton Fusionner et centrer.

Observez le résultat dans la Figure 3.17 : dans la ligne 1, les cellules des colonnes A à E ont été fusionnées en une seule cellule, et le titre a été parfaitement centré dans cette "supercellule" qui s'étend d'un côté à l'autre du tableau.

Si vous devez de nouveau scinder une cellule fusionnée en cellules distinctes, sélectionnez-la puis ouvrez la boîte de dialogue Format de cellule. Cliquez sur l'onglet Alignement, désélectionnez la case Fusionner les cellules, puis cliquez sur OK. Pour faire plus court, il suffit de sélectionner la cellule puis de cliquer de nouveau sur le bouton Fusionner et centrer.

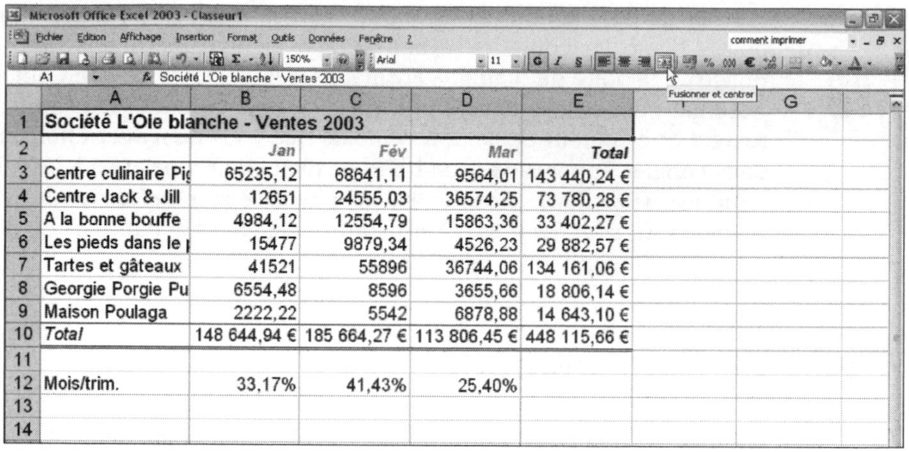

	A	B	C	D	E
1	Société L'Oie blanche - Ventes 2003				
2		*Jan*	*Fév*	*Mar*	***Total***
3	Centre culinaire Pi	65235,12	68641,11	9564,01	143 440,24 €
4	Centre Jack & Jill	12651	24555,03	36574,25	73 780,28 €
5	A la bonne bouffe	4984,12	12554,79	15863,36	33 402,27 €
6	Les pieds dans le	15477	9879,34	4526,23	29 882,57 €
7	Tartes et gâteaux	41521	55896	36744,06	134 161,06 €
8	Georgie Porgie Pu	6554,48	8596	3655,66	18 806,14 €
9	Maison Poulaga	2222,22	5542	6878,88	14 643,10 €
10	*Total*	148 644,94 €	185 664,27 €	113 806,45 €	448 115,66 €
11					
12	Mois/trim.	33,17%	41,43%	25,40%	
13					
14					

Figure 3.16 La feuille de calcul avant Fusionner et centrer.

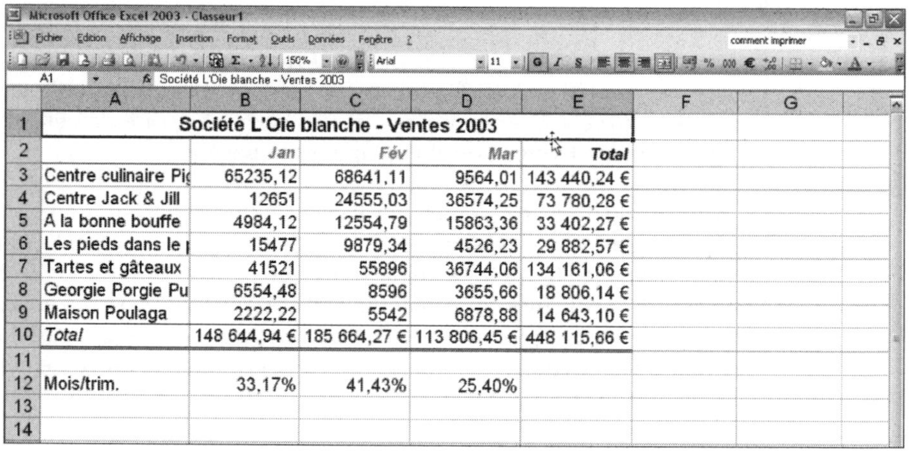

	A	B	C	D	E
1	Société L'Oie blanche - Ventes 2003				
2		*Jan*	*Fév*	*Mar*	***Total***
3	Centre culinaire Pi	65235,12	68641,11	9564,01	143 440,24 €
4	Centre Jack & Jill	12651	24555,03	36574,25	73 780,28 €
5	A la bonne bouffe	4984,12	12554,79	15863,36	33 402,27 €
6	Les pieds dans le	15477	9879,34	4526,23	29 882,57 €
7	Tartes et gâteaux	41521	55896	36744,06	134 161,06 €
8	Georgie Porgie Pu	6554,48	8596	3655,66	18 806,14 €
9	Maison Poulaga	2222,22	5542	6878,88	14 643,10 €
10	*Total*	148 644,94 €	185 664,27 €	113 806,45 €	448 115,66 €
11					
12	Mois/trim.	33,17%	41,43%	25,40%	
13					
14					

Figure 3.17 La feuille de calcul après le centrage du titre sur les colonnes A à E.

Les retraits

Excel 2003 permet de mettre des entrées en retrait dans les cellules. Pour ce faire, cliquez sur le bouton Augmenter le retrait, dans la barre d'outils Mise en forme. Ce bouton, situé juste à gauche du bouton Bordures, est reconnaissable à l'icône montrant une flèche repoussant quelques lignes vers la droite. Chaque fois que vous cliquez dessus, Excel met les entrées de la sélection courante en retrait d'un caractère (en police standard).

Un retrait peut être supprimé en cliquant sur le bouton Réduire le retrait ; il se trouve immédiatement à gauche du bouton Augmenter le retrait. Vous pouvez aussi modifier le nombre de caractères du décalage effectué avec le bouton Augmenter le retrait ; pour ce faire, ouvrez la boîte de dialogue Format de cellule (choisissez Format/Cellule), sélectionnez l'onglet Alignement, puis entrez une valeur dans le champ Retrait, soit en la tapant, soit en actionnant le bouton rotatif.

De haut en bas

L'alignement à gauche, centré ou à droite concerne le positionnement de l'entrée par rapport aux bords gauche et droit de la cellule, c'est-à-dire horizontalement. Vous pouvez aussi aligner le texte par rapport aux bords haut et bas de la cellule, soit verticalement. Par défaut, toutes les entrées sont placées en bas de la cellule, mais il est possible de les centrer verticalement ou de les placer contre le bord supérieur des cellules.

Pour modifier l'alignement vertical dans une plage de cellules sélectionnées, ouvrez la boîte de dialogue Format de cellule (Format/Cellule), puis cliquez sur l'onglet Alignement (voir Figure 3.18) ; enfin, sélectionnez Haut, Centré, Bas, Justifié ou Distribué dans la liste déroulante Vertical.

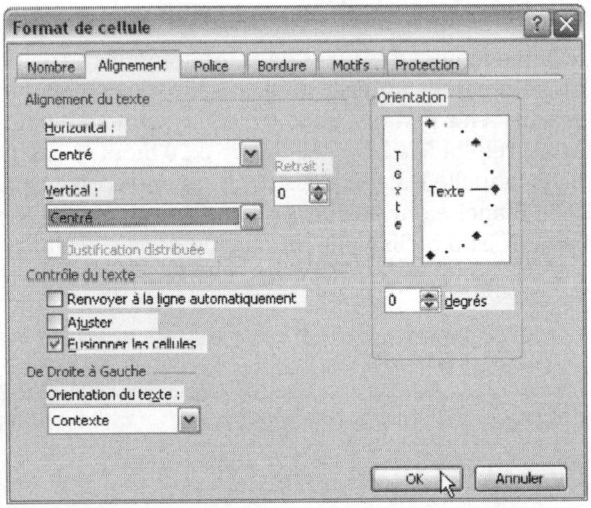

Figure 3.18 Sélectionnez Centré dans le menu déroulant Vertical pour placer une entrée entre les bords supérieur et inférieur d'une cellule.

La Figure 3.19 montre, dans la feuille des ventes de la société L'Oie blanche, le titre du tableau après qu'il a été centré verticalement (ce texte avait été centré horizontalement sur plusieurs colonnes avec la commande Fusionner et centrer ; la hauteur de la ligne 1, qui est par défaut de 12,75 points, a été augmentée à 33,75 points).

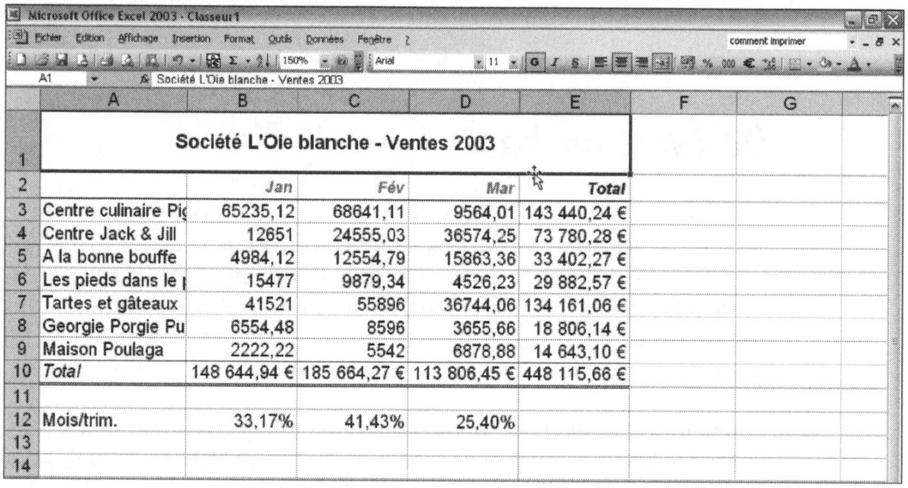

Figure 3.19
La feuille de calcul après le centrage vertical du titre du tableau.

Gérer le renvoi à la ligne

Dans les tableaux, le placement des titres dans les colonnes a toujours posé un problème ; il fallait souvent les abréger pour éviter d'avoir à élargir les colonnes pour les faire tenir dedans. Dans Excel, ce problème peut être évité grâce à la fonction de renvoi à la ligne. La Figure 3.20 montre une nouvelle feuille de calcul dans laquelle les noms des diverses entreprises qui travaillent avec la société L'Oie Blanche ont été mis en forme avec l'option Renvoyer à la ligne automatiquement, afin qu'ils tiennent chacun dans sa cellule.

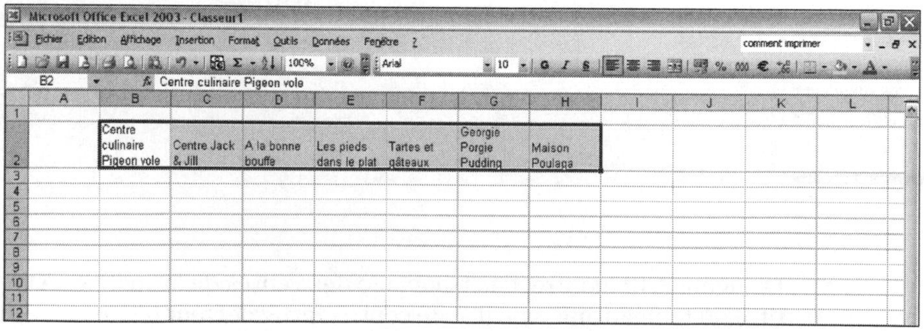

Figure 3.20
Une nouvelle feuille de calcul dans laquelle les titres ont été mis en forme avec l'option Renvoyer à la ligne automatiquement.

Pour obtenir la présentation de la Figure 3.20, sélectionnez les cellules contenant les titres (de B2 à H2), choisissez Format/Cellule puis, dans la boîte de
dialogue Format de cellule, cochez la case Renvoyer à la ligne automatiquement (cette case est visible dans la Figure 3.18).

Le renvoi à la ligne empêche les textes longs de déborder sur les cellules
voisines. Pour recevoir les lignes supplémentaires, le logiciel augmente automatiquement la hauteur de ligne.

Quand vous sélectionnez l'option Renvoyer à la ligne automatiquement, Excel
continue à utiliser les alignements vertical et horizontal que vous avez spécifiés pour la cellule. Notez que vous pouvez utiliser n'importe quelle option
d'alignement : Gauche (avec ou sans retrait), Centré, Droit (avec ou sans
retrait), Justifié ou Centré sur plusieurs colonnes. Vous ne pouvez toutefois
pas utiliser l'option Recopié. Présente dans la liste déroulante Horizontal,
l'option Recopié sert à répéter une entrée sur toute la largeur de la cellule.

Pour obtenir un renvoi à la ligne justifié sur les bords gauche et droit de la
cellule, sélectionnez l'option Justifié dans la liste déroulante Horizontal de la
boîte de dialogue Format de cellule.

Un long texte peut être séparé en plusieurs lignes en plaçant le point d'insertion dedans, dans la cellule ou dans la barre de formule, et en appuyant sur les
touches Alt+Entrée. Excel agrandit la ligne contenue dans la cellule, ainsi que
la barre de formule, puis commence une nouvelle ligne. Dès que vous appuyez
sur Entrée pour valider la saisie ou la modification, Excel effectue automatiquement le renvoi à la ligne selon la largeur de la colonne et l'emplacement du
point d'insertion.

Incliner les entrées

Au lieu de définir un renvoi à la ligne pour les textes entrés dans les cellules,
vous préférerez peut-être modifier leur orientation en les inclinant dans un
sens ou dans un autre. Dans la Figure 3.21, le changement de direction des
titres a donné un effet plus intéressant qu'un simple renvoi à la ligne.

Cet exemple montre une rotation à 90° vers le haut (dans le sens inverse des
aiguilles d'une montre). Remarquez que cette opération a entraîné un ajustement de la largeur des colonnes.

Pour faire pivoter le contenu des cellules de la Figure 3.21, sélectionnez
d'abord la plage B2:H2 puis choisissez Format/Cellule. Dans la boîte de
dialogue Format de cellule, cliquez sur l'onglet Alignement. Dans la zone Orientation, en haut à droite de la boîte de dialogue, cliquez sur le losange placé tout

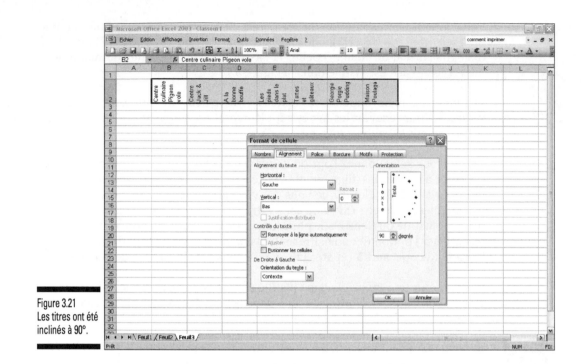

Figure 3.21
Les titres ont été
inclinés à 90°.

en haut (à midi, pour ainsi dire, dans le cadran) afin que le mot "Texte" soit à la verticale vers le haut. Le champ Degrés indique 90.

Vous pouvez aussi incliner une entrée en tapant le nombre de degrés directement dans le champ Degrés, ou encore utiliser les flèches du bouton rotatif de cette commande. Laissez la coche dans la case Renvoyer à la ligne automatiquement pour éviter la création de colonnes de texte trop longues, peu esthétiques. Dès que les choix vous conviennent, cliquez sur OK ou appuyez sur Entrée.

Un texte peut être incliné à d'autres valeurs que 90°. Après avoir sélectionné le texte à faire pivoter, cliquez sur n'importe quel losange pour orienter le texte à votre guise et obtenir par exemple la présentation que montre la Figure 3.22, dans laquelle les titres ont été orientés à 45°. Pour ce faire, cliquez sur le losange situé, dans la fenêtre Orientation, vers le coin supérieur droit. Ou alors, tapez **45** dans le champ Degrés.

Vous pouvez définir n'importe quelle inclinaison, de 90° vers le haut à 90° vers le bas, soit en tapant la valeur exacte dans le champ Degrés, soit en actionnant l'aiguille du cadran. Pour placer le texte verticalement de telle manière que les

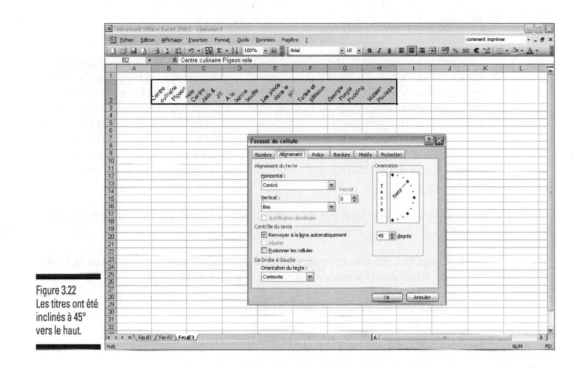

Figure 3.22
Les titres ont été
inclinés à 45°
vers le haut.

lettres soient empilées les unes sur les autres, cliquez sur le rectangle montrant le mot "Texte" ainsi disposé, à gauche du cadran.

Ajuster

Pour éviter qu'Excel élargisse les colonnes pour y faire tenir les entrées (pour afficher l'intégralité d'un tableau de données à l'écran ou l'imprimer sur une seule feuille), utilisez la commande Ajuster. Pour cela, choisissez Format/ Cellule, puis cliquez sur l'onglet Alignement de la boîte de dialogue Format de cellule. Cochez ensuite la case Ajuster. Excel réduit la taille de la police dans les cellules sélectionnées, ce qui lui évite d'avoir à modifier la largeur des colonnes. Sachez cependant que vous risquez de vous retrouver avec des textes écrits si petits qu'ils en deviennent illisibles. Notez aussi qu'il est impossible d'appliquer simultanément les options Renvoyer à la ligne automatiquement et Ajuster ; la sélection de l'une désélectionne aussitôt l'autre.

Boîtes à bordures

Le quadrillage que vous apercevez dans une feuille de calcul sert simplement à mieux visualiser les lignes et les colonnes dans lesquelles vous travaillez. Vous pouvez choisir de l'imprimer avec vos données ou non. Vous pouvez mettre en évidence certaines parties de la feuille de calcul ou d'un tableau à l'aide de bordures ou en appliquant un effet d'ombrage aux cellules. Ne confondez pas les *bordures* que vous définissez vous-même avec le *quadrillage* correspondant aux lignes et aux colonnes de la feuille de calcul. Les bordures sont toujours imprimées, indépendamment du fait que vous décidiez ou non d'imprimer le quadrillage.

Pour mieux voir les bordures que vous ajoutez à des cellules, supprimez l'affichage du quadrillage en procédant ainsi :

1. **Dans la barre de menus, choisissez Outils/Options puis, dans la boîte de dialogue Options, cliquez sur l'onglet Affichage.**

2. **Otez la coche dans la case Quadrillage.**

3. **Cliquez sur OK ou appuyez sur Entrée.**

La case Quadrillage détermine l'affichage ou non du quadrillage à l'écran. Pour l'imprimer ou non, choisissez Fichier/Mise en page puis cliquez sur l'onglet Feuille. Dans la zone Impression, ôter la coche dans la case Quadrillage empêche son impression.

Pour ajouter des bordures à une sélection de cellules, choisissez Format/ Cellule puis, dans la boîte de dialogue Format de cellule, cliquez sur l'onglet Bordure (voir Figure 3.23). Sélectionnez le type de trait – mince, épais, pointillé, à tirets... – dans la zone Style puis, dans la zone Bordure, choisissez les bords auxquels il doit être appliqué.

Rappelez-vous ces préceptes lorsque vous définissez des bordures :

✔ Pour que les bordures ne soient tracées qu'autour de la sélection, cliquez sur le bouton Contour, dans la zone Présélections de l'onglet Bordure.

✔ Pour que les bordures apparaissent autour de chacune des cellules de la plage sélectionnée (comme les croisillons des carreaux d'une fenêtre), cliquez sur le bouton Intérieur.

Pour placer une bordure autour d'une seule cellule ou autour d'une plage de cellules, vous n'avez pas même à ouvrir la boîte de dialogue Format de cellule.

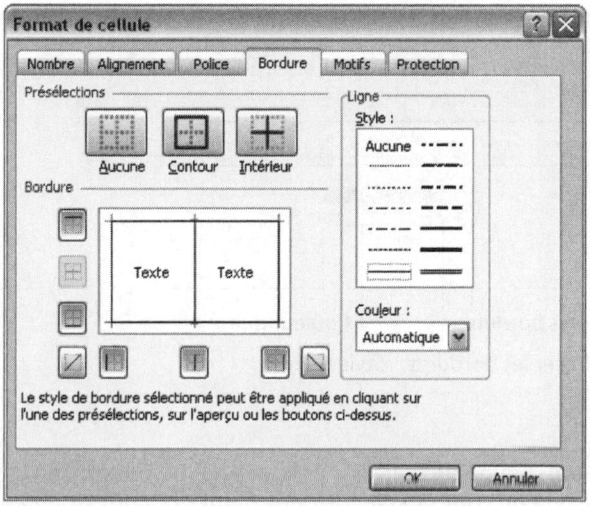

Figure 3.23
Sous l'onglet
Bordure de la
boîte de dialogue
Format de
cellule,
sélectionnez le
type de trait qui
doit encadrer les
cellules

Après avoir sélectionné la cellule ou la plage, il suffit de cliquer sur le bouton déroulant de l'outil Bordures, dans la barre d'outils Mise en forme, et de sélectionner un type de bordure dans la palette.

Pour vous débarrasser d'une bordure, vous devez sélectionner les cellules, ouvrir la boîte de dialogue Format de cellule, puis, dans la zone Présélections de l'onglet Bordure, cliquer sur le bouton Aucune. Notez que vous obtenez le même résultat en cliquant sur le premier bouton (celui qui est entièrement en pointillé) du menu déroulant de l'outil Boutons.

Dans Excel 2003, vous pouvez définir des bordures sans passer par les options de l'onglet Bordure de la boîte de dialogue Format de cellule, ni même recourir au bouton Bordures de la barre d'outils Mise en forme. Il vous suffit de tracer la bordure directement sur les cellules de la feuille de calcul. Pour ce faire, cliquez sur le bouton déroulant Bordures de la barre d'outils Mise en forme et choisissez l'option Traçage des bordures, tout en bas de la palette. Excel affiche la barre d'outils flottante Bordures que montre la Figure 3.24.

La première fois que vous ouvrez l'outil Bordures, l'outil Crayon est sélectionné. Vous pouvez utiliser le pointeur de souris Crayon pour tracer une bordure autour des cellules par-dessus lesquelles vous le tirez. Pour placer une bordure autour de chacune des cellules, cliquez sur le bouton déroulant attaché à l'outil Tracer les bordures puis, dans le menu déroulant, sélectionnez l'option Tracer les bordures de grille. Tirez ensuite le pointeur par-dessus les cellules.

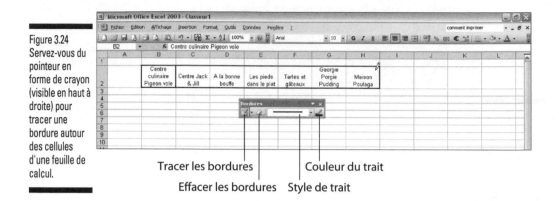

Tracer les bordures   Couleur du trait

Effacer les bordures   Style de trait

Pour choisir un autre type de trait ou un trait plus ou moins épais, déroulez le menu de l'outil Style de trait et sélectionnez celui qui vous convient. Pour lui donner une autre couleur, cliquez sur le menu Couleur de trait, puis choisissez une couleur dans la palette chromatique qui apparaît.

Pour effacer des bordures que vous venez de tracer, cliquez sur le bouton Effacer les bordures puis repassez sur les cellules. Remarquez qu'il est aussi possible d'effacer les bordures autour d'une cellule en passant dessus avec le pointeur Crayon, après avoir sélectionné l'option Pas de bordure dans le menu déroulant Style de trait (cette option fonctionne en mode Tracer les bordures et Tracer les bordures de grille).

Couleurs et motifs

Vous pouvez aussi mettre des parties d'une feuille de calcul ou d'un tableau en valeur en modifiant leur couleur et/ou le motif de leurs cellules. Si vous êtes équipé d'une imprimante en noir et blanc (eh oui, il en subsiste encore...), vous devrez restreindre vos choix aux teintes les plus claires de la palette de couleurs. Et vous devrez aussi restreindre le choix des motifs à ceux qui sont vraiment très aérés, peu denses, car autrement il serait quasiment impossible de distinguer quoi que ce soit après l'impression.

Pour appliquer une nouvelle couleur et/ou un motif à une partie d'une feuille de calcul, sélectionnez les cellules à enjoliver, ouvrez la boîte de dialogue Format de cellule (Format/Cellule), puis cliquez sur l'onglet Motifs (voir Figure 3.25). Pour changer la couleur des cellules, cliquez sur la couleur désirée dans la palette chromatique. Pour choisir un autre motif, qui s'ajoutera au choix de la couleur, cliquez sur le bouton déroulant Motif ; il contient une série de motifs en noir et blanc. Cliquez sur l'un d'eux. Excel affiche dans la boîte de dialogue Format de cellule un aperçu du fond de couleur associé au motif sélectionné.

Pour supprimer une couleur ou un motif, sélectionnez la cellule ou la plage, ouvrez la boîte de dialogue Format de cellule (Format/Cellule), puis cliquez sur l'onglet Motifs. Cliquez ensuite sur l'option Aucune couleur, en haut de la palette de couleurs.

Vous pouvez attribuer une nouvelle couleur (mais pas un motif) aux cellules à partir de la palette Couleur de remplissage, ouverte en cliquant sur le bouton du même nom, dans la barre d'outils Mise en forme (ce bouton est reconnaissable à son icône montrant un pot de peinture). Sélectionnez les cellules à colorier, cliquez sur le bouton déroulant de l'outil Couleur de remplissage, puis choisissez la teinte désirée dans la palette qui apparaît (rappelez-vous que la palette Couleur de remplissage est l'une de celles que vous pouvez détacher pour la rendre flottante).

Bien que l'outil Couleur de remplissage ne permette pas de sélectionner un motif, vous pouvez supprimer la couleur *et* le motif d'une sélection de cellules en activant cet outil et en choisissant Aucun remplissage, en haut de la palette.

Si le contenu d'une plage de cellules doit être d'une autre couleur, vous pourrez la modifier à partir de la palette chromatique de l'outil Couleur de police, le dernier de la barre d'outils Mise en forme. Pour rétablir la couleur de police par défaut, choisissez l'option Automatique, en haut de la palette.

N'OUBLIEZ PAS

Utiliser ces fantastiques palettes flottantes

A l'instar des palettes Couleur de remplissage et Couleur de police, la palette Bordures peut être détachée de la barre d'outils Mise en forme. Cliquez dans la barre grisée en haut de la palette ; son titre apparaît à cet emplacement, indiquant qu'elle est maintenant complètement indépendante. Remarquez qu'une palette flottante reste ouverte en permanence. Pour la fermer, cliquez sur le bouton Fermer, à droite de sa barre de titre. Il est inutile de ramener une palette flottante dans la barre d'outils car, bien qu'indépendante, la palette d'origine existe toujours.

La reproduction de la mise en forme

Utiliser les styles variés pour agrémenter des cellules est sans aucun doute une bonne chose, mais il vous arrivera aussi de devoir réutiliser une mise en forme particulière. A ce moment, vous apprécierez certainement de n'avoir pas à la recréer, surtout si elle est complexe.

C'est pourquoi, quand vous devez effectuer des mises en forme à la volée (pour ainsi dire...), vous aurez recours à l'outil Reproduire la mise en forme ; il se trouve dans la barre d'outils Standard. Ce remarquable outil permet de prélever la mise en forme d'une cellule et de l'appliquer à d'autres cellules de la feuille de calcul, simplement en les sélectionnant.

Procédez simplement comme suit pour reproduire la mise en forme d'une cellule dans d'autres :

1. **Mettez une cellule ou une plage de cellules en forme (police, alignement, bordures, couleur, motif... choisissez ce que bon vous semble).**

2. **Après avoir sélectionné l'une des cellules mise en forme, cliquez, dans la barre d'outils Standard, sur le bouton Reproduire la mise en forme.**

   L'icône en forme de pinceau de l'outil Reproduire la mise en forme vient s'ajouter au pointeur de souris en forme d'épaisse croix blanche ; un rectangle de sélection entoure la cellule sélectionnée.

3. **Tirez le pointeur par-dessus toutes les cellules qui doivent recevoir la mise en forme.**

   Dès que vous relâchez le bouton de la souris, Excel applique la mise en forme à toutes les cellules que vous venez de sélectionner.

Pour laisser l'outil Reproduire la mise en forme actif, afin de pouvoir formater d'autres plages de cellules par la suite, double-cliquez sur le bouton de cet outil après avoir sélectionné la cellule contenant la mise en forme à prélever. Il est alors activé en permanence. Pour cesser la reproduction des mises en forme, cliquez simplement sur l'outil. Le petit cadre qui l'entoure disparaît et le pointeur reprend sa forme habituelle, celle d'une épaisse croix blanche sans rien d'autre.

Notez qu'il est possible d'utiliser l'outil Reproduire la mise en forme pour rendre toutes les cellules que vous aviez habillées avec goût à leur triste et ennuyeux état (Général) par défaut. Pour ce faire, sélectionnez une cellule vide n'ayant pas été mise en forme, activez l'outil Reproduire la mise en forme, puis tirez par-dessus les cellules à ramener à leur présentation par défaut.

Chapitre 4

Procéder à des modifications

. . . .

Dans ce chapitre :

▶ Ouvrir un classeur en vue de le modifier.

▶ Annuler vos bourdes.

▶ Déplacer et copier par glisser-déposer.

▶ Copier des formules.

▶ Déplacer et copier par Couper, Copier et Coller.

▶ Supprimer des entrées dans des cellules.

▶ Supprimer et insérer des lignes et des colonnes.

▶ La correction orthographique d'une feuille de calcul.

. . . .

Imaginez cette situation ô combien stressante : vous venez juste de créer, de mettre en forme et d'imprimer un projet important avec Excel, en l'occurrence un classeur contenant le budget de votre service pour la prochaine année fiscale. Comme vous connaissez déjà un peu Excel, vous avez terminé ce travail en un temps record. Vous êtes même en avance sur votre planning.

Vous remettez le classeur à votre directrice pour qu'elle vérifie les chiffres. Avec tout le temps dont vous disposez pour entrer les inévitables corrections de dernière minute, vous êtes sûr de maîtriser la situation.

Un peu plus tard, la directrice vous rapporte le document. Quelque chose ne va pas : "Nous avons oublié d'estimer le budget pour le travail intérimaire et vos heures supplémentaires. Il faut les entrer ici. De plus, ce serait bien si vous pouviez remonter ces lignes de chiffres et mettre ces colonnes de côté."

Et, tandis qu'elle suggère de plus en plus de modifications, c'est vous qui n'allez plus très bien. Si encore il s'agissait seulement de mettre des titres en gras, en italique ou en souligné de-ci, de-là... Mais non, la dame est exigeante... Elle veut des modifications structurelles qui remettent complètement en cause l'équilibre de votre belle feuille de calcul.

Il ressort de cette anecdote que les modifications d'une feuille de calcul peuvent être de deux sortes :

✔ Des changements qui affectent le contenu des cellules, comme la copie de titres disposés sur une ligne ou dans une colonne, ou le déplacement d'un tableau ailleurs dans la feuille de calcul.

✔ Des changements affectant la structure même de la feuille de calcul comme l'insertion de nouvelles colonnes ou rangées permettant d'entrer des données supplémentaires, ou la suppression de lignes et de colonnes inutiles.

Dans ce chapitre, vous découvrirez comment appliquer ces modifications en toute sérénité dans un classeur. La copie et le déplacement des données ainsi que l'insertion et la suppression des lignes et des colonnes sont des tâches faciles à maîtriser. Ce qui est un peu plus ardu à comprendre, c'est l'effet de ces actions sur la feuille de calcul. Mais ne vous en faites pas ! Si un changement compromet votre travail, vous pourrez toujours recourir à la fonction d'annulation pour revenir en arrière et vous retrouver en terrain plus familier.

S'ouvrir aux changements

Avant de commettre l'irréparable – je veux dire d'effectuer des modifications... –, vous devez bien sûr ouvrir Excel. Pour ouvrir un classeur, vous avez le choix entre cliquer sur le bouton Ouvrir dans la barre d'outils Standard, choisir Fichier/Ouvrir dans la barre de menus ou utiliser le raccourci clavier Ctrl+O ou Ctrl+F12.

Quelle que soit la manière d'ouvrir le classeur, Excel affiche une boîte de dialogue Ouvrir identique à celle que montre la Figure 4.1. Vous sélectionnez ensuite le classeur dans la liste des fichiers. Après avoir cliqué sur un nom pour le mettre en surbrillance, ouvrez-le en cliquant sur le bouton Ouvrir. Ou, ce qui est plus rapide, double-cliquez sur le nom, cela charge aussitôt le classeur.

Figure 4.1
Utilisez la boîte
de dialogue
Ouvrir pour
trouver et
charger le
classeur à
modifier.

Ouvrir plusieurs classeurs à la fois

Si vous devez modifier des feuilles dans plusieurs classeurs visibles dans la boîte de dialogue Ouvrir, vous pouvez utiliser les commandes de sélection multiple pour les ouvrir tous à la fois, dans l'ordre où ils sont listés.

Rappelez-vous que pour sélectionner des fichiers qui se suivent dans la liste, vous cliquez sur le premier d'entre eux puis, touche Maj enfoncée, sur le dernier. Pour sélectionner des fichiers épars, maintenez la touche Ctrl enfoncée puis cliquez sur les fichiers à ouvrir.

Après avoir ouvert les classeurs dans Excel, vous passez d'un document à un autre en sélectionnant leur nom au bas du menu déroulant Fenêtre (nous reviendrons au Chapitre 7 sur le travail dans plusieurs classeurs à la fois).

Ouvrir les classeurs récemment modifiés

Si le classeur que vous désirez ouvrir a été récemment créé ou modifié, vous pouvez vous dispenser d'accéder à la boîte de dialogue Ouvrir. Affichez le Volet Office (choisissez Affichage/Volet Office) puis cliquez sur le nom du fichier du classeur à utiliser dans la zone Ouvrir, ou choisissez le menu déroulant Fichier et sélectionnez le fichier dans la liste qui se trouve tout en bas ; Excel tient en effet à jour une liste des quatre derniers fichiers ouverts. Si le classeur à ouvrir figure dans la liste, cliquez sur son nom ou tapez son numéro d'ordre.

Si vous le désirez, vous pouvez configurer Excel pour qu'il affiche plus ou moins de fichiers dans le volet Office ou en bas du menu Fichier. Appliquez ces quelques étapes pour régler le nombre de fichiers devant apparaître dans Excel :

1. **Dans la barre de menus, choisissez Outils/Options.**

2. **Cliquez sur l'onglet Général.**

3. **Entrez le nombre de fichiers dans l'option Fichier(s), à droite de l'option Liste des derniers fichiers utilisés. Vous pouvez taper ce chiffre ou le régler avec le bouton rotatif.**

4. **Cliquez sur OK ou appuyez sur la touche Entrée pour fermer la boîte de dialogue Options.**

Si vous ne voulez voir apparaître aucun fichier dans le Volet Office ou en bas du menu Fichier, ôtez la coche de l'option Liste des derniers fichiers utilisés, dans la boîte de dialogue Options.

Si vous avez oublié où se trouve un fichier

Le seul problème que vous puissiez rencontrer, quand vous tentez de charger un fichier avec la boîte de dialogue Ouvrir, est de savoir où se trouve ce fichier. Tout est parfait aussi longtemps que le nom du fichier apparaît parmi ceux listés dans la fenêtre de la boîte de dialogue ; mais que faire si le fichier est invisible et semble se cacher dans les mystérieuses profondeurs de l'arborescence des dossiers ?

La recherche dans tout le disque dur

Si le nom du fichier n'apparaît pas dans la liste, vous devez commencer par vérifier si vous recherchez dans le bon dossier. Le nom du dossier ouvert est inscrit dans le champ Regarder dans, en haut de la boîte de dialogue Ouvrir (référez-vous à la Figure 4.1).

Si le dossier actuellement ouvert n'est pas celui contenant le classeur que vous recherchez, vous devrez en ouvrir un autre. Dans Excel, vous pouvez utiliser le bouton Dossier parent (voir Figure 4.1) pour reculer d'un niveau dans l'arborescence. Pour ouvrir un nouveau dossier, cliquez simplement sur son icône dans la zone de liste.

Si le classeur recherché est dans un autre lecteur, cliquez sur le bouton Dossier parent jusqu'à ce que l'icône du disque dur C: apparaisse dans le champ Regarder dans. Sélectionnez ensuite un lecteur en cliquant dessus dans la liste.

Une fois que vous avez trouvé le fichier – il est visible dans la fenêtre de la boîte de dialogue Ouvrir –, chargez-le en cliquant sur le bouton Ouvrir ou en appuyant sur Entrée (ou double-cliquez sur son icône).

Les boutons de gauche (Mes Documents récents, Bureau, Mes documents, Poste de travail et Favoris réseau) servent à ouvrir facilement les dossiers associés à ces boutons ; ils contiennent les classeurs suivants :

- ✔ **Mes documents récents :** Cliquez sur ce bouton pour ouvrir les classeurs enregistrés dans le dossier Récent (qui est un sous-dossier du dossier Office, en aval du dossier Windows\Microsoft).

- ✔ **Bureau :** Cliquez sur ce bouton pour ouvrir les classeurs que vous aviez stockés directement sur le Bureau de Windows.

- ✔ **Mes documents :** Cliquez sur ce bouton pour ouvrir les classeurs que vous avez enregistrés dans le dossier Mes documents (sur certains ordinateurs, le bouton Mes documents, dans la boîte de dialogue Ouvrir, est intitulé Personnel).

- ✔ **Poste de travail :** Cliquez sur ce bouton pour ouvrir un classeur enregistré dans des dossiers sur les disques locaux de votre ordinateur.

- ✔ **Favoris réseau :** Cliquez sur ce bouton pour ouvrir un classeur enregistré dans des dossiers figurant sur les disques locaux du réseau de votre société.

Créer des favoris

Partant du principe que vous avez fini par localiser le fichier lors de vos pérégrinations dans l'arborescence du disque dur, vous faciliterez l'accès à son dossier en déclarant celui-ci comme favori, moyennant l'ajout d'un bouton à la barre Mon Environnement sur la partie gauche de la boîte de dialogue Ouvrir (*NdT* : le nom de cette barre n'apparaît pas, mais c'est celle qui contient les gros boutons Mes documents récents, Bureau, etc.).

Procédez comme suit pour ajouter un dossier ou un fichier à "Mon environnement" :

1. **Sélectionnez le dossier ou l'icône du fichier dans la boîte de dialogue Ouvrir (comme nous l'avons expliqué précédemment).**

2. Dans la boîte de dialogue Ouvrir, sélectionnez Outils/Ajouter à "Mon environnement".

Un bouton correspondant au dossier ou fichier sélectionné est ajouté dans la partie gauche de la boîte de dialogue Ouvrir.

Après avoir ajouté un dossier ou un fichier, vous le localiserez en cliquant sur le bouton de continuation (celui doté d'un triangle pointant vers le bas), sur la partie gauche de la boîte de dialogue Ouvrir.

Vous pouvez mettre en évidence les boutons que vous ajoutez en les faisant remonter vers le haut de la barre Mon environnement. Il suffit pour cela de cliquer dessus avec le bouton droit de la souris, puis de choisir Monter dans le menu contextuel. Pour renommer un bouton, faites également un clic droit dessus, choisissez Renommer, entrez un nouveau nom dans la boîte de dialogue qui apparaît, enfin cliquez sur OK. Pour vous débarrasser d'un bouton tombé à l'abandon, cliquez dessus avec le bouton droit, puis choisissez Supprimer.

Vous avez la possibilité d'afficher un plus grand nombre de boutons dans le volet Mon environnement de la boîte de dialogue Ouvrir en optant pour de petites icônes. Pour ce faire, faites un clic droit sur un des boutons, puis choisissez Petites icônes dans le menu contextuel.

La recherche de fichier à partir de la boîte de dialogue Ouvrir

La boîte de dialogue Ouvrir est dotée d'une fonction de recherche intégrée capable de trouver un fichier en particulier parmi ceux du dossier ouvert. Elle permet de réduire une recherche aux fichiers entrant dans une catégorie donnée, par exemple ceux qui ont été modifiés aujourd'hui ou au cours de la semaine, ou ceux qui contiennent une certaine phrase ou propriété (nom d'auteur ou mot clé, entre autres).

Il est possible d'indiquer à Excel sur quels critères il doit procéder à la recherche :

- Des fichiers (classeurs) contenant un certain texte.

- Des fichiers d'un autre type que des classeurs Excel.

- Des fichiers (classeurs) contenant un certain texte ou propriété, comme un titre, un auteur ou un mot-clé spécifié dans leur résumé.

- Des fichiers (classeurs) créés ou modifiés à une date précise ou dans un intervalle de temps...

Pour ouvrir la boîte de dialogue Recherche de fichiers dans laquelle vous spécifierez les critères, choisissez Outils/Rechercher dans la boîte de dialogue Ouvrir. La Figure 4.2 montre la boîte de dialogue Recherche.

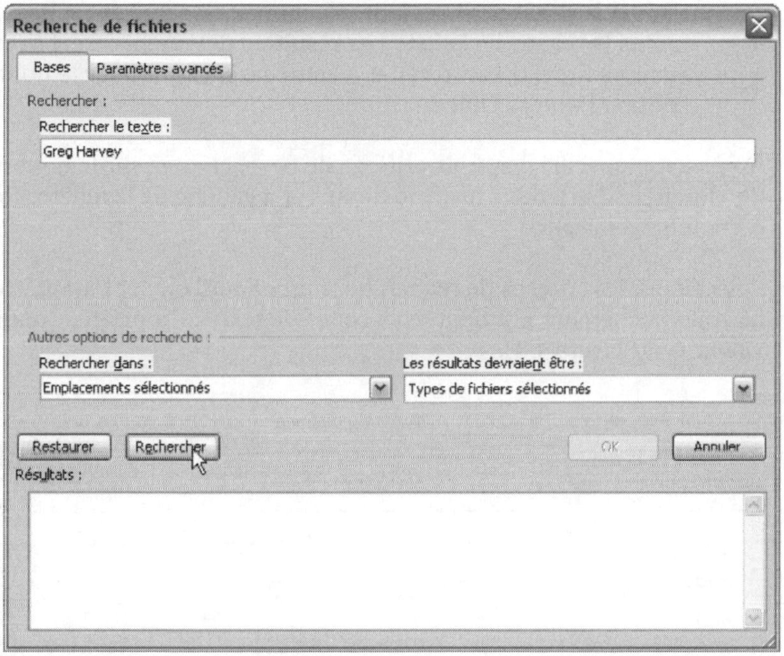

Figure 4.2
Commencez une recherche avec l'onglet Bases.

La boîte de dialogue Recherche de fichiers contient deux onglets : Bases et Paramètres avancés. L'onglet Bases sert à définir trois critères de recherche de classeurs :

- **Rechercher le texte :** Entrez dans cette zone de texte le mot-clé, une valeur d'identification, un mot ou une phrase. La fonction Rechercher le texte recherche les occurrences selon trois critères : le nom des fichiers, leur contenu et leurs propriétés.

- **Rechercher dans :** Déroulez cette liste pour spécifier les lecteurs et les dossiers de votre ordinateur. Pour chercher dans tous les lecteurs et dossiers qu'il contient, cochez la case Partout, dans le menu déroulant de la fonction. Le mot Partout remplace les mots Emplacements sélectionnés dans le champ Rechercher dans. Pour restreindre la recherche à des lecteurs ou des dossiers spécifiques, cliquez sur le signe "+" de l'option Poste de travail, dans la liste déroulante, puis ne cochez que les cases des lecteurs et des dossiers à examiner.

✔ **Les résultats devraient être :** Spécifiez dans ce menu déroulant les types des fichiers à inclure dans la recherche. Pour limiter la recherche aux seuls classeurs Excel, désélectionnez – ôtez les coches dans – toutes les cases de la liste Les résultats devraient être, hormis la case Fichiers Excel. Pour accéder à cette case, cliquez sur le bouton "+" de l'option Fichiers Office.

Après avoir spécifié ces trois critères de base, cliquez sur le bouton Rechercher ; il se trouve juste au-dessus et à gauche de la fenêtre Résultats. La recherche commence.

Pour affiner les critères de recherche, cliquez sur l'onglet Paramètres avancés. La zone Rechercher contient trois zones de texte : Propriété, Condition et Valeur (voir Figure 4.3).

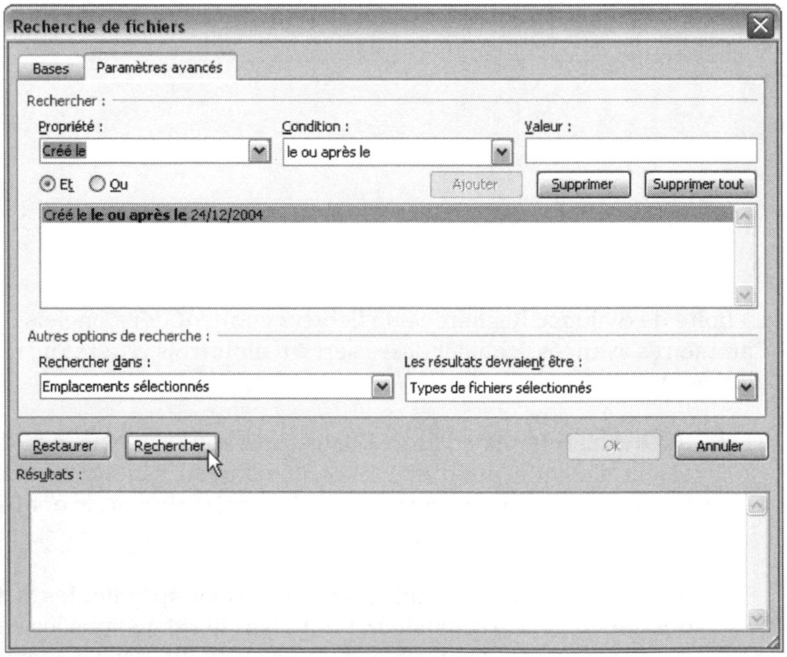

Figure 4.3
L'onglet
Paramètres
avancés sert à
affiner une
recherche.

Pour spécifier un critère de recherche, sélectionnez le type de cette recherche dans la liste déroulante Propriété, le type de condition dans la liste déroulante

Condition, et indiquez la valeur à respecter, à inclure ou à excéder (selon l'option choisie) dans la zone de texte Valeur.

Après avoir spécifié ces trois critères, cliquez sur le bouton Ajouter pour transférer les conditions de recherche dans la fenêtre située en dessous, comme on le voit dans la Figure 4.3. Rappelez-vous ces préceptes lorsque vous spécifiez des critères de recherche sous l'onglet Paramètres avancés de la boîte de dialogue Recherche :

✔ Normalement, tous les critères de recherche que vous définissez dans la zone de liste Rechercher, sous l'onglet Paramètres avancés, sont cumulatifs. C'est-à-dire que *tous* doivent être vrais pour qu'Excel puisse trouver le fichier, car le bouton radio de l'opérateur Et est sélectionné. Mais si vous désirez qu'Excel trouve un fichier s'il rencontre *n'importe lequel* des critères spécifiés dans la liste Rechercher, cliquez plutôt sur le bouton radio de l'opérateur Ou.

✔ Par défaut, Excel recherche du texte ou une propriété correspondant au contenu spécifié dans la zone de texte Valeur. Si Excel doit rechercher la correspondance parmi d'autres propriétés (comme Auteur, Contenu, Créé le, etc.), déroulez la liste Propriétés et choisissez la propriété qui vous convient.

✔ En général, Excel se contente de vérifier si une certaine valeur ou chaîne de caractères est contenue dans la propriété choisie, qu'il s'agisse d'Auteur, de Nom de fichier ou d'une autre. Quand vous sélectionnez certaines propriétés comme Emplacement ou Société, vous pouvez faire en sorte que la concordance ne soit reconnue que si les propriétés contiennent exactement la valeur ou le texte spécifié. Pour ce faire, déroulez le menu Condition et choisissez l'option Est (exactement).

✔ Entrez la valeur ou le texte qui doit correspondre à la recherche dans la zone de texte Valeur. Par exemple, si vous voulez retrouver tous les fichiers contenant le texte *Maison Poulaga,* tapez ce nom dans le champ Contenu. Mais si vous voulez rechercher tous les fichiers contenant le nombre *1 250 750*, tapez ce nombre dans le champ Valeur.

Après avoir spécifié les critères de recherche – que ce soit sous l'onglet Bases ou Paramètres avancés –, cliquez sur le bouton Rechercher. Excel part aussitôt à la chasse aux fichiers répondant à vos conditions. Après avoir terminé la recherche, le logiciel affiche ce qu'il a trouvé dans la fenêtre Résultats, tout en bas de la boîte de dialogue.

Si le fichier que vous désirez ouvrir apparaît dans la liste Résultats, vous pouvez interrompre la recherche en cliquant sur le bouton Arrêter. Si la recherche porte sur un grand nombre de dossiers (tous ceux du disque dur, par exemple...), vous devrez sans aucun doute les explorer un par un. Si une kyrielle de fichiers a été trouvée, cliquez sur le lien hypertexte Prochains 10 résultats. Continuez ainsi jusqu'à ce que vous ayez découvert le classeur recherché ou jusqu'à ce que vous soyez arrivé à la fin de la liste.

Si vous avez repéré dans la liste Résultats le nom du classeur que vous recherchez, double-cliquez sur son icône de fichier pour fermer la boîte de dialogue Rechercher et revenir à la boîte de dialogue Ouvrir, dans laquelle le nom du fichier est présélectionné. Pour charger le fichier à partir de la boîte de dialogue Ouvrir, double-cliquez de nouveau sur son icône de fichier ou cliquez une seule fois sur son icône avant de cliquer sur le bouton Ouvrir.

La recherche des fichiers à partir du Volet Office Recherche de fichiers

Vous pouvez exécuter les mêmes recherches de base et avancées depuis le volet Recherche de fichiers que depuis la boîte de dialogue Ouvrir (voir la section précédente, "La recherche de fichier à partir de la boîte de dialogue Ouvrir"). Pour ce faire, procédez comme suit :

1. **Choisissez Fichier/Recherche de fichiers dans la barre de menus Excel.**

    Excel ouvre le volet Recherche de fichiers simple sur la partie droite de la fenêtre du classeur.

2. **Pour effectuer une recherche de base, tapez le texte à rechercher dans la zone de texte Rechercher le texte.**

    Spécifiez ensuite le ou les emplacements ainsi que les types de fichiers en vous servant des listes déroulantes Rechercher dans et Les résultats devraient être (reportez-vous à la section précédente, "La recherche de fichier à partir de la boîte de dialogue Ouvrir", pour en savoir plus sur ces critères de recherche).

3. **Pour effectuer une recherche plus pointue, ouvrez le volet Recherche de fichiers avancée (voir Figure 4.4) en cliquant sur le lien hypertexte Recherche de fichiers avancée, en bas du volet.**

    Quand vous êtes en mode Recherche de fichiers simple, le lien hypertexte apparaît en bas du volet ; mais si vous êtes déjà en mode Recherche de fichiers avancée, c'est le lien Recherche de fichiers simple qui est affiché.

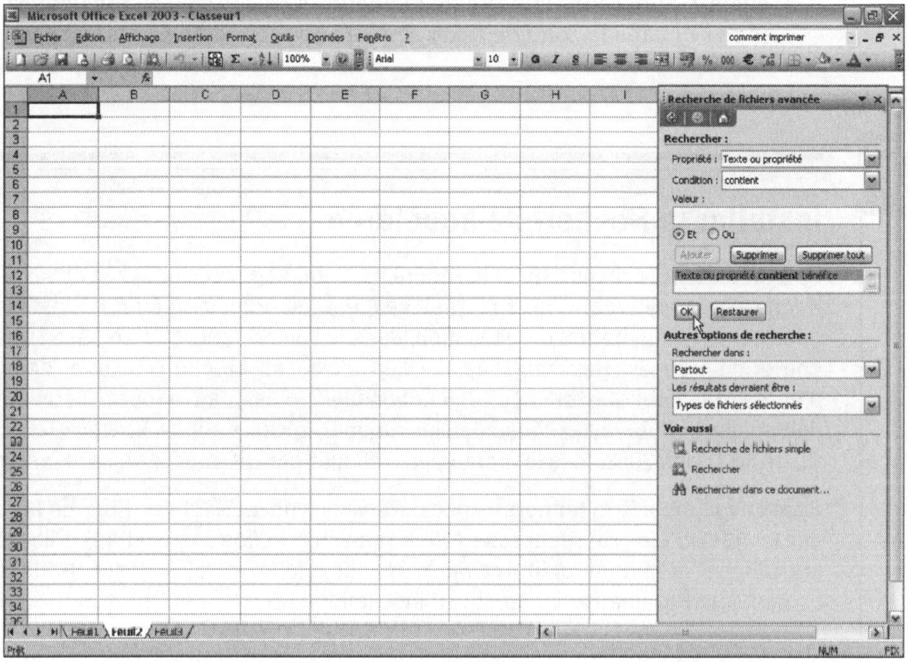

Figure 4.4
Utilisez le Volet
Office
Recherche de
fichiers avancée
pour localiser le
classeur que
vous désirez
modifier.

4. **Spécifiez ensuite le ou les critères dans les champs Propriété, Condition et Valeur ; validez ces paramètres un par un en cliquant sur le bouton Ajouter.**

   Reportez-vous à la section précédente, "La recherche de fichier à partir de la boîte de dialogue Ouvrir", pour en savoir plus sur ces critères de recherche.

5. **Cliquez sur le bouton OK pour lancer la recherche, qu'elle soit en mode simple (Etape 3) ou avancé (Etape 4).**

Le lancement d'une recherche fait apparaître un volet Résultats de la recherche ; il est identique quel que soit le mode de recherche (simple ou avancé). Excel liste tous les fichiers correspondant à vos critères. A l'instar d'une recherche à partir de la boîte de dialogue Ouvrir, il est possible de charger un fichier apparaissant dans la liste Résultats de la recherche en cliquant sur son nom puis sur le bouton Modifier.

Si l'option Modifier n'est pas disponible parce que le fichier n'est pas reconnu en tant que classeur Excel 2003 valide, essayez de l'ouvrir en sélectionnant dans le menu contextuel l'option Copier le lien dans le Presse-papiers. Faites ensuite apparaître la boîte de dialogue Ouvrir (Ctrl+O), puis collez le lien (Ctrl+V) dans la zone de texte Nom de fichier avant de choisir l'option Ouvrir.

Installer la Recherche accélérée

Pour accélérer la recherche et la rendre plus efficace, vous devez installer la fonction Recherche accélérée, si cela n'a pas déjà été fait. Pour procéder à l'installation, cliquez sur le lien hypertexte Installation, dans le volet Recherche de base (si la recherche accélérée est déjà installée, ce lien n'est pas affiché). Ensuite, dans la boîte d'alerte qui confirme que cette fonctionnalité n'est pas encore installée et vous demande si vous voulez l'installer maintenant, cliquez sur le bouton Oui. Insérez le CD-ROM Office 2003 dans le lecteur, puis cliquez sur OK pour terminer l'installation.

Après avoir installé la recherche accélérée, vous devez l'activer. Pour ce faire, cliquez sur le lien Options de recherche (qui a remplacé le lien Installation). Cliquez ensuite sur Oui, sur le bouton radio Activer le service d'indexation, puis sur OK dans la boîte de dialogue Paramètres du service d'indexation.

Mieux identifier les fichiers

Normalement, Excel affiche les dossiers et les fichiers dans la boîte de dialogue Ouvrir sous la forme d'une simple liste montrant les dossiers ou les fichiers nomades avec leurs icônes respectives.

Pour modifier l'affichage des fichiers dans la boîte de dialogue Ouvrir, sélectionnez l'une des options suivantes en cliquant sur le bouton Affichages, dans la boîte de dialogue Ouvrir (référez-vous à la Figure 4.1) :

- ✔ **Détails :** Affichage de l'icône des fichiers, des noms de fichiers, de leur taille en kilo-octets, de leur type et de leur date de modification, comme le montre la Figure 4.5.

- ✔ **Propriétés :** Affiche un résumé contenant des informations sur les différents fichiers, comme le montre la Figure 4.6. Pour voir le résumé d'un fichier, sélectionnez le fichier dans la boîte de dialogue Ouvrir, choisissez Outils/Propriétés, puis, dans la boîte de dialogue qui apparaît, cliquez sur l'onglet Résumé.

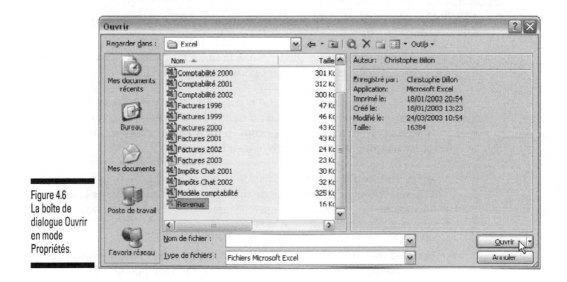

Figure 4.5
La boîte de
dialogue Ouvrir
en mode Détails.

Figure 4.6
La boîte de
dialogue Ouvrir
en mode
Propriétés.

✔ **Aperçu :** Affiche une vignette montrant le contenu du coin supérieur
gauche de la première feuille de calcul du premier fichier de la liste, ainsi
que l'icône et le nom de ce fichier, comme le montre la Figure 4.7. Les
icônes et les noms des autres fichiers sont également affichés.

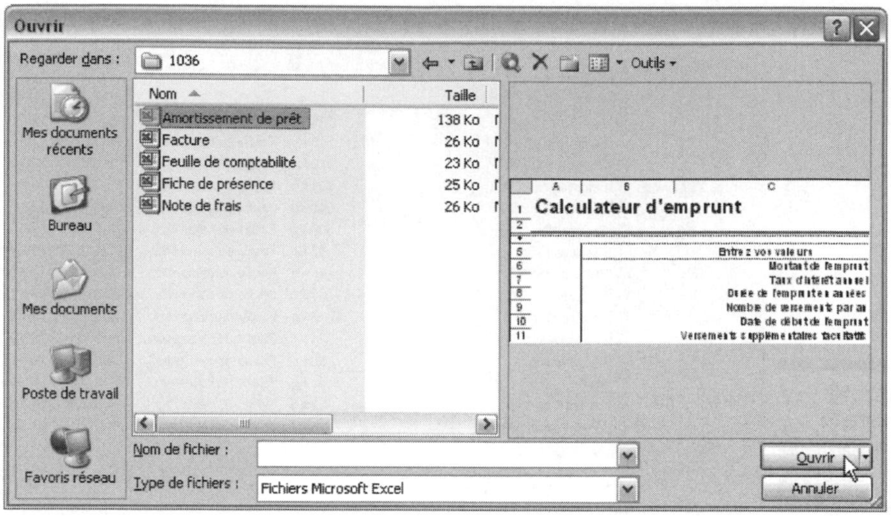

Figure 4.7
La boîte de
dialogue Ouvrir
en mode Aperçu.

Ouvrir des fichiers d'une manière particulière

Le menu déroulant du bouton Ouvrir, dans la boîte de dialogue Ouvrir, permet d'ouvrir le ou les fichiers sélectionnés d'une manière particulière :

- **Ouverture en lecture seule :** Le fichier ouvert ne peut être que lu. Pour enregistrer les modifications d'un fichier en lecture seule, vous devez cliquer sur Fichier/Enregistrer sous, puis nommer différemment le fichier en question (reportez-vous au Chapitre 2).

- **Ouvrir une copie :** Cette commande ouvre une copie du fichier que vous avez sélectionné dans la boîte de dialogue Ouvrir. Considérez-la comme une mesure de sécurité. Si vous avez mis la pagaille dans la copie, il vous restera au moins un original sain.

- **Ouvrir dans un navigateur :** Le classeur que vous aviez enregistré est ouvert comme une page Web (comme nous le verrons dans le Chapitre 10) dans le navigateur déclaré par défaut. Notez que cette commande n'est accessible que si le ou les fichiers sélectionnés ont été reconnus comme des fichiers enregistrés en tant que page Web, et non enregistrés comme de simples fichiers de classeurs.

- **Ouvrir et réparer :** Cette commande tente de réparer un fichier de classeur abîmé avant de l'ouvrir dans Excel. Lorsque vous la sélectionnez, une boîte de dialogue apparaît. Elle laisse le choix entre la tentative de réparation et l'ouverture du fichier ainsi récupéré ou, en cas d'échec de la réparation, l'extraction de données du fichier abîmé et leur placement dans un nouveau classeur que vous pourrez ensuite enregistrer.

Encore plus sur les annulations

Avant de vous lancer dans la réalisation d'une feuille de calcul, vous devez connaître la fonction d'annulation et savoir comment elle peut rétablir la situation si jamais vous vous êtes fourvoyé. La commande Annuler du menu Edition est une commande à facettes multiples. Quand vous supprimez par exemple le contenu d'une cellule ou d'une plage avec la commande Effacer du même menu, la commande Annuler devient Annuler Effacer. Si vous déplacez une entrée avec les commandes Couper et Coller (elles aussi présentes dans le menu Edition), la commande Annuler devient Annuler Coller.

En plus du choix dans le menu Edition de la commande Annuler (suivi de l'action à annuler), vous pouvez recourir à la commande Ctrl+Z ou cliquer sur le bouton Annuler de la barre d'outils Standard (son icône est une flèche incurvée vers la gauche).

La commande Annuler du menu Edition réagit à toutes les actions que vous entreprenez. Si vous vous rendez compte après coup qu'il fallait annuler – c'est-à-dire après avoir appliqué d'autres commandes entre-temps –, vous devrez déployer le menu déroulant du bouton Annuler, dans la barre Standard, pour revenir en arrière jusqu'à l'action à annuler. Pour dérouler ce menu, cliquez sur le petit bouton à droite du bouton Annuler, puis cliquez sur l'action à annuler ; cette action ainsi que toutes celles qui ont suivi sont annulées.

Rétablir et Répéter

Après avoir appliqué la commande Annuler, Excel rend la commande Rétablir accessible. Si vous supprimez une entrée en choisissant par exemple Edition/ Effacer/Tout dans la barre de menus, et cliquez ensuite sur Edition/Annuler Effacer (ou appuyez sur Ctrl+Z, ce qui revient au même), la commande ci-dessous apparaît dans le menu Edition, juste sous la commande Annuler :

```
Répéter Effacer      Ctrl+Y
```

Quand vous appliquez la commande Rétablir, Excel refait ce que vous venez d'annuler. Autrement dit, Excel revient en arrière d'une action, comme si elle n'avait pas été exécutée.

Vous estimerez sans doute qu'il est beaucoup plus rapide et commode de cliquer sur les boutons Annuler et Refaire, dans la barre d'outils Standard, que de les choisir dans le menu Editer. Le bouton Annuler se reconnaît à la flèche recourbée vers la gauche, le bouton Rétablir à la flèche recourbée vers la droite. Notez toutefois que le bouton Rétablir n'est pas toujours visible ; il peut être masqué si la barre n'est pas entièrement affichée. Dans ce cas, vous devrez cliquer sur le bouton de continuation (celui avec le symbole >>).

Plusieurs actions peuvent être rétablies en cliquant sur le bouton déroulant à droite du bouton Rétablir et en choisissant la plus ancienne de celles qui doivent être refaites. Excel la rétablit, ainsi que toutes celles qui suivent.

Que faire s'il est impossible d'annuler ?

C'est souvent quand vous estimez qu'il serait prudent de rétablir le classeur le plus important que vous vous apercevez avec horreur que la commande Annuler ne fonctionne pas tout le temps. Bien qu'il soit néanmoins possible d'annuler la dernière suppression de cellule erronée, un déplacement ou une recopie inconséquente, vous ne pourrez pas revenir sur un enregistrement de fichier. D'où l'intérêt de la commande Enregistrer sous, qui permet de conserver un exemplaire du classeur tel qu'il était au moment de l'ouverture ou du dernier enregistrement.

Excel ne signale malheureusement jamais qu'il est sur le point d'entreprendre une action sur laquelle il ne pourra pas revenir, ou alors trop tard. Après avoir commis l'irréparable et déployé le menu Edition pour atteindre la commande Annuler, vous lisez : Impossible d'annuler.

De plus, pour faire bonne mesure, le bouton Annuler apparaît en grisé dans la barre d'outils pour bien indiquer qu'il ne faut plus compter sur lui pour revenir en arrière.

La seule exception à cette règle est quand le logiciel vous prévient (et vous avez intérêt à en tenir compte). Lorsque vous choisissez une commande qui peut normalement être annulée, sauf dans les circonstances présentes, à cause d'un manque de mémoire vive, par exemple, ou parce que l'annulation affecte-rait trop profondément la feuille de calcul, Excel le sait et affiche une boîte d'alerte qui signale le manque de mémoire et demande s'il faut quand même exécuter la commande. Si vous cliquez sur le bouton Oui, sachez que la commande sera appliquée sans aucune chance de revenir en arrière ; si vous découvrez par la suite que la ligne supprimée contient une formule essentielle, dont vous ne connaissez plus la teneur, vous ne pourrez pas recourir à la commande Annuler pour rattraper votre bourde. Dans ce cas, la seule chance de vous en tirer est de fermer le fichier (Fichier/Fermer) *mais SANS enregistrer vos modifications.*

Le bon vieux glisser-déposer

L'une des premières techniques de modification que vous vous devez de connaître est le *glisser-déposer*. Comme le suggère son nom, il s'agit d'une manipulation effectuée à la souris qui consiste à choisir une cellule ou une plage sélectionnée et à faire glisser cette sélection ailleurs dans la feuille de calcul. Bien que le glisser-déposer serve essentiellement à déplacer des entrées simples, vous pouvez l'utiliser pour déplacer des plages entières.

Procédez comme suit pour déplacer une cellule ou une plage de cellules :

1. **Sélectionnez une cellule ou une plage de cellules.**

2. **Placez le pointeur de souris sur le bord de la ou des cellules sélectionnées.**

   La transformation du pointeur en flèche à quatre pointes indique que vous pouvez commencer à faire glisser la cellule ou la plage.

3. **Tirez la cellule ou la plage sélectionnée jusqu'à sa destination.**

   Faites glisser la sélection en déplaçant la souris, bouton gauche enfoncé.

   Pendant le déplacement, vous faites en réalité glisser le contour des cellules, ce qui vous permet d'avoir une idée de l'emplacement qu'elles occuperont. C'est uniquement au moment où vous relâchez le bouton de la souris que le déplacement du contenu des cellules se produit effectivement.

   Faites glisser le contour jusqu'à sa destination exacte (cette dernière est signalée dans l'info-bulle qui accompagne le pointeur).

4. **Relâchez le bouton de la souris.**

   Les données figurant dans la ou les cellules apparaissent aussitôt à leur nouvel emplacement.

Les Figures 4.8 et 4.9 montrent un déplacement de cellules. Dans la première, la plage A10:E10 (elle contient les totaux du trimestre) a été sélectionnée afin d'être déplacée vers la ligne 12, et de libérer ainsi de la place pour les chiffres des ventes de deux autres sociétés, Tartalapom et Bretzel liquide, qui n'avaient pas encore été acquises lorsque ce classeur a été créé. Dans la Figure 4.9, le chiffre des ventes a été déplacé.

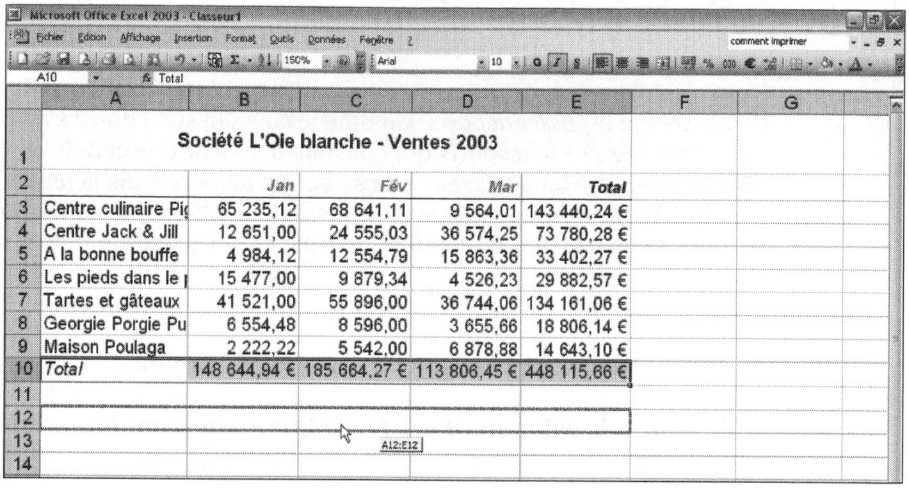

Figure 4.8 Une plage sélectionnée est en cours de déplacement.

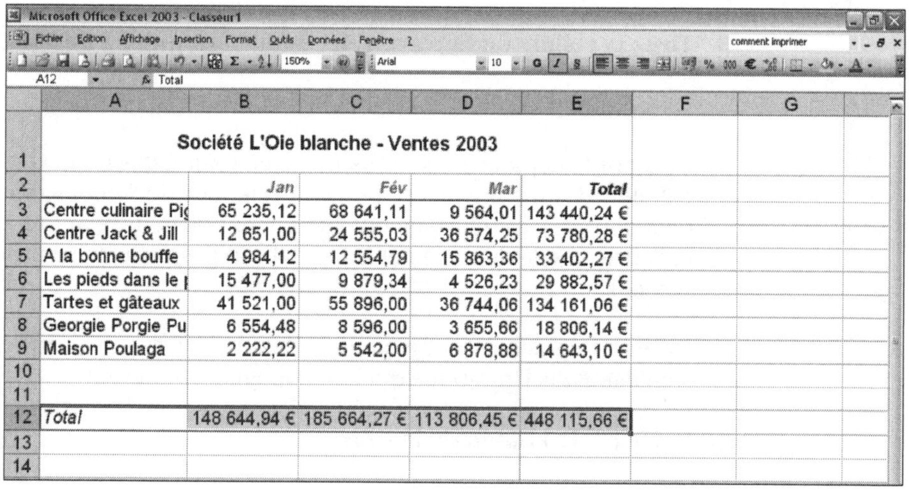

Figure 4.9 La plage sélectionnée vient d'être déposée à son nouvel emplacement.

N'OUBLIEZ PAS

Notez que dans la Figure 4.9 l'argument de la fonction SOMME, dans la cellule B12, ne tient pas compte de la modification : il couvre toujours la plage B3:B9. Il faudra l'étendre manuellement afin qu'il couvre aussi les cellules B10 et B11. Vous apprendrez à le faire rapidement et efficacement dans une prochaine section intitulée "La recopie automatique des formules".

La copie par glisser-déposer

Comment ferez-vous pour copier une ligne de cellules au lieu de simplement les déplacer ? Supposons que vous deviez commencer, dans la feuille de calcul, un nouveau tableau dans les lignes situées plus bas. Il vous faudra copier la ligne de cellules contenant les titres mis en forme en procédant ainsi :

1. **Sélectionnez la ligne de cellules.**

   Dans les Figures 4.8 et 4.9, c'est la plage de cellules B2:E2.

2. **La touche Ctrl enfoncée, amenez le pointeur de la souris au bord de la sélection.**

   Le pointeur se transforme en flèche blanche accompagnée, en haut à droite, d'un petit signe + (plus). Il indique que le glisser-déposer effectuera une *copie* et non un déplacement.

3. **Faites glisser le contour de la sélection jusqu'à l'emplacement où son contenu doit être copié, puis relâchez le bouton de la souris.**

   Pendant que vous faites glisser la sélection, une info-bulle indique les références de la plage que survole le pointeur.

Si, lors d'un glisser-déposer pour déplacer ou copier des cellules, vous positionnez le contour de la sélection de telle manière qu'il chevauche des cellules contenant des données, Excel affiche une boîte d'alerte avec la question suivante : "Voulez-vous remplacer le contenu des cellules de destination ?"

Pour éviter le remplacement des données existantes et renoncer au glisser-déposer, cliquez sur le bouton Annuler. Mais si vous avez l'intention de remplacer les données existantes par les nouvelles, cliquez sur OK.

Insérer par glisser-déposer

A l'instar des redoutables Klingons de *Star Trek,* les feuilles de calcul d'Excel ne font jamais de prisonniers. Dès que vous amenez une entrée sur une cellule occupée, cette entrée supplante sans vergogne celle qui s'y trouvait.

Pour insérer la ligne en cours de déplacement parmi d'autres lignes bien remplies, sans supprimer des données existantes, maintenez la touche Maj enfoncée pendant le glisser-déposer. Si vous copiez, vous devrez faire preuve de dextérité en maintenant à la fois les touches Ctrl et Maj enfoncées. Lorsque la touche Maj est enfoncée, le contour de la sélection que vous aviez manipulé jusqu'à présent est remplacé par une barre d'insertion qui se déplace entre les lignes et/ou les colonnes. Elle matérialise l'emplacement où se fera l'insertion si, à ce moment, vous relâchez le bouton de la souris. Dans ce cas, Excel insère une ligne ou une colonne et déplace les cellules existantes vers des cellules vides.

Quand vous insérez des cellules par un glisser-déposer, il peut être utile d'imaginer la barre d'insertion comme un levier ou un coin qui écarte les cellules pour faire de la place. Parfois, au lieu de voir apparaître les données, vous n'apercevez que des dièses (######) dans les cellules ; Excel n'élargit en effet pas automatiquement les nouvelles colonnes pour une insertion de données, comme il l'eût fait pour une mise en forme. Pour éliminer les dièses, vous devrez élargir manuellement les colonnes qui posent problème. Le moyen le plus rapide est de double-cliquer sur le bord droit de la colonne.

J'ai pourtant maintenu la touche Maj enfoncée comme vous l'aviez dit...

L'insertion par un glisser-déposer est l'une des fonctions les plus délicates à réussir. Parfois, vous faites exactement ce qu'il faut et vous voyez néanmoins apparaître la boîte d'alerte qui vous prévient qu'Excel s'apprête à remplacer des données existantes au lieu de les décaler. Si cela se produit, cliquez sur le bouton Annuler. Il est fort heureusement possible d'insérer des données avec les commandes Couper et Coller (reportez-vous à la section "Le couper-coller numérique", plus loin dans ce chapitre), sans avoir à se soucier du comportement de la barre d'insertion.

La recopie automatique des formules

La copie par glisser-déposer, en maintenant la touche Ctrl enfoncée, est utile lorsqu'il faut recopier une série de cellules adjacentes ailleurs dans la feuille de calcul. Mais très souvent vous aurez à ne recopier qu'une seule formule dans plusieurs cellules voisines qui doivent exécuter le même type de calcul comme totaliser des chiffres dans des colonnes. Ce type de copie de formule, très courant, ne peut pas être fait par un glisser-déposer. Il faut recourir à la recopie automatique, décrite dans le Chapitre 2, ou aux commandes Copier et Coller (reportez-vous à la section "Le couper-coller numérique", plus loin dans ce chapitre).

Nous verrons ici comment utiliser la recopie automatique pour copier une formule dans une plage de cellules. La Figure 4.10 montre la feuille de calcul de la société L'Oie blanche après que les sociétés Tarlapom et Bretzel liquide ont été ajoutées à la liste. Rappelez-vous que, ces entreprises ne figurant pas dans la feuille de calcul d'origine, nous leur avons ménagé de la place en décalant les totaux dans la ligne 12 (reportez-vous à la Figure 4.9).

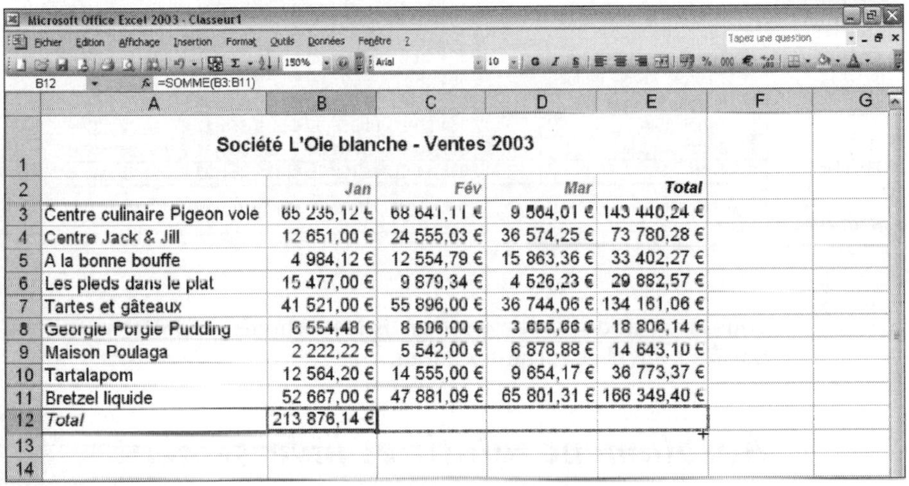

	A	B	C	D	E	F	G
1	Société L'Oie blanche - Ventes 2003						
2		Jan	Fév	Mar	Total		
3	Centre culinaire Pigeon vole	65 235,12 €	68 641,11 €	9 564,01 €	143 440,24 €		
4	Centre Jack & Jill	12 651,00 €	24 555,03 €	36 574,25 €	73 780,28 €		
5	A la bonne bouffe	4 984,12 €	12 554,79 €	15 863,36 €	33 402,27 €		
6	Les pieds dans le plat	15 477,00 €	9 879,34 €	4 526,23 €	29 882,57 €		
7	Tartes et gâteaux	41 521,00 €	55 896,00 €	36 744,06 €	134 161,06 €		
8	Georgie Porgie Pudding	6 554,48 €	8 506,00 €	3 655,66 €	18 806,14 €		
9	Maison Poulaga	2 222,22 €	5 542,00 €	6 878,88 €	14 643,10 €		
10	Tartalapom	12 564,20 €	14 555,00 €	9 654,17 €	36 773,37 €		
11	Bretzel liquide	52 667,00 €	47 881,09 €	65 801,31 €	166 349,40 €		
12	Total	213 876,14 €					
13							
14							

Figure 4.10 Copie d'une formule dans une même ligne grâce à la recopie automatique.

Dans la Figure 4.11, examinez la plage de cellules C12:E12. Les totaux des ventes de février et de mars ont été calculés de même que le total trimestriel, en bas à droite du tableau.

Malheureusement, Excel n'effectue pas la mise à jour de la formule de la somme en incluant les nouvelles rangées ; la fonction SOMME couvre toujours la plage B3:B9 alors qu'elle aurait dû être étendue aux lignes 10 et 11. Pour que toutes les lignes soient prises en compte par la formule, placez le pointeur de cellule en B12, puis cliquez sur le bouton Somme automatique dans la barre d'outils Standard. Excel suggère maintenant la plage B3:B11 pour la fonction SOMME.

Revenez à la Figure 4.10 : elle montre la feuille de calcul après correction de la formule SOMME, avec le bouton Somme automatique, pour que dans la cellule B12 le total automatique prenne en compte les lignes qui ont été ajoutées. La poignée de recopie a ensuite été tirée par-dessus les cellules C12 à E12 afin d'y recopier la formule. Remarquez que le contenu de ces cellules a été préalablement effacé afin de mieux mettre ce qui se passe en évidence. Normalement, il

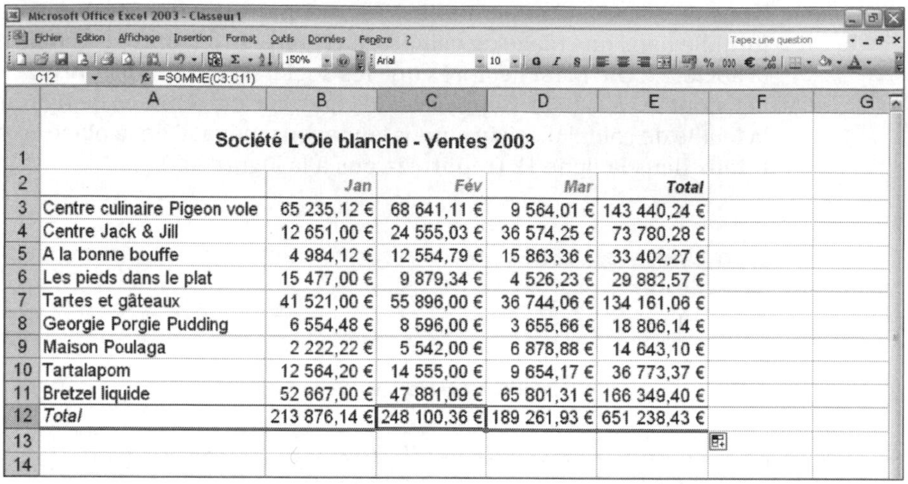

Figure 4.11
La feuille de
calcul après la
recopie de la
formule
totalisant les
mois.

vous suffirait de copier par-dessus les formules obsolètes pour les remplacer par les nouvelles formules à jour.

Absolument relatif et inversement

Référez-vous à la Figure 4.11 pour voir la feuille de calcul après la recopie de la formule d'une cellule dans la plage C12:E12. La cellule C12 est active. Remarquez comment Excel gère la recopie des formules. La formule d'origine, dans la cellule B12, est :

```
=SOMME(B3:B11)
```

Lorsque cette formule est recopiée dans la cellule voisine C12, Excel modifie légèrement la formule, qui devient :

```
=SOMME(C3:C11)
```

Excel a en effet rectifié la référence de colonne, qui est passée de B à C car la recopie s'est faite de la gauche vers la droite.

Quand vous copiez une formule dans une plage qui s'étend vers le bas sur plusieurs lignes, Excel modifie les numéros de ligne en conséquence, au lieu des lettres de colonnes, selon l'emplacement de chaque recopie. La cellule E3 de la feuille de calcul des ventes de la société L'Oie blanche contient la formule suivante :

```
=SOMME(B3:D3)
```

Quand vous recopiez cette formule vers le bas, dans la cellule E4, Excel modifie la formule de la manière suivante :

```
=SOMME(B4:D4)
```

Excel ajuste la référence de ligne afin qu'elle corresponde à la nouvelle position dans la ligne 4. Comme cette modification de la formule a été effectuée selon la direction de la recopie, les références de cellules sont appelées *références de cellules relatives*.

Dans l'absolu

Toutes les formules que vous créez contiennent naturellement des références de cellule absolues, à moins que vous en décidiez autrement. Du fait que la plupart des recopies de cellule nécessitent une correction de leurs références, vous aurez rarement à revenir sur cet arrangement. Cependant, de temps en temps, vous serez confronté à une exception.

L'une des exceptions les plus communes se produit lorsque vous désirez comparer une plage de valeurs différentes avec une seule valeur. Ce cas de figure se présente classiquement lorsque vous voulez calculer le pourcentage de plusieurs parties par rapport au total. Par exemple, dans la feuille de calcul de la société L'Oie blanche, vous rencontrez cette situation en créant et recopiant une formule qui détermine chaque pourcentage mensuel, dans la plage B14:D14, par rapport au total trimestriel de la cellule E12.

Supposons que vous vouliez entrer ces formules dans la rangée 14 de la feuille de calcul, en commençant par la cellule B14. La formule qui, dans cette cellule, calcule le pourcentage des ventes de janvier par rapport au trimestre est sans détour :

```
=B12/E12
```

Cette formule divise le total des ventes de janvier, dans la cellule B12, par le total trimestriel de la cellule E12 (on ne saurait faire plus simple...). Mais regardez ce qui se passerait si vous tiriez la poignée de recopie d'une cellule vers la droite pour recopier la formule dans la cellule C14 :

```
=C12/F12
```

L'ajustement de la première référence de cellule, qui passe de B12 à C12, est bien celui que nous attendions. Mais l'ajustement de la deuxième partie des références de cellule, qui passe de E12 à F12, est désastreux. Non seulement vous n'obtenez pas, dans la cellule C12, le calcul du pourcentage des ventes de février, mais vous vous retrouvez en prime avec l'horrible erreur #DIV/0! dans la cellule C14.

Pour éviter qu'Excel n'ajuste inconsidérément une référence de cellule lors d'une recopie, vous devez convertir la référence. De relative, elle doit devenir absolue. Vous effectuez cette opération en appuyant sur la touche de fonction F4. Excel signale qu'une référence de cellule est absolue en plaçant, devant la lettre de la colonne et le numéro de la ligne, le signe dollar ($). Regardez par exemple la Figure 4.12 : la cellule B4 contient la formule correcte pour effectuer la recopie dans la plage C14:D14, soit :

=B12/$E$12

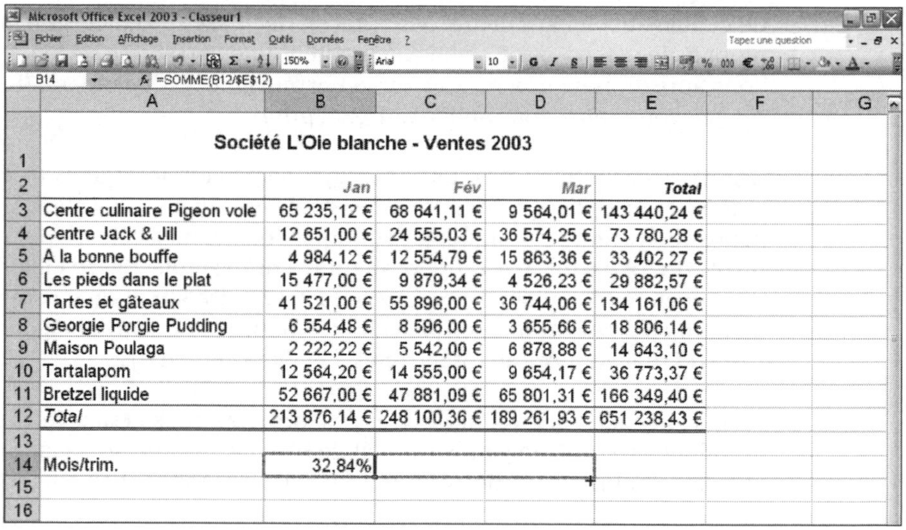

Figure 4.12
Recopie de la
formule pour
calculer le
pourcentage des
ventes
mensuelles par
rapport aux
ventes
trimestrielles
grâce à une
référence de
cellule absolue.

	A	B	C	D	E	F	G
1	Société L'Oie blanche - Ventes 2003						
2		*Jan*	*Fév*	*Mar*	*Total*		
3	Centre culinaire Pigeon vole	65 235,12 €	68 641,11 €	9 564,01 €	143 440,24 €		
4	Centre Jack & Jill	12 651,00 €	24 555,03 €	36 574,25 €	73 780,28 €		
5	A la bonne bouffe	4 984,12 €	12 554,79 €	15 863,36 €	33 402,27 €		
6	Les pieds dans le plat	15 477,00 €	9 879,34 €	4 526,23 €	29 882,57 €		
7	Tartes et gâteaux	41 521,00 €	55 896,00 €	36 744,06 €	134 161,06 €		
8	Georgie Porgie Pudding	6 554,48 €	8 596,00 €	3 655,66 €	18 806,14 €		
9	Maison Poulaga	2 222,22 €	5 542,00 €	6 878,88 €	14 643,10 €		
10	Tartalapom	12 564,20 €	14 555,00 €	9 654,17 €	36 773,37 €		
11	Bretzel liquide	52 667,00 €	47 881,09 €	65 801,31 €	166 349,40 €		
12	*Total*	213 876,14 €	248 100,36 €	189 261,93 €	651 238,43 €		
13							
14	Mois/trim.	32,84%					
15							
16							

Examinez la feuille de calcul après que cette formule a été répétée dans la plage C14:D14 avec la poignée de recopie et la cellule C14 sélectionnée (Figure 4.13). Remarquez la formule suivante dans la barre de formule :

=C12/$E$12

Du fait que E12 a été modifié en $E$12 dans la formule originale, toutes les recopies conservent cette même référence de cellule, qui est immuable.

Si vous avez commis une bourde en recopiant une formule dans laquelle une ou plusieurs références de cellules auraient dû être absolues, et non relatives, modifiez la formule d'origine de la manière suivante :

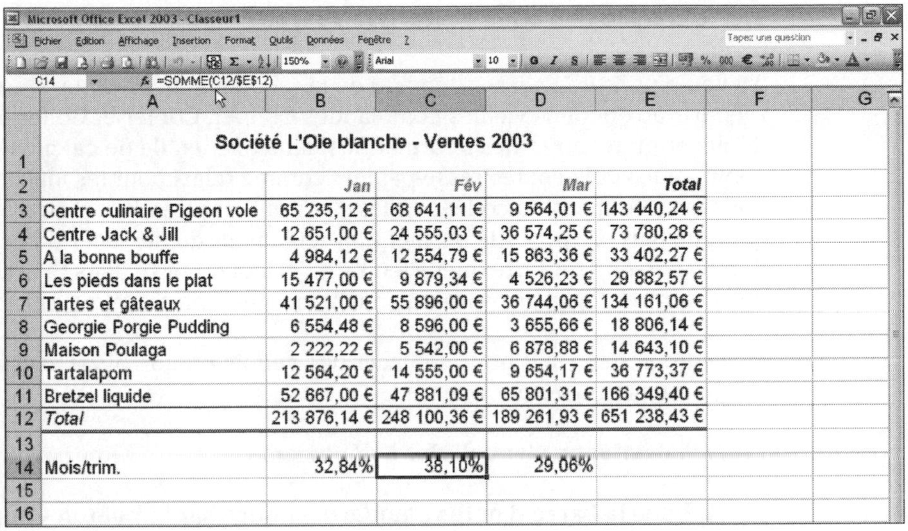

Figure 4.13
La feuille de calcul après la recopie d'une formule contenant une référence de cellule absolue.

	A	B	C	D	E	F	G
1	Société L'Oie blanche - Ventes 2003						
2		Jan	Fév	Mar	Total		
3	Centre culinaire Pigeon vole	65 235,12 €	68 641,11 €	9 564,01 €	143 440,24 €		
4	Centre Jack & Jill	12 651,00 €	24 555,03 €	36 574,25 €	73 780,28 €		
5	A la bonne bouffe	4 984,12 €	12 554,79 €	15 863,36 €	33 402,27 €		
6	Les pieds dans le plat	15 477,00 €	9 879,34 €	4 526,23 €	29 882,57 €		
7	Tartes et gâteaux	41 521,00 €	55 896,00 €	36 744,06 €	134 161,06 €		
8	Georgie Porgie Pudding	6 554,48 €	8 596,00 €	3 655,66 €	18 806,14 €		
9	Maison Poulaga	2 222,22 €	5 542,00 €	6 878,88 €	14 643,10 €		
10	Tartalapom	12 564,20 €	14 555,00 €	9 654,17 €	36 773,37 €		
11	Bretzel liquide	52 667,00 €	47 881,09 €	65 801,31 €	166 349,40 €		
12	Total	213 876,14 €	248 100,36 €	189 261,93 €	651 238,43 €		
13							
14	Mois/trim.	32,84%	38,10%	29,06%			
15							
16							

1. **Double-cliquez sur la cellule contenant la formule puis cliquez dans la barre de formule, ou appuyez sur la touche de fonction F2 pour la modifier.**

2. **Placez le point d'insertion dans la référence à convertir en référence absolue.**

3. **Appuyez sur la touche F4.**

4. **Lorsque la modification est terminée, cliquez sur le bouton Entrer, dans la barre de formule, puis recopiez la formule corrigée dans les cellules erronées grâce à la poignée de recopie.**

N'appuyez sur la touche F4 qu'une seule fois, pour faire d'une référence de cellule une référence absolue, comme nous venons de le décrire. Si vous veniez à appuyer une deuxième fois dessus, vous vous retrouveriez avec ce qu'il est convenu d'appeler une *référence mixte* dans laquelle seule la référence à la ligne serait absolue, la référence à la colonne restant relative, comme par exemple : E$12. Si vous appuyez sur la touche F4, Excel propose un autre type de référence mixte dans laquelle la partie "colonne" est absolue tandis que la partie "ligne" est relative, comme dans $E12. Et si vous appuyez une fois encore sur F4, Excel revient à des références entièrement relatives (E12). Revenu au point de départ, vous pouvez continuer à appuyer sur F4 pour passer de nouveau d'un type de référence à un autre.

Le couper-coller numérique

Au lieu d'utiliser le glisser-déposer ou la recopie automatique, vous pouvez recourir aux bonnes vieilles commandes Couper, Copier et Coller pour déplacer ou recopier des informations dans une feuille de calcul. Ces commandes utilisent le Presse-papiers comme relais pour les informations que vous avez coupées ou collées ; elles y restent en attendant d'être collées quelque part. Ce procédé permet non seulement de déplacer ou copier des données dans n'importe quelle feuille de calcul ouverte dans Excel, mais aussi dans d'autres logiciels tournant sous Windows, comme Word par exemple.

Procédez comme suit pour déplacer une cellule ou une plage avec les commandes Couper et Coller :

1. **Sélectionnez les cellules à déplacer.**

2. **Dans la barre d'outils Standard, cliquez sur le bouton Couper (celui avec des ciseaux).**

   Si vous préférez, vous pouvez choisir Couper dans le menu contextuel ou Edition/Couper dans la barre de menus,.

   Ou encore, si ces manipulations ne vous inspirent guère, vous pouvez appuyer sur les touches Ctrl+X. Quel que soit votre choix, Excel entoure la ou les cellules avec un *rectangle de sélection* qui se présente sous la forme d'une ligne dont le pointillé est animé. Le message suivant apparaît dans la barre d'état :

   ```
   Sélectionnez une destination et appuyez sur ENTRÉE ou cliquez sur
   Coller.
   ```

3. **Déplacez le pointeur de cellule ou sélectionnez la cellule en haut à gauche de la nouvelle plage dans laquelle vous désirez déplacer les données.**

4. **Appuyez sur Entrée pour terminer le déplacement.**

   Ou, si vous le préférez, cliquez sur le bouton Coller de la barre d'outils Standard, ou choisissez l'option Coller dans le menu contextuel, ou encore Edition/Coller dans la barre de menus, ou appuyez sur Ctrl+V (ça vous va, comme possibilités de collage ?).

Remarquez qu'en indiquant la plage de destination vous n'avez pas à sélectionner un agencement de cellules vides correspondant, dans sa forme, à la sélection que vous déplacez. Du moment que vous indiquez à Excel où se trouve la cellule située en haut à gauche de la plage de destination, il saura se débrouiller pour le reste.

La copie d'une sélection de cellule(s) avec les commandes Copier et Coller s'effectue de la même manière qu'avec les commandes Couper et Coller. Après avoir sélectionné la plage à copier, vous bénéficiez même d'un plus grand choix pour le stockage des données dans le Presse-papiers. Au lieu de cliquer sur le bouton Copier, dans la barre d'outils Standard, ou de choisir Copier dans le menu contextuel, vous pouvez appuyer sur les touches Ctrl+C.

Ça colle pour vous

L'avantage de la copie des données dans le Presse-papiers avec les commandes Copier et Coller est que les informations ainsi mises de côté peuvent être collées à plusieurs reprises. Assurez-vous simplement, après avoir appuyé sur Entrée pour terminer la première opération de copie, de cliquer sur le bouton Coller de la barre d'outils ou de choisir la commande Coller (dans le menu contextuel ou sous Edition), ou d'appuyer sur Ctrl+V.

Quand vous utilisez la commande Coller, Excel copie la sélection dans la plage que vous lui avez indiquée sans supprimer le rectangle de sélection qui court autour de la sélection originale. Il indique ainsi que vous pouvez continuer à choisir d'autres plages de destination, que ce soit dans le même document ou dans un autre.

Après avoir sélectionné la première cellule de l'autre plage dans laquelle vous désirez coller la sélection, choisissez de nouveau la commande Coller. Vous pouvez continuer de la sorte en collant la sélection à volonté. Après avoir effectué la dernière copie, appuyez sur la touche Entrée au lieu de choisir la commande Coller. Si vous avez oublié d'appuyer sur Entrée et choisi Coller, éliminez le rectangle de sélection en appuyant sur la touche Echap.

Les options de collage

Juste après avoir cliqué sur le bouton Coller, dans la barre d'outils Standard, ou choisi les commandes Edition/Coller, dans la barre de menus, pour coller des données que vous avez copiées – et non coupées – dans le Presse-papiers, Excel affiche à l'extrémité de la plage collée un bouton Options de collage doté de son propre menu déroulant. Les options qui apparaissent en cliquant sur le bouton servent à modifier les opérations de collage de la manière suivante :

✔ **Conserver la mise en forme source :** Excel copie la mise en forme des cellules d'origine et la colle avec les données dans les cellules de destination.

✔ **Respecter la mise en forme de destination :** Excel met les entrées en forme selon le format défini dans la plage de cellules de destination.

✔ **Valeurs uniquement :** Excel ne copie dans la plage de destination que les résultats calculés dans la plage source. Autrement dit, les cellules de destination ne contiendront que des chiffres et des intitulés, et non des formules.

✔ **Valeurs et formats de nombre :** Excel copie dans la plage de destination les résultats fournis par les formules ainsi que le format de nombre des formules et des valeurs de la plage source. Cela signifie que les intitulés copiés dans la plage source adoptent la mise en forme des cellules de la plage de destination, tandis que les valeurs conservent le format de nombre qui leur avait été appliqué dans la plage source.

✔ **Valeurs et format source :** Excel copie dans la plage de destination les résultats calculés par les formules ainsi que les mises en forme affectées aux intitulés, valeurs et formules définis dans la plage source. Autrement dit, dans la plage de destination, toutes les valeurs et les intitulés apparaissent avec la même mise en forme que dans la plage source, même si les formules originales n'ont pas été conservées et que seuls les résultats qu'elles calculent ont été recopiés.

✔ **Conserver les largeurs de colonnes sources :** Excel règle les colonnes de la plage de destination à la même largeur que celle des colonnes sources.

✔ **Format uniquement :** Seule la mise en forme (et non les données) de la plage source est recopiée dans la plage de destination.

✔ **Lier les cellules :** Excel crée des formules de liaison dans la plage de destination afin que tout changement effectué dans des cellules de la plage source soit aussitôt répercuté dans les cellules correspondantes de la plage de destination.

Coller à partir du Volet Office Presse-papiers

Excel 2003 est capable de stocker dans son Presse-papiers jusqu'à 24 éléments coupés ou copiés. Cela signifie que vous pouvez continuer à coller des cellules du Presse-papiers vers un classeur même si vous en avez fini avec un déplacement ou une copie, et ce si vous avez appuyé sur la touche Entrée au lieu d'utiliser la commande Coller. Dès lors que vous avez placé plus d'une sélection dans le Presse-papiers, Excel 2003 affiche automatiquement le volet Office Presse-Papiers et les éléments qu'il contient, comme le montre la Figure 4.14.

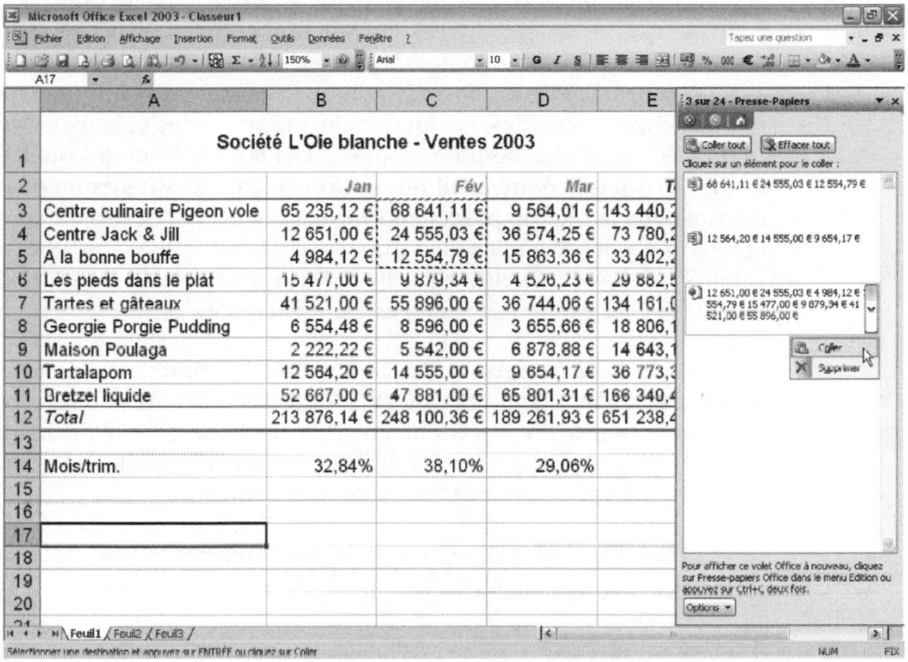

Figure 4.14
Le Volet Office Presse-papiers apparaît dès que vous coupez ou copiez plus d'un élément.

Pour coller un élément du Presse-papiers dans une autre feuille de calcul que celle d'où provenaient les données, cliquez sur l'élément présent dans le volet afin de le coller à l'emplacement du pointeur de cellule.

Remarquez qu'il est possible de coller tous les éléments stockés dans le Presse-papiers dans la feuille de calcul courante en cliquant sur le bouton Coller tout, en haut du volet Office. Pour vider le volet de tous les éléments qui s'y trouvent, cliquez sur le bouton Effacer tout. Pour ne supprimer qu'un élément en particulier du Presse-papiers, placez le pointeur de la souris sur cet élément dans le volet Office jusqu'à ce qu'un bouton de menu contextuel apparaisse. Cliquez ensuite sur ce bouton et, dans le menu, choisissez l'option Supprimer.

Qu'est-ce qu'il a de spécial, ce coller ?

Normalement, à moins que vous n'alliez farfouiller dans les options de collage décrites précédemment dans ce chapitre, Excel copie toutes les informations dans la plage de cellules sélectionnée, c'est-à-dire les valeurs, textes, formules et mises en forme. Si vous le désirez, utilisez la commande Collage spécial pour spécifier que seules les entrées doivent être copiées (sans mise en forme) ou que seule la mise en forme doit être copiée (sans les entrées). Vous pouvez aussi recourir à cette commande afin qu'Excel ne copie que les valeurs dans une sélection de cellules, ce qui signifie que seules les valeurs et les textes figurant dans les cellules seront recopiés, *mais pas* les formules ou la mise en forme (ce qui est l'équivalent de l'option de collage Valeurs uniquement, décrite dans la section précédente). Quand vous collez des valeurs, Excel ignore toutes les formules qu'il trouve dans la sélection et ne conserve que les valeurs qu'elles calculent ; elles apparaissent dans les cellules de destination comme si elles avaient été entrées manuellement.

Pour coller des éléments particuliers d'une sélection de cellules tout en ne tenant pas compte d'autres éléments, choisissez Edition/Collage spécial, dans la barre de menus. En procédant ainsi, Excel affiche la boîte de dialogue Collage spécial ; c'est là que vous spécifiez les éléments de la sélection courante à coller, en activant ou non les boutons radio suivants :

- **Tout.** Excel choisit cette option pour coller toutes les informations (notamment les formules, mises en forme...) dans la sélection de cellules.

- **Formules.** Tous les textes, nombres et formules de la sélection courante sont collés, mais sans leur mise en forme.

- **Valeurs.** Convertit toutes les formules de la sélection courante aux valeurs qu'elles ont calculées.

- **Formats.** Ne colle que les mises en forme de la sélection de cellules courante, sans se préoccuper des entrées.

- **Commentaires.** Ne colle que les notes que vous avez attachées aux cellules (des sortes de Post-it électroniques que nous étudierons dans le Chapitre 6).

- **Validation.** Ne colle que les règles de validation de données dans la plage de cellules que vous avez configurée avec la commande Données/Validation. Laquelle permet de définir une valeur ou une plage de valeurs autorisée pour une cellule ou un ensemble de cellules.

- ✔ **Tout sauf la bordure.** Colle toutes les informations de la sélection hormis les éventuelles bordures.

- ✔ **Largeurs de colonnes.** Applique la largeur des colonnes des cellules copiées aux cellules de la plage de destination.

- ✔ **Formules et formats des nombres.** Reproduit les formats de nombre appliqués aux nombres et aux formules.

- ✔ **Valeurs et formats des nombres.** Convertit les formats aux valeurs qu'ils ont produites et recopie les formats de nombre affectés aux valeurs copiées.

- ✔ **Aucune.** Normalement, Excel active ce bouton, indiquant qu'aucune opération ne sera appliquée entre les données que vous avez coupées ou copiées dans le Presse-papiers et celles qui seront collées dans la plage de cellules.

- ✔ **Addition :** Ajoute les données copiées dans le Presse-papiers aux entrées figurant dans les cellules de destination.

- ✔ **Soustraction :** Retranche les données copiées dans le Presse-papiers à celles des cellules de destination.

- ✔ **Multiplication :** Multiplie les données copiées dans le Presse-papiers avec les entrées des cellules de destination.

- ✔ **Division :** Divise les données copiées dans le Presse-papiers par les entrées des cellules de destination.

- ✔ **Blancs non compris :** Cochez cette case afin qu'Excel ne copie aucune cellule vide. De cette manière, une cellule vide ne pourra pas se substituer à une cellule contenant des données.

- ✔ **Transposé :** Lorsque cette case est cochée, Excel change l'orientation des cellules collées. Cette option est précieuse lorsque les données d'origine sont par exemple disposées sur une seule ligne, et que vous préférez les disposer sur une colonne.

- ✔ **Coller avec liaison :** Cliquez sur ce bouton lorsque vous copiez des entrées dans des cellules et désirez établir une liaison entre les copies collées et les données originales. En procédant ainsi, toute modification dans les cellules d'origine met automatiquement les copies collées à jour.

Vous pouvez tour à tour sélectionner les options de collage Formules, Valeurs et Coller avec liaison directement à partir du bouton Coller de la barre d'outils Standard sans recourir à la boîte de dialogue Collage spécial. **Remarque :** l'option Aucune bordure, dans le menu déroulant Coller de la barre d'outils, est identique à l'option Tout sauf la bordure, dans la boîte de dialogue Collage spécial. La boîte de dialogue Collage spécial peut aussi être ouverte à partir du menu déroulant du bouton Coller de la barre d'outils en choisissant l'option Collage spécial, tout en bas.

A propos des suppressions

Une étude d'Excel ne saurait être complète sans que vous appreniez comment vous débarrasser des données que contiennent les cellules. Il existe deux sortes de suppression dans une feuille de calcul :

- **Vider une cellule :** La cellule est simplement vidée de son contenu sans véritablement supprimer la cellule, ce qui peut affecter la mise en place des cellules environnantes.

- **Supprimer une cellule :** La suppression élimine tout ce qui constitue une cellule, y compris son contenu et sa mise en forme. Lorsque vous supprimez une cellule, Excel doit déplacer les cellules environnantes afin de combler le vide provoqué par la disparition.

Vider une cellule

Pour se débarrasser uniquement du contenu d'une sélection de cellules sans supprimer les cellules elles-mêmes, sélectionnez une plage et appuyez sur la touche Suppr ou choisissez Edition/Effacer/Contenu, dans la barre de menus.

Pour vous débarrasser d'un peu plus que le contenu, choisissez Edition/Effacer puis sélectionnez l'une des commandes suivantes :

- **Tout :** Toutes les entrées de la sélection sont supprimées, ainsi que toutes les mises en forme et les commentaires.

- **Formats :** Seules les mises en forme sont supprimées dans la sélection.

- **Commentaires :** Seuls les commentaires sont supprimés dans la sélection.

Virez-moi toutes ces cellules

Pour supprimer une sélection de cellules au lieu de seulement les vider de leur contenu, choisissez Supprimer dans le menu contextuel ou Edition/Supprimer. Excel affiche la boîte de dialogue Supprimer ; elle contient différents boutons radio que vous utiliserez pour indiquer à Excel ce qu'il doit faire pour combler le vide laissé par les cellules :

- ✔ **Décaler les cellules vers la gauche :** C'est l'option par défaut. Les cellules situées à droite de celles qui ont été supprimées sont déplacées vers la gauche pour combler le vide produit quand vous avez appuyé sur la touche Entrée ou cliqué sur OK.

- ✔ **Décaler les cellules vers le haut :** Les cellules situées sous celles qui ont été supprimées sont déplacées vers le haut.

- ✔ **Ligne entière :** Toutes les lignes de la sélection courante sont supprimées.

- ✔ **Colonne entière :** Toutes les colonnes de la sélection courante sont supprimées.

Si vous savez à l'avance que vous voudrez supprimer des lignes ou des colonnes entières de la feuille de calcul, vous pouvez les sélectionner en cliquant dans les en-têtes puis choisir Supprimer dans le menu contextuel, ou choisir Edition/Supprimer. Il est évidemment possible de supprimer plusieurs lignes ou colonnes à la fois.

La suppression de lignes ou de colonnes entières est risquée, à moins que vous soyez certain qu'elles ne contiennent pas de valeurs. Rappelez-vous qu'en supprimant par exemple toute la ligne Λ, vous supprimez en réalité *toutes les informations des colonnes A à IV,* alors que vous ne voyez que quelques-unes de ces colonnes. De même, si vous supprimez une colonne entière, vous supprimez *toutes les informations de cette colonne contenues entre les lignes 1 à 65 535.*

Veuillez vous poussez un peu...

Pour ces cas inévitables où vous devrez glisser de nouvelles entrées dans une région déjà bien remplie de la feuille de calcul, vous aurez intérêt à insérer les nouvelles cellules plutôt que de vous lancer dans les délicats déplacements et réorganisations de plusieurs plages de cellules. Pour insérer une nouvelle ligne, sélectionnez les cellules – dont beaucoup sont d'ores et déjà occupées – près desquelles les nouvelles cellules doivent être placées puis, dans le menu contextuel, choisissez Insérer, ou cliquez sur Insertion/Cellules, dans la barre de menus. Dans les deux cas, la boîte de dialogue Insertion de cellule apparaît ; elle contient les boutons radio suivants :

- **Décaler les cellules vers la droite :** Quand vous cliquez sur le bouton OK ou appuyez sur la touche Entrée, les cellules existantes sont décalées vers la droite afin de libérer de la place pour les cellules qui seront créées.

- **Décaler les cellules vers le bas :** C'est l'option par défaut. Elle demande à Excel de décaler les cellules vers le bas au moment où vous cliquez sur le bouton OK ou appuyez sur la touche Entrée.

- **Ligne entière** et **Colonne entière :** Insertion de lignes ou de colonnes entières. Il est inséré autant de lignes ou de colonnes qu'il y a de lignes ou de colonnes sélectionnées au moment de cliquer sur le bouton OK ou d'appuyer sur la touche Entrée.

Remarquez qu'il est aussi possible d'insérer des lignes et des colonnes entières en choisissant les commandes Lignes et Colonnes dans le menu Insertion, sans devoir passer par la boîte de dialogue Insertion de cellule.

Rappelez-vous que, à l'instar de la suppression de lignes et de colonnes entières, l'insertion de lignes et de colonnes entières concerne l'intégralité de la feuille de calcul, et pas seulement la partie que vous voyez. Si vous ne savez pas ce qui se trouve dans les régions reculées de la feuille de calcul, vous n'aurez pas une idée bien précise des effets de l'insertion, surtout sur les formules. Il est recommandé de vérifier préalablement ce qui se trouve dans la zone d'insertion afin d'éviter tout déboire.

Eradiquer les fautes d'orthographe

Si l'orthographe n'est pas votre fort, vous serez sans doute content d'apprendre qu'Excel 2003 est doté d'un correcteur orthographique capable de repérer et d'éliminer ces embarrassantes petites fautes de frappe. Vos titres, en-têtes et textes de tout acabit ne s'en porteront que mieux...

Pour vérifier l'orthographe dans une feuille de calcul, choisissez Outils/Orthographe dans la barre de menus ou cliquez sur le bouton Orthographe dans la barre d'outils Standard (celui avec les trois lettres ABC surmontant une coche), ou encore appuyez sur la touche F7.

Quelle que soit votre façon de faire, Excel démarre la correction orthographique de toutes les entrées textuelles. Lorsque le logiciel rencontre un mot inconnu, il affiche la boîte de dialogue de la Figure 4.15.

Figure 4.15
Le correcteur
orthographique
traque les fautes.

Excel suggère un terme de remplacement chaque fois qu'il s'arrête sur un mot absent de son dictionnaire. Si ce terme ne vous convient pas, vous pouvez en choisir un autre dans la liste Suggestions. Voici les options de la boîte de dialogue Orthographe :

✔ **Ignorer** et **Ignorer tout :** Quand Excel rencontre un mot qui lui semble erroné, mais que vous savez correct, cliquez sur le bouton Ignorer. Si vous ne voulez pas que le correcteur vous ennuie avec ce mot chaque fois qu'il le rencontre, cliquez sur le bouton Ignorer tout.

✔ **Ajouter au dictionnaire :** Cliquez sur ce bouton pour ajouter un mot inconnu d'Excel – comme un nom propre, par exemple, ou un terme très technique – dans un dictionnaire personnel. Par la suite, Excel le reconnaîtra automatiquement.

✔ **Remplacer :** Cliquez sur ce bouton pour remplacer le mot présent dans la zone de texte Absent du dictionnaire par celui proposé dans la fenêtre Suggestions.

✔ **Remplacer tout :** Cliquer sur ce bouton entraîne le remplacement de toutes les occurrences de ce mot erroné dans la feuille de calcul.

✔ **Correction automatique :** Cliquer sur ce bouton autorise Excel à remplacer automatiquement un terme erroné par celui proposé dans la fenêtre Suggestions.

✔ **Langue du dictionnaire :** Pour activer un autre dictionnaire, comme le dictionnaire d'anglais des Etats-Unis ou l'anglais du Royaume-Uni, déroulez la liste des langues disponibles en cliquant sur le bouton fléché situé à droite de la langue courante, et choisissez-en une.

Remarquez qu'Excel ne se contente pas de repérer les termes qui ne figurent pas dans son dictionnaire intégré ni dans le dictionnaire personnel, mais qu'il détecte aussi les doublons (comme *total total*) ou les majuscules bizarroïdes comme *NEw York* au lieu de *New York*. Par défaut, le correcteur orthographique ignore tous les mots comportant des chiffres ainsi que les adresses Internet. Si vous voulez qu'il ignore aussi tous les mots entièrement en majuscules, cliquez sur le bouton Options en bas de la boîte de dialogue, puis cochez l'option Ignorer les mots en MAJUSCULES et cliquez sur OK

Rappelez-vous qu'il est possible de vérifier l'orthographe d'un groupe particulier d'entrées en sélectionnant les cellules avant de choisir Outils/Orthographe dans la barre de menus, de cliquer sur le bouton Orthographe de la barre d'outils Standard ou d'appuyer sur la touche F7.

Chapitre 5

Imprimer le chef-d'œuvre

. . . .

Dans ce chapitre :

▶ Prévisualiser les pages avant l'impression.

▶ Imprimer à partir de la barre d'outils Standard.

▶ Imprimer toutes les feuilles de calcul d'un classeur.

▶ N'imprimer que quelques cellules d'une feuille de calcul.

▶ Modifier l'orientation des pages.

▶ Imprimer la totalité d'une feuille de calcul sur une seule page.

▶ Modifier les marges d'un rapport.

▶ Ajouter un en-tête et un pied de page à un rapport.

▶ Imprimer les en-têtes de ligne et de colonne sur chacune des pages d'un rapport.

▶ Insérer des sauts de page dans un rapport.

▶ Imprimer les formules de vos feuilles de calcul.

. . . .

Pour la plupart des gens, l'impression est la finalité d'une feuille de calcul (on est loin de la notion du "bureau sans papier" que promettait la bureautique). Toutes les saisies, mises en forme, vérifications de formules, bref, toutes les opérations que vous effectuez avec un tableur ne sont que des préparations à l'impression des informations.

Dans ce chapitre, vous découvrirez combien il est facile d'imprimer des rapports avec Excel 2003. Quelques règles simples vous permettront d'obtenir une présentation irréprochable des documents, et cela du premier coup. Vous les enverrez ensuite vers l'imprimante.

Le seul point délicat, lorsqu'une feuille de calcul doit être imprimée, est la mise en page et la disposition des données. Nombre d'entre elles sont non seulement plus longues que le papier, mais aussi plus larges. Dans un traitement de texte comme Word 2003, la mise en page s'effectue surtout verticalement ; vous serez rarement amené à créer des documents plus larges que le format que vous avez défini. Mais dans un tableur comme Excel 2003, vous devrez souvent gérer des sauts de page verticaux et horizontaux.

Quand vous divisez une feuille de calcul en pages, Excel place la première en verticale à partir de la première colonne de la zone à imprimer (comme le ferait un traitement un texte). Ensuite, il place la deuxième page sous la première page, et ainsi de suite jusqu'à ce qu'il arrive en bas de la zone d'impression. Il place ensuite la prochaine page en haut de la zone, à droite de la première page, et continue ainsi vers le bas, répétant ces opérations jusqu'à ce que toute la zone à imprimer ait été couverte.

Lorsque vous définissez des pages dans une feuille de calcul, Excel ne rompt ni ne tronque les informations contenues dans les lignes et les colonnes. Si le contenu d'une ligne ne tient pas entièrement dans la page, il la déplace vers le bas, dans la page suivante. S'il s'agit d'une colonne, cette colonne est déplacée vers la droite, dans la page voisine.

Ces problèmes de mise en page peuvent être résolus de diverses manières, comme nous le verrons dans ce chapitre. Une fois que vous maîtriserez la mise en page, l'impression ne sera plus qu'une formalité.

Un coup d'œil sur l'aperçu avant impression

Economisez du papier et préservez votre sérénité en recourant systématiquement à l'Aperçu avant impression avant d'imprimer une feuille de calcul, que ce soit en totalité, en partie, voire un classeur tout entier. Du fait des particularités de la division en pages d'une feuille de calcul, vous devez vérifier minutieusement les sauts de page chaque fois que l'impression s'effectue sur plus d'une page. L'Aperçu avant impression sert non seulement à visualiser l'apparence de la feuille de calcul à l'impression, mais aussi à régler les marges, à modifier la mise en page et à lancer l'impression une fois que tout semble parfait.

Pour activer l'Aperçu avant impression, cliquez sur le bouton du même nom dans la barre d'outils Standard (celui avec une loupe sur une page, à droite du bouton Imprimer) et choisissez Fichier/Aperçu avant impression dans la barre de menus. Excel affiche toutes les informations dans une fenêtre séparée comportant sa propre barre d'outils. Lorsqu'il est placé sur la feuille, le pointeur de souris se transforme en loupe. La Figure 5.1 montre l'Aperçu avant impression d'un rapport de trois pages.

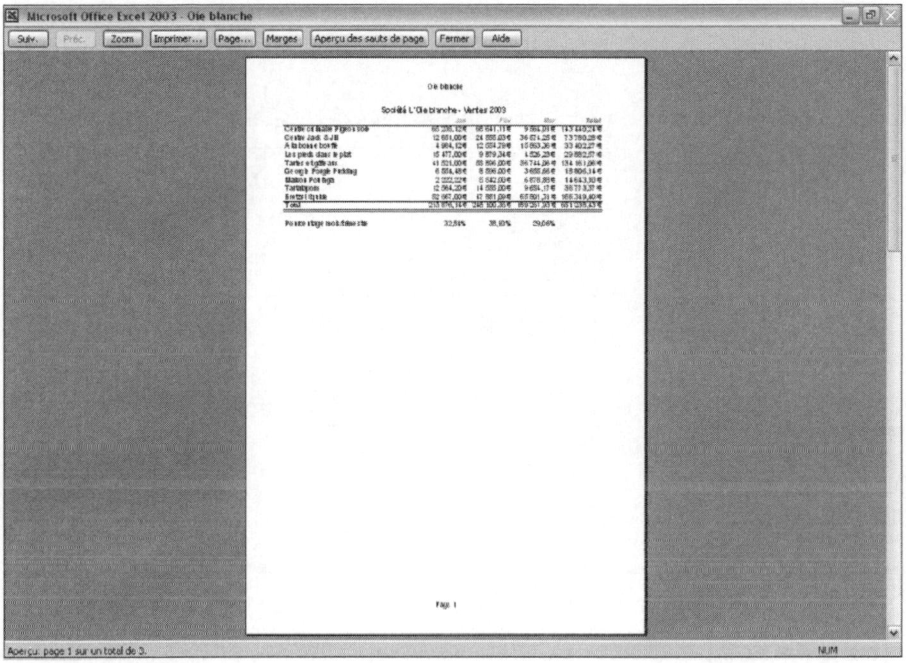

Figure 5.1
Aperçu avant
impression de la
première page
d'un rapport de
trois pages.

Quand Excel affiche un aperçu avant impression en pleine page, le contenu est à peine lisible. Pour vérifier certaines informations, vous devrez mettre la vue en taille réelle. Zoomez à 100 % en cliquant dans la page avec le pointeur de souris en forme de loupe ou en cliquant sur le bouton Zoom, en haut de la fenêtre, ou encore en appuyant sur la touche Entrée. Voyez la différence Figure 5.2 ; elle montre la partie supérieure du rapport à imprimer.

Après avoir agrandi une page à sa taille réelle, utilisez les barres de défilement pour en atteindre les différentes parties. Si vous préférez travailler au clavier, utilisez les touches fléchées haut et bas, ou les touches PageHaut et PageBas pour monter et descendre, ou les touches fléchées gauche et droite ou Ctrl+PageHaut et Ctrl+PageBas pour déplacer la feuille latéralement.

Pour revenir à l'affichage de la page entière, cliquez n'importe où dans la page ou de nouveau sur le bouton Zoom, ou appuyez sur la touche Entrée.

Excel indique le nombre de pages du rapport dans la barre d'état de la fenêtre de l'Aperçu avant impression, en bas à gauche. Si le rapport que vous examinez comporte plusieurs pages, accédez aux autres pages en cliquant sur le bouton Suiv., en haut à gauche de la fenêtre. Pour revenir en arrière, cliquez sur le bouton Préc. ; il est en grisé si vous êtes à la première page. Vous pouvez aussi

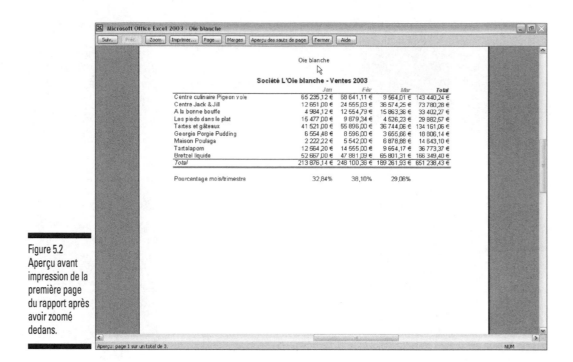

Figure 5.2
Aperçu avant
impression de la
première page
du rapport après
avoir zoomé
dedans.

passer d'une page à une autre en appuyant sur les touches fléchées gauche et droite ou PageHaut et PageBas, à condition que les pages soient affichées en mode Page entière.

Lorsque vous avez fini de prévisualiser le rapport, vous en tirez les conclusions suivantes :

- **Prêt à être imprimé :** Si les pages semblent bonnes, cliquez sur le bouton Imprimer pour afficher la boîte de dialogue Imprimer et lancer l'impression (reportez-vous à la section "Imprimer à votre manière", plus loin dans ce chapitre).

- **Problèmes de mise en page :** Si vous décelez des problèmes de mise en page susceptibles d'être résolus en choisissant d'autres tailles de papier, ordres de pagination, orientations ou marges, ou si vous remarquez un problème dans les en-têtes et les pieds de page (le texte en haut et en bas de la page), cliquez sur le bouton Page et résolvez-le dans la boîte de dialogue Mise en page. Pour en savoir plus sur les paramètres qu'elle contient, reportez-vous à la section "La mise en page", plus loin dans ce chapitre.

- **Problèmes de sauts de page :** Si vous notez des problèmes qui peuvent être résolus en modifiant les sauts de page, cliquez sur le bouton Aperçu des sauts de page. Il vous renvoie dans la fenêtre du classeur qui montre une version réduite de la feuille de calcul, dans laquelle vous pouvez régler les sauts de page en tirant les bords des pages avec la souris. Après les avoir ajustés à votre convenance, revenez à la vue normale de la feuille de calcul en choisissant Affichage/Normal, dans la barre de menus. Vous pourrez ensuite imprimer le rapport en cliquant sur Fichier/Imprimer ou sur le bouton Imprimer, dans la barre d'outils Standard. Pour en savoir plus, allez à la section "Saut de page".

- **Problèmes de largeur de marges et de colonnes :** Si la largeur des marges ou des colonnes n'est pas correcte, réglez-les en activant l'Aperçu avant impression, en cliquant sur le bouton Marges et en faisant glisser les repères de marge qui apparaissent sur la page. Pour en savoir plus, reportez-vous à la section "Du côté des marges", plus loin dans ce chapitre.

- **Des corrections s'imposent :** Si vous avez repéré des problèmes tels qu'une valeur erronée dans une cellule ou une typographie de mauvais goût pour un titre, cliquez sur le bouton Fermer pour revenir à la feuille de calcul affichée en mode Normal. Il est impossible de procéder à des modifications de valeurs ou de texte directement dans l'Aperçu avant impression.

- **Corrigé et prêt à être imprimé :** Après avoir effectué les corrections dans la feuille de calcul, le rapport peut être imprimé en choisissant Fichier/Imprimer dans la barre de menus ou en appuyant sur les touches Ctrl+P. Il est aussi possible de revenir au mode Aperçu avant impression pour procéder à une vérification de dernière minute puis de cliquer sur le bouton imprimer, ou encore de cliquer sur le bouton Imprimer de la barre d'outils Standard (le cinquième à partir de la gauche, avec une imprimante dessinée dessus).

La page s'arrête ici

Excel affiche automatiquement les sauts de page dans la fenêtre normale du document après que vous l'avez prévisualisé dans l'Aperçu avant impression. Ils apparaissent sous la forme de traits en pointillé entre les colonnes et les lignes.

Pour ne pas afficher les sauts de page, choisissez Outils/Options dans la barre de menus, puis cliquez sur l'onglet Affichage et ôtez la coche de la case Sauts de page. Cliquez ensuite sur OK ou appuyez sur Entrée.

Bien imprimer

Tant que vous n'utilisez que les paramètres d'impression par défaut d'Excel pour imprimer les cellules de la feuille de calcul courante, l'impression s'effectue toute seule ou presque. Il suffit de cliquer sur le bouton Imprimer dans la barre d'outils Standard. Un exemplaire de toutes les informations de la feuille de calcul courante est ensuite imprimé, y compris d'éventuels dessins et graphiques, mais pas les commentaires qu'elle pourrait contenir (reportez-vous au Chapitre 6 pour apprendre à ajouter des commentaires à une feuille de calcul, et au Chapitre 8 pour en savoir plus sur les graphiques et les dessins).

Après avoir cliqué sur l'outil Imprimer, Excel achemine la tâche d'impression vers la liste d'attente de Windows, qui agit à la manière d'un intermédiaire entre l'ordinateur et l'imprimante. Dans le même temps, Excel affiche la boîte de dialogue Imprimer qui informe l'utilisateur de l'avancement de l'impression. Une fois qu'elle a disparu, vous pouvez travailler de nouveau librement dans Excel (mais sachez toutefois qu'Excel risque d'être lent comme une limace pendant l'impression). Pour écourter une tâche d'impression pendant qu'elle est dans la file d'attente, cliquez sur le bouton Annuler dans la boîte de dialogue Imprimer.

Si vous n'avez pas réalisé qu'il faut annuler la tâche d'impression avant qu'Excel ait fini de la mettre dans la file d'attente – c'est-à-dire pendant que la boîte de dialogue Imprimer est visible à l'écran –, vous devez ouvrir la boîte de dialogue de votre imprimante et annuler l'impression à partir de celle-ci.

Procédez comme suit pour annuler une impression à partir de la boîte de dialogue de votre imprimante :

1. **Cliquez avec le bouton droit de la souris sur l'icône de l'imprimante, dans la zone d'état à l'extrême droite de la barre des tâches de Windows XP. Un menu contextuel apparaît.**

   Lorsque le pointeur de la souris survole l'icône, l'info-bulle 1 document(s) en attente pour *Untel* apparaît (*Untel* étant le nom de l'utilisateur déclaré dans Windows).

2. **Cliquez sur l'icône de l'imprimante avec le bouton droit de la souris et, dans le menu contextuel, choisissez l'option Ouvrir toutes les imprimantes actives et les télécopieurs.**

   Cette action ouvre la boîte de dialogue de l'imprimante ; le document Excel se trouve dans la file d'attente.

3. **Sélectionnez dans la file la tâche d'impression Excel que vous désirez annuler.**

4. **Dans la barre d'outils, choisissez Document/Annuler.**

5. **Attendez que la tâche d'impression ait disparu de la file ; cliquez ensuite sur le bouton Fermer pour quitter la boîte de dialogue et retourner dans Excel.**

Personnaliser l'impression

L'impression en cliquant sur l'outil Imprimer dans la barre d'outils Standard est parfaite si vous désirez simplement obtenir un seul exemplaire des informations contenues dans la feuille de calcul. Mais si vous voulez d'autres exemplaires, imprimer sélectivement les données (par exemple toutes les feuilles d'un classeur ou seulement une plage de cellules), ou si vous désirez modifier la mise en page, choisir une taille de papier ou changer son orientation, vous devrez configurer la boîte de dialogue Imprimer que montre la Figure 5.3.

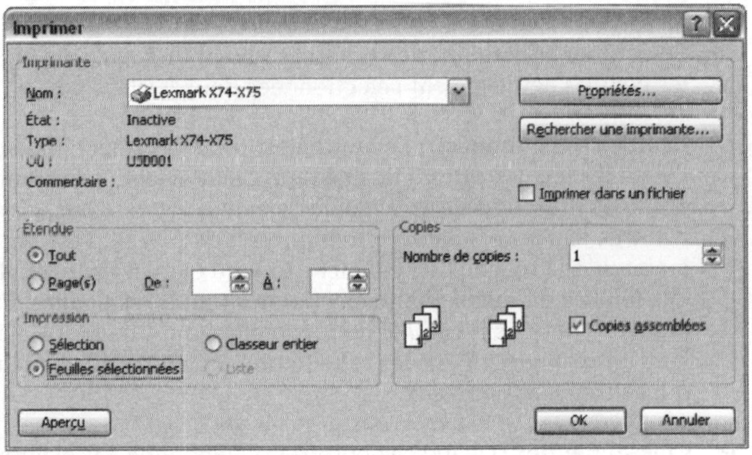

Figure 5.3
Les options
d'impression
s'effectuent
dans cette boîte
de dialogue.

Il existe plusieurs manières d'accéder à cette boîte de dialogue :

✔ Appuyer sur Ctrl+P.

✔ Choisir Fichier/Imprimer dans la barre de menus.

✔ Appuyer sur Ctrl+Maj+F12.

L'impression sélective

La boîte de dialogue Imprimer contient des zones intitulées Etendue et Impression ; elles permettent de définir la quantité d'informations à imprimer, le nombre de pages, la zone couverte, etc. Voici ces options :

- **Tout :** Lorsque ce bouton radio est sélectionné, toutes les pages du document seront imprimées. Comme c'est le choix par défaut, vous n'aurez à le sélectionner que si auparavant vous avez imprimé une partie d'un document en activant l'option Page(s).

- **Page(s) :** Normalement, Excel imprime toutes les pages nécessaires pour coucher sur papier les informations contenues dans les zones du classeur à imprimer. Parfois cependant vous désirerez n'imprimer qu'une page ou seulement des pages qui ont été modifiées. Pour imprimer une seule page, entrez son numéro dans les deux champs De et à, ou utilisez les boutons rotatifs. Pour réimprimer un ensemble de pages, placez le numéro de la première page dans le champ De, et celui de la dernière page dans le champ à. Dès que vous entrez des chiffres dans l'un des deux champs, Excel désélectionne automatiquement le bouton radio Tout et sélectionne le bouton Page(s), dans la zone Etendue.

- **Sélection :** Sélectionnez ce bouton radio pour qu'Excel n'imprime que les cellules actuellement sélectionnées dans le classeur.

- **Feuilles sélectionnées :** Ce bouton est toujours sélectionné quelles que soient les feuilles actives du classeur. Cela revient en fait à imprimer les données présentes dans la feuille de calcul active. Pour imprimer d'autres feuilles du classeur lorsque ce bouton radio est sélectionné, maintenez la touche Ctrl enfoncée tout en cliquant sur l'onglet de la ou des feuilles de calcul. Pour sélectionner toutes les feuilles entre deux onglets, cliquez sur l'onglet de la première puis, touche Maj enfoncée, sur l'autre onglet ; Excel les sélectionne tous deux ainsi que les onglets qui se trouvent entre eux.

- **Classeur entier :** Quand ce bouton est sélectionné, Excel imprime toutes les données de chacune des feuilles de calcul du classeur.

- **Liste :** Si vous utilisez Excel pour préparer des listes de données desti-nées à un site Internet mis en place à l'aide de SharePoint Team Services (STS – site Internet spécial facilitant le partage de différents types de documents et d'informations), vous pouvez cliquer sur ce bouton radio pour imprimer une liste du classeur actif. (Pour en savoir plus sur la gestion dans Excel des listes de données d'un site Internet STS, reportez-vous au Chapitre 9.)

- ✔ **Nombre de copies :** Pour imprimer plusieurs exemplaires d'un rapport, indiquez-en le nombre dans la zone de texte Nombre de copies. Tapez-le ou utilisez le bouton rotatif.

- ✔ **Copies assemblées :** Quand cette option est active, vous obtenez un empilement de feuilles représentant le rapport complet, au lieu d'imprimer d'abord tous les exemplaires de la page 1, puis tous les exemplaires de la page 2, et ainsi de suite.

Après avoir configuré l'impression, vous pouvez envoyer la tâche vers l'imprimante en cliquant sur OK ou en appuyant sur Entrée. Pour utiliser une autre imprimante déclarée dans Windows (Excel indique l'imprimante courante dans la zone de texte Nom et donne accès aux autres au travers d'une liste déroulante), cliquez sur le bouton fléché à droite du champ Nom, et choisissez celle que vous désirez utiliser.

Définir et annuler la zone d'impression

Excel est doté d'une fonctionnalité spéciale appelée *Zone d'impression*. Accessible en choisissant Fichier/Zone d'impression/Définir, elle sert à définir une plage de cellules en tant que zone à imprimer. Après avoir défini cette zone, Excel l'imprime chaque fois que vous imprimez la feuille de calcul, que ce soit en cliquant sur le bouton Imprimer de la barre d'outils Standard ou via la boîte de dialogue Imprimer, ou en cliquant sur Fichier/Imprimer ou encore en appuyant sur les touches Ctrl+P. Rappelez-vous que chaque fois qu'une zone d'impression a été définie, elle seule peut être imprimée, quelles que soient les options définies dans la boîte de dialogue Imprimer, et cela jusqu'à ce que la zone d'impression ait été purgée.

Pour annuler la zone d'impression (et rétablir ainsi la configuration par défaut de la boîte de dialogue Imprimer), cliquez sur Fichier/Zone d'impression/Annuler.

Une zone d'impression peut aussi être définie et annulée à partir de l'onglet Feuille de la boîte de dialogue Mise en page (voir la section "Mettre en page"). Pour la définir à partir de cette boîte de dialogue, placez le curseur dans la zone de texte Zone d'impression, puis sélectionnez une plage de cellules dans la feuille de calcul (rappelez-vous qu'il est possible de réduire considérablement la boîte de dialogue en cliquant sur l'icône à droite de la zone de texte). Pour annuler la zone d'impression, sélectionnez son adresse dans la zone de texte Zone d'impression et appuyez sur la touche Suppr.

Mettre en page

Lors d'une impression, la seule opération quelque peu compliquée concerne l'arrangement des pages. Fort heureusement, les options de la boîte de dialogue Mise en page permettent de contrôler très étroitement ce qui se passe sur une page. Pour l'afficher, choisissez Fichier/Mise en page dans la barre de menus, ou cliquez sur le bouton Page si la fenêtre de l'Aperçu avant impression est ouverte. La boîte de dialogue Mise en page contient quatre onglets : Page, Marges, En-tête/Pied de page et Feuille.

Les options sous l'onglet Page diffèrent légèrement selon le type d'imprimante utilisé. Les paramètres de la Figure 5.4 sont ceux d'une imprimante à jet d'encre ou laser.

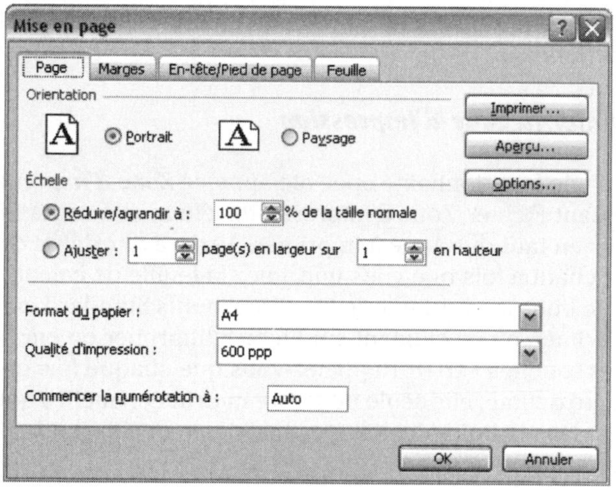

Figure 5.4
Sélectionnez ici les options d'impression à appliquer à la mise en page.

Pour la plupart des imprimantes, l'onglet Page de la boîte de dialogue Mise en page contient des options permettant de changer l'orientation du papier et l'échelle de l'impression, et de choisir la taille du papier ainsi que la qualité de l'impression :

✔ **Orientation :** Sélectionnez le bouton radio Portrait pour orienter le papier en hauteur, ou le bouton radio Paysage pour l'orienter en largeur (reportez-vous à la section suivante, "Elargir le paysage").

✔ **Echelle :** Cette zone de l'onglet Page contient les options d'agrandissement et de réduction de l'impression ainsi que la commande qui permet
de faire entrer l'impression dans un nombre de pages imparti.

> **Réduire/agrandir à :** Cette option fait varier la taille de l'impression
> selon un pourcentage, un peu à la manière de la fonction de zoom
> d'une feuille de calcul. La valeur 100 % représente la taille normale.
> Une valeur supérieure à 100 agrandit l'impression (la page imprimée
> contient moins d'informations), une valeur inférieure à 100 la réduit.

> **Ajuster :** Sélectionnez ce bouton radio pour faire tenir toute l'impres-
> sion dans une seule page (par défaut) ou dans un certain nombre de
> pages en hauteur et un certain nombre de pages en largeur (reportez-
> vous à la section "Tout faire tenir dans une seule page", plus loin
> dans ce chapitre).

✔ **Format du papier :** Choisissez un format de papier dans le menu dérou
lant. Cette liste contient tous les formats que votre imprimante est
capable de gérer.

✔ **Qualité d'impression :** Certaines imprimantes, comme les imprimantes
matricielles, acceptent de modifier la qualité de l'impression, permettant ainsi d'obtenir une sortie brouillon ou de qualité. Choisissez le type
de sortie dans cette liste (*NdT* : les qualités proposées sont exprimées
en points par pouce).

✔ **Commencer la numérotation à :** Indiquez ici le numéro de la première
page s'il est différent de 1. Cette option ne fonctionne que si vous avez
configuré l'en-tête ou le pied de page. Par défaut, Excel applique une
numérotation automatique (Auto) qui commence par le numéro de
page 1 à la page 1. Si la pagination doit commencer à un autre numéro,
entrez la valeur ici (voir la section "De la tête au pied", plus loin dans ce
chapitre).

✔ **Options :** Ce bouton donne accès à la boîte de dialogue des propriétés
propres à l'imprimante sélectionnée. Selon le modèle et le type d'imprimante sélectionné, cette boîte de dialogue peut comporter des onglets
comme Papier, Disposition, Options du périphérique ou PostScript (le
langage de description de page utilisé par les imprimantes laser). Leur
contenu sert à affiner la configuration en spécifiant notamment le bac à
papier à utiliser, la qualité graphique, la sortie PostScript, etc.

Elargir le paysage

Pour la plupart des imprimantes (matricielles, à jet d'encre, laser...), l'onglet Page de la boîte de dialogue Mise en page propose des options Orientation qui permettent de choisir entre le mode Portrait (mode normal, appelé aussi "à la française", dans lequel la page est orientée en hauteur) et le mode Paysage (appelé aussi "à l'italienne", dans lequel le papier est imprimé en largeur). Avec ces imprimantes, vous pouvez utiliser les options Réduire/agrandir à, ainsi qu'Ajuster (voir la section "Tout faire tenir dans une page", plus loin dans ce chapitre), pour régler l'échelle de l'impression et imprimer une page agrandie ou réduite pour faire tenir toutes les informations dans une seule page.

Beaucoup de feuilles de calcul sont plus larges que hautes. C'est le cas des budgets ou des chiffres de ventes qui s'étalent sur les douze mois de l'année. Si votre imprimante est capable d'imprimer en largeur, vos feuilles de calcul auront meilleure allure si vous passez du mode d'impression normal (qui ne montre qu'un nombre réduit de colonnes) au mode Paysage.

La Figure 5.5 montre la fenêtre de l'Aperçu avant impression contenant la première page d'un rapport en mode Paysage. Dans ce mode, Excel arrive à placer trois colonnes de plus sur la page qu'en mode Portrait. Mais, comme le mode Paysage affiche moins de lignes, la quantité totale des pages peut être supérieure à celle en mode Portrait (ce n'est pas toujours le cas).

Tout faire tenir dans une seule page

Si votre imprimante gère les options d'échelle, vous arriverez à faire tenir une feuille de calcul dans une seule page, en sélectionnant simplement dans la boîte de dialogue Mise en page le bouton radio Ajuster. Excel calcule alors automatiquement la réduction qu'il doit appliquer à l'impression pour que toutes les informations tiennent dans une seule page.

Si, en visionnant l'aperçu de cette page, vous vous êtes rendu compte que les données sont trop petites pour être lues confortablement, retournez sous l'onglet Page de la boîte de dialogue Mise en page (choisissez Fichier/Mise en page) et essayez de modifier le nombre de pages dans la zone de texte *n* page(s) en largeur sur *n* en hauteur, juste à droite du bouton radio Ajuster.

Par exemple, au lieu d'essayer de tout bourrer dans une seule page, voyez ce que donne la feuille de calcul sur deux pages. Essayez par exemple **2** pages en largeur et laissez le nombre de pages en hauteur sur 1. Ou encore, pour une présentation en hauteur, laissez le nombre de pages en largeur sur 1 et entrez **2** pour le nombre en hauteur.

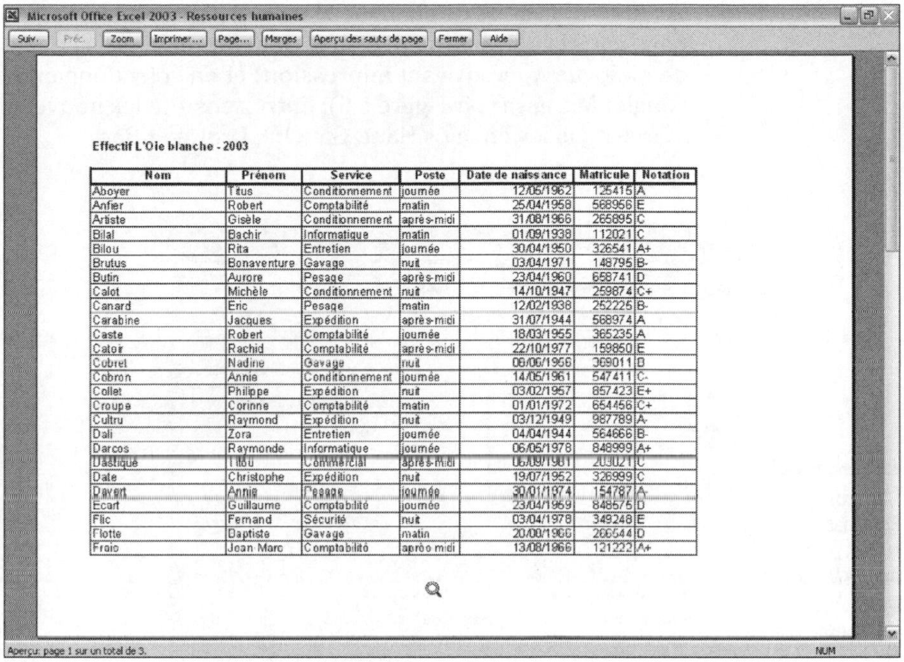

Microsoft Office Excel 2003 - Ressources humaines

| Suiv... | Préc. | Zoom | Imprimer... | Page... | Marges | Aperçu des sauts de page | Fermer | Aide |

Effectif L'Oie blanche - 2003

Nom	Prénom	Service	Poste	Date de naissance	Matricule	Notation
Aboyer	Titus	Conditionnement	journée	12/05/1962	125415	A
Anfier	Robert	Comptabilité	matin	25/04/1958	568956	E
Artiste	Gisèle	Conditionnement	après-midi	31/08/1966	265895	C
Bilal	Bachir	Informatique	matin	01/09/1938	112021	C
Bilou	Rita	Entretien	journée	30/04/1950	326541	A+
Brutus	Bonaventure	Gavage	nuit	03/04/1971	148795	B-
Butin	Aurore	Pesage	après-midi	23/04/1960	658741	D
Calot	Michèle	Conditionnement	nuit	14/10/1947	259874	C+
Canard	Eric	Pesage	matin	12/02/1938	252225	B-
Carabine	Jacques	Expédition	après-midi	31/07/1944	568974	A
Caste	Robert	Comptabilité	journée	18/03/1955	365235	A
Cator	Rachid	Comptabilité	après-midi	22/10/1977	159850	E
Cobret	Nadine	Gavage	nuit	06/06/1958	069011	D
Cobron	Annie	Conditionnement	journée	14/05/1961	547411	C-
Collet	Philippe	Expédition	nuit	03/02/1967	857423	E+
Croupe	Corinne	Comptabilité	matin	01/01/1972	654456	C+
Cultru	Raymond	Expédition	nuit	03/12/1949	987789	A-
Dali	Zora	Entretien	journée	04/04/1944	564666	B-
Darcos	Raymonde	Informatique	journée	06/05/1978	848999	A+
Dastique	Titou	Commercial	après-midi	06/09/1981	209021	C
Date	Christophe	Expédition	nuit	19/07/1952	326999	C
Davert	Annie	Pesage	journée	30/01/1974	154787	A
Ecart	Guillaume	Comptabilité	journée	23/04/1969	848675	D
Flic	Fernand	Sécurité	nuit	03/04/1978	349248	E
Flotte	Baptiste	Gavage	matin	20/08/1966	265644	D
Fraic	Jean Marc	Comptabilité	après-midi	13/08/1966	121222	A+

Aperçu: page 1 sur un total de 3.   NUM

Figure 5.5
Aperçu avant
impression d'une
feuille de calcul
en mode
Paysage.

Après avoir utilisé l'option Ajuster, vous estimerez peut-être qu'il est inutile de changer l'échelle de l'impression. Annulez la mise à l'échelle en sélectionnant le bouton Réduire/agrandir à, juste au-dessus du bouton Ajuster, et entrez **100** % dans la zone de texte.

Du côté des marges

Excel applique une marge standard de 2,5 cm en haut et en bas de chaque page du rapport, et une marge standard de 2 cm à gauche et à droite.

Il vous arrivera souvent de constater qu'un rapport remplit entièrement une page et déborde très légèrement sur une seconde page presque vide. Pour récupérer ce débordement et tout faire tenir dans une seule page, vous pouvez modifier les marges. Pour faire tenir plus de colonnes, réduisez les marges gauche et droite ; pour récupérer quelques lignes, réduisez les marges haut et bas.

Les marges peuvent être réglées de deux façons :

✔ En ouvrant la boîte de dialogue Mise en page (choisissez Fichier/Mise en page dans la barre de menus ou cliquez sur le bouton Page dans la boîte de dialogue Aperçu avant impression) et en sélectionnant ensuite l'onglet Marges (voir Figure 5.6). Entrez ensuite les nouvelles tailles de marge dans les champs Haut, Gauche, Droite et Bas.

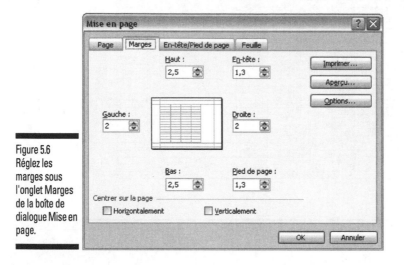

Figure 5.6
Réglez les
marges sous
l'onglet Marges
de la boîte de
dialogue Mise en
page.

✔ En ouvrant la fenêtre Aperçu avant impression, en cliquant sur l'onglet Marges et en tirant les repères de marges aux positions désirées (Figure 5.7).

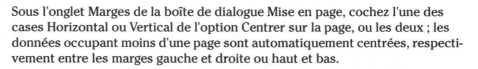

Sous l'onglet Marges de la boîte de dialogue Mise en page, cochez l'une des cases Horizontal ou Vertical de l'option Centrer sur la page, ou les deux ; les données occupant moins d'une page sont automatiquement centrées, respectivement entre les marges gauche et droite ou haut et bas.

Si vous accédez aux marges en cliquant sur le bouton Marges de la fenêtre Aperçu avant impression, vous pouvez aussi modifier la largeur des colonnes (référez-vous à la Figure 5.7). Pour régler une marge, placez le pointeur de la souris sur le repère de la marge à déplacer (le pointeur se transforme en double flèche), puis faites glisser la marge dans la direction désirée. Dès que le bouton de la souris est relâché, Excel redessine la page selon les nouvelles marges. Selon les réglages que vous effectuerez, vous gagnerez ou perdrez des colonnes ou des lignes.

Repère de marge d'en-tête

Repère de marge du haut

Repère de marge de gauche   Poignées de colonnes   Repère de marge de droite

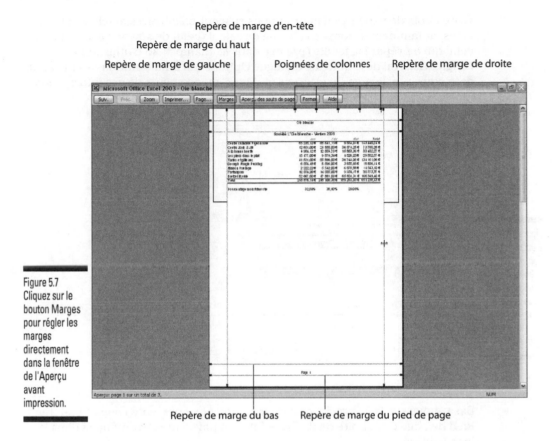

Figure 5.7
Cliquez sur le bouton Marges pour régler les marges directement dans la fenêtre de l'Aperçu avant impression.

Repère de marge du bas   Repère de marge du pied de page

De la tête au pied

Les *en-têtes* et les *pieds de page* sont des textes qui apparaissent dans chacune des pages d'un rapport. L'*en-tête* se trouve en haut des pages et le *pied de page* en bas. A moins que vous le demandiez expressément, Excel n'ajoute pas automatiquement les en-têtes et les pieds de page.

Mettez dans l'en-tête ou le pied de page le nom du rapport, ou encore la date de l'impression ou les numéros de page.

Créer une présentation standard

Pour ajouter un en-tête et/ou un pied de page à un classeur, cliquez sur l'onglet En-tête/Pied de page, dans la boîte de dialogue Mise en page (choisissez Fichier/Mise en page), puis entrez les informations dans les deux fenêtres visibles Figure 5.8. Chacune des listes déroulantes de ces fenêtres propose un

vaste choix de variantes d'informations susceptibles d'êtres affichées et imprimées, notamment le nom de la feuille de calcul (celui de son onglet), le nom de
celui qui a préparé la feuille (prélevé dans le champ Nom d'utilisateur de
l'onglet Général de la boîte de dialogue Options), la numérotation des pages, la
date courante, le nom du classeur et divers agencements de ces informations.

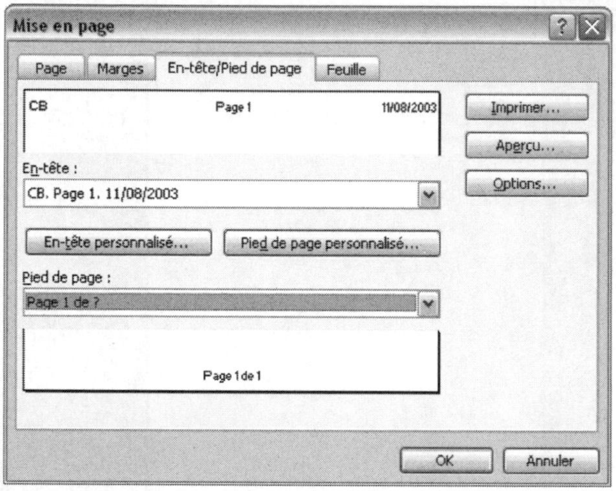

Figure 5.8
L'onglet En-tête/
Pied de page de
la boîte de
dialogue Mise en
page propose
divers en-têtes
et pieds de page
prédéfinis.

Basez-vous sur la Figure 5.8 pour voir comment se présente l'onglet En-tête/
Pied de page de la boîte de dialogue Mise en page après avoir choisi dans la
liste l'option :

```
CB; Page 1; 11/08/2003
```

"CB" est le nom de la société tel qu'il a été déclaré dans Windows. Page 1 est
une numérotation de page automatique. La date est prélevée par Excel dans les
options Date/Heure du Panneau de configuration de Windows.

Pour le pied de page, l'option suivante a été choisie dans la liste déroulante de
la fenêtre correspondante :

```
Page 1 de ?
```

Le point d'interrogation est un substitut pour le nombre total de pages de la
feuille de calcul repéré par Excel. Cette option de pagination peut être sélectionnée à la fois pour l'en-tête et pour le pied de page.

Observez Figure 5.9 ce que donnent ces en-têtes et pieds de page à la première
page de l'Aperçu avant impression du rapport contenant l'effectif 2003 de la

société L'Oie blanche. Ils apparaissent tels qu'ils seront imprimés. Vous pouvez vérifier dans chaque page, en cliquant sur le bouton Suiv., que l'en-tête est répété tandis que le pied de page devient tour à tour Page 1 de 3, Page 2 de 3, et ainsi de suite.

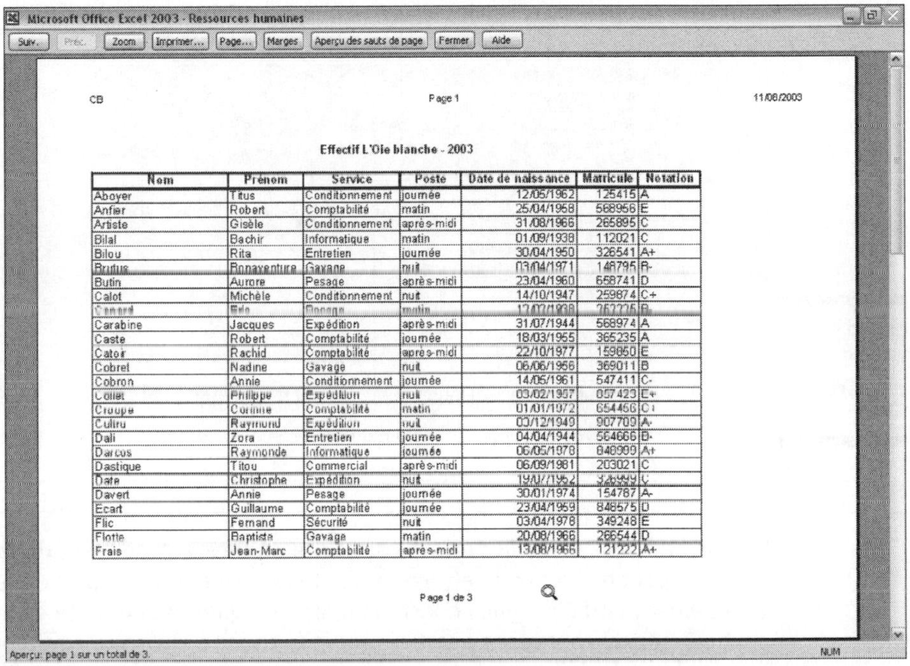

Figure 5.9
L'Aperçu avant impression montre, pour chaque page, comment l'en-tête et le pied de page seront imprimés.

Si, après avoir sélectionné une information d'en-tête ou de pied de page, vous décidez qu'elle n'est plus nécessaire, cliquez sur l'onglet En-tête/Pied de page dans la boîte de dialogue Mise en page, puis sélectionnez l'option Aucun, tout en haut de la liste des menus déroulants de la fenêtre En-tête ou Pied de page.

Définir un en-tête ou un pied de page personnalisé

Les en-têtes et pieds de page prédéfinis que proposent les listes répondent à la plupart des besoins, mais pas toujours. Il vous arrivera de vouloir une autre présentation ou un autre contenu.

Dans ce cas, vous devrez cliquez sur le bouton En-tête personnalisé ou Pied de page personnalisé, dans la boîte de dialogue Mise en page, puis configurer votre propre en-tête ou pied de page contenant les informations que vous jugez utiles.

Quand vous cliquez sur le bouton En-tête personnalisé après avoir sélectionné des options, vous voyez apparaître la boîte de dialogue de la Figure 5.10.

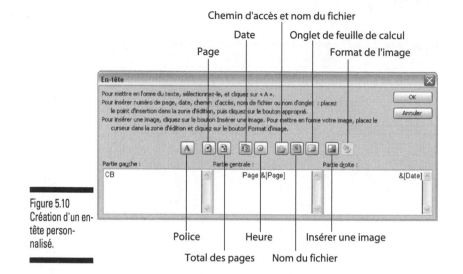

Figure 5.10
Création d'un en-tête personnalisé.

Remarquez que, dans la boîte de dialogue En-tête, l'en-tête est divisé en trois parties : gauche, centrale et droite. Tout texte que vous entrez dans la partie gauche est justifié (aligné) contre la marge de gauche. Le texte entré dans la partie centrale est centré entre les marges gauche et droite ; enfin, comme vous l'aurez deviné, tout texte entré dans la partie droite est justifié contre la marge de droite du rapport.

Utilisez la touche Tab pour passer d'une partie à une autre et sélectionner le contenu de chacune d'elles. Ou bien appuyez sur la touche Alt+lettre soulignée : U pour la partie gauche, C pour la partie centrale ou R pour la partie droite. Appuyez sur la touche Entrée pour effectuer un retour à la ligne. Pour supprimer le contenu d'une partie, sélectionnez-le et appuyez sur la touche Suppr.

Comme vous le constatez Figure 5.10, Excel utilise des codes quelque peu ésotériques précédés d'une perluète – appelée aussi "et commercial" – comme &[Date" et Page &[Page" dans les parties centrale et droite de la boîte de dialogue. Lorsque vous créez un en-tête – ou un pied de page – personnalisé, vous pouvez mêler ces codes à perluète avec du texte standard (comme *Pour vos beaux yeux seulement*). Cliquez sur les boutons suivants pour insérer des codes à perluète dans les parties d'un en-tête ou d'un pied de page :

✔ **Page :** Insère le code &[Page" qui affiche le numéro de page courant.

✔ **Total page :** Insère le code &[Pages" qui indique le nombre total de pages du rapport. Procédez comme suit pour qu'Excel affiche Page 1 de 4 :

1. **Tapez le mot** Page **et appuyez sur la barre Espace.**

2. **Cliquez sur le bouton Page et appuyez de nouveau sur la barre Espace.**

3. **Tapez le mot** de **et appuyez une troisième fois sur la barre Espace.**

   Le code Page &[Page" de &[Pages" est inséré dans l'en-tête ou le pied de page personnalisé.

✔ **Date :** Insère le code &[Date" qui affiche la date courante.

✔ **Heure :** Insère le code &[Heure" qui affiche l'heure courante.

✔ **Chemin d'accès et nom du fichier :** Insère le code &[Chemin d'accès"&[Fichier" qui affiche le chemin ainsi que le nom de fichier du classeur.

✔ **Nom de fichier :** Insère le code &[Fichier" qui affiche le nom de fichier du classeur.

✔ **Onglet de feuille :** Insère le code &[Onglet" qui affiche le nom figurant sur l'onglet de la feuille de calcul.

✔ **Insérer image :** Insère le code &[Image" qui affiche l'image sélectionnée dans la boîte de dialogue Insérer une image (par défaut, l'image est recherchée dans le dossier Mes images).

✔ **Format de l'image :** Cliquez sur ce bouton pour appliquer au code &[Image" existant les paramètres configurés dans la boîte de dialogue Format de l'image.

Outre l'insertion de perluètes dans les en-têtes et pieds de page, vous pouvez sélectionner une nouvelle police, taille ou style de police en cliquant sur le bouton Police de la boîte de dialogue En-tête. Excel ouvre alors la boîte de dialogue Police dans laquelle vous pourrez configurer la police et lui attribuer des effets spéciaux tels que barré, indice ou exposant.

Après avoir procédé à la personnalisation, cliquez sur OK pour fermer la boîte de dialogue En-tête ou Pied de page et revenir dans la boîte de dialogue Mise en page, où vous pourrez contempler le fruit de votre dur labeur dans les fenêtres d'aperçu.

Définir l'impression des feuilles

L'onglet Feuille de la boîte de dialogue Mise en page (Figure 5.11) contient diverses options d'impression qu'il est parfois utile de connaître :

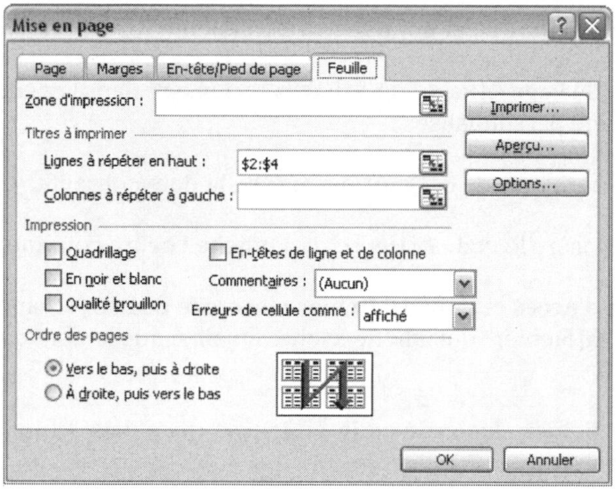

Figure 5.11
Définissez
l'impression des
titres d'un
rapport sous
l'onglet Feuille
de la boîte de
dialogue Mise en
page.

- **Zone d'impression :** Cette zone de texte contient la plage de cellules de la zone d'impression courante que vous aviez sélectionnée avec la commande Fichier/Zone d'impression/Définir, dans la barre de menus. Entrez ici d'éventuelles modifications de la plage de cellules à imprimer. Pour cela, sélectionnez cette zone de texte puis tirez un rectangle de sélection autour des cellules, ou tapez les références d'une plage de cellules en les séparant par des points-virgules comme A1:G72;K50:M75. Si nécessaire, pour mieux voir la feuille de calcul, réduisez la boîte de dialogue Mise en page en cliquant sur le bouton de réduction, à droite de la zone de texte.

  Utilisez l'option Zone d'impression lorsque le classeur contient une partie que vous imprimez systématiquement afin de ne plus avoir chaque fois à la définir.

- **Titres à imprimer :** Cette zone de l'onglet Feuille sert à définir la répétition des colonnes et des lignes d'une page imprimée à une autre.

Lignes à répéter en haut : Utilisez cette option pour indiquer quelles lignes de la feuille de calcul doivent être considérées comme des titres qui doivent apparaître en haut de chacune des pages imprimées (voir la section "Définir l'impression des titres", un peu plus loin). Sélectionnez cette zone de texte puis tirez dans la feuille de calcul pour définir une plage, ou entrez une référence de ligne comme 2:3. Si nécessaire, lors de la sélection des lignes, réduisez la boîte de dialogue Mise en page pour dégager l'écran ; pour ce faire, cliquez sur le bouton Réduire la boîte de dialogue, à droite du champ Lignes à répéter en haut.

Colonnes à répéter à gauche : Utilisez cette option pour indiquer les colonnes qui doivent être considérées comme des titres à imprimer sur chaque page du rapport (voir la section "Définir l'impression des titres", un peu plus loin). Sélectionnez cette zone de texte puis tirez dans la feuille de calcul pour définir une plage, ou entrez une référence de colonnes comme A:B. Si nécessaire, réduisez la boîte de dialogue Mise en page pour dégager l'écran ; pour ce faire, cliquez sur le bouton Réduire la boîte de dialogue, à droite du champ Colonnes à répéter à gauche.

✔ **Impression :** Cochez les cases de cette zone pour imposer une mise en forme, incorporer des commentaires et définir l'affichage des erreurs dans les cellules.

Quadrillage : Cochez cette case ou non pour imprimer ou ne pas imprimer le quadrillage des cellules.

En noir et blanc : Quand cette case est cochée, Excel imprime les différentes couleurs affectées aux cellules en noir. Cochez cette case lorsque vous utilisez Excel avec un moniteur en couleurs mais que les textes et les graphismes doivent être imprimés avec une imprimante en noir et blanc ; autrement, les couleurs sont traduites en niveaux de gris.

Qualité brouillon : Quand cette case est cochée, Excel n'imprime pas le quadrillage des cellules, et ce même si l'option Quadrillage est cochée. Quelques graphismes ne sont pas imprimés. Sélectionnez cette option lorsque vous désirez obtenir rapidement une sortie imprimante assez grossière, mais suffisante pour vérifier les textes et les chiffres.

En-têtes de ligne et de colonne : Cochez cette case pour qu'Excel imprime les en-têtes des lignes et des colonnes sur chaque page du rapport, ce qui facilite la localisation des informations (pour un exemple, voir la section "Imprimer les formules", plus loin dans ce chapitre).

Commentaires : Lorsque vous sélectionnez dans le menu déroulant l'option A la fin de la feuille ou Tel que sur la feuille, Excel imprime le texte des commentaires attachés aux cellules. Si vous sélectionnez l'option A la fin de la feuille, les notes sont toutes imprimées à la fin du rapport. Si vous choisissez Tel que sur la feuille, Excel n'imprime que les commentaires actuellement affichés dans la feuille de calcul (détails dans le Chapitre 6).

Erreurs de cellule comme : Quand vous sélectionnez <vide>, – ou #N/A dans le menu déroulant, Excel n'affiche pas les valeurs d'erreur affichées dans la feuille de calcul (reportez-vous au Chapitre 2 pour connaître les valeurs d'erreur et savoir dans quelles conditions elles apparaissent). Il remplace les valeurs d'erreur produites par des formules erronées par des cellules vides.

✔ **Ordre des pages :** Cette zone comporte deux boutons radio :

Vers le bas, puis à droite : C'est l'ordre par défaut, dans lequel Excel imprime d'abord en descendant en bas des colonnes, puis il continue par la colonne de papier voisine, et ainsi de suite.

A droite, puis vers le bas : Si cette option est sélectionnée, Excel imprime les pages les unes à côté des autres, puis il descend d'une page et poursuit ainsi.

Définir l'impression des titres

Les options de la zone Titres à imprimer, sous l'onglet Feuille de la boîte de dialogue Mise en page, permettent de répéter des lignes ou des colonnes sur chacune des pages imprimées. Excel appelle ces lignes et ces colonnes *Titres à imprimer*. Ne les confondez pas avec l'en-tête d'un rapport. Bien que tous deux apparaissent sur toutes les pages, les en-têtes sont imprimés dans la marge supérieure alors que les titres à imprimer apparaissent toujours dans le corps du rapport, que ce soit en haut dans le cas des lignes ou à gauche dans le cas des colonnes.

Procédez comme suit pour définir les titres à imprimer :

1. **Ouvrez la boîte de dialogue Mise en page en choisissant, dans la barre de menus, Fichier/Mise en page.**

La Figure 5.11 montre la boîte de dialogue qui apparaît.

2. **Sélectionnez l'onglet Feuille.**

   Pour indiquer les lignes à considérer comme des titres à imprimer, allez à l'Etape 3a. Pour indiquer des colonnes, allez à l'Etape 3b.

3a. **Placez le point d'insertion dans la zone de texte Lignes à répéter en haut, puis tracez un rectangle de sélection autour des lignes contenant les informations à faire apparaître en haut de chaque page de la feuille de calcul. Si nécessaire, réduisez la boîte de dialogue Mise en page en cliquant sur le bouton Réduire la boîte de dialogue, à droite du champ Lignes à répéter en haut.**

   Dans la Figure 5.11, la boîte de dialogue Mise en page avait été réduite, après quoi un rectangle de sélection avait été tiré autour des lignes 2 et 4, d'où les références $2:$4 qui apparaissent dans le champ Lignes à répéter en haut.

   Remarquez qu'Excel signale les lignes considérées comme titres à imprimer en les entourant d'un pointillé animé (identique à celui d'un rectangle de sélection).

3b. **Placez le point d'insertion dans la zone de texte Colonnes à répéter à gauche, puis tracez un rectangle de sélection autour des colonnes contenant les informations à faire apparaître à gauche de chaque page de la feuille de calcul. Si nécessaire, réduisez la boîte de dialogue Mise en page en cliquant sur le bouton Réduire la boîte de dialogue, à droite du champ Lignes à répéter en haut.**

   Remarquez qu'Excel signale les colonnes considérées comme titres à imprimer en les entourant d'un pointillé animé (identique à celui d'un rectangle de sélection).

4. **Cliquez sur OK ou appuyez sur Entrée pour fermer la boîte de dialogue Mise en page.**

   Après avoir fermé la boîte de dialogue Mise en page, la ligne en pointillé qui matérialise les titres à imprimer disparaît.

Dans la Figure 5.11, les lignes 2 et 4 avaient été définies comme titres à imprimer pour la feuille des clients internationaux. La Figure 5.12 montre l'aperçu avant impression de la dernière page de la liste de l'effectif 2003 : remarquez le report des lignes 2 et 4, qui sont répétées sur chaque page.

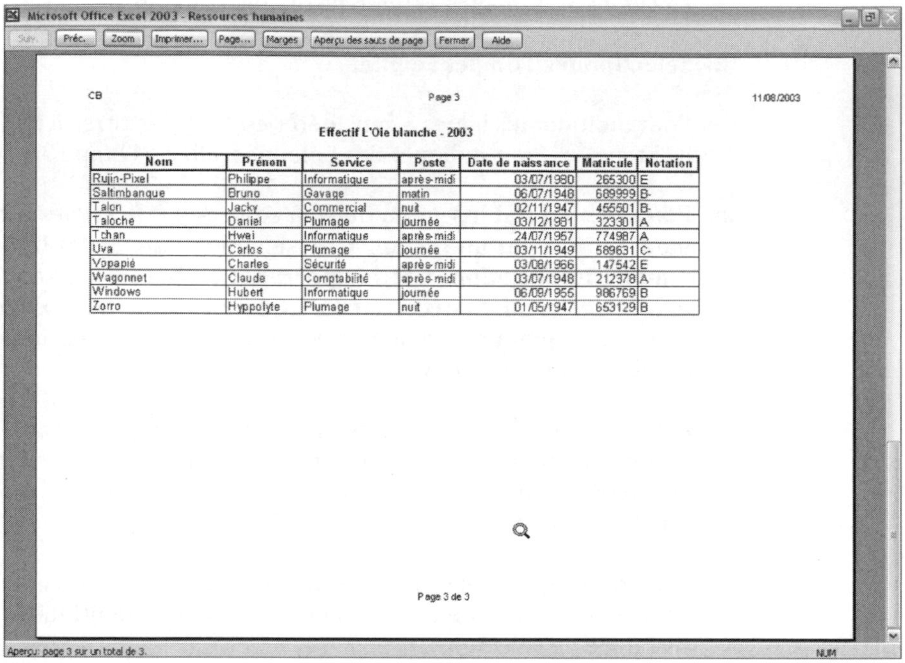

Figure 5.12
Les deux lignes de titre à imprimer sont répétées de page en page, jusqu'à la dernière (ici, la page 3).

Pour supprimer les titres à imprimer, si vous n'en avez plus besoin, ouvrez l'onglet Feuille de la boîte de dialogue Mise en page, supprimez les références dans les champs Lignes à répéter en haut ou Colonnes à répéter à gauche, puis cliquez sur OK ou appuyez sur Entrée.

Sauts de page

Il arrive parfois qu'à l'impression d'un rapport Excel place des informations sur des pages différentes alors que vous auriez préféré qu'elles restent ensemble.

La Figure 5.13 montre une feuille de calcul en mode Aperçu des sauts de page, avec un exemple de saut de page maladroit que nous pourrons corriger interactivement. Ce saut de page sépare le nom du service du type de poste occupé, ce qui n'est pas souhaitable. Il vaut mieux qu'ils soient réunis sur une même page.

Pour éviter que la colonne Poste soit imprimée sur une autre page que la colonne Service, vous devrez déplacer le saut de page vers la droite. Vous le placerez en l'occurrence entre les colonnes D (Poste) et E (Date de naissance),

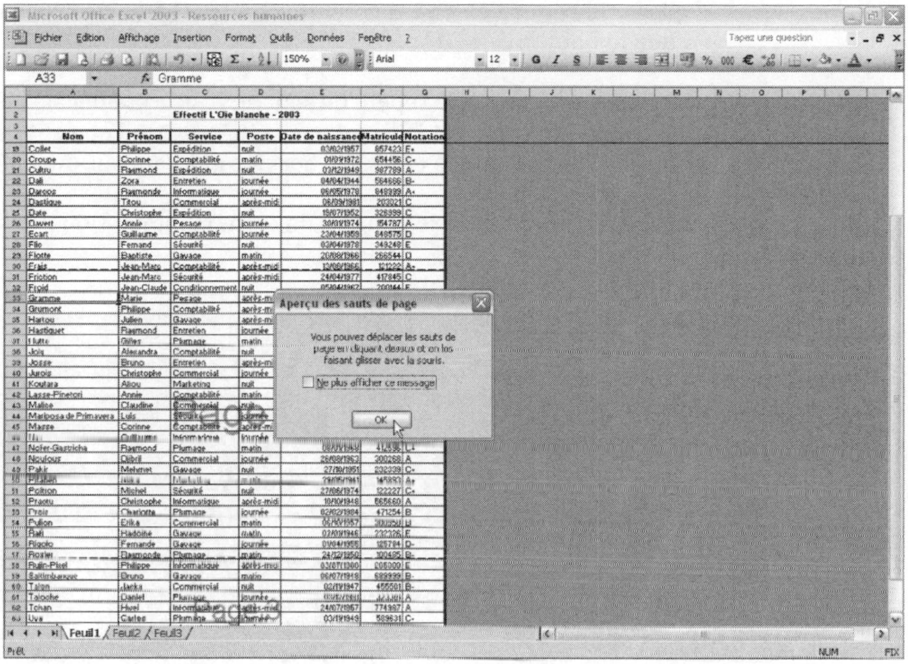

Figure 5.13
Aperçu des
sauts de page
d'une feuille de
calcul.

afin que les colonnes Service et Poste se retrouvent toutes deux sur la même page. Voici comment vous devez procéder :

1. **Dans la barre de menus, choisissez Affichage/Aperçu des sauts de page.**

   Excel passe en mode Aperçu des sauts de page qui montre les données sous une forme réduite (à 60 % dans la Figure 5.13), avec les numéros de page apparaissant en grand au milieu de chaque page et les sauts de page matérialisés par des traits épais entre les colonnes et les lignes.

   La première fois que vous choisissez cette commande, Excel affiche la boîte d'alerte Aperçu des sauts de page (voir Figure 5.13). Pour éviter qu'elle ne surgisse chaque fois que vous passez en mode Aperçu des sauts de page, cochez la case Ne plus afficher ce message avant de la refermer.

2. **Cliquez sur OK ou appuyez sur Entrée.**

3. **Placez le pointeur de la souris sur le repère de saut de page que vous désirez régler. Dès qu'il s'est transformé en double flèche, faites**

glisser le repère entre les colonnes ou les lignes désirées puis relâchez le bouton.

Dans notre exemple, le repère de saut de page a été décalé vers la droite, entre les colonnes D et E. Excel a ensuite appliqué un saut de page à cet endroit, réunissant les colonnes Service et Poste sur une même page.

La Figure 5.14 montre le résultat de cette manipulation.

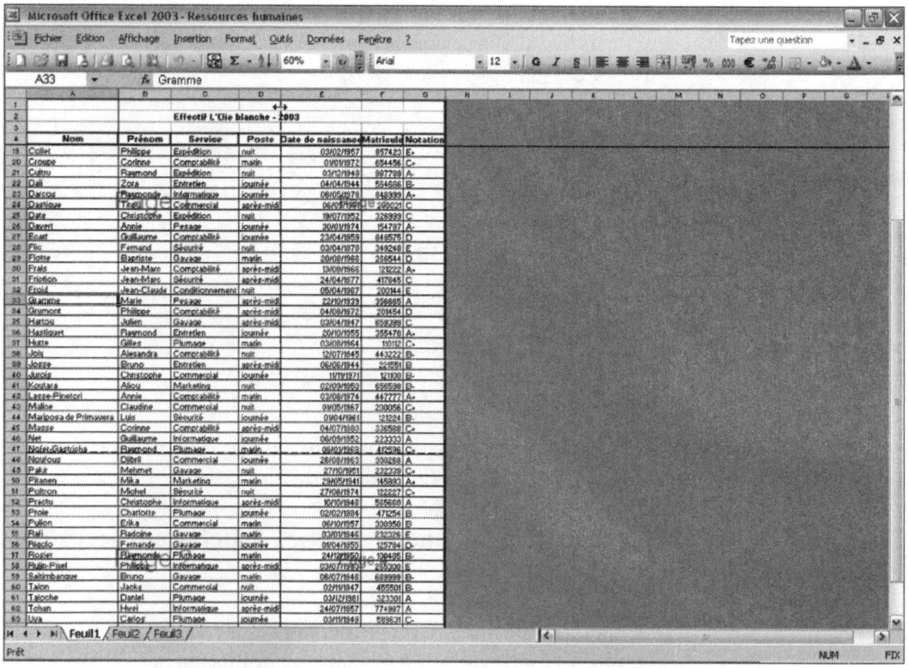

Figure 5.14
Le repère de saut de page a été placé à gauche de la colonne Date de naissance.

4. **Après avoir réglé les sauts de page, et probablement imprimé le rapport, choisissez Affichage/Normal pour rétablir la présentation habituelle de la feuille de calcul dans Excel.**

Imprimer les formules

De temps en temps, vous désirerez imprimer les formules d'une feuille de calcul plutôt que les résultats qu'elles produisent. Vous pourrez ainsi vérifier les formules sur une sortie imprimante pour vous assurer qu'elles n'ont pas été programmées en dépit du bon sens (références de cellules erronées, remplacement d'une formule par une valeur, etc.) avant de les envoyer à tous les cadres de la société.

Avant d'imprimer les formules, vous devez les afficher :

1. **Dans la barre de menus, choisissez Outils/Options.**

2. **Cliquez sur l'onglet Affichage.**

3. **Dans la zone Fenêtres, cochez la case Formules.**

4. **Cliquez sur OK ou appuyez sur Entrée.**

    En procédant ainsi, Excel affiche le contenu de chaque cellule tel qu'il apparaît dans la barre de formule, ou tel qu'il apparaît quand vous l'éditez. Remarquez que la mise en forme n'est pas affichée et que les formules longues ne débordent pas sur les cellules voisines ; Excel élargit automatiquement les colonnes pour faire tenir l'intégralité des formules.

Excel permet de basculer entre l'affichage normal et l'affichage des formules en appuyant sur Ctrl+" (guillemet, sur la touche 3 du clavier alphanumérique).

Une fois que les formules sont affichées dans la feuille de calcul, vous pouvez les imprimer comme vous le feriez pour n'importe quel rapport. Imprimez en même temps les en-têtes des lignes et des colonnes, afin que si vous détectiez une erreur vous puissiez aisément retrouver la cellule incriminée. Pour cela, avant d'imprimer, cochez la case Quadrillage dans l'onglet Feuille de la boîte de dialogue Mise en page.

Après avoir imprimé la feuille de calcul avec les formules, rétablissez l'affichage normal en accédant de nouveau à la boîte de dialogue Options et en ôtant la coche de l'option Formules, sous l'onglet Affichage, ou plus simplement encore en appuyant sur les touches Ctrl+".

Troisième partie
S'organiser et rester organisé

"Remarquable graphique Frank, mais qui ne s'impose pas vraiment."

Dans cette partie...

Dans le monde de l'entreprise qui est le nôtre, chacun sait combien il est nécessaire d'être organisé ; et combien il est difficile de le rester. Maintenir la cohérence de vos feuilles de calcul n'est pas moins important que de les avoir créées, et c'est parfois moins ardu.

Dans cette partie, vous apprendrez à vous y retrouver dans les données que vous avez entrées dans vos classeurs. Non seulement vous découvrirez dans le Chapitre 6 comment suivre l'évolution des informations contenues dans une feuille de calcul, mais encore, dans le Chapitre 7, comment jongler avec les données entre différentes feuilles de calcul et même entre classeurs.

Chapitre 6

Qu'est-ce qu'elle est embrouillée, cette feuille de calcul !

- -

Dans ce chapitre :

▶ Zoomer en avant et en arrière.

▶ Fractionner la fenêtre d'un classeur en deux ou quatre volets.

▶ Figer les lignes ou les colonnes des titres.

▶ Attacher un commentaire à une cellule.

▶ Nommer des cellules.

▶ Rechercher et remplacer des données.

▶ Chercher des informations en ligne depuis le Volet Office Rechercher

▶ Contrôler le recalcul d'une feuille.

▶ Protéger les feuilles de calcul.

- -

Chaque feuille de calcul d'Excel offre énormément de place pour vos informations, et par défaut chaque classeur ouvre trois feuilles. Mais, comme
un moniteur informatique ne peut en montrer qu'une petite partie, la maintenance de ces informations n'est pas une mince affaire.

Bien qu'Excel propose différents moyens de naviguer dans l'immensité d'une
feuille de calcul, il faut bien reconnaître que le système de coordonnées du
genre A1, B2..., quoique logique, est assez obscur pour le commun des mortels.
J'entends par là que dire "allez à la cellule IV88" n'est de loin pas aussi limpide
que de dire "allez à l'intersection de Bordeaux et Vin". Associer dans son esprit
le tableau d'amortissement de l'année 1988 avec la plage de cellules AC50:AN75
n'a rien d'évident.

Dans ce chapitre, vous découvrirez quelques techniques efficaces pour garantir la maintenance de vos informations. Vous apprendrez comment attirer l'attention sur une partie d'une feuille de calcul en zoomant dedans, ou comment diviser la fenêtre d'un document en plusieurs volets montrant simultanément diverses parties d'une même feuille, et aussi comment afficher en permanence certaines lignes et colonnes.

En outre, comme si tout cela n'était pas suffisant, vous verrez aussi comment ajouter des commentaires à des cellules, affecter un nom évocateur, en langage courant, à une plage de cellules, comme Bordeaux_et_Vin, ou encore comment utiliser les commandes Rechercher et Remplacer pour trouver une entrée, et au besoin la remplacer, dans une feuille de calcul. Enfin, vous apprendrez à contrôler Excel lorsqu'il recalcule une feuille et comment restreindre les possibilités de modification d'une feuille.

Coup de zoom sur les cellules

Bon... Qu'allez-vous faire si votre directeur traîne les pieds pour vous offrir l'écran 21 pouces qui vous éviterait d'user vos yeux sur de minuscules caractères à peine lisibles et de faire défiler la feuille à tout bout de champ parce que trop peu de cellules sont visibles ? Il ne vous reste plus qu'à recourir à la fonction Zoom. C'est une sorte de loupe que vous pouvez utiliser pour agrandir ou réduire l'affichage de la feuille de calcul.

La Figure 6.1 montre l'agrandissement d'une feuille de calcul à 200 %, soit le double de l'affichage normal. Pour appliquer ce rapport d'agrandissement à une feuille, déroulez le menu associé au bouton Zoom, dans la barre d'outils Standard, ou alors choisissez Affichage/Zoom dans la barre de menus, puis sélectionnez le bouton radio 200 % dans la boîte de dialogue Zoom. Une chose est sûre, c'est que vous n'aurez pas à mettre de lunettes pour lire le contenu des cellules ! Le seul problème avec un tel agrandissement est que vous ne voyez plus beaucoup de cellules à l'écran.

La Figure 6.2 montre la même feuille de calcul mais avec une réduction à 25 %, soit le quart de la taille normale. Pour obtenir cette valeur de zoom, déroulez le menu de la commande Zoom, dans la barre d'outils Standard, ou choisissez Affichage/Zoom et sélectionnez le bouton radio 25 %.

Avec une réduction à 25 %, la seule chose qui est sûre, c'est que plus rien n'est lisible ! Remarquez que cet affichage permet néanmoins de se rendre compte de l'étendue de la feuille de calcul.

Le menu déroulant Zoom et la boîte de dialogue Zoom proposent cinq rapports d'agrandissement et de réduction : 200 %, 100 % (taille d'affichage normale),

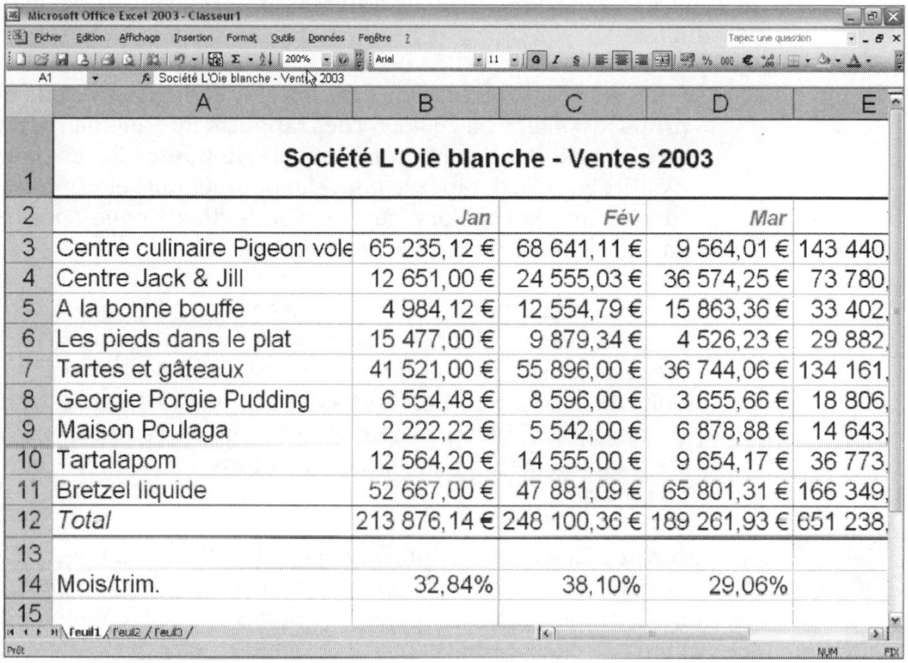

Figure 6.1
Zoom à 200 %
dans une feuille
de calcul.

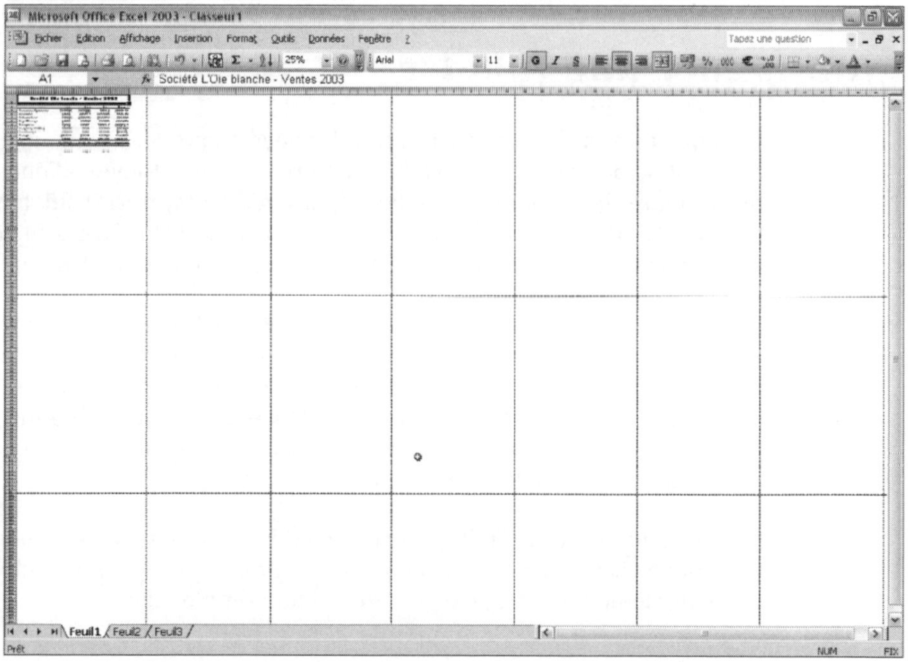

Figure 6.2
Feuille de calcul
dont l'affichage
est réduit à 25%.

75 %, 50 % et 25 %. Pour afficher d'autres rapports, vous avez deux possibilités :

✔ Pour utiliser d'autres rapports plus élevés ou plus réduits que ceux proposés (400 % ou 10 %), ou des rapports intermédiaires comme 150 % ou 85 %, cliquez dans la zone de texte du bouton Zoom dans la barre d'outils Standard, tapez le nouveau pourcentage et appuyez sur la touche Entrée. Ou alors, ouvrez la boîte de dialogue Zoom et entrez la valeur de zoom dans le champ Personnalisé.

✔ Si vous ne savez pas quel pourcentage il faut appliquer pour cadrer une plage de cellules donnée, sélectionnez cette plage puis, tout en bas du menu déroulant de l'outil Zoom, choisissez Sélection. Ou alors, dans la boîte de dialogue Zoom, choisissez l'option Ajusté à la sélection ; cliquez ensuite sur OK ou Entrée. Excel se charge de déterminer le rapport d'agrandissement ou de réduction nécessaire pour cadrer la sélection au plus près.

Vous pouvez utiliser la fonction Zoom pour localiser une plage de cellules et l'afficher. Sélectionnez d'abord un rapport de réduction assez fort, 50 % par exemple. Localisez ensuite la plage de cellules à laquelle vous voulez aller et sélectionnez une des cellules. Ensuite, remettez le Zoom à 100 % : le retour à l'affichage normal s'effectue par rapport à la cellule sélectionnée, qui apparaît à l'écran.

Fractionner une fenêtre

Bien que le zoom facilite l'accès aux données dispersées dans une feuille de calcul, il ne permet en rien d'afficher deux endroits éloignés d'une feuille afin de comparer leur contenu (du moins pas avec un rapport d'affichage normal). Pour contourner ce problème, vous pouvez diviser la fenêtre d'un document en deux volets distincts et faire défiler librement la feuille dans chacun d'eux.

Le fractionnement d'une fenêtre est facile. Regardez la Figure 6.3 qui montre une projection des revenus attendus par le Centre Jack & Jill après que la fenêtre a été fractionnée horizontalement en deux volets. Dans celui du bas, les lignes 12 à 15 sont masquées car la feuille a été remontée. Chaque volet possède ses propres barres de défilement, ce qui permet de les manipuler indépendamment l'un de l'autre.

Pour fractionner une feuille de calcul en deux volets supérieur et inférieur, vous devez actionner le *curseur de fractionnement* situé juste au-dessus de la barre de défilement verticale en procédant comme suit :

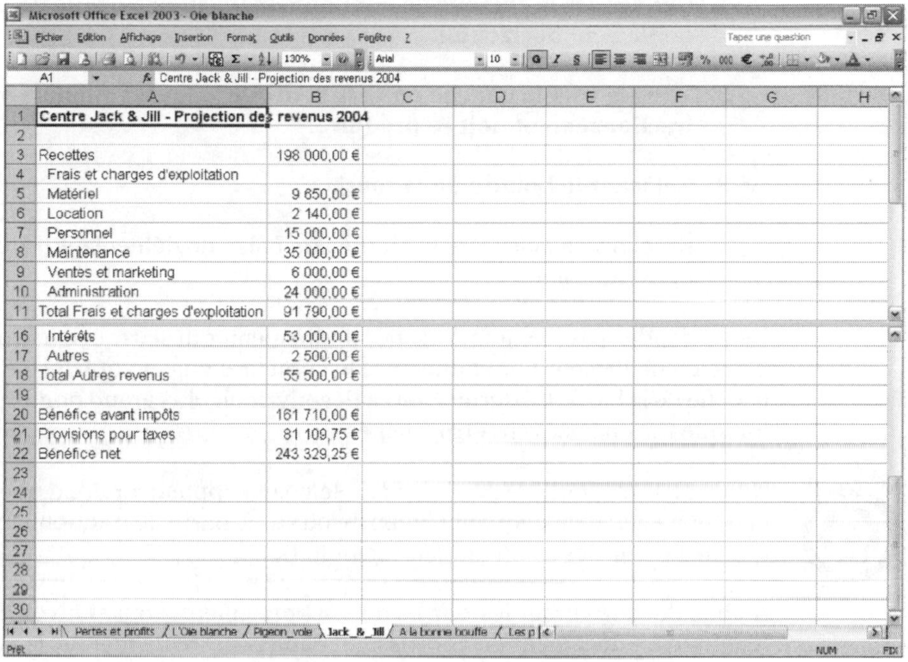

Figure 6.3
Fractionnement
de la fenêtre
d'un document.
Le volet du bas a
été remonté de
quelques lignes.

1. **Cliquez sur le curseur de fractionnement horizontal et maintenez le bouton de la souris enfoncé.**

   Le pointeur de la souris se transforme en une double barre à deux flèches, semblable à celle utilisée pour réafficher des lignes masquées.

2. **Tirez vers le bas jusqu'à ce que la barre de fractionnement se trouve à l'emplacement du fractionnement.**

   Une barre de fractionnement grise se déplace. Elle montre l'endroit où se produira le fractionnement.

3. **Relâchez le bouton de la souris.**

   Excel divise la fenêtre en deux volets horizontaux à l'emplacement de la barre de fractionnement. Une barre de défilement est ajoutée au nouveau volet.

Il est aussi possible de fractionner la fenêtre du document en deux volets gauche et droite en procédant ainsi :

1. **Cliquez sur le curseur de fractionnement situé à droite de la barre de défilement horizontal.**

2. **Tirez-le vers la gauche ou vers la droite jusqu'à l'emplacement où le fractionnement doit se produire.**

3. **Relâchez le bouton de la souris.**

    Excel divise la fenêtre et ajoute une barre de défilement horizontal au nouveau volet.

Ne confondez pas le curseur de fractionnement, qui se trouve à droite de la barre de défilement horizontal avec le curseur d'onglets qui, lui, se trouve à gauche de la barre. Ce dernier sert à découvrir un plus grand nombre d'onglets, lorsque tous ne peuvent être affichés.

Notez qu'il est possible de supprimer le volet supplémentaire d'une fenêtre de classeur, en double-cliquant n'importe où sur la barre de fractionnement plutôt que de la ramener à son emplacement initial.

Au lieu de faire glisser les barres de fractionnement, vous pouvez diviser la fenêtre d'un document en choisissant, dans la barre de menus, la commande Fenêtre/Fractionner. Le fractionnement s'effectue à l'emplacement du pointeur de cellule, à l'horizontale en haut du pointeur et à la verticale à gauche du pointeur, ce qui produit quatre volets. Pour ne diviser la fenêtre qu'en deux volets horizontaux, placez le pointeur dans une des cellules dans la première colonne visible à l'écran (celle qui est le plus à gauche), puis choisissez Fenêtre/Fractionner. Pour diviser la fenêtre en seulement deux volets verticaux, placez le pointeur dans la première ligne visible à l'écran (tout en haut), puis cliquez sur Fenêtre/Fractionner.

Quand vous placez le pointeur de cellule quelque part dans la feuille de calcul – mais ailleurs que dans la colonne de gauche ou la ligne du haut – et utilisez la commande Fenêtre/Fractionner, Excel divise la fenêtre en quatre volets à partir du bord gauche du pointeur et de son bord supérieur. Par exemple, si vous placez le pointeur dans la cellule C8 de la liste des effectifs et cliquez sur Fenêtre/Fractionner, une scission horizontale se produit entre les lignes 7 et 8 et une scission verticale entre les colonnes B et C, comme le montre la Figure 6.4.

Quand le pointeur de cellule est en A1, la commande Fenêtre/Fractionner divise la fenêtre en quatre volets égaux, quel que soit le rapport du zoom.

Après avoir fractionné la fenêtre en volets, vous pouvez déplacer le pointeur de cellule vers l'un des volets, soit en cliquant dedans, soit en appuyant sur les touches Maj+F6 (ce qui ramène le pointeur vers la dernière cellule occupée ou

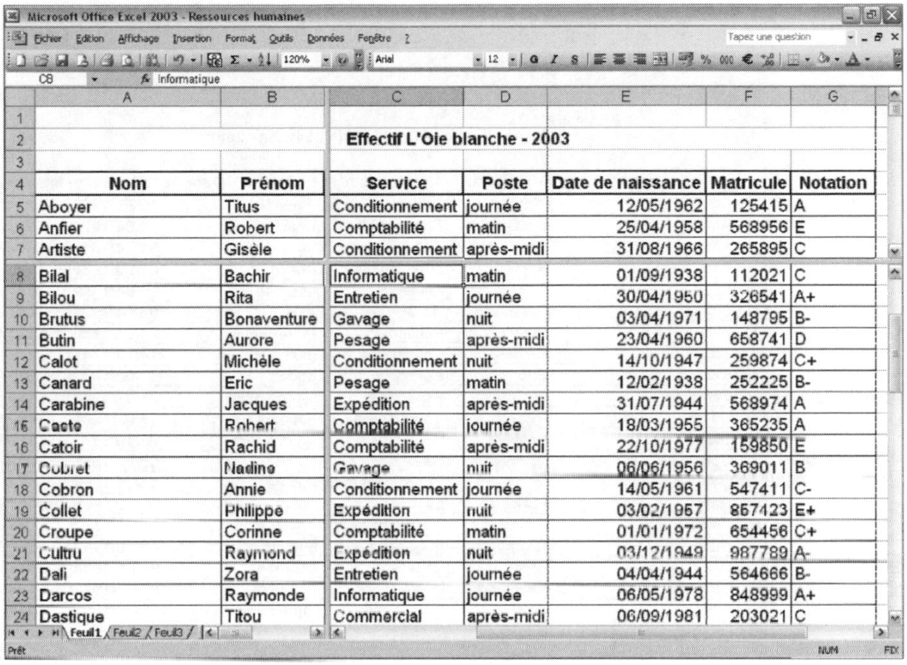

	A	B	C	D	E	F	G
1							
2			Effectif L'Oie blanche - 2003				
3							
4	Nom	Prénom	Service	Poste	Date de naissance	Matricule	Notation
5	Aboyer	Titus	Conditionnement	journée	12/05/1962	125415	A
6	Anfier	Robert	Comptabilité	matin	25/04/1958	568956	E
7	Artiste	Gisèle	Conditionnement	après-midi	31/08/1966	265895	C
8	Bilal	Bachir	Informatique	matin	01/09/1938	112021	C
9	Bilou	Rita	Entretien	journée	30/04/1950	326541	A+
10	Brutus	Bonaventure	Gavage	nuit	03/04/1971	148795	B-
11	Butin	Aurore	Pesage	après-midi	23/04/1960	658741	D
12	Calot	Michèle	Conditionnement	nuit	14/10/1947	259874	C+
13	Canard	Eric	Pesage	matin	12/02/1938	252225	B-
14	Carabine	Jacques	Expédition	après-midi	31/07/1944	568974	A
15	Cacto	Robert	Comptabilité	journée	18/03/1955	365235	A
16	Catoir	Rachid	Comptabilité	après-midi	22/10/1977	159850	E
17	Cobret	Nadine	Gavage	nuit	06/06/1956	369011	B
18	Cobron	Annie	Conditionnement	journée	14/05/1961	547411	C-
19	Collet	Philippe	Expédition	nuit	03/02/1957	857423	E+
20	Croupe	Corinne	Comptabilité	matin	01/01/1972	654456	C+
21	Cultru	Raymond	Expédition	nuit	03/12/1949	987789	A-
22	Dali	Zora	Entretien	journée	04/04/1944	564666	B-
23	Darcos	Raymonde	Informatique	journée	06/05/1978	848999	A+
24	Dastique	Titou	Commercial	après-midi	06/09/1981	203021	C

Figure 6.4 Fractionnement d'une fenêtre de classeur en quatre volets après avoir placé le pointeur de cellule dans la cellule C8.

tour à tour vers la cellule en haut à gauche de chaque volet, dans le sens horaire). Pour supprimer les volets, choisissez Fenêtre/Supprimer le fractionnement.

Figer les volets

Les volets sont parfaits pour visualiser simultanément plusieurs parties éloignées d'une feuille de calcul. Mais ils peuvent aussi servir à figer des titres, en haut de la feuille ou à gauche, de sorte que les données peuvent défiler tandis que les titres restent en place. Les volets figés sont particulièrement utiles pour les tableaux dont les données s'étendent loin au-delà des lignes et des colonnes affichées à l'écran.

La Figure 6.5 montre un tel tableau. La feuille de calcul contenant la liste des effectifs contient trop de lignes pour les afficher toutes à la fois, à moins de zoomer à un rapport prohibitivement faible. A titre indicatif, cette feuille de calcul comporte 67 lignes.

En divisant la fenêtre du document en deux volets entre les lignes 4 et 5, et en les figeant ensuite, les quatre premières lignes restent toujours visibles, permettant d'identifier facilement le contenu des différentes colonnes lors d'un défilement de la liste vers le bas. Si vous fractionnez les colonnes à droite de la colonne A, le nom des employés restera visible à l'écran même si vous faites défiler la liste vers la gauche.

Référez-vous à la Figure 6.5 pour voir la liste des employés après avoir divisé la fenêtre en quatre volets figés. Procédez comme suit pour figer des volets :

1. **Placez le pointeur dans la cellule B5.**

2. **Dans la barre de menus, choisissez Fenêtre/Figer les volets.**

   Dans notre exemple, Excel a figé les volets au-dessus de la ligne 5 et à gauche de la colonne B.

Quand Excel fige les volets, les barres de fractionnement se transforment en traits fins.

Voyez dans la Figure 6.6 ce qui se produit lors d'un défilement de la feuille de calcul, lorsque les volets sont figés. Dans cet exemple, la liste des employés a été déplacée jusqu'à la ligne 54, de sorte que toutes les données entre les lignes 54 et 67 sont visibles ; comme les titres ont été figés, ils restent eux aussi visibles. Dans le cas contraire, ils seraient remontés et auraient disparu de la vue en même temps que les données.

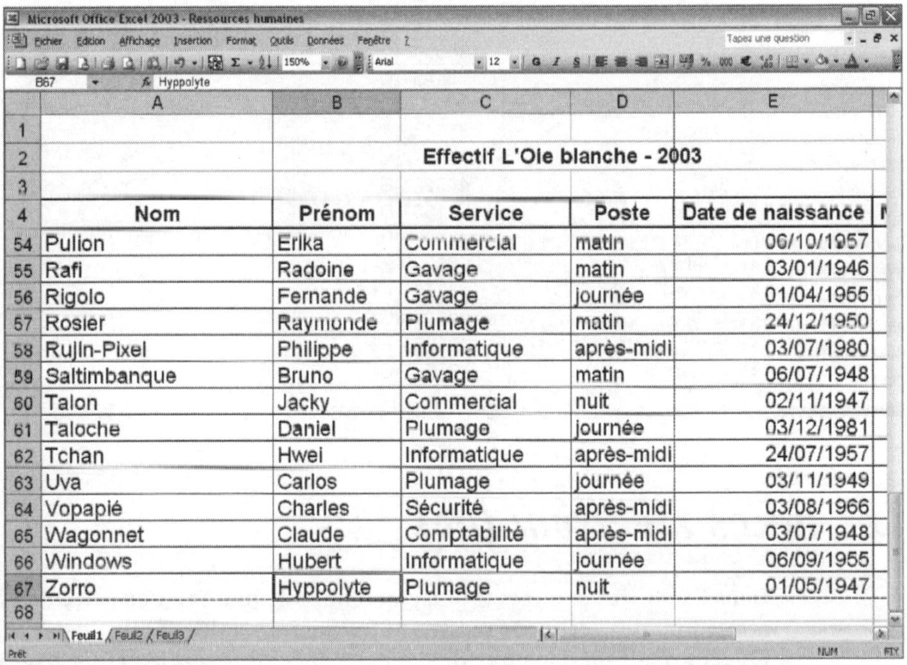

	A	B	C	D	E
4	Nom	Prénom	Service	Poste	Date de naissance
54	Pulion	Erika	Commercial	matin	06/10/1957
55	Rafi	Radoine	Gavage	matin	03/01/1946
56	Rigolo	Fernande	Gavage	journée	01/04/1955
57	Rosier	Raymonde	Plumage	matin	24/12/1950
58	Rujin-Pixel	Philippe	Informatique	après-midi	03/07/1980
59	Saltimbanque	Bruno	Gavage	matin	06/07/1948
60	Talon	Jacky	Commercial	nuit	02/11/1947
61	Taloche	Daniel	Plumage	journée	03/12/1981
62	Tchan	Hwei	Informatique	après-midi	24/07/1957
63	Uva	Carlos	Plumage	journée	03/11/1949
64	Vopapié	Charles	Sécurité	après-midi	03/08/1966
65	Wagonnet	Claude	Comptabilité	après-midi	03/07/1948
66	Windows	Hubert	Informatique	journée	06/09/1955
67	Zorro	Hyppolyte	Plumage	nuit	01/05/1947

Figure 6.6 Bien que la fin de la liste des employés ait été atteinte, les titres restent visibles en haut de la feuille de calcul.

Regardez dans la Figure 6.7 pour voir ce qui se passe lorsque le défilement de la feuille de calcul s'effectue vers la gauche : elle a été déplacée afin que les colonnes F et G apparaissent en même temps que la colonne A. Comme cette dernière a été figée, elle reste visible en permanence à l'écran, ce qui facilite l'identification des matricules et notations.

Pour que les volets d'une feuille de calcul ne soient plus figés, choisissez Fenêtre/Libérer les volets. Les traits fins sont remplacés par d'épaisses barres, indiquant que les volets ne sont plus figés.

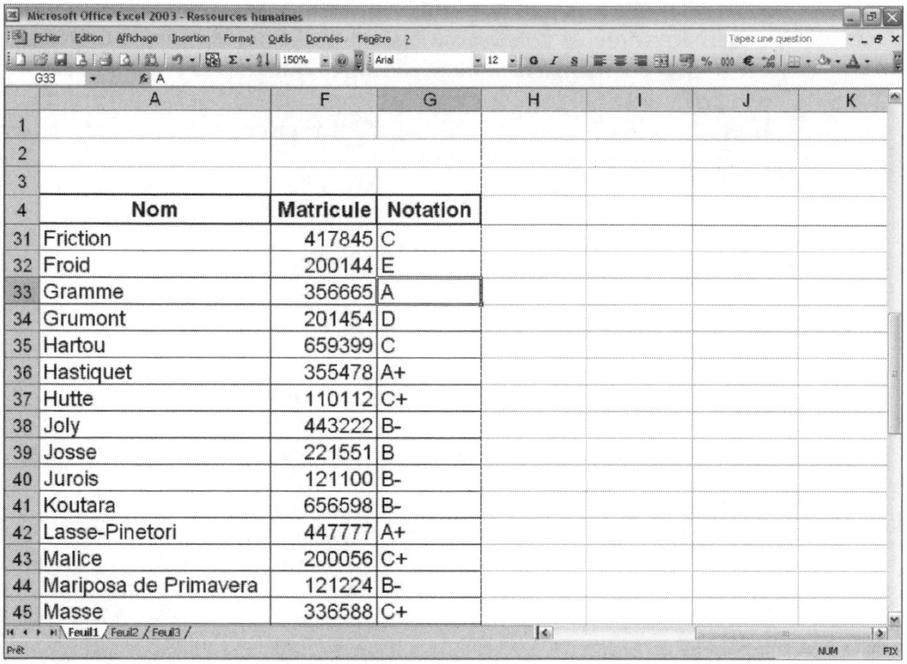

	A	F	G	H	I	J	K
1							
2							
3							
4	**Nom**	**Matricule**	**Notation**				
31	Friction	417845	C				
32	Froid	200144	E				
33	Gramme	356665	A				
34	Grumont	201454	D				
35	Hartou	659399	C				
36	Hastiquet	355478	A+				
37	Hutte	110112	C+				
38	Joly	443222	B-				
39	Josse	221551	B				
40	Jurois	121100	B-				
41	Koutara	656598	B-				
42	Lasse-Pinetori	447777	A+				
43	Malice	200056	C+				
44	Mariposa de Primavera	121224	B-				
45	Masse	336588	C+				

Figure 6.7
La liste des employés a été déplacée vers la gauche, révélant les informations qui figurent en bout de ligne. Le nom de chaque employé reste affiché dans la colonne de gauche.

Les notes électroniques

Dans Excel, des commentaires peuvent être ajoutés à des cellules. Les *commentaires* sont des sortes de petites notes qui ressemblent aux Post-it autocollants. Elles permettent d'insérer des pense-bêtes pour rappeler, par exemple, que telle ou telle valeur n'est qu'une estimation, ou qu'il faut vérifier un chiffre avant d'imprimer la feuille, voire une date anniversaire dont l'oubli ne serait pas du tout apprécié.

En plus de rappeler une tâche à effectuer, un commentaire peut être utilisé comme repère visuel pour signaler un emplacement dans une vaste feuille de calcul, et le retrouver facilement la prochaine fois que vous l'ouvrirez.

Ajouter un commentaire à une cellule

Procédez comme suit pour ajouter un commentaire à une cellule :

1. **Sélectionnez la cellule qui doit recevoir le commentaire.**

2. **Dans la barre de menus, choisissez Insertion/Commentaire.**

   Une nouvelle zone de texte apparaît, semblable à celle visible Figure 6.8. Elle contient le nom de l'utilisateur tel qu'il a été spécifié dans le champ Nom d'utilisateur, sous l'onglet Général de la boîte de dialogue Options. La barre d'insertion clignote au début de la ligne qui suit le nom.

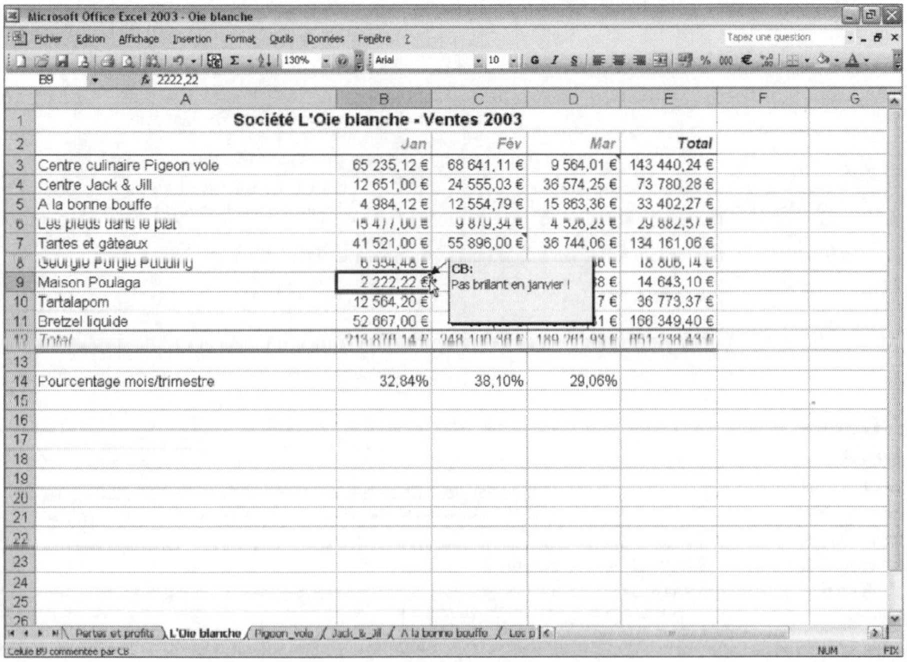

Figure 6.8
Ajout d'un commentaire à une cellule.

3. **Tapez le texte du commentaire.**

4. **Cliquez hors de la zone de texte.**

   Excel signale que la cellule comporte un commentaire en plaçant un petit triangle rouge dans le coin supérieur droit.

5. **Pour afficher un commentaire, amenez le pointeur en forme d'épaisse croix blanche au-dessus d'une cellule qui en contient un.**

Réviser les commentaires

Lorsqu'un classeur contient un grand nombre de commentaires, vous ne voudrez sans doute pas promener le pointeur de la souris au-dessus de chacun d'eux pour les lire tour à tour. Il est beaucoup plus commode de choisir, dans la barre de menus, la commande Affichage/Commentaires ; Excel affiche tous les commentaires du classeur ainsi qu'une barre d'outils Révision, comme le montre la Figure 6.9.

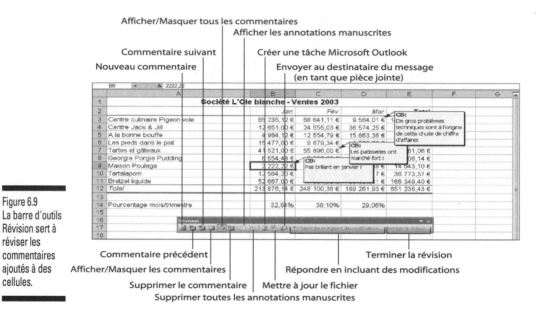

Figure 6.9
La barre d'outils Révision sert à réviser les commentaires ajoutés à des cellules.

Lorsque la barre d'outils Révision est ouverte, il est possible de passer d'un commentaire à un autre en cliquant sur les boutons Commentaire suivant et Commentaire précédent. Dès que vous atteignez le dernier commentaire d'un classeur, une boîte d'alerte demande s'il faut poursuivre la révision des commentaires depuis le début, ce que vous acceptez en cliquant sur OK. Après avoir fini de réviser les commentaires, vous pouvez les masquer en cliquant sur le bouton Masquer tous les commentaires ou, si la barre d'outils n'est plus visible, en choisissant Affichage/Commentaires dans la barre de menus.

Modifier les commentaires

Excel propose différentes méthodes pour modifier le contenu d'un commentaire, selon qu'il est affiché ou non. Si le commentaire est affiché dans la feuille de calcul, vous pouvez modifier son contenu en cliquant dedans avec le pointeur en forme de barre d'insertion. Cette action ouvre la zone de texte du commentaire (reconnaissable à la bordure hachurée) et place le point d'insertion. Ensuite, lorsque la modification est terminée, il suffit de cliquer hors du commentaire pour le désélectionner.

Si le commentaire n'est pas affiché, vous devez sélectionner sa cellule puis choisir, dans la barre de menus, Insertion/Commentaire, ou cliquer sur l'option Insérer un commentaire dans le menu contextuel (accessible en cliquant avec le bouton droit de la souris).

Pour modifier l'emplacement d'un commentaire par rapport à sa cellule, sélectionnez d'abord le commentaire en cliquant dedans, puis amenez le pointeur de la souris sur l'une des bordures hachurées. Lorsqu'il se transforme en flèche à quatre pointes, vous pouvez faire glisser le commentaire ailleurs dans la feuille de calcul. Remarquez qu'au moment où vous relâchez le bouton de la souris Excel redessine la flèche qui relie le coin supérieur gauche du commentaire à la cellule.

Pour modifier les dimensions de la zone de texte du commentaire, placez le pointeur de la souris sur l'une des poignées de redimensionnement et tirez-la dans la direction appropriée, vers l'extérieur du commentaire pour augmenter sa surface, vers l'intérieur pour la réduire. Dès que vous relâchez le bouton de la souris, Excel redessine la zone de texte du commentaire à la taille ainsi définie. Les retours à la ligne du texte qui s'y trouve sont pris en charge par Excel.

Pour changer la police du texte d'un commentaire, vous devez d'abord le sélectionner. Choisissez ensuite Format/Commentaire, dans la barre de menus ; la boîte de dialogue qui apparaît ne contient qu'un seul onglet : Police. Les options sont les mêmes que celles de l'onglet Police de la boîte de dialogue Format de cellule (visible dans la Figure 3.15). Choisissez une police pour le commentaire et précisez son style, sa taille et sa couleur.

Pour supprimer un commentaire, vous devez sélectionner la cellule qui le contient, puis choisir Edition/Effacer/Commentaires dans la barre de menus ou choisir Effacer l'annotation dans le menu contextuel de la cellule. Excel supprime le commentaire ainsi que l'indicateur rouge dans le coin de la cellule.

Notez qu'il est désormais possible de donner une nouvelle forme à la zone de texte à l'aide des boutons de la barre d'outils Dessin. Pour savoir comment les utiliser, jetez un coup d'œil au Chapitre 8.

Imprimer les commentaires

Lorsque vous imprimez une feuille de calcul, les commentaires peuvent l'être en même temps que les données sélectionnées. Pour ce faire, dans la boîte de dialogue Mise en page, choisissez dans le menu Commentaire l'option A la fin de la feuille ou Tel que sur la feuille.

Les cellules nommées

En attribuant des noms évocateurs aux cellules et aux plages, vous faciliterez considérablement l'accès aux informations importantes de la feuille de calcul. Plutôt que d'essayer d'associer des informations à des coordonnées abstraites, vous leur donnerez un nom. En nommant une plage, vous nommerez du même coup une sélection de cellules que vous pourrez importer dans d'autres logiciels Office 2003 comme Word ou Access. En outre, ce qui est très commode, vous pourrez utiliser les noms de cellules avec la commande Atteindre.

J'écris ton nom...

Lorsque vous attribuez un nom à des cellules ou à des plages, vous devez respecter les règles suivantes :

✔ **Les noms de plages de cellules doivent commencer par une lettre, jamais par un chiffre.**

Par exemple, au lieu de 01Profits, utilisez Profits01.

✔ **Un nom ne peut pas contenir d'espace.**

Au lieu d'un espace, utilisez le caractère de soulignement (celui de la touche 8 du clavier alphanumérique, en minuscule) pour séparer des mots. Exemple : au lieu de Profit 01, utilisez Profit_01 (*NdT* : les caractères accentués et la cédille sont utilisables).

✔ **Des coordonnées de cellule ne peuvent jamais être utilisées comme noms.**

Une cellule ne peut pas être nommée T1, car cette formulation est celle d'une référence de cellule valide. Utilisez plutôt T1_ventes, par exemple.

Pour nommer une cellule ou une plage de cellules :

1. **Sélectionnez la cellule ou la plage à nommer.**

2. **Cliquez sur l'adresse de la cellule courante qui apparaît dans la zone Nom, à l'extrême gauche de la barre de formule.**

   Excel sélectionne l'adresse de la cellule dans la zone Nom.

3. **Tapez le nom pour la cellule ou la plage sélectionnée.**

   Veillez à bien respecter les règles de nom que nous venons de stipuler.

4. **Appuyez sur Entrée.**

Pour sélectionner une cellule ou une plage nommée, cliquez sur son nom dans la liste déroulante à droite de la zone Nom.

Retenez que vous pouvez accomplir la même action en appuyant sur la touche de fonction F5 ou en choisissant Edition/Atteindre dans la barre de menus. Dans la boîte de dialogue qui apparaît (voir Figure 6.10), double-cliquez sur le nom à atteindre ou sélectionnez-le et cliquez sur OK. Dans tous ces cas, Excel déplace le pointeur de cellule directement vers la cellule nommée. Si le nom correspond à une plage, toutes les cellules sont automatiquement sélectionnées.

Figure 6.10
Sélection d'une cellule ou d'une plage de la feuille de calcul.

Nommez cette formule !

Les noms de cellules sont non seulement commodes pour identifier et localiser des cellules et des plages dans une feuille de calcul, mais ils sont aussi très utiles pour manipuler des formules. Supposons que la cellule K3 contienne une formule simple qui calcule ce qui vous est dû en multipliant vos heures de travail pour un client (dans la cellule I3) par votre rémunération horaire (dans la cellule J3). Vous taperez normalement cette formule dans la cellule K3 sous la forme :

        =I3*J3

Mais si vous attribuez le nom *Heures* à la cellule I3 et le nom *Tarif_horaire* à la cellule J3 la formule se présentera dans la cellule K3 sous la forme :

        =Heures*Tarif_horaire

Il va de soi que pour tout le monde cette formulation est bien plus compréhensible que =I3*J3.

Pour entrer une formule contenant des noms de cellules plutôt que des références de cellules, vous procéderez comme suit :

1. **Nommez les cellules comme nous venons de l'indiquer.**

   Pour cet exemple, vous nommerez la cellule I3 *Heures* et la cellule J3 *Tarif_horaire*.

2. **Placez le pointeur dans la cellule qui recevra la formule.**

   Il s'agit en l'occurrence de la cellule K3.

3. **Tapez le signe = (égal) pour indiquer à Excel que ce qui suit est une formule.**

4. **Sélectionnez la première cellule à laquelle la formule se réfère en cliquant dedans (ou en déplaçant le pointeur de cellule jusqu'à son emplacement).**

   Dans cet exemple, vous sélectionnez Heures en sélectionnant la cellule I3.

5. **Tapez l'opérateur arithmétique à utiliser dans la formule.**

Il s'agit ici de l'opérateur de multiplication * (astérisque). Reportez-vous au Chapitre 2 pour connaître les autres opérateurs arithmétiques d'Excel.

6. **Sélectionnez la deuxième cellule à laquelle la formule se réfère. Procédez comme à l'étape 4.**

Il s'agit de la cellule Tarif_horaire, soit la cellule J3.

7. **Cliquez sur le bouton Entrer ou appuyez sur la touche Entrée pour terminer la formule.**

Excel affiche la formule de la cellule K3, soit =Heures*Tarif_horaire.

Vous ne pouvez pas utiliser la poignée de recopie pour copier une formule qui utilise des noms de cellules vers d'autres cellules qui effectuent la même fonction (voir Chapitre 4). Lorsque vous copiez une formule originale contenant des noms au lieu d'adresses, Excel la copie sans ajuster les références de cellules selon les nouvelles lignes et colonnes. Reportez-vous à la section "Les constantes de nom", plus loin dans ce chapitre, pour découvrir comment utiliser les en-têtes des lignes et des colonnes pour identifier les références de cellules dans les recopies, ainsi que dans la formule originale d'où les copies ont été générées.

Les constantes de nom

Certaines formules utilisent des valeurs constantes comme une taxation de 5,5 % ou un rabais de 10 %. Si vous ne voulez pas les entrer dans des cellules afin de les utiliser ensuite dans des formules, vous pouvez créer des plages de noms contenant ces valeurs, que vous utiliserez dans vos formules.

Par exemple, pour créer une constante nommée *Taux_TVA* de 5,5 %, vous procéderez ainsi :

1. **Dans la barre de menus, choisissez Insertion/Nom/Définir.**

2. **Dans la boîte de dialogue Définir un nom, tapez le nom (Taux_TVA, dans notre exemple) dans la zone de texte Noms dans le classeur.**

3. **Cliquez dans la zone de texte Fait référence à. Remplacez l'adresse qui s'y trouve par la valeur 5,5 %.**

4. **Cliquez sur le bouton Ajouter afin de placer le nom dans la feuille de calcul.**

5. **Cliquez sur OK pour fermer la boîte de dialogue Définir un nom.**

Après avoir assigné une constante à un nom en utilisant cette méthode, vous pouvez l'appliquer aux formules que vous avez créées dans la feuille de calcul en adoptant l'une de ces deux procédures :

- ✔ Taper dans la formule le nom auquel vous avez assigné la constante à la place de la valeur requise.

- ✔ Insérer le nom dans la formule en cliquant, dans la barre de menus, sur Insertion/Nom/Coller et en double-cliquant, dans la boîte de dialogue Coller un nom, sur le nom contenant la constante.

Quand vous copiez une formule qui utilise un nom contenant une constante, la valeur reste inchangée dans toutes les recopies de la formule obtenues avec la poignée de recopie automatique. Autrement dit, dans une formule, le nom se comporte comme une adresse de cellule absolue (reportez-vous au Chapitre 4 pour en savoir plus sur les recopies de formules).

Retenez aussi que, lors d'une mise à jour d'une constante en modifiant sa valeur dans la boîte de dialogue Définir un nom, ce changement se répercute dans toutes les formules qui utilisent ce nom. Elles sont automatiquement recalculées.

Qui cherche trouve

Si vous n'arrivez vraiment pas à localiser une information spécifique, vous pouvez demander à la fonction Chercher de la retrouver pour vous. Lorsque vous choisissez Edition/Rechercher dans la barre de menus ou si vous appuyez sur Ctrl+F, ou encore sur Maj+F5, Excel ouvre la boîte de dialogue Rechercher et remplacer. Tapez le texte ou la valeur recherchée dans le champ Rechercher, puis cliquez sur le bouton Suivant ou appuyez sur Entrée pour commencer la recherche. Cliquez sur le bouton Options pour préciser les critères de la recherche (Figure 6.11).

Vous pouvez également ouvrir la boîte de dialogue Rechercher et remplacer depuis le Volet Office Recherche de fichiers de base ou Recherche de fichiers avancée, en cliquant sur le lien hypertexte Rechercher dans ce document situé en bas du volet. Pour afficher l'un de ces deux volets, choisissez Fichier/Recherche de fichiers.

Lorsque vous recherchez une entrée de texte avec la fonction Rechercher et remplacer, demandez-vous toujours si ce texte ou ce chiffre est seul dans sa cellule ou s'il est une partie d'un terme ou d'une valeur. Par exemple, si vous

Figure 6.11
Utilisez les
commandes de
la boîte de
dialogue
Rechercher et
remplacer pour
localiser une
entrée.

lancez une recherche sur les caractères **CA** et n'avez pas coché la case Totalité du contenu de la cellule (voir Figure 6.11), Excel trouvera les occurrences de CA dans Canada, sarbacane, Rebecca, dans le code postal américain CA, qui est celui de la Californie, et ainsi de suite.

Si vous cochez la case Totalité du contenu de la cellule, Excel ne retournera que les occurrences où le mot CA est seul dans la cellule.

Lorsque vous effectuez une recherche sur du texte, vous pouvez spécifier si Excel doit différencier ou non les majuscules et les minuscules. Par défaut, Excel ne tient pas compte de la casse des caractères. Pour qu'il fasse la différence, vous devez cocher la case Respecter la casse (visible après avoir cliqué sur le bouton Options de la boîte de dialogue Rechercher et remplacer).

Si les textes ou les valeurs recherchées ont reçu une mise en forme particulière, vous pouvez demander à Excel d'en tenir compte.

Procédez comme suit pour qu'Excel recherche une mise en forme particulière dans la feuille de calcul :

1. **Cliquez sur le bouton déroulant à droite du bouton Format, dans la boîte de dialogue Rechercher et remplacer, et choisissez l'option Choisir le format à partir de la cellule.**

   La boîte de dialogue Rechercher et remplacer disparaît temporairement. Excel ajoute une pipette au pointeur de souris normal.

2. **Cliquez avec le pointeur dans la cellule contenant la mise en forme à respecter.**

   La boîte de dialogue Rechercher et remplacer réapparaît après avoir prélevé la mise en forme (*NdT* : elle est visible dans un aperçu situé à gauche du bouton Format).

Procédez comme suit pour sélectionner la mise en forme à respecter en utilisant la boîte de dialogue Rechercher le format (qui est identique à la boîte de dialogue Format de la cellule) :

1. **Cliquez sur le bouton Format ou cliquez sur le bouton de son menu déroulant et choisissez l'option Format.**

2. **Sélectionnez ensuite dans les différents onglets les options de mise en forme à respecter (elles sont décrites dans le Chapitre 3), puis cliquez sur OK.**

Quand vous utilisez l'une de ces deux méthodes de recherche d'une mise en forme, le bouton Sans mise en forme, situé entre la zone de texte Rechercher et le bouton Format, se transforme en aperçu (ce mot y figure au centre) qui montre toutes les options de mise en forme prélevées dans une cellule ou définies dans la boîte de dialogue Rechercher le format.

Si vous recherchez des valeurs dans la feuille de calcul, faites bien attention aux différences entre les formules et les valeurs. Par exemple, si une cellule contient la valeur 3 582 € et si vous tapez **3582** dans le champ Rechercher suivi de l'appui sur Entrée, Excel affiche une boîte d'alerte contenant le message suivant :

```
Microsoft Excel ne trouve pas les données que vous recherchez.
Vérifiez vos options de recherche, l'emplacement et la mise en
forme.
```

Un examen attentif révélera sans aucun doute que la valeur qui apparaît dans la cellule est en réalité calculée par une formule telle que :

```
=I24*J24
```

En fait, le chiffre 3582 ne figure nulle part en tant que tel. Pour qu'Excel puisse localiser n'importe quel type de valeur 3582 dans la feuille de calcul, vous devez remplacer l'option Formules, dans la liste déroulante du champ Regarder dans, par l'option Valeurs.

Pour restreindre la recherche uniquement à du texte ou à des valeurs contenues dans des commentaires, choisissez l'option Commentaires dans la liste déroulante Regarder dans.

Si vous ne connaissez pas l'orthographe exacte d'un mot ou la valeur précise que vous recherchez, vous pouvez recourir aux *caractères de substitution* ; ils remplacent un ou plusieurs caractères. Supposons que vous ayez entré ce qui suit dans le champ Rechercher, avec l'option Regarder dans Valeurs :

```
7*4
```

Dans cette formulation, qui n'est pas une multiplication (le signe = est absent), l'astérisque compte pour n'importe quel chiffre, qu'il y en ait un seul ou plusieurs. De ce fait, Excel s'arrête à toutes les cellules contenant des valeurs comme *74 704* (l'astérisque se substitue au zéro), *7 5234* (l'astérisque se substitue à la chaîne de caractères 523) et trouve même une occurrence comme *67856 Strasbourg cedex 04*.

Si vous effectuez une recherche dans laquelle l'astérisque est l'opérateur de multiplication et non un caractère de substitution, faites précéder la recherche par un tilde (~), comme ci-dessous :

    ~*4

Cet arrangement permet de trouver dans la feuille de calcul toutes les formules comportant une multiplication par quatre.

L'entrée qui suit recherche toutes les occurrences de *Jan, Janvier*. (*NdT* : le point d'interrogation est un caractère de substitution qui remplace un seul caractère, à cet emplacement précis, et non plusieurs caractères comme le fait l'astérisque.)

    J?n*

Normalement, Excel n'effectue la recherche que dans la feuille de calcul courante. Pour qu'elle s'effectue dans toutes les feuilles du classeur, vous devez sélectionner l'option Classeur.

Quand Excel a trouvé une occurrence du texte ou de la valeur dans une cellule, il sélectionne cette cellule tout en laissant la boîte de dialogue Rechercher et remplacer visible à l'écran (vous pouvez la déplacer si elle occulte les cellules qui vous intéressent). Pour rechercher la prochaine occurrence du texte ou de la valeur, cliquez sur le bouton Suivant ou appuyez sur Entrée.

Nul n'est irremplaçable

Si vous effectuez une recherche pour remplacer une entrée par une autre, vous pouvez automatiser cette opération grâce à l'onglet Remplacer de la boîte de dialogue Rechercher et remplacer. Si, dans la barre de menus, vous choisissez Edition/Remplacer au lieu de Edition/Rechercher, ou si vous appuyez sur Ctrl+H, Excel ouvre la boîte de dialogue Rechercher et remplacer directement sous l'onglet Remplacer. Tapez le texte ou la valeur à remplacer dans le champ Rechercher, puis entrez le texte ou la valeur à lui substituer dans le champ Remplacer par.

Quand vous entrez un texte de remplacement, tapez-le exactement tel qu'il doit apparaître dans la cellule. Autrement dit, si vous voulez remplacer toutes les occurrences de *Jan* par *Janvier*, tapez dans la zone de texte Remplacer par :

```
Janvier
```

Veillez à bien mettre le J en majuscule, même si vous pouvez bien sûr entrer "jan" dans le champ Remplacer par (à condition de n'avoir pas coché la case Respecter la casse, qui n'apparaît qu'après avoir cliqué sur le bouton Options pour déployer les commandes supplémentaires de la boîte de dialogue).

Après avoir spécifié ce qu'il faut remplacer et par quoi, comme dans la Figure 6.12, vous pouvez demander à Excel d'effectuer les remplacements au cas par cas ou globalement. Pour procéder à tous les remplacements à la fois, cliquez sur le bouton Remplacer tout.

Figure 6.12
Les options de l'onglet Remplacer servent à substituer des textes ou des valeurs.

Soyez très prudent quand vous effectuez un rechercher/remplacer global, car lancée inconsidérément cette commande peut engendrer une énorme pagaille en remplaçant des parties de titres, de formules ou d'autres éléments que vous n'aviez pas du tout l'intention de modifier. Cela dit, respectez toujours cette règle d'or :

> *N'entreprenez jamais un rechercher/remplacer sur une feuille sans l'avoir préalablement enregistrée.*

Avant de commencer, assurez-vous aussi que la case Totalité du contenu de la cellule est cochée (elle n'est visible qu'après avoir cliqué sur le bouton Options). Si elle n'était pas cochée alors que vous comptez remplacer le contenu entier des cellules, et non une partie, vous risqueriez de vous retrouver avec bon nombre de remplacements indésirables.

Si vous avez néanmoins fait une fausse manœuvre et semé la pagaille, choisissez Edition/Annuler Remplacer ou appuyez sur Ctrl+Z.

Pour voir chaque occurrence avant de les remplacer, cliquez sur le bouton Suivant ou appuyez sur Entrée. Excel sélectionne la prochaine cellule dont le contenu correspond à ce qui a été entré dans la zone de texte Rechercher ; pour procéder au remplacement, cliquez sur le bouton Remplacer. Pour sauter l'occurrence, cliquez sur le bouton Suivant afin de poursuivre la recherche. Lorsque les opérations sont terminées, cliquez sur le bouton Fermer pour quitter la boîte de dialogue Rechercher et remplacer.

Vos recherches n'ont plus de limites

Excel 2003 offre un nouveau volet Rechercher qui vous servira à chercher des informations en ligne telles que le Dictionnaire Encarta, des dictionnaires de synonymes ou des sites de recherche. Il vous faut bien entendu disposer d'un accès Internet.

Pour ouvrir le volet Rechercher (voir Figure 6.13), cliquez sur le bouton Bibliothèque de recherche de la barre d'outils Standard ou, à partir d'un autre volet Office (que vous ouvrez en appuyant sur Ctrl+F1 ou en choisissant Affichage/ Volet Office), choisissez Rechercher après avoir cliqué sur le bouton de la liste déroulante Autres volets Office.

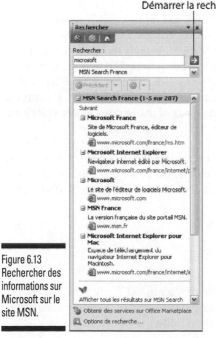

Figure 6.13
Rechercher des informations sur Microsoft sur le site MSN.

Ensuite, saisissez le mot ou la phrase recherchée dans la zone de texte Rechercher, située en haut, puis choisissez dans la liste déroulante juste en dessous les sources de références que vous souhaitez voir consultées :

- ✔ **Tous les ouvrages de référence**, pour rechercher le mot ou la phrase dans tous les ouvrages de référence en ligne.

- ✔ **Dictionnaire Encarta : français**, pour consulter le mot ou la phrase dans ce dictionnaire.

- ✔ **Un dictionnaire des synonymes**.

- ✔ **Tous les sites de recherche**, pour consulter le mot ou la phrase dans n'importe quelle ressource en ligne ou site Internet.

- ✔ **MSN Search France**, pour rechercher le mot ou la phrase sur Internet.

- ✔ **Cours sur MS Money – France**, pour rechercher des informations boursières. Dans ce cas, vous devez bien entendu soumettre le nom de l'entreprise ou son symbole boursier.

- ✔ **Tous les sites juridiques ou d'information d'entreprise**, pour consulter le mot ou la phrase sur l'ensemble de ces sites Internet spécialisés.

Pour lancer la recherche en ligne, cliquez sur le bouton Démarrer la recherche, situé à droite de la zone de texte Rechercher. Excel vous connecte aux ressources sélectionnées et affiche les résultats en dessous. La Figure 6.13 montre par exemple plusieurs sites Internet de Microsoft trouvés suite à une recherche effectuée par MSN Search France. Pour y accéder, cliquez sur leur lien. Windows lance alors votre navigateur par défaut (Internet Explorer 6.0, par exemple) et ouvre la page correspondante. Pour revenir à Excel, il suffit de cliquer sur le bouton Fermer de votre navigateur, dans le coin supérieur droit de la fenêtre

Vous pouvez modifier la liste des services de recherche en cliquant sur le lien Options de recherche situé tout en bas du volet Office Rechercher. Excel ouvre alors la boîte de dialogue Options de recherche dans laquelle vous ajoutez ou retirez des ouvrages ou sites.

Avoir l'esprit calculateur

Retrouver des informations dans une feuille de calcul est certes de la plus haute importance, mais ne représente qu'une petite partie des opérations de maintenance. Dans un classeur de très grande taille qui contient de nombreuses feuilles de calcul bien remplies, vous désirerez parfois passer en mode de calcul manuel, c'est-à-dire sur ordre de votre part. Vous pourrez ainsi décider du moment où les formules doivent être recalculées. Vous aurez besoin de cette fonction de recalcul sur ordre quand vous vous rendrez compte qu'à chaque saisie ou modification de données Excel ralentit et ne réagit qu'à retardement. En suspendant les recalculs jusqu'au moment où vous serez prêt à enregistrer ou à imprimer le classeur, vous travaillerez à l'aise sans subir d'exaspérants temps d'attente.

Pour activer le recalcul manuel d'un classeur, choisissez Outils/Options dans la barre de menus, puis cliquez sur l'onglet Calculs (voir Figure 6.14). Ensuite, dans la zone Calcul, sélectionnez le bouton radio Sur ordre. Abstenez-vous d'ôter la coche de la case Recalcul avant l'enregistrement ; en conservant cette option, Excel recalcule automatiquement le contenu du classeur avant de l'enregistrer, ce qui garantit l'enregistrement d'une version totalement à jour.

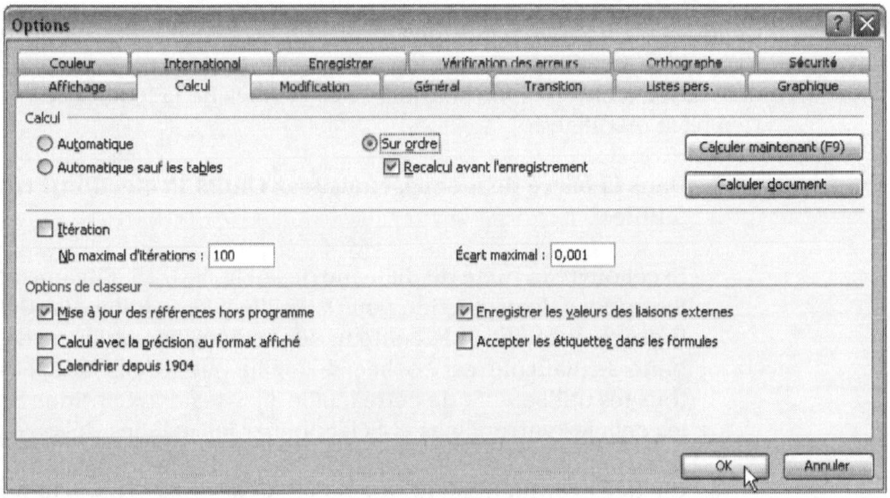

Figure 6.14
L'activation du recalcul manuel s'effectue dans la boîte de dialogue Options.

Après avoir activé le calcul sur ordre, Excel affiche dans la barre d'état le message suivant chaque fois que vous procédez à une modification qui affecte le contenu d'une formule :

```
Calculer
```

Chaque fois que ce mot est visible dans la barre d'état, cela signifie que les calculs ne sont pas à jour, et que vous devez demander le recalcul du classeur avant d'imprimer des données ou les enregistrer (sauf si le recalcul automatique avant l'enregistrement est actif).

Pour recalculer des formules sur ordre, appuyez sur la touche de fonction F9 ou sur Ctrl+= (égal), ou cliquez sur le bouton Calculer maintenant, sous l'onglet Calcul de la boîte de dialogue Options.

Excel recalcule les formules dans toutes les feuilles du classeur. Si vous n'avez modifié que la feuille courante et ne désirez pas attendre qu'Excel recalcule toutes les autres feuilles, vous pouvez restreindre le recalcul à la feuille courante en cliquant sur le bouton Calculer document dans la boîte de dialogue Options ou en appuyant sur Maj+F9.

Activer la protection

Après avoir plus ou moins finalisé une feuille de calcul en vérifiant les formules et les textes, vous voudrez la protéger de toutes modifications intempestives, qu'elles soient faites intentionnellement par autrui ou par inadvertance.

Chaque cellule d'une feuille de calcul peut être verrouillée ou déverrouillée. Par défaut, lorsque la protection est activée, comme nous l'expliquons ci-dessous, Excel verrouille la totalité des cellules de la feuille, de sorte que plus rien n'est modifiable.

1. **Dans la barre de menus, choisissez Outils/Protection/Protéger la feuille.**

   Excel ouvre la boîte de dialogue de la Figure 6.15. Elle permet d'activer les options de protection pour la feuille à verrouiller. Par défaut, la case Protéger la feuille et le contenu des cellules verrouillées, en haut de la boîte de dialogue, est cochée, de même que – dans la fenêtre Autoriser tous les utilisateurs de cette feuille à... – les deux options Sélectionner les cellules verrouillées et Sélectionner les cellules déverrouillées.

2. **Cochez éventuellement une ou plusieurs cases, dans la fenêtre Autoriser tous les utilisateurs de cette feuille à..., selon la liberté que vous laisserez à autrui de modifier la feuille de calcul.**

3. **Entrez un mot de passe dans la zone de texte Mot de passe pour ôter la protection de la feuille.**

4. **Cliquez sur OK ou appuyez sur Entrée.**

   Quand vous entrez un mot de passe dans la zone de texte Mot de passe pour ôter la protection de la feuille, Excel ouvre une boîte de dialogue Confirmer le mot de passe. Vous devez le retaper exactement comme

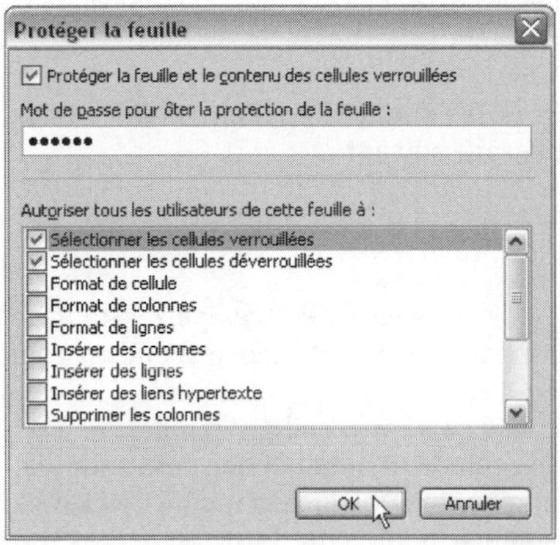

Figure 6.15
Les options de
protection d'une
feuille de calcul.

dans la boîte de dialogue Protéger la feuille, puis cliquer sur OK ou appuyer sur Entrée.

Si vous voulez aller plus loin et protéger également la disposition des feuilles de calcul dans un classeur, vous devrez protéger la totalité du classeur en procédant ainsi :

1. **Dans la barre de menus, choisissez Outils/Protection/Protéger le classeur.**

   Excel ouvre la boîte de dialogue Protéger le classeur. La case Structure est cochée, mais pas la case Fenêtres. Du fait que Structure est sélectionné, Excel n'autorisera aucune manipulation de feuille ; il ne sera pas question d'en supprimer ou de modifier leur ordre. Pour protéger les fenêtres que vous auriez configurées (comme il est décrit dans le Chapitre 7), cochez la case Fenêtres.

2. **(Facultatif) Entrez un mot de passe qui devra être fourni pour pouvoir ôter la protection du classeur.**

3. **Cliquez sur OK ou appuyez sur Entrée.**

   Si vous avez défini un mot de passe, Excel ouvre la boîte de dialogue Confirmer le mot de passe. Retapez le mot de passe exactement comme à l'étape 2, puis cliquez sur OK ou appuyez sur Entrée.

La commande Protéger la feuille empêche toute saisie ou modification du contenu des cellules verrouillées, hormis les opérations expressément autorisées en cochant les cases appropriées dans la fenêtre Autoriser tous les utilisateurs de cette feuille à... (voir étape 2 dans la manipulation précédente). La commande Protéger le classeur empêche tout changement dans la disposition des feuilles de calcul du classeur.

Lorsque vous essayez d'entrer des données ou d'en modifier dans une cellule protégée, Excel affiche le message suivant :

```
Cette feuille est protégée avec la commande Protection du menu
Outils.
```

Ce même message contient à sa suite les directives permettant de déprotéger la feuille, sous réserve de connaître le mot de passe si elle en comporte un.

En général, la protection ne vise pas à verrouiller l'intégralité d'une feuille de calcul ou d'un classeur, mais seulement à empêcher des modifications dans certaines zones des feuilles. Par exemple, dans la feuille de calcul d'un budget, vous protégerez toutes les cellules contenant des titres et des formules, mais vous autoriserez la saisie et la modification des cellules contenant les chiffres du budget. En procédant ainsi, vous ne risquerez pas d'effacer accidentellement des titres ou des formules parce que vous avez entré des données dans les mauvaises cellules, ce qui arrive plus fréquemment qu'on ne le pense.

Procédez comme suit pour verrouiller certaines cellules mais pas les autres :

1. **Sélectionnez les cellules qui doivent rester déverrouillées.**

2. **Dans la barre de menus, choisissez Outils/Protection/Permettre aux utilisateurs de modifier des plages.**

3. **Dans la boîte de dialogue qui apparaît, cliquez sur le bouton Nouvelle.**

4. **(Facultatif) Si vous voulez donner à la plage de cellules non protégée un nom plus évocateur que Plage1, tapez-le dans la zone de texte Titre.**

Si le titre est un nom composé, reliez chaque mot par un signe de soulignement (*NdT* : ce n'est pas une obligation).

5. **Vérifiez l'étendue de la plage concernée dans la zone de texte Fait référence aux cellules.**

En cas d'erreur, s'il faut modifier la plage, appuyez sur la touche Tab jusqu'à ce que le contenu de la zone de texte soit sélectionné, puis sélectionnez la bonne plage avec la souris, dans la feuille de calcul. Au cours de cette opération, Excel réduit automatiquement la boîte de dialogue Nouvelle plage, remplit la zone de texte avec les nouvelles *références* de cellules et restaure la boîte de dialogue dès que le bouton de la souris a été relâché.

6. **(Facultatif) Si vous voulez que seuls certains utilisateurs puissent modifier cette plage, appuyez sur la touche Tab jusqu'à ce que la zone de texte Mot de passe de la plage soit sélectionnée. Tapez ensuite le mot de passe.**

7. **Cliquez sur OK pour fermer la boîte de dialogue Nouvelle plage et retourner ainsi dans la boîte de dialogue Permettre aux utilisateurs de modifier les plages.**

   Si vous avez entré un mot de passe pour la plage, à l'étape 6, vous devrez d'abord le répéter dans la boîte de dialogue Confirmer le mot de passe, puis cliquer sur OK.

8. **(Facultatif) Pour permettre l'accès à d'autres plages de la feuille de calcul, cliquez sur le bouton Nouvelle puis répétez les étapes 4 à 7.**

9. **Après avoir défini les plages qui ne seront pas verrouillées même si la feuille est protégée, cliquez sur le bouton Protéger la feuille.**

   La boîte de dialogue Protéger la feuille permet de spécifier le mot de passe pour la déprotection et de choisir les fonctionnalités qui ne seront pas verrouillées.

Pour ôter la protection de la feuille de calcul courante ou du classeur courant afin de modifier librement toutes les cellules (qu'elles aient été verrouillées ou non), choisissez Outils/Protection puis, selon le cas, Ôter la protection de la feuille ou Ôter la protection du classeur. Si vous aviez défini un mot de passe, vous devrez le taper dans la boîte de dialogue Ôter la protection de la feuille, en respectant scrupuleusement les majuscules et les minuscules.

Protéger et partager

Si vous avez créé un classeur dont le contenu peut être modifié par divers utilisateurs présents sur un réseau, vous pourrez utiliser la commande Outils/Protection/Protéger et partager le classeur. Cette commande fait en sorte qu'Excel suive toutes les modifications, et empêche un utilisateur de supprimer volontairement ou non le suivi des modifications. Pour activer cette fonction, il suffit de cocher la case Partage avec suivi des modifications, dans la boîte de dialogue Protection lors du partage. Il est possible de définir un mot de passe qu'un utilisateur devra fournir pour pouvoir effectuer la moindre modification dans un classeur Excel.

Chapitre 7

Gérer des feuilles de calcul multiples

. . . .

Dans ce chapitre

▶ Aller d'une feuille à une autre dans un classeur.

▶ Ajouter ou supprimer des feuilles dans un classeur.

▶ Sélectionner des feuilles pour des modifications groupées.

▶ Nommer judicieusement les onglets des feuilles.

▶ Réarranger les feuilles d'un classeur.

▶ Afficher des parties de différentes feuilles.

▶ Comparer deux feuilles en côte à côte.

▶ Copier ou déplacer des feuilles d'un classeur à un autre.

▶ Créer des formules qui agissent sur plusieurs feuilles de calcul.

. . . .

Quand vous débutez dans l'utilisation d'un tableur, vous avez bien assez à faire avec une seule feuille – un classeur d'Excel en contient trois –, de sorte que la seule idée de travailler simultanément avec plusieurs feuilles vous rebute. Mais, avec un peu de pratique, vous découvrirez que travailler sur plusieurs feuilles n'est pas beaucoup plus compliqué qu'avec une seule.

Ne confondez pas les termes *feuille de calcul* et *classeur*. Le classeur est le document (fichier) que vous ouvrez puis que vous enregistrez. Par défaut, chaque nouveau classeur contient trois feuilles de calcul vierges. Ces feuilles sont l'équivalent des pages volantes d'une reliure : vous pouvez en ajouter à votre guise, les supprimer ou réarranger leur ordre. Pour naviguer confortablement d'une feuille de calcul à une autre, Excel affiche leurs onglets, de Feuil1 à Feuil3. Ces onglets sont un peu comme les intercalaires d'un classeur traditionnel.

Jongler avec les feuilles de calcul

Vous devez certes apprendre *comment* travailler avec plusieurs feuilles de calcul à la fois, mais il est tout aussi important, sinon plus, de savoir *pourquoi* se lancer dans de telles opérations. Le cas de figure le plus courant est celui où vous vous retrouvez face à un certain nombre de feuilles de calcul dont le contenu se rapporte aux unes et aux autres, et qui appartiennent naturellement au même classeur. Prenons par exemple le cas de la société L'Oie blanche et ses différents partenaires : le Centre culinaire Pigeon vole, le Centre Jack & Jill, les sociétés A la bonne bouffe, Les pieds dans le plat, Tartes et gâteaux, Georgie Porgie Pudding, Maison Poulaga, Tartalapom et Bretzel liquide. Pour garder une trace des ventes annuelles de toutes ces sociétés, vous pourriez créer un classeur contenant une feuille de calcul pour chacune de ces neuf entreprises.

En plaçant les chiffres de ventes de chaque entreprise sur différentes feuilles d'un même classeur, vous bénéficierez des avantages suivants :

✔ Vous pouvez entrer les données communes à toutes les feuilles de ventes (si vous sélectionnez leurs onglets) en ne les tapant qu'une seule fois dans la première feuille de calcul (voir la section "Les modifications simultanées", plus loin dans ce chapitre).

✔ Pour faciliter la création de la première feuille de calcul pour les ventes de la première société, vous pouvez programmer des macro-commandes pour le classeur courant, qui vous seront fort utiles pour créer les feuilles de calcul des autres sociétés. Une *macro-commande* est une suite de tâches répétitives qui ont été enregistrées afin de les réutiliser facilement et rapidement.

✔ Vous pouvez rapidement comparer les ventes d'une société avec celles d'une autre (voir la section "Ouvrir des fenêtres dans vos feuilles de calcul", plus loin dans ce chapitre).

✔ Toutes les informations de ventes de chacune des sociétés peuvent être imprimées en une fois (reportez-vous au Chapitre 5 pour savoir comment imprimer des feuilles de calcul en particulier ou la totalité d'un classeur).

✔ Il est facile de créer des graphiques qui comparent les données de ventes provenant de différentes feuilles de calcul (détails dans le Chapitre 8).

✔ Il est facile d'élaborer une feuille de calcul récapitulative dont les formules totalisent les ventes annuelles et trimestrielles des neuf sociétés (voir la section "Pour récapituler...", plus loin dans ce chapitre).

Passer d'une feuille à une autre

Chaque classeur que vous créez contient trois feuilles de calcul nommées *Feuil1*, *Feuil2* et *Feuil3*. Ces noms apparaissent sur des onglets, en bas à gauche de la fenêtre du classeur. Pour passer d'une feuille à une autre, il suffit de cliquer sur l'onglet de la feuille de calcul que vous désirez voir. Excel la place sur le dessus de l'empilement ; son contenu est alors visible dans la fenêtre du classeur. Il est facile de savoir quelle feuille est affichée car, sur son onglet, son nom apparaît en gras, et l'onglet semble placé au-dessus des autres et faire partie de la feuille.

Le seul problème, quant au choix d'un onglet en cliquant dessus, se produit lorsque les feuilles de calcul sont si nombreuses dans le classeur (nous verrons plus loin comment en ajouter) que tous les onglets ne sont pas visibles simultanément, notamment celui que vous recherchez. Pour résoudre ce problème, Excel propose une série de boutons (voir Figure 7.1) qui permettent de faire défiler les onglets des feuilles de calcul.

✔ Cliquez sur le bouton Onglet suivant (celui avec le triangle pointant vers la droite) pour décaler les onglets d'un cran vers la gauche. Maintenez la touche Maj enfoncée pendant le clic pour faire défiler plusieurs onglets à la fois.

✔ Cliquez sur le bouton Onglet précédent (celui avec le triangle pointant vers la gauche) pour décaler les onglets d'un cran vers la droite. Maintenez la touche Maj enfoncée pendant le clic pour faire défiler plusieurs onglets à la fois.

✔ Cliquez sur le bouton Dernier onglet (celui avec le triangle pointant vers la droite contre une barre verticale) pour décaler les onglets vers la droite de façon que le dernier soit visible.

✔ Cliquez sur le bouton Premier onglet (celui avec le triangle pointant vers la gauche contre une barre verticale) pour décaler les onglets vers la gauche de façon que le premier soit visible.

N'oubliez pas que faire défiler des onglets ne les sélectionne pas. Vous devrez cliquer sur l'onglet de la feuille que vous voulez voir.

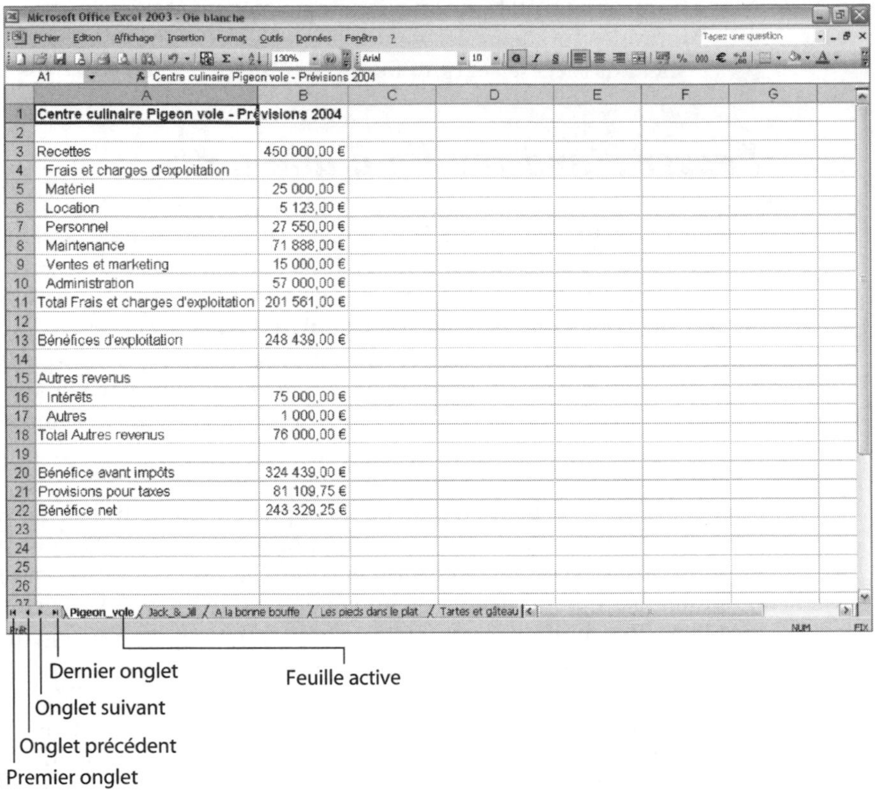

Figure 7.1
Des boutons de
défilement
permettent
d'accéder à tous
les onglets d'un
classeur.

Pour accéder à un onglet de feuille sans être obligé d'en faire défiler un grand nombre, actionnez la barre de fractionnement d'onglet (voir Figure 7.2) vers la droite afin d'augmenter la zone réservée à l'affichage des onglets (au détriment de la longueur de la barre de défilement horizontal). Si la barre de défilement horizontal ne vous intéresse pas, vous pourrez afficher un maximum d'onglets en vous en débarrassant. Pour ce faire, déplacez la barre de fractionnement d'onglet vers la droite, jusqu'à ce qu'elle se confonde avec la barre de fractionnement vertical. Avec une résolution de 640 x 480 pixels sur un moniteur 14 pouces, vous pourrez ainsi voir une douzaine d'onglets à la fois.

Pour rétablir la barre de défilement à sa taille normale, tirez la barre de fractionnement d'onglet vers la gauche ou, ce qui est plus rapide et efficace, double-cliquez dessus.

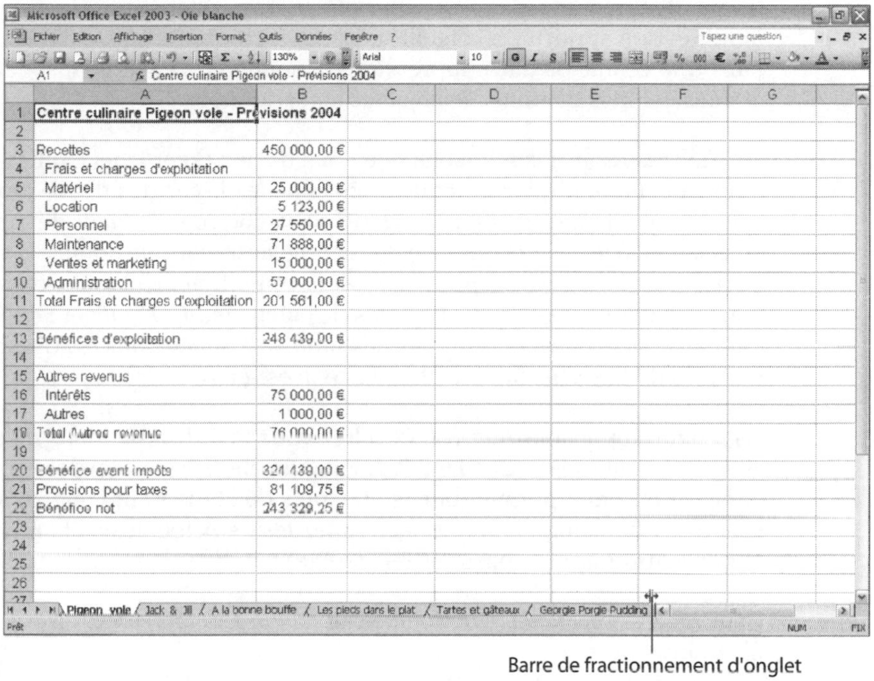

Figure 7.2
Déplacez la
barre de
fractionnement
d'onglet pour
afficher un plus
grand nombre
d'onglets ou des
onglets de
grande taille.

Barre de fractionnement d'onglet

Aller aux feuilles avec le clavier

Vous pouvez vous dispenser de cliquer sur les petits boutons de la barre d'onglets et aller de feuille en feuille avec les touches du clavier. Pour passer à la suivante, appuyez sur Ctrl+PageBas. Pour passer à la précédente, appuyez sur Ctrl+PageHaut. Ces raccourcis sont d'autant plus utiles qu'ils fonctionnent même si les onglets ne sont pas visibles dans la barre de défilement !

Les modifications simultanées

Chaque fois que vous cliquez sur un onglet de feuille de calcul, vous sélectionnez la feuille et la rendez active, ce qui permet d'en modifier les cellules. Il vous arrivera toutefois de vouloir sélectionner plusieurs feuilles à la fois pour les modifier simultanément. Quand plusieurs feuilles sont sélectionnées, toute modification apportée à la feuille courante, comme la saisie d'une information dans une cellule ou une suppression de données, s'effectue ipso facto sur les mêmes cellules de toutes les feuilles sélectionnées.

En d'autres termes, supposons que vous deviez créer trois feuilles dans un nouveau classeur qui contiennent chacune les noms des douze mois de l'année, en commençant par la ligne 3 de la colonne B. Avant de taper **janvier** en B3, puis d'utiliser la poignée de recopie automatique comme nous l'avons décrit dans le Chapitre 2 pour générer automatiquement les onze autres mois, vous sélectionnerez les trois feuilles de calcul *Feuil1*, *Feuil2* et *Feuil3*. En procédant ainsi, Excel insère les noms des mois de l'année dans les trois feuilles à la fois lors de la saisie. Rapide et efficace, n'est-ce pas ?

De même, supposons que vous vouliez vous débarrasser, dans un autre classeur, des feuilles Feuil2 et Feuil3. Au lieu de cliquer sur l'onglet Feuil2, de choisir Edition/Supprimer une feuille, puis de cliquer sur l'onglet Feuil3 et de répéter cette manipulation, sélectionnez les deux feuilles à éliminer, puis cliquez sur Edition/Supprimer une feuille.

Pour sélectionner plusieurs feuilles de calcul à la fois, vous disposez de plusieurs choix :

- ✔ Pour sélectionner un groupe de feuilles de calcul dont les onglets se suivent, cliquez sur le premier onglet puis faites-les défiler jusqu'à ce que le dernier onglet à sélectionner apparaisse. La touche Maj enfoncée, cliquez dessus ; tous les onglets à partir du premier clic sont sélectionnés. C'est la bonne vieille méthode du Maj-clic.

- ✔ Pour sélectionner des feuilles éparses, cliquez sur l'onglet de la première d'entre elles puis, touche Ctrl enfoncée, cliquez sur les autres onglets des feuilles à sélectionner.

- ✔ Pour sélectionner toutes les feuilles d'un classeur, cliquez avec le bouton droit de la souris sur l'onglet de la feuille à activer puis, dans le menu qui apparaît, choisissez Sélectionner toutes les feuilles.

Excel indique les feuilles sélectionnées en mettant les onglets en blanc – mais le nom de la feuille active est en gras – et en affichant, dans la barre de titre d'Excel, la mention [Groupe de travail" après le nom du fichier.

Pour désélectionner un groupe de feuilles une fois que vous avez fini de les modifier, il suffit de cliquer sur un onglet non sélectionné, c'est-à-dire un onglet gris. Il est aussi possible de désélectionner toutes les feuilles sauf la feuille active en cliquant sur cette dernière avec le bouton droit de la souris et en choisissant, dans le menu contextuel, la commande Dissocier les feuilles.

Ajouter des feuilles de calcul à un classeur

Pour certains d'entre vous, les trois feuilles de calcul qu'Excel octroie par défaut sont plus que suffisantes, mais pas pour d'autres. C'est le cas lorsqu'une entreprise possède une dizaine de filiales ou si vous calculez fréquemment des budgets pour une vingtaine de services, ou si vous devez gérer les notes de frais d'une quarantaine de représentants.

Il est très facile d'ajouter des feuilles de calcul à un classeur, ou d'en supprimer. Excel en accepte jusqu'à 255. Procédez comme suit pour insérer une nouvelle feuille de calcul dans un classeur :

1. **Sélectionnez l'onglet de la feuille à côté de laquelle Excel doit en insérer une nouvelle.**

2. **Dans la barre de menus, choisissez Insertion/Feuille, ou Insérer dans le menu contextuel d'un onglet de feuille.**

   Si vous avez choisi la commande Insertion/Feuille, Excel ajoute une nouvelle feuille de calcul et la nomme selon la numérotation disponible, Feuil4 par exemple.

   Si vous avez choisi la commande Insérer dans le menu contextuel d'un onglet, Excel ouvre la boîte de dialogue Insérer, dans laquelle vous choisirez le type de feuille à ajouter (Feuille, Graphique, Macro MS Excel 4.0 ou MS Excel 5.0...). Passez ensuite à l'Etape 3.

3. **Assurez-vous que sous l'onglet Général de la boîte de dialogue Insérer l'icône Feuille est sélectionnée, puis cliquez sur OK ou appuyez sur Entrée.**

   Pour insérer plusieurs feuilles de calcul d'un seul coup dans un classeur, sélectionnez un groupe comportant autant d'onglets que de feuilles que vous désirez ajouter, en commençant à l'emplacement où elles devront être ajoutées. Ensuite, dans la barre de menus, cliquez sur Insertion/Feuille.

Pour supprimer une feuille de calcul d'un classeur, suivez ces étapes :

1. **Cliquez sur l'onglet de la feuille de calcul à supprimer**

2. **Dans le menu Edition, choisissez Supprimer une feuille. Ou alors, cliquez sur un onglet avec le bouton droit de la souris et, dans le menu contextuel, choisissez Supprimer.**

Excel affiche un angoissant message d'alerte qui prévient que vous êtes sur le point de supprimer définitivement la feuille de calcul sélectionnée.

3. **Ne vous laissez pas impressionner et, si vous voulez vraiment supprimer la feuille, cliquez sur OK ou appuyez sur Entrée.**

Rappelez-vous toujours que la suppression d'une feuille de calcul est l'un des cas où vous ne pourrez pas recourir à la fonction Annuler pour revenir en arrière.

Pour supprimer plusieurs feuilles de calcul d'un classeur, sélectionnez-les puis, dans la barre de menus, choisissez Edition/Supprimer une feuille, ou Supprimer dans le menu contextuel d'un onglet de feuille. Après avoir vérifié qu'aucune feuille à supprimer n'a été oubliée, cliquez sur OK ou appuyez sur Entrée, après l'apparition de la boîte d'alerte.

Si vous êtes amené à créer très souvent des classeurs comportant toujours le même nombre de feuilles, ou seulement une seule, pensez à modifier le nombre de feuilles de calcul qu'Excel crée par défaut dans chaque nouveau classeur. Vous pourrez ainsi obtenir des classeurs prêts à l'usage sans avoir à ajouter ou à supprimer des feuilles. Pour cela, choisissez Outils/Options dans la barre de menus puis, sous l'onglet Général, entrez une valeur de 1 à 255 dans le champ Nombre de feuilles de calcul par nouveau classeur. Cliquez ensuite sur OK.

D'autres noms pour les feuilles

Les noms qu'Excel attribue par défaut aux feuilles de calcul, *Feuil1*, *Feuil2*, *Feuil3*..., ne brillent pas par leur originalité et n'évoquent en rien ce que contiennent ces feuilles. Il est fort heureusement facile de renommer l'onglet d'une feuille de calcul d'une manière un peu plus évocatrice. Ce nom peut comporter jusqu'à 32 caractères.

Procédez comme suit pour renommer un onglet de feuille de calcul :

1. **Double-cliquez sur l'onglet de la feuille ou cliquez dessus avec le bouton droit de la souris et, dans le menu contextuel, choisissez l'option Renommer.**

   Le nom actuel de la feuille de calcul est sélectionné.

2. **Remplacez le nom actuel de la feuille de calcul en tapant le nouveau nom.**

3. **Appuyez sur la touche Entrée.**

L'onglet de feuille affiche maintenant son nouveau nom.

Des noms brefs et concis

Bien qu'Excel accepte jusqu'à 31 caractères pour les noms des onglets (y compris les espaces), il est recommandé de choisir des noms aussi courts que possible pour les deux raisons suivantes :

✔ La première est que, plus le nom est long, plus l'onglet l'est aussi. Et plus les onglets sont longs, moins vous pouvez en faire apparaître. Et moins vous voyez d'onglets, plus vous avez à les faire défiler pour accéder à celui que vous voulez.

✔ La seconde est que si vous devez créer des formules qui vont chercher des données dans d'autres feuilles de calcul (nous verrons comment dans la section "Pour récapituler...", plus loin dans ce chapitre), vous devrez taper le nom des feuilles dans la formule, car Excel s'en sert pour référencer les cellules. C'est le seul moyen qu'il possède pour différencier la cellule C1 de la feuille de calcul Feuil1 de cette même cellule C2 dans Feuil2. Or, si les noms de feuilles sont longs, la formule la plus simple complétera la barre de formule, même si elle se réfère seulement à une ou deux autres feuilles de calcul.

Bref, respectez la règle générale qui stipule que plus un nom de feuille est court, mieux c'est.

Des onglets en couleur

Excel 2003 permet d'affecter différentes couleurs aux onglets des feuilles de calcul, comme du rouge pour signaler des feuilles de calcul nécessitant une vérification immédiate ou du bleu pour les feuilles déjà vérifiées.

Pour colorier un onglet de feuille, cliquez dessus avec le bouton droit de la souris et, dans le menu contextuel, choisissez l'option Couleur d'onglet ; la boîte de dialogue Format de couleur d'onglet apparaît. Cliquez sur la couleur désirée puis sur le bouton OK. Quand la boîte de dialogue a disparu, le nom de la feuille de calcul active apparaît d'abord souligné dans la couleur choisie. Mais dès que vous sélectionnez un autre onglet, celui qui a été coloré apparaît dans la couleur choisie ; si celle-ci est sombre, le texte de l'onglet est affiché en blanc afin d'améliorer sa lisibilité.

Pour ôter la couleur d'un onglet, procédez comme pour la mise en couleur mais, dans la boîte de dialogue Format de couleur d'onglet, cliquez sur le bouton Aucune couleur.

Modifier l'ordre des feuilles de calcul

Il vous arrivera de vouloir modifier l'ordre dans lequel les feuilles de calcul se succèdent dans le classeur. C'est possible en faisant glisser l'onglet de la feuille que vous désirez déplacer. Pendant ce déplacement, le pointeur se transforme en icône en forme de feuille qui accompagne la flèche, et un repère indique l'emplacement de l'onglet (voir Figures 7.3 et 7.4). Lorsque vous relâchez le bouton de la souris, Excel modifie l'ordre des feuilles de calcul selon l'endroit où vous avez déplacé l'onglet.

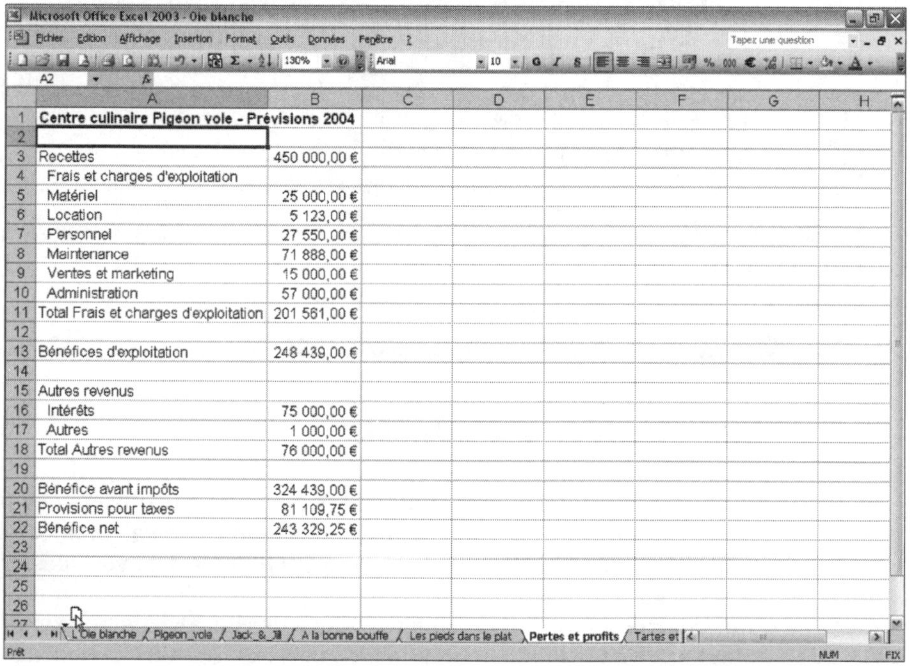

Figure 7.3
Déplacement de l'onglet Pertes et Profits vers le début de la barre (en bas à gauche).

En maintenant la touche Ctrl enfoncée tout en déplaçant un onglet, Excel insère une copie de la feuille de calcul à l'emplacement où vous relâchez le bouton de

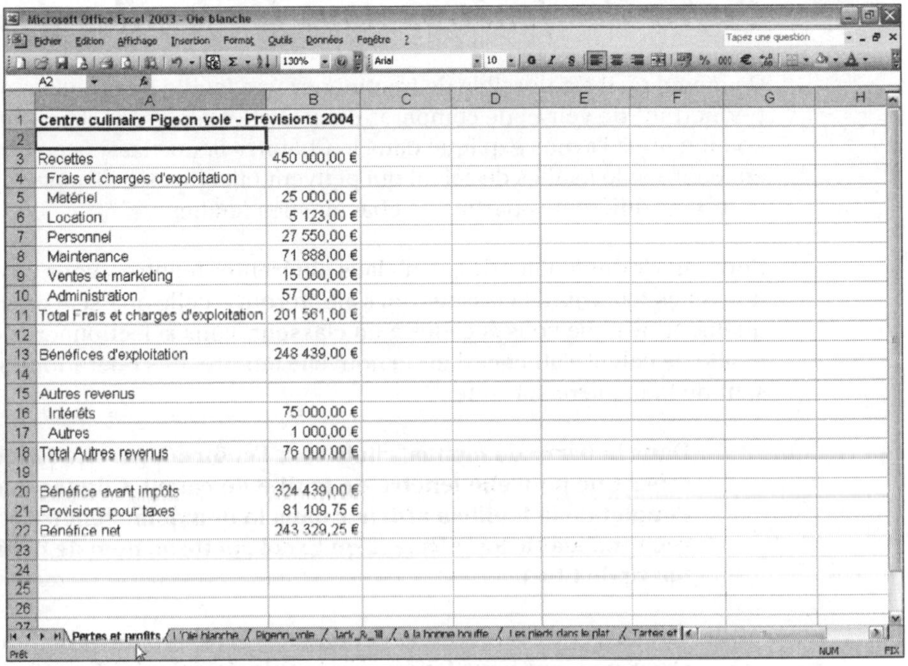

	A	B	C	D	E	F	G	H
1	Centre culinaire Pigeon vole - Prévisions 2004							
2								
3	Recettes	450 000,00 €						
4	Frais et charges d'exploitation							
5	Matériel	25 000,00 €						
6	Location	5 123,00 €						
7	Personnel	27 550,00 €						
8	Maintenance	71 888,00 €						
9	Ventes et marketing	15 000,00 €						
10	Administration	57 000,00 €						
11	Total Frais et charges d'exploitation	201 561,00 €						
12								
13	Bénéfices d'exploitation	248 439,00 €						
14								
15	Autres revenus							
16	Intérêts	75 000,00 €						
17	Autres	1 000,00 €						
18	Total Autres revenus	76 000,00 €						
19								
20	Bénéfice avant impôts	324 439,00 €						
21	Provisions pour taxes	81 109,75 €						
22	Bénéfice net	243 329,25 €						

Figure 7.4
La feuille de calcul Pertes et Profits se trouve maintenant en tête du classeur.

la souris. Pendant cette manipulation, le pointeur est accompagné d'un signe + (plus). La copie possède le même nom que la feuille originale suivi de la mention (2). Par exemple, si vous copiez la Feuil5, la nouvelle feuille de calcul sera nommée *Feuil5 (2)*. L'onglet peut bien sûr être renommé pour afficher un nom un peu moins ésotérique (cette manipulation est décrite dans la section "D'autres noms pour les feuilles", un peu plus haut dans ce chapitre).

Vous pouvez aussi déplacer ou copier des feuilles de calcul dans le classeur en activant la feuille et en choisissant, dans le menu contextuel, l'option Déplacer ou copier. Dans la boîte de dialogue Déplacer ou copier, cliquez sur le nom de la feuille avant laquelle la feuille active doit être déplacée ou copiée.

Pour déplacer la feuille active juste avant la feuille que vous venez de sélectionner dans la boîte de dialogue Déplacer ou copier, cliquez simplement sur le bouton OK. Pour effectuer une copie, cochez d'abord la case Créer une copie, en bas de la boîte de dialogue, puis cliquez sur OK. Si une copie a été faite, et non un déplacement, Excel ajoute un numéro d'ordre à l'onglet. Par exemple, si vous avez copié la feuille de calcul Pertes et Profits, l'onglet de la copie aura pour nom *Pertes et Profits (2)*.

Ouvrir des fenêtres dans les feuilles de calcul

De même qu'il est possible de fractionner une feuille de calcul en deux volets permettant de voir et de comparer deux parties éloignées d'une même feuille, comme nous l'avons expliqué dans le Chapitre 6, un classeur peut être divisé en fenêtres de feuilles de calcul qui peuvent ensuite être disposées à votre gré pour voir différentes parties de chacune des feuilles.

Pour ouvrir des feuilles de calcul dans différentes fenêtres, vous devez créer de nouvelles fenêtres de classeur qui s'ajouteront à celle qu'Excel ouvre automatiquement dès que vous accédez à un classeur. Vous sélectionnerez ensuite la feuille de calcul à afficher dans la nouvelle fenêtre. Ces opérations s'accomplissent de la manière suivante :

1. **Dans la barre de menus, choisissez Fenêtre/Nouvelle fenêtre afin de créer une nouvelle fenêtre de feuille de calcul. Cliquez ensuite sur l'onglet de la feuille à afficher dans la deuxième fenêtre (elle est reconnaissable au suffixe :2 qu'Excel ajoute au nom de fichier, dans la barre de titre).**

2. **Choisissez de nouveau la commande Fenêtre/Nouvelle fenêtre pour créer une troisième fenêtre de feuille de calcul. Cliquez ensuite sur l'onglet de la feuille qui doit apparaître dans cette troisième fenêtre (indiquée par le suffixe :3 ajouté au nom du fichier, dans la barre de titre).**

3. **Continuez ainsi comme à l'étape précédente pour créer une nouvelle fenêtre. Sélectionnez ensuite l'onglet de la feuille de calcul qui devra être affichée et comparée avec les autres feuilles.**

4. **Choisissez Fenêtre/Réorganiser, puis sélectionnez l'une des options d'arrangement (décrites plus loin) et cliquez sur OK.**

La boîte de dialogue Réorganiser contient les options suivantes :

- **Mosaïque :** Excel dispose les fenêtres côte à côte à l'écran, dans l'ordre où vous les avez ouvertes. La Figure 7.5 montre un arrangement à trois fenêtres.

- **Horizontal :** Excel redimensionne les fenêtres à une même taille et les superpose, comme le montre la Figure 7.6.

- **Vertical :** Excel redimensionne les fenêtres à une même taille et les juxtapose, comme le montre la Figure 7.7.

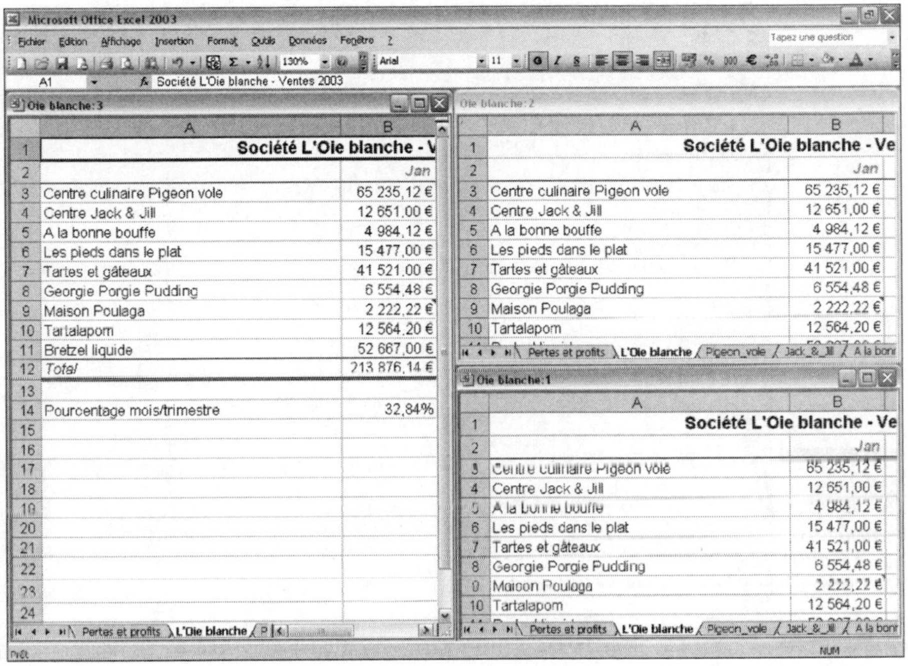

Figure 7.5
Disposition de
trois fenêtres de
feuilles de calcul
avec l'option
Mosaïque.

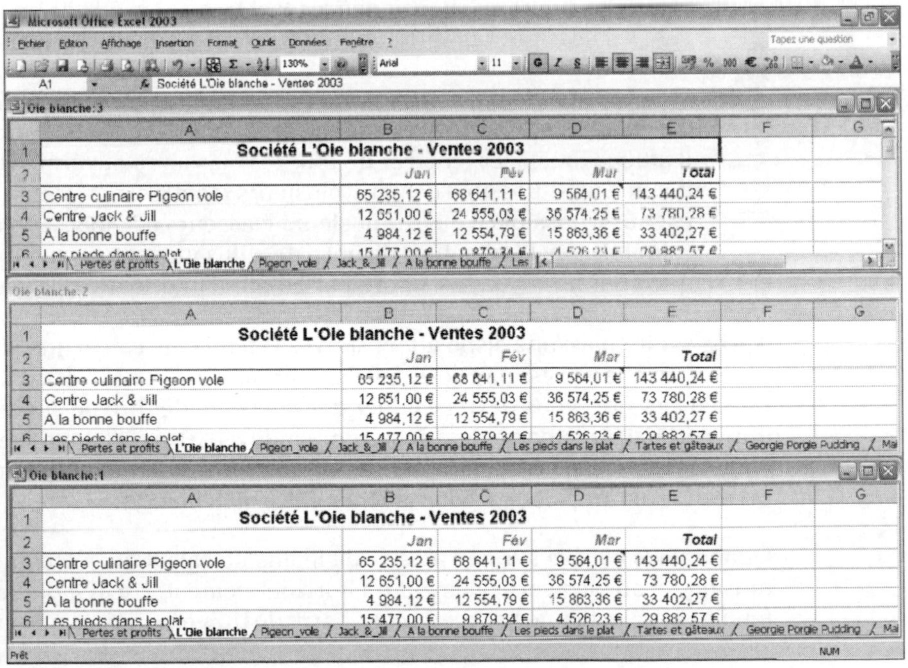

Figure 7.6
Superposition de
trois fenêtres de
feuilles de calcul
avec l'option
Horizontal.

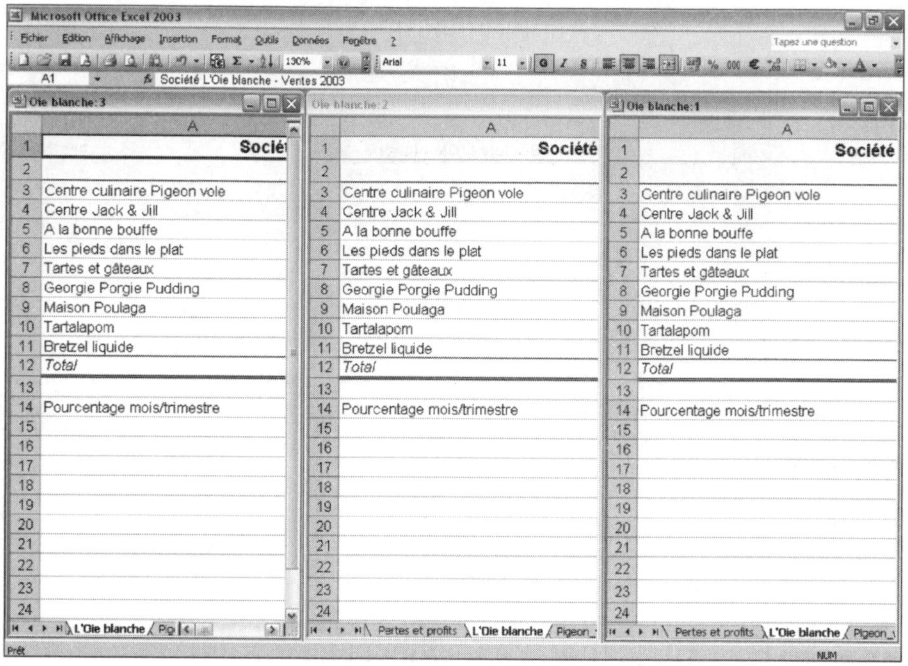

Figure 7.7
Juxtaposition de
trois fenêtres de
feuilles de calcul
avec l'option
Vertical.

✔ **Cascade :** Excel redimensionne les fenêtres et les empile en léger décalage les unes par rapport aux autres, comme l'illustre la Figure 7.8.

✔ **Fenêtres du classeur actif :** Lorsque cette case est cochée, Excel ne
montre que la fenêtre qui a été ouverte dans le classeur courant. Sinon,
il affiche toutes les fenêtres de tous les classeurs ouverts. Eh oui, tout
comme il est possible d'ouvrir plusieurs fenêtres d'un même classeur, il
est aussi possible d'ouvrir plusieurs classeurs à la fois, à condition
toutefois que l'ordinateur dispose de suffisamment de mémoire vive, et
que vous ne soyez pas saturé par autant d'informations à gérer.

Après avoir choisi une disposition, activez la feuille de calcul que vous désirez
utiliser (si elle ne l'est pas déjà) en cliquant dedans. Dans le cas d'une disposition en cascade, vous devrez cliquer dans la barre de titre ou sur le bouton
approprié, dans la barre des tâches de Windows XP ou 2000. Utilisez éventuellement l'info-bulle du bouton pour déterminer le numéro de la fenêtre, si les
boutons sont trop courts pour afficher cette information.

Quand vous cliquez sur une fenêtre de feuille de calcul qui a été disposée en
mosaïque, ou bien verticalement ou horizontalement, Excel indique que cette
feuille est sélectionnée en mettant sa barre de titre en surbrillance et en faisant

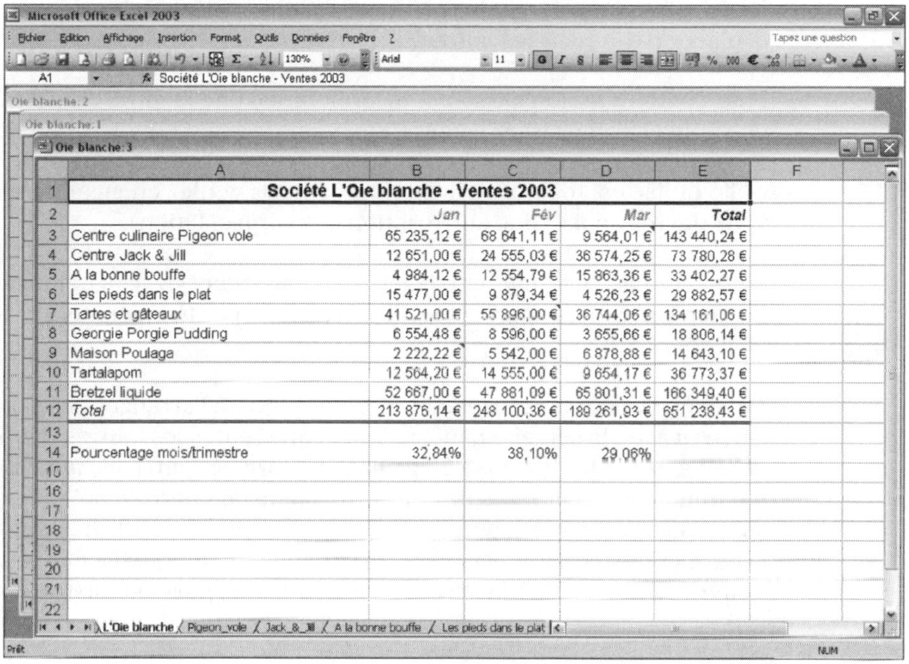

Société L'Oie blanche - Ventes 2003						
	A	B	C	D	E	F
1	Société L'Oie blanche - Ventes 2003					
2		Jan	Fév	Mar	Total	
3	Centre culinaire Pigeon vole	65 235,12 €	68 641,11 €	9 564,01 €	143 440,24 €	
4	Centre Jack & Jill	12 651,00 €	24 555,03 €	36 574,25 €	73 780,28 €	
5	A la bonne bouffe	4 984,12 €	12 554,79 €	15 863,36 €	33 402,27 €	
6	Les pieds dans le plat	15 477,00 €	9 879,34 €	4 526,23 €	29 882,57 €	
7	Tartes et gâteaux	41 521,00 €	55 896,00 €	36 744,06 €	134 161,06 €	
8	Georgie Porgie Pudding	6 554,48 €	8 596,00 €	3 655,66 €	18 806,14 €	
9	Maison Poulaga	2 222,22 €	5 542,00 €	6 878,88 €	14 643,10 €	
10	Tartalapom	12 564,20 €	14 555,00 €	9 654,17 €	36 773,37 €	
11	Bretzel liquide	52 667,00 €	47 881,09 €	65 801,31 €	166 349,40 €	
12	Total	213 876,14 €	248 100,36 €	189 261,93 €	651 238,43 €	
13						
14	Pourcentage mois/trimestre	32,84%	38,10%	29,06%		

Figure 7.8
Empilement de
feuilles de calcul
obtenu avec
l'option Cascade.

apparaître les barres de défilement de sa fenêtre. Quand vous cliquez sur la
barre de titre d'une feuille de calcul disposée en cascade, elle se place spontanément en haut de l'empilement. Sa barre de titre est en surbrillance et ses
barres de défilement visibles.

Il est possible de zoomer temporairement dans une fenêtre et de l'afficher dans
la totalité de l'espace de travail en cliquant sur le bouton Agrandir de sa barre
de titre. Quand vous avez fini de travailler en mode agrandi, rétablissez-la à sa
taille précédente en cliquant sur le bouton Restaurer la fenêtre.

Pour sélectionner avec le clavier la prochaine fenêtre réorganisée en
mosaïque, horizontalement ou verticalement, ou placer sur le dessus de la pile
la prochaine fenêtre d'une disposition en cascade, appuyez sur Ctrl+F6. Pour
sélectionner la fenêtre précédente, appuyez sur Ctrl+Maj+F6. Notez que ces
raccourcis clavier fonctionnent même lorsque ces fenêtres ont été agrandies
dans l'espace de travail d'Excel.

Si vous fermez l'une des fenêtres réorganisées en cliquant sur le bouton Fermer
dans la barre de titre (celui avec un X) ou en appuyant sur Ctrl+W, Excel ne
redimensionne pas les autres fenêtres pour combler le vide. De même, si vous
créez maintenant une nouvelle fenêtre en cliquant sur Fenêtre/Nouvelle

fenêtre, Excel ne réorganise pas la disposition pour l'intégrer. Il se contente de la placer par-dessus les autres.

Pour combler le vide laissé par la fermeture d'une fenêtre, ou pour en intégrer une nouvelle, choisissez Fenêtre/Réorganiser afin d'ouvrir la boîte de dialogue Réorganiser, puis cliquez sur OK ou appuyez sur Entrée (le dernier bouton radio utilisé est toujours sélectionné ; si vous voulez changer de disposition, vous devrez choisir une autre option de réorganisation).

 N'essayez pas de fermer une fenêtre, en particulier avec la commande Fichier/Fermer, car vous fermeriez tout le classeur, et par là même toutes les fenêtres qu'il contient.

Au moment de l'enregistrement, Excel enregistre l'arrangement courant des fenêtres avec le fichier, en même temps que toutes les autres modifications. Pour ne pas enregistrer la réorganisation, fermez toutes les fenêtres sauf une (en double-cliquant sur leur bouton de menu de contrôle ou en les sélectionnant et en appuyant ensuite sur Ctrl+W), puis cliquez sur le bouton Agrandir de la dernière fenêtre. Choisissez ensuite l'onglet sur lequel le classeur devra s'ouvrir la prochaine fois que vous le chargerez, puis enregistrez le fichier.

Comparer deux feuilles de calcul en côte à côte

La nouvelle commande Comparer en côte à côte avec du menu Fenêtre permet d'effectuer rapidement et facilement une comparaison de deux feuilles de calcul. Après avoir ouvert les deux fenêtres, choisissez Fenêtre/Comparer en côte à côte avec, dans la barre de menus. Excel les dispose automatiquement sur un plan horizontal (comme si vous aviez sélectionné l'option Horizontal de la boîte de dialogue Réorganiser) et affiche également la barre d'outils Comparer en côte à côte.

Si plus de deux fenêtres sont ouvertes lorsque vous choisissez Fenêtre/Comparer en côte à côte avec, Excel ouvre la boîte de dialogue Comparer en côte à côte dans laquelle vous sélectionnez la fenêtre qui sera comparée à la fenêtre active. Dès que vous cliquez sur OK, Excel empile la fenêtre active sur celle que vous venez de sélectionner.

La barre d'outils Comparer en côte à côte comprend trois boutons :

✔ **Défilement synchrone :** Après avoir cliqué sur ce bouton, dès que vous actionnez la barre de défilement horizontal ou vertical de la fenêtre active, le mouvement est répercuté dans l'autre fenêtre. Pour être en mesure de faire défiler uniquement la fenêtre active, cliquez une

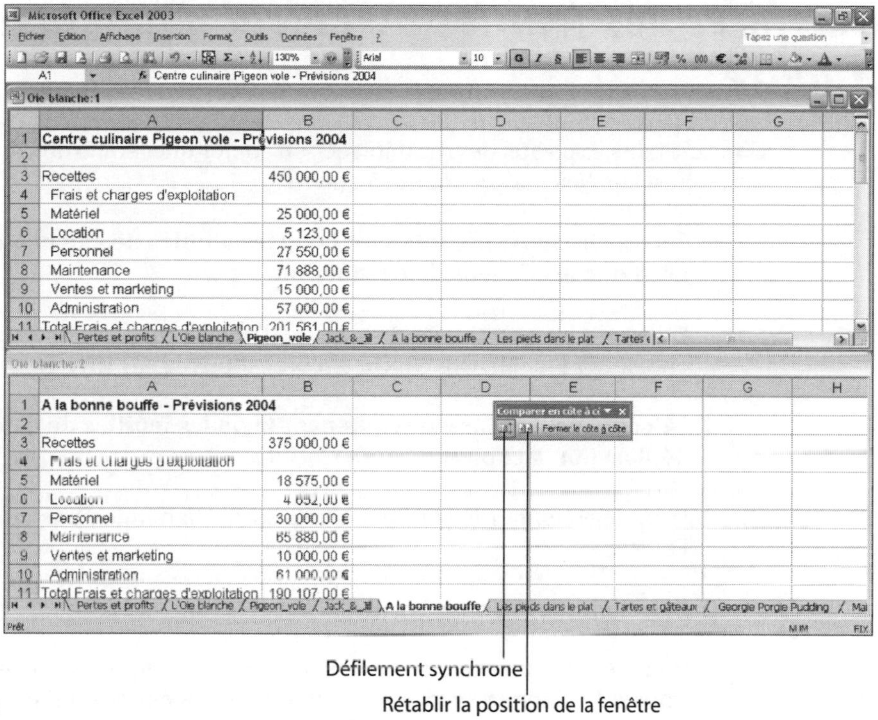

Figure 7.9
Comparez deux
feuilles de calcul
en côte à côte.

Défilement synchrone

Rétablir la position de la fenêtre

seconde fois sur le bouton Défilement synchrone afin de désactiver la fonction.

✔ **Rétablir la position de la fenêtre :** Après un redimensionnement manuel de la fenêtre active, cliquez sur ce bouton afin de restaurer la disposition des deux fenêtres, propice à une comparaison en côte à côte.

✔ **Fermer le côte à côte :** Lorsque vous cliquez sur ce bouton, Excel revient à la disposition en vigueur avant d'avoir choisi Fenêtre/ Comparer en côte à côte avec. Si vous n'avez sélectionné aucune option dans la boîte de dialogue Réorganiser, Excel se contente d'afficher en plein écran la fenêtre active.

Transférer des feuilles de calcul d'un classeur à un autre

Dans certains cas, vous devrez déplacer ou copier une feuille de calcul dans un autre classeur. Voici la procédure à suivre :

1. **Ouvrez le classeur contenant la ou les feuilles de calcul à transférer ainsi que le classeur de destination.**

   Utilisez le bouton Ouvrir de la barre d'outils ou, dans la barre de menus, choisissez Fichier/Ouvrir. Ou encore, appuyez sur Ctrl+O.

2. **Sélectionnez le classeur contenant la ou les feuilles de calcul à déplacer ou à copier.**

   Pour sélectionner le classeur, choisissez son nom en bas du menu Fenêtre.

3. **Sélectionnez la ou les feuilles à déplacer ou à copier.**

   Pour sélectionner une seule feuille de calcul, cliquez sur son onglet. Pour sélectionner un groupe de feuilles adjacentes, cliquez sur le premier onglet puis, touche Maj enfoncée, cliquez sur le dernier onglet. Pour sélectionner des feuilles éparses, cliquez sur un premier onglet puis, touche Ctrl enfoncée, cliquez sur les onglets des autres feuilles.

4. **Dans la barre de menus, choisissez la commande Edition/Déplacer ou copier une feuille. Ou alors, dans le menu contextuel de l'onglet, choisissez l'option Déplacer ou copier.**

   Excel ouvre la boîte de dialogue Déplacer ou copier, visible dans la Figure 7.10, dans laquelle vous préciserez s'il faut déplacer ou copier la ou les feuilles sélectionnées, et à quel endroit.

5. **Dans la liste déroulante Dans le classeur, sélectionnez le nom du classeur dans lequel vous désirez déplacer ou copier la ou les feuilles de calcul.**

   Si vous voulez déplacer ou copier les feuilles sélectionnées dans un nouveau classeur au lieu d'un classeur existant, choisissez l'option Nouveau classeur, tout en haut de la liste déroulante.

6. **Dans la liste Avant la feuille, sélectionnez le nom de la feuille de calcul, dans le classeur de destination, avant laquelle les feuilles**

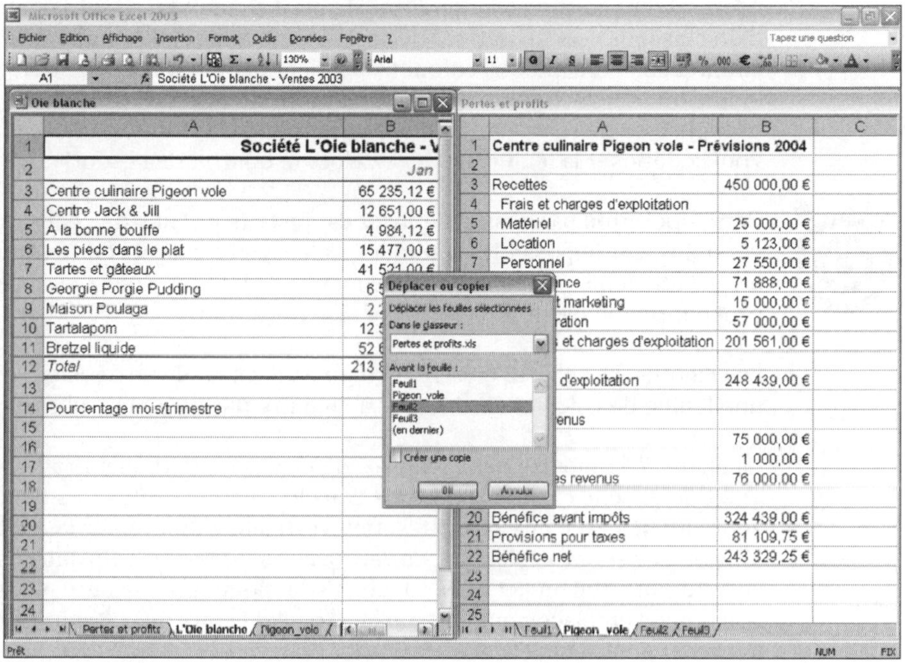

Figure 7.10
Précisez dans
cette boîte de
dialogue s'il faut
déplacer la
feuille
sélectionnée ou
la copier.

déplacées ou copiées doivent être placées. Si vous voulez les placer à la fin, choisissez l'option En dernier.

7. **Au besoin, cochez la case Créer une copie, ce qui évite de voir disparaître la ou les feuilles sélectionnées dans le classeur d'origine.**

8. **Cliquez sur OK ou appuyez sur Entrée pour terminer l'opération de déplacement ou de copie.**

Si vous préférez une méthode plus directe, vous pouvez déplacer ou copier des feuilles entre des classeurs ouverts en faisant glisser les onglets sélectionnés de l'un à l'autre. Notez que cette technique fonctionne aussi bien avec une seule feuille qu'avec plusieurs à la fois.

Pour faire glisser une feuille de calcul d'un classeur vers un autre, les deux classeurs doivent être ouverts. Utilisez la commande Fenêtre/Réorganiser, dans la barre de menus, puis choisissez une disposition (en mosaïque, horizontale ou verticale). Avant de fermer la boîte de dialogue Réorganiser, assurez-vous que la case Fenêtres du classeur *n'est pas* cochée.

Après avoir réorganisé les fenêtres du classeur, faites glisser l'onglet de feuille d'un classeur vers un autre. Pour copier une feuille plutôt que de la déplacer, maintenez la touche Ctrl enfoncée pendant la manipulation. Pour placer la feuille où bon vous semble dans le classeur de destination, cliquez sur le petit triangle noir de l'onglet et faites-le glisser jusqu'à l'emplacement où vous voulez déposer la feuille. Relâchez alors le bouton de la souris.

Cette opération par glisser-déposer est justement l'une de celles qui sont irréversibles, car impossibles à annuler. Cela signifie que si vous avez déplacé par erreur une feuille de calcul dans le mauvais classeur, vous devrez effectuer la procédure inverse pour la ramener là où elle était.

Les Figures 7.11 et 7.12 illustrent combien il est facile de déplacer ou de copier une feuille de calcul d'un classeur à un autre par un simple glisser-déposer.

La Figure 7.11 montre deux fenêtres de classeur : Pertes et Profits.xls dans le volet de gauche et Oie blanche.xls dans le volet de droite. Ces deux classeurs sont affichés avec une réorganisation verticale. Pour copier la feuille Pigeon_ Vole du classeur Oie blanche.xls vers le classeur Pertes et Profits.xls, il suffit de sélectionner son onglet puis, touche Ctrl enfoncée, de le faire glisser jusqu'à son nouvel emplacement, juste avant l'onglet Feuil2 du classeur de destination Pertes et Profits.xls.

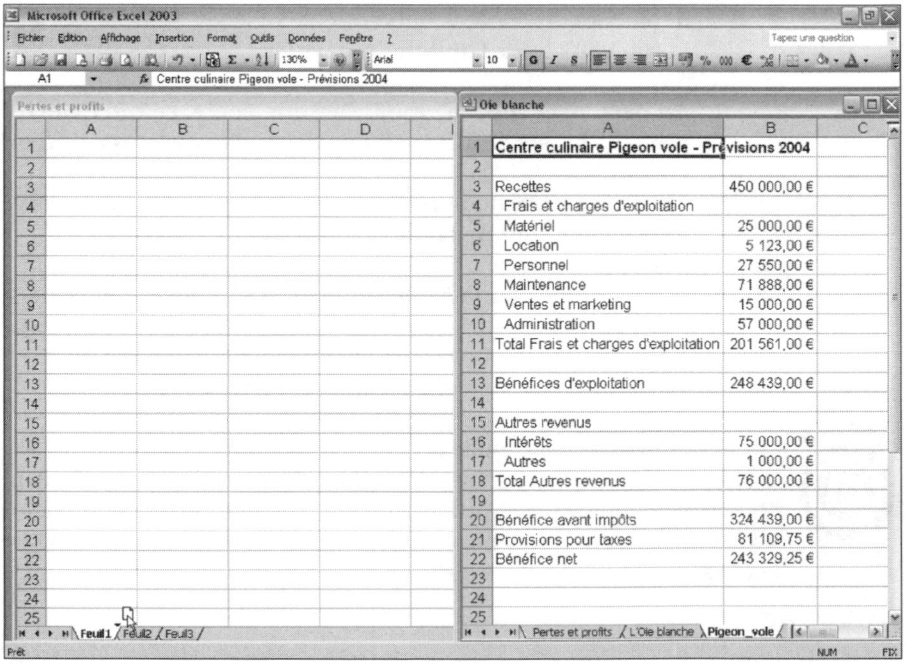

Figure 7.11
Déplacement de
la feuille de
calcul Pigeon_
Vole du classeur
de droite vers le
classeur de
gauche.

Regardez maintenant la Figure 7.12 pour voir les classeurs juste après avoir relâché le bouton de la souris. Comme vous le constatez, Excel a inséré une copie de la feuille Pigeon_Vole dans le classeur Pertes et Profits.xls, entre les onglets Feuil1 et Feuil2, comme nous l'avions indiqué en plaçant à cet endroit le petit triangle noir.

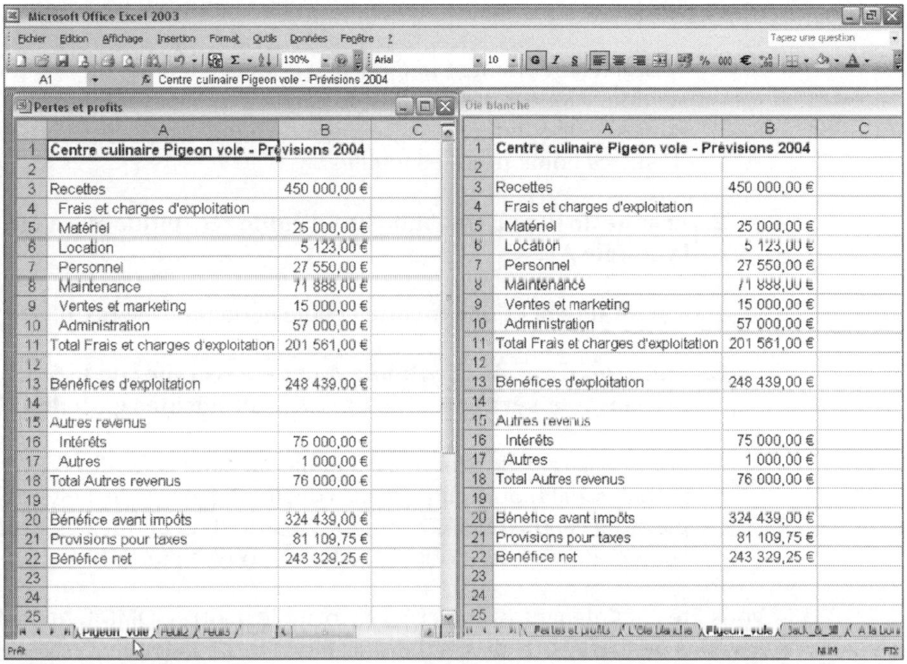

Figure 7.12
La feuille de calcul copiée, Pigeon_Vole, vient d'être insérée dans le classeur de destination (à gauche), entre les onglets Feuil1 et Feuil2. L'original de la feuille est toujours présent dans le classeur Oie blanche.xls, à droite.

Pour récapituler...

Je m'en voudrais de ne pas vous présenter la fascinante fonctionnalité qui permet de créer une *feuille récapitulative* qui reprend tous les totaux des valeurs calculées dans d'autres feuilles du classeur.

Le meilleur moyen de vous montrer comment créer une feuille récapitulative est de vous décrire les différentes étapes de création d'une feuille que nous nommerons Prévisions globales 2004, qui appartiendra au classeur Oie blanche.xls. Elle récapitulera les pertes et les profits de toutes les entreprises partenaires de la société L'Oie blanche.

Du fait que le classeur Oie blanche.xls contient d'ores et déjà neuf feuilles de calcul qui contiennent chacune les dépenses et les revenus escomptés pour chacune de ces neuf entreprises, et parce que ces feuilles ont toutes une structure identique, la création de la feuille récapitulative sera très rapide :

1. **Dans le classeur Oie blanche.xls, une nouvelle feuille de calcul Feuil1 est insérée avant toutes les autres, puis renommée Prévisions globales 2004.**

   Pour savoir comment insérer une nouvelle feuille, reportez-vous à la section "Ajouter des feuilles de calcul à un classeur", dans ce chapitre. Pour savoir comment renommer une feuille, reportez-vous à la section "D'autres noms pour les feuilles".

2. **Ensuite, le titre L'Oie blanche – Feuille récapitulative a été entré dans la cellule A1.**

   Il suffit de sélectionner cette cellule et de taper le texte.

3. **Enfin, les titres de la colonne A ont été recopiés de la feuille de calcul Pigeon_Vole vers la feuille de calcul Prévisions globales 2004.**

   Pour ce faire, sélectionnez la cellule A3 dans la feuille Prévisions globales 2004, puis cliquez sur l'onglet Pigeon_Vole. Sélectionnez-y la plage de cellules A3:A22, appuyez sur Ctrl+C, cliquez de nouveau sur l'onglet Prévisions globales 2004 et appuyez sur Entrée.

Vous êtes maintenant prêt à créer la formule maître SOMME qui totalise les revenus des neuf entreprises dans la cellule B3 de la feuille Prévisions globales 2004 :

1. **Commencez par cliquer sur la cellule B3 puis sur l'outil Somme automatique, dans la barre d'outils Standard.**

   Excel place le mot =SOMME() dans la cellule ; le point d'insertion se trouve entre les deux parenthèses.

2. **Cliquez sur l'onglet Pigeon_Vole puis sur la cellule B3 pour sélectionner les revenus attendus par la société Pigeon Vole.**

   Après avoir sélectionné cette cellule, la formule devient =SOMME('Pigeon_Vole'!B3).

3. **Tapez ensuite un plus (+) pour ajouter un nouvel argument. Cliquez ensuite sur l'onglet Jack_&_Jill puis dans la cellule B3 de cette feuille pour récupérer la valeur qui s'y trouve.**

Après avoir effectué cette sélection, la formule devient =SOMME(Pigeon_Vole!B3+'Jack_&_Jill'!B3).

4. **Continuez ainsi avec toutes les autres entreprises, en séparant chaque argument par un plus.**

   A la fin de cette procédure, la barre de formule contient l'impressionnante formule SOMME visible dans la Figure 7.13.

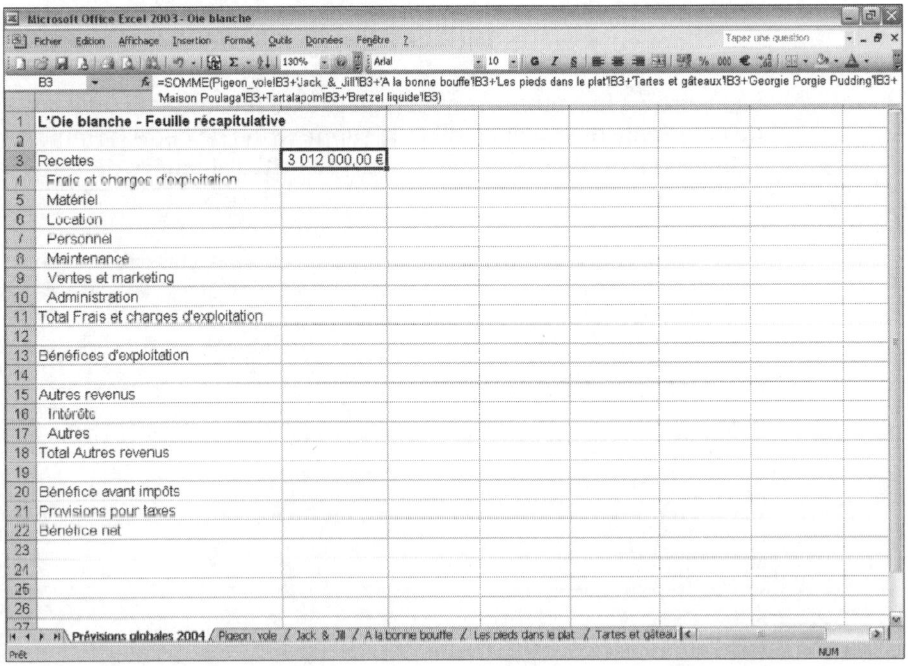

Figure 7.13
La feuille de calcul telle qu'elle apparaît après la récupération par la fonction SOMME des chiffres des neuf entreprises.

5. **Après avoir terminé d'écrire la formule SOMME dans la cellule B3, cliquez sur le bouton Entrer ou appuyez sur la touche Entrée.**

   Dans la Figure 7.13, remarquez comment la colonne B a été automatiquement élargie par la fonction Ajustement automatique. Comme l'indique le contenu de la barre de formule, la formule maître SOMME retourne 3 012 000 €, c'est-à-dire les valeurs cumulées des cellules B3 de chacune des neuf entreprises.

Il ne nous reste plus qu'à utiliser la recopie automatique pour copier la formule maître de la cellule B3 dans toutes les autres cellules jusqu'à la ligne 22 en procédant ainsi :

1. **La cellule B3 étant toujours sélectionnée, tirez la poignée de recopie automatique, dans le coin en bas à droite du pointeur de cellule, jusqu'à la cellule B22 afin d'y recopier les valeurs correspondant à la somme des neuf entreprises.**

2. **Supprimez ensuite les formules SOMME des cellules B4, B12, B14, B15 et B19. Elles contiennent en effet toutes des zéros car, dans les feuilles des entreprises, aucun chiffre ne figure à ces endroits.**

La Figure 7.14 montre la première partie du récapitulatif final après la recopie de la formule de la cellule B3 et la suppression de cette formule dans les cellules qui doivent rester vides (ce qui évite l'affichage de zéros inutiles et inesthétiques).

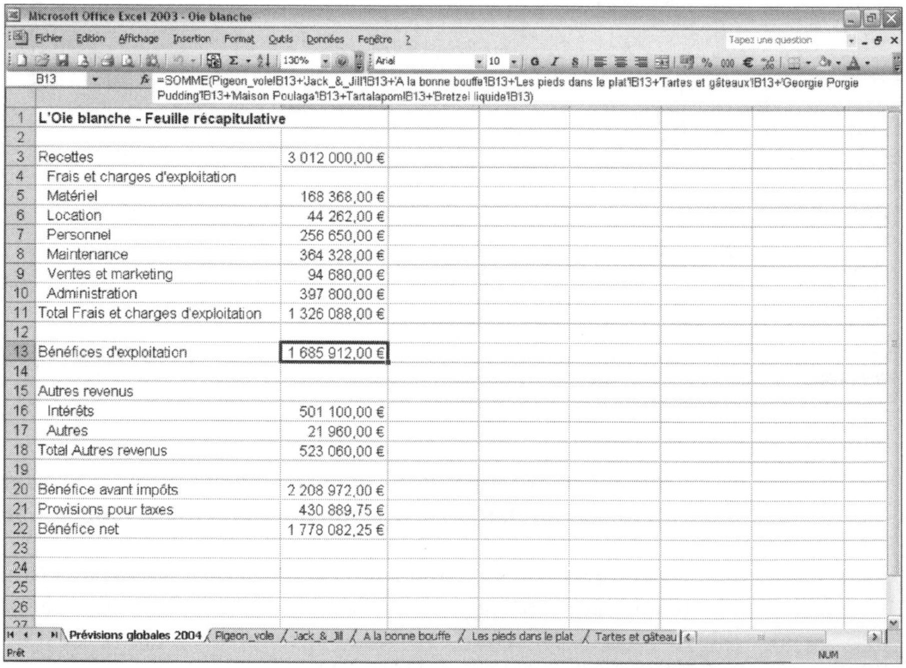

Figure 7.14
La feuille de calcul après avoir recopié automatique-ment la formule SOMME et supprimé les formules qui retournent zéro.

Quatrième partie
Y a-t-il une vie après le tableur ?

"Bien joué ! Ce graphique en aubergine est aussi confus que le graphique en papillon et celui en calebasse. Tu ne pourrais pas faire des graphiques en camembert comme tout le monde ?"

Dans cette partie...

Ne vous laissez pas charrier par quelqu'un qui
vous affirmerait qu'Excel 2003 n'est qu'un
tableur. Pour beaucoup de gens, la création, la modification et l'impression des feuilles de calcul sont la
raison d'être et la finalité d'Excel. Que pourrait-on lui
demander de plus ? Ce n'est pas parce qu'il mouline
remarquablement bien les chiffres qu'il se limite à
cette unique tâche. Et ce n'est pas parce que
travailler avec un tableur consiste essentiellement à
entrer des chiffres que vous ne serez pas appelé, un
jour ou l'autre, à effectuer d'autres tâches comme
dessiner des graphiques ou gérer une base de
données, voire publier les données d'une feuille de
calcul sur le Web.

Cette partie vous propose d'aller plus loin avec le
tableur, de découvrir des tâches aussi attrayantes
que la création de graphiques, l'ajout d'images, la
création, le tri et le filtrage de bases de données, sans
oublier la publication de feuilles de calcul sur
l'Internet ou sur l'intranet de votre entreprise. Après
avoir appris à créer un graphique dans le Chapitre 8,
à organiser une base de données dans le Chapitre 9,
à créer des liens hypertextes et à convertir une
feuille de calcul en document HTML dans le
Chapitre 10, vous serez plus que prêt pour le jour où
vous devrez faire mieux que produire une simple
feuille de calcul.

Chapitre 8

L'art subtil des graphiques

Comme le disait Confucius, "une image vaut mille mots" (ou, dans notre cas, mille chiffres). Dans un tableur, les graphiques augmentent non seulement l'intérêt pour des chiffres dont la lecture serait autrement fort ennuyeuse, mais ils mettent aussi en évidence des anomalies qui passeraient inaperçues si seuls des chiffres étaient produits. La création de graphiques est si facile dans Excel que vous pourrez aisément en essayer plusieurs et choisir celui qui illustre le plus efficacement les données.

Un mot encore sur les graphiques avant de découvrir comment les réaliser dans Excel. Vous vous rappelez les efforts méritoires, en classe, de votre professeur de mathématiques, pour vous apprendre à tracer des graphiques d'équations sur des axes X et Y ? Vous aviez certainement l'esprit ailleurs à ce moment-là, vous vous intéressiez trop aux voitures et à la musique rock. De toute façon, vous vous demandiez bien en quoi ces graphiques pourraient vous être utiles plus tard, dans votre vie professionnelle.

Eh bien, nous y voilà : bien qu'Excel automatise la quasi-totalité du processus de création de graphique, vous ne pouvez vous dispenser de savoir ce qui différencie un axe X d'un axe Y, ne serait-ce que pour le cas où Excel n'orienterait pas le graphique comme prévu. Afin de rafraîchir votre mémoire et de faire plaisir à votre prof de maths, sachez que l'axe X est horizontal et usuellement situé en bas du graphique, et l'axe Y vertical et ordinairement situé à gauche du graphique.

Dans la plupart des graphiques basés sur ces deux axes, Excel place les catégories le long de l'axe X, en bas du tracé, et les valeurs relatives le long de l'axe Y, à gauche. L'axe X est parfois appelé *axe de temps*, car il est souvent utilisé pour indiquer des durées comme les mois, les trimestres, les années, etc.

Se faire aider par l'Assistant Graphique

Grâce à l'Assistant Graphique, Excel facilite au maximum la création d'un graphique. Il vous guide en effet au travers d'une procédure de création en quatre étapes, au terme de laquelle vous obtenez un magnifique graphique tout beau, tout neuf.

Avant de démarrer l'Assistant Graphique, vous devez sélectionner la plage de cellules à représenter. Rappelez-vous toujours que pour obtenir le graphique désiré, les informations qui y figureront doivent être placées dans une seule plage d'un tableau standard, comme le montre la Figure 8.1.

Si vous créez un graphique basé sur les axes X et Y – ce qui est le plus souvent le cas –, l'Assistant Graphique utilisera spontanément les titres d'une colonne pour en faire des étiquettes de catégories qu'il placera sur l'axe X. Si le tableau comporte des titres placés sur une ligne, l'Assistant Graphique en fera des *légendes* (à condition bien sûr que vous ayez sélectionné ces titres). Une *légende* identifie chaque point, colonne ou barre qui, dans le graphique, représente une valeur du tableau.

Après avoir sélectionné les informations à représenter, procédez comme suit pour créer le graphique :

1. **Cliquez sur le bouton Assistant Graphique, dans la barre d'outils Standard, pour démarrer l'assistant. Il affiche la boîte de dialogue de la première étape (Figure 8.2) : Type de graphique.**

   Le bouton Assistant Graphique se reconnaît à son icône montrant un histogramme.

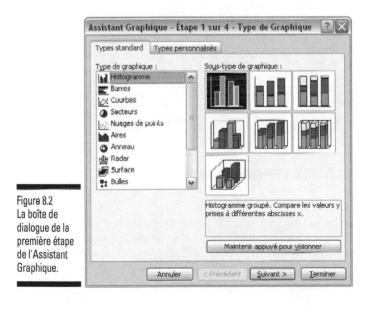

Figure 8.1
Sélection des informations à représenter dans un graphique.

Figure 8.2
La boîte de dialogue de la première étape de l'Assistant Graphique.

2. **Si vous désirez utiliser un autre graphique que l'histogramme groupé proposé par défaut, sélectionnez-en un dans la liste Type de graphique puis dans la fenêtre Sous-type de graphique.**

Pour choisir un autre type de graphique, cliquez sur l'un de ceux proposés dans la liste Type de graphique. Pour sélectionner un sous-type, cliquez sur sa représentation dans la fenêtre Sous-type de graphique. Pour visualiser l'apparence des données avec le graphique choisi, cliquez pendant un certain temps sur le bouton Maintenir appuyé pour visionner, en bas à droite de la boîte de dialogue.

3. **Cliquez sur le bouton Suivant ou appuyez sur Entrée pour passer à la deuxième étape de l'Assistant Graphique : Données source du graphique.**

Utilisez les options de la boîte de dialogue de l'étape 2 de l'Assistant Graphique (voir Figure 8.3) pour modifier la plage de données à repré-senter dans le graphique. Ou alors indiquez-la si elle n'a pas encore été sélectionnée. Choisissez aussi la manière dont les séries de chiffres seront définies. L'étape 2 de l'Assistant Graphique comporte deux onglets : Plage de données et Série.

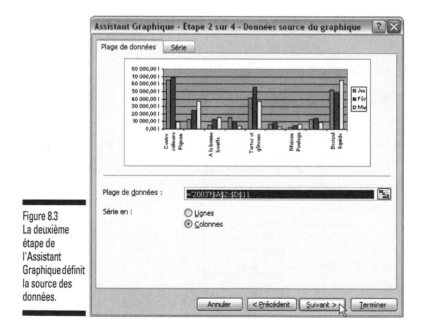

Figure 8.3
La deuxième
étape de
l'Assistant
Graphique définit
la source des
données.

Lorsque cette boîte de dialogue est ouverte sur l'onglet Plage de données, la plage de données sélectionnée avant de démarrer l'Assistant Graphique est entourée d'un rectangle de sélection et mentionnée dans la zone de texte Plage de données, avec des références de cellules absolues. Pour modifier cette plage – pour ajouter par exemple des lignes ou des colonnes à inclure dans le graphique –, resélectionnez-la avec la souris ou modifiez les références de cellules directement dans la zone de texte Plage de données.

Si la boîte de dialogue de l'Assistant Graphique gêne la sélection des cellules avec la souris, vous pouvez la réduire à la taille d'une zone de texte en cliquant sur l'icône Réduire la boîte de dialogue, à droite de l'indication de la plage de données. Pour rétablir la boîte de dialogue à sa taille d'origine, cliquez sur le même bouton. De toute façon, dès que vous commencez à tracer le rectangle de sélection avec la souris, la boîte de dialogue se réduit automatiquement et réapparaît quand vous relâchez le bouton de la souris.

4. **Vérifiez la plage de cellules affichée dans la zone de texte Plage de données, et corrigez les adresses au clavier ou à la souris.**

Normalement, l'Assistant Graphique dispose les chiffres de chacune des colonnes du tableau sélectionné en *séries de données*, dans le graphique. Une *légende*, qui figure dans un cadre contenant les indicateurs des couleurs ou des motifs utilisés dans le graphique, identifie chacune des séries de données du graphique.

Pour les données du premier trimestre de la société L'Oie blanche sélectionnées dans la feuille de calcul (reportez-vous à la Figure 8.1), Excel représente les ventes de chaque mois par une barre de l'histogramme, et regroupe ces mois pour chacune des neuf entreprises. Si vous le désirez, il est possible de permuter la présentation des séries de données des colonnes aux lignes en activant le bouton radio Lignes. Dans notre exemple, chaque barre de l'histogramme représenterait les ventes de l'une des neuf entreprises réunies par mois.

Lorsque le graphique représente les séries de données par colonnes, l'Assistant Graphique affiche les entrées de la première colonne – les titres de la plage A3:A11 – sur l'axe X (*étiquettes de catégories*) et utilise les entrées de la première ligne – plage B2:D2 – comme titres pour les légendes.

5. **Si vous désirez que l'Assistant Graphique utilise les lignes de la plage de données sélectionnée comme série de données dans le graphique, au lieu des colonnes, activez le bouton radio Lignes, sous l'onglet Plage de données.**

Si vous devez modifier les noms ou les références de cellules d'une série de données, vous pourrez le faire en cliquant sur l'onglet Série, dans la boîte de dialogue de l'étape 2 de l'Assistant Graphique.

6. **Cliquez sur le bouton Suivant ou appuyez sur Entrée pour passer à la troisième étape de l'Assistant Graphique : Options du graphique.**

   La boîte de dialogue de l'étape 3 de l'Assistant Graphique (Figure 8.4) permet de définir bon nombre d'options, notamment l'ajout d'un titre, l'affichage d'un quadrillage ou des légendes, le choix de l'apparition des étiquettes près des séries de données ou non, ou si les valeurs du graphique doivent être affichées juste sous les séries de données.

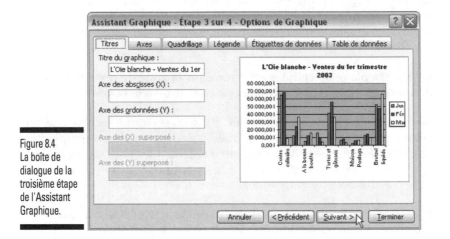

Figure 8.4
La boîte de dialogue de la troisième étape de l'Assistant Graphique.

7. **Sélectionnez l'onglet de l'option que vous désirez modifier (Titre, Axes, Quadrillage, Légendes, Etiquettes de données ou Table de données), puis changez les paramètres à votre guise. Nous y reviendrons dans la section "Modifier les options du graphique", plus loin dans ce chapitre.**

8. **Cliquez sur le bouton Suivant ou appuyez sur Entrée pour passer à la quatrième et dernière étape de l'Assistant Graphique : Emplacement du graphique.**

   Activez l'un ou l'autre des boutons radio de la boîte de dialogue que montre la Figure 8.5 pour placer le graphique sur une nouvelle feuille ou en tant qu'objet dans l'une des feuilles de calcul du classeur.

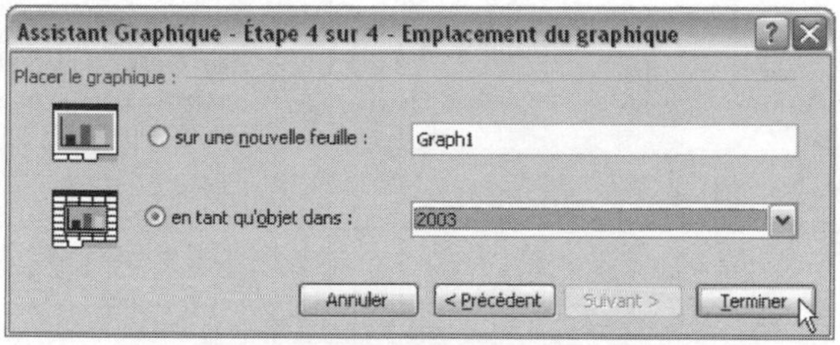

Figure 8.5
Cette boîte de
dialogue permet
de choisir
l'emplacement
du graphique :
dans une
nouvelle feuille
ou dans une
feuille existante
du classeur.

9a. **Pour placer le graphique dans sa propre feuille, sélectionnez le bouton radio Sur une nouvelle feuille. Si vous le désirez, tapez à droite le nom de cette nouvelle feuille.**

9b. **Pour placer le graphique quelque part dans une des feuilles du classeur, sélectionnez le bouton radio En tant qu'objet dans. Sélectionnez ensuite le nom de la feuille de calcul dans la liste déroulante, à droite.**

10. **Cliquez sur le bouton Terminer ou appuyez sur Entrée pour fermer la dernière boîte de dialogue de l'Assistant Graphique.**

Si vous avez choisi l'option Sur une nouvelle feuille, le graphique apparaît dans une nouvelle feuille tandis que la barre d'outils Graphique flotte au-dessus de la fenêtre. Si vous avez sélectionné En tant qu'objet dans, le graphique – mais aussi la barre d'outils Graphique – apparaît dans la feuille de calcul sélectionnée, comme le montre la Figure 8.6.

Déplacer et redimensionner un graphique dans une feuille

Un objet graphique créé dans une feuille peut être facilement déplacé et redimensionné immédiatement après sa création, car il est encore sélectionné (un graphique est sélectionné lorsqu'il est entouré de *poignées de sélection* ; elles se présentent sous la forme de huit petits carrés noirs placés tout autour). Immédiatement après avoir créé un graphique, la barre d'outils Graphique est affichée dans la fenêtre du classeur. Excel représente également chaque groupe de cellules dans une couleur différente.

✔ Pour déplacer le graphique, placez le pointeur de la souris dedans puis tirez le graphique ailleurs.

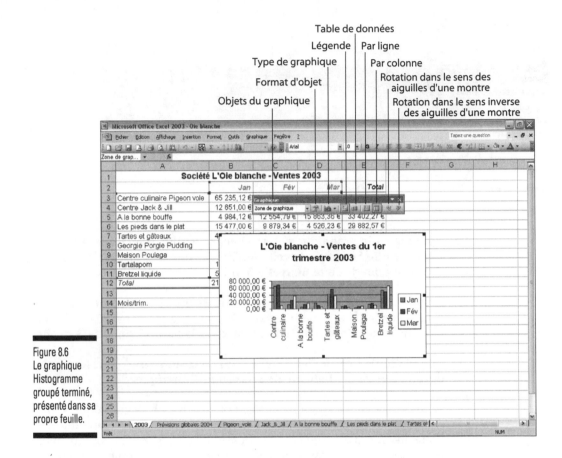

Figure 8.6
Le graphique
Histogramme
groupé terminé,
présenté dans sa
propre feuille.

✔ Pour redimensionner un graphique (afin de l'agrandir ou de le déformer), placez le pointeur de la souris sur l'une des poignées de sélection. Dès que le pointeur se transforme en flèche ou en double flèche, tirez sur le côté ou sur le coin – selon la poignée sélectionnée – pour agrandir ou réduire le graphique.

Après avoir positionné et/ou redimensionné le graphique, confirmez l'opération en le désélectionnant (il suffit de cliquer hors du graphique). Les poignées de sélection disparaissent, de même que la barre d'outils Graphique. Pour sélectionner de nouveau le graphique, si vous devez le modifier, le redimensionner ou le déplacer, cliquez simplement dedans avec le pointeur de la souris.

TRUC

Un graphique instantané

Si vous n'avez vraiment pas le temps de vous consacrer aux quatre étapes de l'Assistant Graphique, vous pouvez créer instantanément un histogramme groupé en sélectionnant les titres et les valeurs à représenter, en cliquant ensuite sur le bouton Assistant Graphique de la barre d'outils Standard puis sur le bouton Terminer, dans la boîte de dialogue de l'étape 1 sur 4 – Type de graphique.

Pour créer un graphique dans une feuille séparée, sélectionnez les titres et les valeurs à représenter et appuyez sur la touche de fonction F11. Excel crée aussitôt un histogramme groupé d'après les données sélectionnées. Il le place dans une feuille située avant toutes celles que contient le classeur.

Modifier le graphique avec la barre d'outils Graphique

Après avoir créé un graphique, vous pouvez utiliser la barre d'outils Graphique (voir Figure 8.6) pour effectuer toutes sortes de modifications.

✔ **Objets du graphique :** Pour sélectionner la partie du graphique à modifier, cliquez sur le bouton déroulant de cette option et choisissez le nom de l'objet dans la liste. Il est aussi possible de cliquer directement sur cet objet dans le graphique ; à ce moment, son nom apparaît automatiquement dans la zone de texte Objet du graphique.

✔ **Format d'objet :** Cliquez sur ce bouton pour modifier la mise en forme de l'objet graphique sélectionné dont le nom figure dans la zone de texte Objets du graphique. Une boîte de dialogue contenant des options de mise en forme apparaît. Vous remarquerez que dans la barre d'outils le nom de ce bouton varie selon l'objet sélectionné. Si la zone de traçage est sélectionnée, le bouton se nomme Format de la zone de traçage ; si Légende est sélectionné, il se nomme Format de la légende.

✔ **Type de graphique :** Pour changer le type d'un graphique, déroulez la palette associée à ce bouton et choisissez une autre présentation.

✔ **Légende :** Ce bouton est une bascule qui masque ou affiche les légendes d'un graphique.

✔ **Table de données :** Cliquez sur le bouton Table de données pour ajouter ou supprimer un tableau de données contenant toutes les valeurs représentées par le graphique. La Figure 8.7 montre la table de données ajoutée sous l'histogramme groupé du graphique issu de la feuille des ventes du premier trimestre de la société L'Oie blanche.

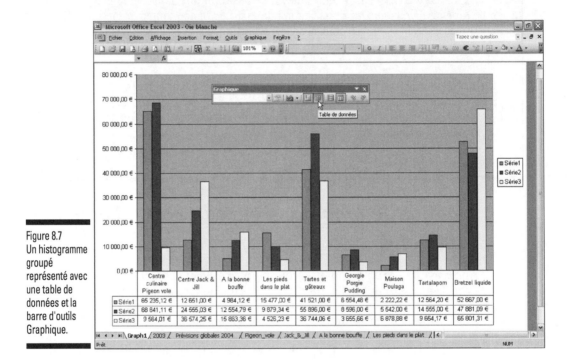

Figure 8.7
Un histogramme
groupé
représenté avec
une table de
données et la
barre d'outils
Graphique.

✔ **Par ligne :** Cliquez sur ce bouton afin que les séries de données du graphique représentent des lignes de valeurs dans la plage de données sélectionnée.

✔ **Par colonne :** Cliquez sur ce bouton afin que les séries de données du graphique représentent des colonnes de valeurs dans la plage de données sélectionnée.

✔ **Rotation dans le sens des aiguilles d'une montre :** Lorsque ce bouton est activé, le texte des axes de catégories ou de valeurs est incliné vers le bas à 45° (remarquez l'inclinaison dans cette direction des lettres *ab* de l'icône).

✔ **Rotation dans le sens inverse des aiguilles d'une montre :** Lorsque ce bouton est activé, le texte des axes de catégories ou de valeurs est incliné vers le haut à 45° (remarquez l'inclinaison dans cette direction des lettres *ab* de l'icône).

Modifier un graphique directement dans la feuille

De temps en temps, vous serez amené à modifier des parties spécifiques du graphique comme l'application d'une nouvelle police à un titre ou le repositionnement d'une légende. Pour effectuer ces changements, vous devrez double-cliquer sur l'objet concerné : un titre, une légende, la zone de traçage, etc. Excel le sélectionne et affiche une boîte de dialogue de mise en forme spécifique à cet objet. Par exemple, si vous double-cliquez dans la légende d'un graphique, Excel fait apparaître la boîte de dialogue Format de légende avec ses trois onglets Motifs, Police et Emplacement, comme le montre la Figure 8.8. Vous pouvez ensuite choisir les options qui agrémenteront l'apparence des légendes.

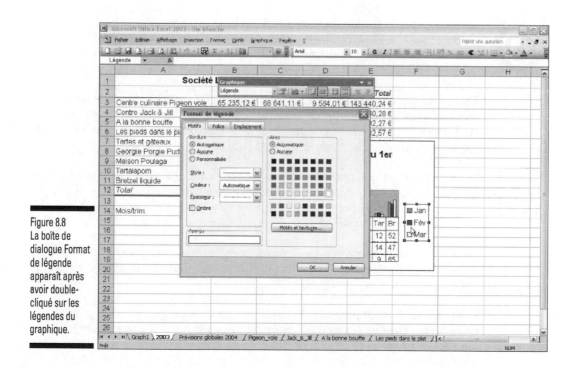

Figure 8.8
La boîte de dialogue Format de légende apparaît après avoir double-cliqué sur les légendes du graphique.

Notez qu'il est aussi possible de modifier un graphique en procédant comme suit :

- ✔ Pour sélectionner un objet de graphique, cliquez dessus. Utilisez l'info-bulle qui apparaît près du pointeur de souris pour identifier l'objet avant de cliquer dessus.

- ✔ Vous savez qu'un objet est sélectionné lorsqu'il est entouré de poignées de sélection ; ces poignées sont visibles autour des légendes, dans la Figure 8.8. Certains objets peuvent être redimensionnés ou orientés en agissant sur ces poignées.

- ✔ Un objet de graphique sélectionné peut être déplacé dans le graphique en plaçant le pointeur fléché dedans et en le faisant glisser.

- ✔ Pour afficher le menu contextuel d'un objet de graphique, cliquez dessus avec le bouton droit de la souris. Choisissez ensuite l'option désirée ou cliquez dans cette option avec le bouton gauche de la souris.

- ✔ Pour ôter la partie sélectionnée d'un graphique, appuyez sur la touche Suppr.

Après avoir sélectionné un objet du graphique en ayant cliqué dessus, vous pouvez passer à d'autres objets et les sélectionner en appuyant sur les touches PageHaut et PageBas. Appuyer sur la touche fléchée droite sélectionne l'objet suivant, appuyer sur la touche fléchée gauche sélectionne l'objet précédent.

Toutes les parties d'un graphique susceptibles d'être sélectionnées ont un menu contextuel. Pour choisir l'une des commandes de ce menu, cliquez simplement sur l'objet du graphique avec le bouton droit de la souris (il n'est pas nécessaire de sélectionner d'abord l'objet).

Le titre du graphique peut être déplacé en le tirant ailleurs dans le graphique. En plus de pouvoir le déplacer, le titre peut être séparé en plusieurs lignes ; après quoi vous pourrez utiliser les options de l'onglet Alignement, dans la boîte de dialogue Format du titre du graphique.

Pour forcer un retour à la ligne, cliquez dans le texte pour placer une barre d'insertion à l'endroit où le saut de ligne devra se produire, et appuyez ensuite sur la touche Entrée.

Il est non seulement possible de modifier l'apparence des titres du graphique, mais aussi celle des séries de données et des axes X et Y. Pour ce faire, cliquez sur ces parties avec le bouton droit de la souris et sélectionnez les commandes appropriées.

Modifier les options du graphique

Si vous devez substantiellement modifier un graphique, ouvrez la boîte de dialogue Options du graphique. Elle contient les mêmes onglets et commandes que l'étape 3 de l'Assistant Graphique (référez-vous à la Figure 8.4). Vous accédez à cette boîte de dialogue en sélectionnant la zone de traçage et en choisissant, dans la barre de menus, Graphique/Options du graphique, ou encore en sélectionnant Options du graphique dans le menu contextuel de la zone de traçage.

La boîte de dialogue Options du traçage contient jusqu'à six onglets, selon le type de graphique (les secteurs, par exemple, n'en ont que trois), dont voici les descriptions :

- **Titres :** Les options sous cet onglet servent à créer ou à modifier le titre principal qui apparaît en haut du graphique, le titre de la catégorie qui apparaît sous l'axe X et le titre des valeurs qui apparaît à gauche de l'axe Y.

- **Axes :** Les options d'axe permettent de masquer ou d'afficher les graduations et les étiquettes des axes de catégories (X) ou de valeurs (Y).

- **Quadrillage :** Les options de quadrillage servent à masquer ou à afficher les traits principaux et secondaires perpendiculaires aux graduations des axes de catégories ou de valeurs.

- **Légende :** Ces options masquent ou affichent les légendes et servent aussi à redéfinir leur emplacement en bas du graphique, ou encore dans le coin supérieur droit, en haut, à droite ou à gauche.

- **Etiquettes de données :** Masque ou affiche les étiquettes qui identifient chaque série de données du graphique.

- **Table de données :** Ajoute ou supprime la table de données qui contient les valeurs représentées (reportez-vous à la Figure 8.7 pour en voir une).

Tout dire dans une zone de texte

La Figure 8.9 montre un graphique de type Aires qui représente les ventes de la société L'Oie blanche au cours du premier trimestre 2003. Une zone de texte a été ajoutée pour attirer l'attention sur les résultats remarquables de Tartes et gâteaux pendant ce trimestre. La zone de traçage a été mise en blanc et l'axe Y a reçu un format monétaire.

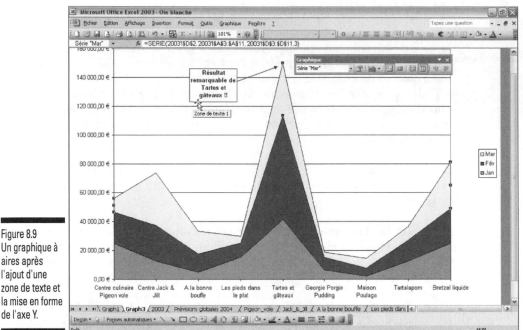

Figure 8.9
Un graphique à aires après l'ajout d'une zone de texte et la mise en forme de l'axe Y.

Pour placer une zone de texte dans un graphique, affichez la barre d'outils Dessin que montre la Figure 8.10 ; pour cela, cliquez sur Affichage/Barres d'outils/Dessin, dans la barre de menus. Comme vous le constatez dans la Figure 8.9, cette barre d'outils s'ancre automatiquement en bas de la fenêtre du classeur. Cliquez sur le bouton Zone de texte ; Excel transforme le pointeur de souris en un trait fin avec une minuscule ligne horizontale près du bas. Cliquez à l'emplacement où vous voulez tracer une zone de texte, que ce soit dans le graphique ou dans la feuille de calcul, et tirez son contour. Au moment où vous cliquez, Excel commence à dessiner un quadrilatère. Quand vous relâchez le bouton de la souris après avoir défini le contour, Excel crée la zone de texte.

Après avoir créé la zone de texte, Excel y place la barre d'insertion ; vous pouvez maintenant taper le texte. Il s'inscrit dans le contour et revient automatiquement à la ligne chaque fois qu'il rencontre le bord droit de la zone. Rappelez-vous que vous pouvez appuyer sur la touche Entrée pour effectuer un retour à la ligne. Quand vous avez fini de saisir le texte, cliquez n'importe où hors de la boîte pour la désélectionner.

Le contenu d'une zone de texte peut être modifié de la manière suivante :

✔ En faisant glisser la zone de texte à un autre endroit.

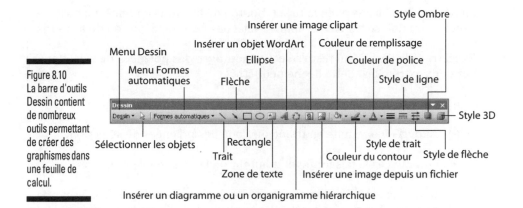

Figure 8.10
La barre d'outils
Dessin contient
de nombreux
outils permettant
de créer des
graphismes dans
une feuille de
calcul.

✔ En redimensionnant la zone de texte grâce aux poignées de sélection.

✔ En choisissant une bordure ou en la supprimant grâce à la boîte de dialogue Format de la zone de texte, accessible en double-cliquant dans la zone hachurée de la zone de texte, lorsqu'elle est sélectionnée. Par exemple, pour ôter la bordure, sélectionnez l'onglet Couleurs et traits, dans la boîte de dialogue, et, dans le menu déroulant Couleur, choisissez l'option Aucun trait.

✔ Pour créer un effet d'ombre portée, cliquez sur la bordure de la zone de texte afin de la sélectionner puis, dans la barre d'outils Dessin, cliquez sur le bouton Style Ombre (celui avec un carré qui projette une ombre). Choisissez ensuite un type d'ombre dans la palette qui apparaît.

✔ Pour mettre la zone de texte en relief, cliquez sur sa bordure afin de la sélectionner puis, dans la barre d'outils Dessin, cliquez sur le bouton Style 3D (le dernier avec un cube dessiné dessus). Choisissez ensuite un effet dans la palette.

Dans la zone de texte, le texte peut être placé verticalement, de haut en bas ou de bas en haut. Il suffit pour cela d'afficher la boîte de dialogue Format de la zone de texte en double-cliquant sur la bordure et de choisir l'onglet Alignement puis, dans la zone Orientation, de cliquer dans un des rectangles avec le mot "Texte" pour placer le texte dans une colonne verticale. Cliquez ensuite sur OK ou appuyez sur Entrée, puis cliquez hors de la zone de texte pour la désélectionner.

Après avoir créé une zone de texte, vous voudrez sans doute ajouter une flèche qui pointe sur l'objet auquel le texte fait allusion. Pour ce faire, cliquez sur le bouton Flèche, dans la barre d'outils Dessin, puis tirez-la en plaçant le réticule au départ de la flèche et en la tirant, bouton de la souris enfoncé, jusqu'à l'endroit où doit se trouver la pointe. Relâchez ensuite le bouton de la souris.

Excel trace la flèche, qui reste sélectionnée, avec des poignées de sélection à ses deux extrémités. Cette flèche peut être :

✔ Déplacée en la faisant glisser à l'emplacement voulu.

✔ Allongée ou réduite en tirant sur l'une des poignées de sélection.

✔ Orientée en la faisant pivoter autour de la poignée de sélection fixe.

✔ Redessinée en modifiant la forme de sa pointe ainsi que l'épaisseur de son trait. Pour ce faire, sélectionnez la flèche, cliquez sur le bouton Style de flèche, dans la barre d'outils Dessin (son icône montre trois flèches), puis choisissez le style à appliquer dans le menu déroulant. Pour changer la couleur de la flèche ou bien l'épaisseur et le style du trait, ou si vous voulez définir une pointe de flèche personnalisée, choisissez la commande Autres flèches, en bas du menu déroulant. La boîte de dialogue Format de la forme automatique apparaît (elle est aussi accessible en cliquant, dans la barre de menus, sur Format/Objet sélectionné).

La mise en forme des axes X et Y

Quand vous créez un graphique à partir d'un grand nombre de valeurs, Excel ne se soucie guère de leur apparence sur l'axe Y (ou sur l'axe X des histogrammes 3D ou des nuages de points XY). Si la manière dont les valeurs apparaissent sur un axe ne vous satisfait pas, vous pouvez changer la mise en forme en procédant comme suit :

1. **Double-cliquez sur l'axe X ou Y du graphique, ou cliquez sur un axe et choisissez Format/Axe sélectionné, dans la barre de menus.**

   Excel ouvre la boîte de dialogue Format de l'axe. Elle contient les onglets suivants : Motifs, Echelle, Police, Nombre et Alignement.

2. **Pour changer l'apparence des épaisses graduations le long de l'axe, modifiez les options sous l'onglet Motifs (qui est automatiquement activé lorsque vous accédez à la boîte de dialogue).**

3. **Pour modifier l'échelle de l'axe sélectionné, cliquez sur l'onglet Echelle puis réglez les options à votre convenance.**

4. **Pour changer la police des étiquettes qui apparaissent aux gradua-tions de l'axe sélectionné, cliquez sur l'onglet Police et choisissez les options à votre convenance.**

5. **Pour changer le format des valeurs qui apparaissent aux graduations de l'axe sélectionné, cliquez sur l'onglet Nombre, puis choisissez un format dans la liste Catégorie ainsi que les options qui lui sont propres.**

   Par exemple, pour sélectionner un format monétaire sans décimales, choisissez Monétaire dans la liste Catégorie, puis mettez le champ Nombre de décimales à zéro.

6. **Pour modifier la mise en forme et l'orientation des étiquettes des graduations de l'axe sélectionné, cliquez sur l'onglet Alignement. Choisissez ensuite l'orientation dans un des champs Texte ou réglez son orientation, de 90° à -90°, avec le demi-cadran ou en entrant la valeur exacte dans le champ Degrés.**

7. **Cliquez sur OK ou appuyez sur Entrée pour fermer la boîte de dialogue Format de l'axe.**

Sitôt la boîte de dialogue Format de l'axe fermée, Excel redessine l'axe du graphique selon les nouveaux paramètres. Par exemple, si vous avez défini un format de nombre, Excel modifie aussitôt la mise en forme de ces nombres le long de l'axe sélectionné.

Les valeurs variables font varier le graphique

Dès que vous avez fini de modifier les objets d'un graphique, vous pouvez les désélectionner ainsi que les étiquettes et les valeurs, et retourner à la feuille de calcul et à ses cellules en y plaçant le pointeur. Dès qu'un graphique est désé-lectionné, le pointeur peut de nouveau être utilisé sur une feuille de calcul. Rappelez-vous néanmoins que, si vous déplacez le pointeur de cellule avec les touches fléchées, il disparaît sous le graphique si celui-ci occulte des cellules (et, bien sûr, si vous tentiez de sélectionner une cellule recouverte par un graphique, vous ne feriez que sélectionner le graphique lui-même).

Gardez à l'esprit que les valeurs représentées dans le graphique restent dyna-miquement liées, de sorte que si vous en modifiez une dans la feuille de calcul, Excel met automatiquement le graphique à jour afin qu'il corresponde à la nouvelle situation.

Beau comme une image !

Les graphiques sont bien plus que des éléments graphiques ajoutés à une feuille de calcul. En fait, Excel vous permet d'agrémenter une feuille de calcul avec des dessins, des zones de texte et même des images provenant de sources extérieures (documents provenant d'un scanner, dessins réalisés dans un logiciel graphique, photographies numériques, images téléchargées depuis l'Internet...).

Pour utiliser un des cliparts livrés avec Office 2003, cliquez sur Insertion/ Image/Image clipart dans la barre de menus ou, dans la barre d'outils Dessin, cliquez sur le bouton Insérer une image clipart. Excel 2003 affiche le volet Images clipart que montre la Figure 8.11 ; elle vous aidera à trouver le dessin que vous recherchez. Procédez comme suit pour localiser le ou les cliparts que vous désirez insérer dans la feuille de calcul courante :

1. **Cliquez dans le champ Rechercher, puis entrez le mot clé du clipart que vous cherchez à localiser.**

    Quand vous entrez un mot clé pour un type de clipart, choisissez un terme très général et très descriptif comme arbres, fleurs, gens, avions...

2. **(Facultatif) Cliquez sur le bouton déroulant Rechercher dans. Désélectionnez, en ôtant la coche, toutes les collections de cliparts dans lesquelles vous ne désirez pas effectuer de recherches.**

    Par défaut, Excel recherche dans toutes les collections de cliparts, y compris dans la Collection Web. Pour limiter vos recherches, vous devez vous assurer que seules les collections de cliparts à inclure dans la recherche sont cochées.

3. **(Facultatif) Pour ne limiter la recherche qu'aux cliparts, déroulez le menu Les résultats devraient être. Otez ensuite les coches de Tous types de clips multimédia, Photographies, Films et Sons.**

    Il est possible de limiter plus finement les types de fichiers clipart en déployant chaque catégorie (cliquez sur le signe "plus" qui les précède) et en ôtant les coches des types de clips, comme CorelDraw ou Macintosh PICT, que vous ne désirez pas ou n'avez pas besoin d'utiliser.

4. **Cliquez sur le bouton Rechercher, en haut du volet, pour démarrer la recherche des cliparts.**

Quand vous cliquez sur le bouton Rechercher, Excel examine tous les emplacements que vous avez spécifiés dans les options de recherche et affiche le

Figure 8.11
Utilisez le volet
Images clipart
pour rechercher
une image.

résultat dans le volet Images clipart, comme le montre la Figure 8.12. Pour insérer une des images dans la feuille de calcul courante, cliquez dessus. Il est aussi possible d'insérer une image en plaçant le pointeur de la souris sur le bouton déroulant qui se trouve à droite de chaque image, en cliquant dessus pour le dérouler et en choisissant l'option Insérer.

Vous ne pouvez pas effectuer une recherche avec le volet Images clipart tant que vous n'avez pas indexé les images. Pour ce faire, cliquez sur le lien Organiser les clips, en bas du volet. Excel ouvre une fenêtre intitulée Ajout de clips dans la Bibliothèque multimédia. Cliquez sur le bouton Maintenant, ou actualisez la collection en appuyant sur la touche de fonction F5, pour que tous les fichiers multimédias soient indexés par mots clés. Lorsque la Bibliothèque multimédia aura fini d'indexer les cliparts, vous pourrez effectuer des recherches comme nous l'avons expliqué ci-dessus.

Si vous éprouvez des difficultés pour trouver un clipart, essayez de modifier ses mots clés pour faciliter la recherche ultérieurement. Pour ce faire, cliquez

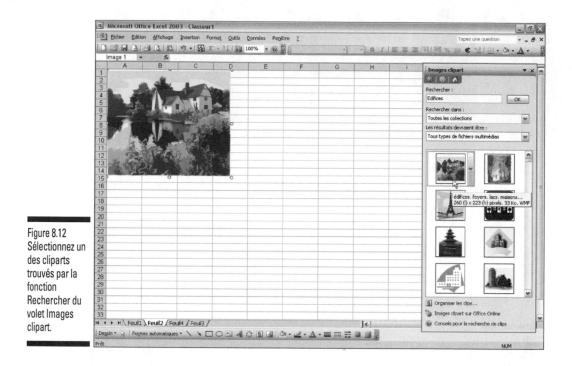

Figure 8.12
Sélectionnez un des cliparts trouvés par la fonction Rechercher du volet Images clipart.

sur le bouton déroulant associé au clipart et choisissez l'option Modifier les mots clés. La boîte de dialogue Mots clés s'ouvre, avec la liste de tous les mots affectés à cette image. Pour ajouter vos propres mots clés à la liste, tapez-les dans le champ Mot clé puis cliquez sur le bouton Ajouter. De même, si vous avez trouvé une image qui se rapproche de ce que vous cherchez, mais qui ne correspond néanmoins pas à la recherche, essayez de trouver des images dans le même esprit en déroulant son menu et en choisissant l'option Rechercher un style similaire.

Insérer un fichier d'image

Si vous voulez importer une image créée avec un autre logiciel et enregistrée comme fichier graphique, choisissez Insertion/Image/A partir du fichier, puis sélectionnez le fichier à partir de la boîte de dialogue Insérer une image (qui fonctionne d'ailleurs comme la boîte de dialogue Ouvrir qui sert à charger un classeur Excel).

Pour importer une image créée dans un logiciel graphique mais qui n'a pas été enregistrée, sélectionnez-la dans le logiciel puis copiez-la dans le Presse-papiers en appuyant sur les touches Ctrl+C, ou choisissez Edition/Copier, dans la barre de menus, avant de retourner dans Excel. Ensuite, dans le tableur, placez le pointeur là où l'image doit apparaître et appuyez sur Ctrl+V, ou choisissez la commande Edition/Coller.

Dessiner dans Excel

En plus des images toutes faites ou créées dans d'autres logiciels, vous pouvez dessiner dans Excel à l'aide des outils de la barre d'outils Dessin. Elle contient toutes sortes d'instruments capables de produire des contours de formes ou des formes pleines comme des traits, des rectangles, des carrés, des ellipses, etc.

Outre ces outils de dessin, la barre d'outils contient une commande Formes automatiques qui donne accès à toutes sortes de lignes et de formes spécialisées. Pour en sélectionner une, cliquez sur l'une des options Lignes, Connecteurs, Formes de base, Flèches pleines, Organigrammes, Etoiles et bannières, Bulles et légendes. Les palettes de chacune de ces options s'ouvriront spontanément.

L'option Autres formes automatiques, en bas du menu déroulant, ouvre le volet Images clipart qui offre d'autres formes prédéfinies plus élaborées, comme des dessins d'ordinateurs ou de mobilier de bureau vus en plan, que vous pourrez insérer dans vos documents.

Travailler avec WordArt

Si vous ne trouvez pas votre bonheur dans les innombrables lignes et formes que propose le menu Formes automatiques, pourquoi ne pas recourir au bouton Insérer un objet WordArt de la barre d'outils Dessin ? Il contient des effets de texte spectaculaires que vous pouvez utiliser en procédant comme suit :

1. **Sélectionnez la cellule dans la zone de la feuille de calcul où vous désirez placer le texte WordArt.**

   Comme un effet WordArt est un graphisme, vous pouvez le redimensionner et le déplacer tout comme n'importe quel dessin.

2. **Dans la barre d'outils Dessin, cliquez sur le bouton Insérer un objet WordArt (son icône représente un *A* incliné).**

Excel affiche la boîte de dialogue Galerie WordArt que montre la Figure 8.13.

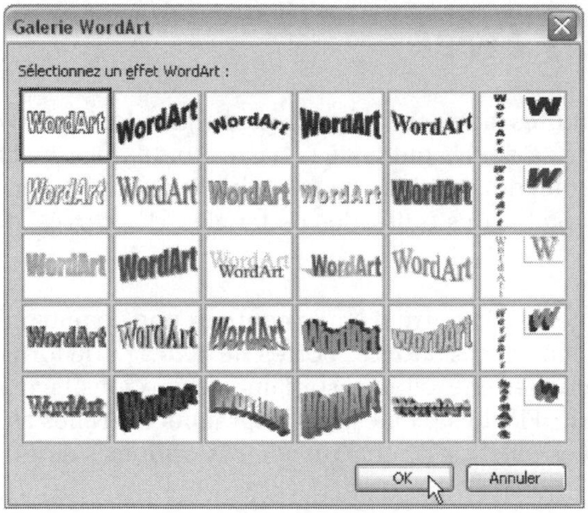

Figure 8.13
Sélectionnez un effet de texte dans la Galerie WordArt.

3. **Cliquez sur la vignette du style WordArt que vous désirez appliquer à votre texte, puis cliquez sur OK ou appuyez sur Entrée.**

Excel ouvre la boîte de dialogue Modification du texte WordArt dans laquelle vous taperez le texte à placer dans la feuille de calcul. Vous sélectionnerez aussi la police ainsi que sa taille.

4. **Tapez dans la fenêtre Texte le ou les mots à afficher dans la feuille de calcul.**

Dès le début de la frappe, Excel remplace les mots "Votre texte ici" par celui que vous voulez voir apparaître dans la feuille de calcul.

5. **Sélectionnez la police dans la liste déroulante et indiquez son corps dans la liste Taille.**

6. **Cliquez sur OK.**

Excel place le texte WordArt dans la feuille de calcul, à l'emplacement du pointeur de cellule, tout en affichant la barre d'outils WordArt de la Figure 8.14. Les boutons qui s'y trouvent vous permettront d'améliorer encore la mise en forme ou de modifier le texte.

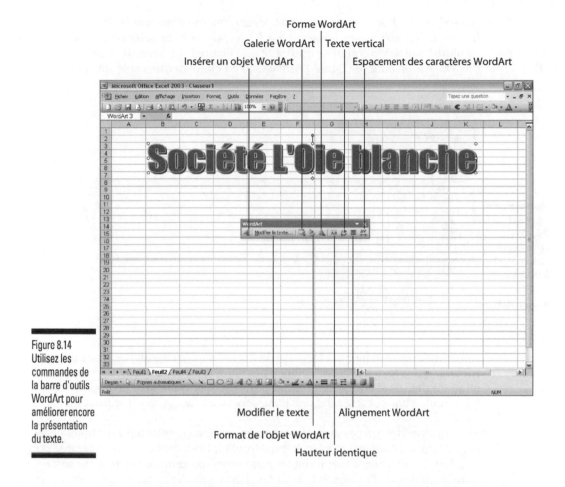

Figure 8.14
Utilisez les
commandes de
la barre d'outils
WordArt pour
améliorer encore
la présentation
du texte.

7. **Après avoir peaufiné la taille, la forme ou le format du texte WordArt,
   cliquez sur une cellule en dehors du texte pour désélectionner le
   graphisme.**

   En cliquant hors du texte WordArt, Excel désélectionne le graphisme et
   masque la barre d'outils WordArt (pour la faire réapparaître, cliquez
   simplement dans le texte WordArt).

Etablir un organigramme

Dans Excel 2003, la barre d'outils Dessin contient un bouton Insérer un
diagramme ou un organigramme hiérarchique (référez-vous à la Figure 8.10)

qui permet de tracer rapidement un organigramme dans une feuille de calcul. Il suffit de cliquer sur ce bouton pour faire apparaître la boîte de dialogue Bibliothèque de diagrammes que montre la Figure 8.15. Sélectionnez le type de diagramme en double-cliquant dessus, ou en cliquant une seule fois puis sur OK.

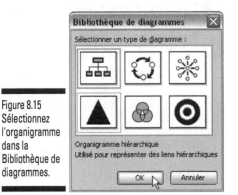

Figure 8.15 Sélectionnez l'organigramme dans la Bibliothèque de diagrammes.

Après qu'Excel a inséré la structure de base d'un organigramme, vous pouvez remplacer les textes bidons "Cliquez pour ajouter du texte" par les vôtres en cliquant dessus et en les remplaçant par le nom et/ou le titre de la personne, ou le nom d'une société ou d'une filiale, comme le suggère la Figure 8.16.

Pour insérer des formes supplémentaires au même niveau hiérarchique, choisissez l'option Collègue dans le menu déroulant Insérer une forme. Pour insérer une forme à un niveau hiérarchique juste en dessous de celui qui a été sélectionné, choisissez l'option Subordonné, dans ce même menu. Pour insérer une forme pour un niveau hiérarchique indirectement connecté à la forme actuellement sélectionnée, choisissez le niveau Assistant, dans le menu déroulant.

Pour améliorer l'apparence de votre organigramme, cliquez sur le bouton Mise en forme automatique, dans la barre d'outils Organigramme hiérarchique, puis sélectionnez le style de diagramme qui sera appliqué à l'intégralité de l'organigramme, à partir de la boîte de dialogue Bibliothèque de styles d'organigrammes hiérarchiques.

L'un sur l'autre

Les objets graphiques flottent au-dessus des cellules de la feuille de calcul. La plupart des objets, y compris les graphiques, sont opaques : ils occultent les

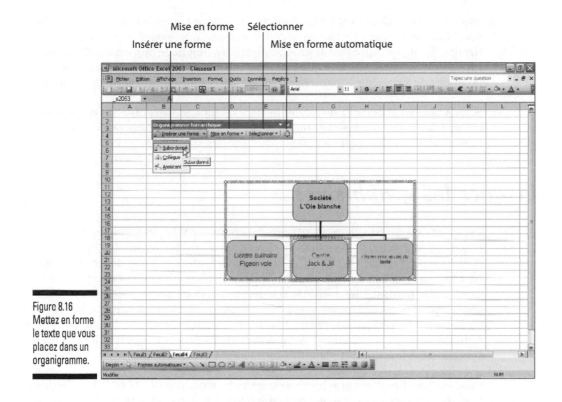

Figure 8.16
Mettez en forme
le texte que vous
placez dans un
organigramme.

informations qu'ils recouvrent. Si vous placez un graphique opaque sur un autre, ce dernier est masqué comme une feuille de papier peut en cacher une autre. C'est pourquoi, le plus souvent, vous devrez vous assurer qu'un objet graphique n'empiète pas sur un autre ou ne masque pas des cellules dont le contenu doit apparaître à l'écran.

Parfois, cependant, vous obtiendrez d'intéressants effets en plaçant un objet graphique transparent, comme un cercle, au-dessus d'un objet opaque. Le seul problème qui risque de survenir est si l'objet opaque se retrouve au-dessus de l'objet transparent. Dans ce cas, vous devrez permuter leurs positions en cliquant sur l'objet du dessus avec le bouton droit de la souris, et choisir dans le menu déroulant l'option Ordre/Mettre en arrière-plan. Si un objet qui se trouve sous un autre doit être amené à l'avant-plan, cliquez dessus avec le bouton droit de la souris, puis choisissez Ordre/Mettre au premier plan.

Vous désirerez aussi parfois grouper plusieurs objets afin qu'ils n'en forment plus qu'un (c'est le cas d'une zone de texte et de sa flèche). Il vous sera ainsi possible de déplacer ces objets ou de les redimensionner en une seule opération. Pour grouper des objets, touche Maj enfoncée, cliquez sur chacun d'eux afin de les sélectionner simultanément, puis cliquez avec le bouton droit de la souris sur le dernier objet afin d'accéder au menu contextuel où vous choisirez Groupe/Grouper. Après avoir groupé plusieurs objets, le "superobjet" qui en résulte est sélectionné quel que soit l'endroit où vous cliquez dessus ; les poignées de sélection apparaissent autour de cet ensemble d'objets groupés.

Si plus tard vous décidez de rendre leur indépendance aux objets d'un groupe, cliquez sur le groupe avec le bouton droit de la souris et, dans le menu contextuel, choisissez Groupe/Dissocier.

Masquer les graphismes

Cette section aborde un point intéressant concernant les graphismes que vous placez dans une feuille de calcul ; à savoir, comment les masquer. Leur présence peut ralentir considérablement l'affichage, car Excel doit redessiner chacune des petites images que vous placez dans un document chaque fois que vous le faites défiler, même très légèrement. Pour que ces lenteurs ne finissent pas par vous exaspérer, masquez l'affichage de tous les graphismes (y compris les graphiques) pendant que vous modifiez d'autres éléments, ou remplacez-les provisoirement par des rectangles gris qui signalent leur emplacement dans la feuille, et sont plus rapidement redessinés.

Pour masquer tous les graphismes ou les remplacer par des objets de substitution gris, choisissez la commande Outils/Options, dans la barre de menus, puis sélectionnez l'onglet Affichage. Dans la zone Objets, activez le bouton radio Masquer tout. Pour remplacer les graphiques par des rectangles gris, choisissez plutôt le bouton radio Indicateurs de position. Remarquez que cette option n'a aucun effet sur les graphismes créés avec les outils de la barre d'outils Dessin ou importés dans la feuille de calcul.

Avant d'imprimer la feuille de calcul, rétablissez l'affichage des objets graphiques : ouvrez la boîte de dialogue Options, allez sous l'onglet Affichage, puis activez le bouton radio Afficher tout.

N'imprimer que les graphiques

Vous voudrez parfois n'imprimer qu'un graphique particulier d'une feuille de calcul, indépendamment des données qu'il représente et de tout autre élément que vous auriez pu ajouter. Pour ce faire, assurez-vous d'abord que les graphiques ne sont ni masqués ni affichés sous la forme d'un rectangle gris (pour les réafficher, cliquez sur Outils/Options puis, sous l'onglet Affichage, activez le bouton radio Afficher tout). Pour réafficher un graphique remplacé par un rectangle gris grâce à l'option Indicateurs de position, cliquez simplement dans le graphique (Maj+clic pour en sélectionner plusieurs à la fois). Ensuite, dans la barre de menus, choisissez la commande Fichier/Imprimer, ou appuyez sur Ctrl+P, ou encore cliquez sur le bouton Imprimer dans la barre d'outils Standard.

Si vous avez choisi Fichier/Imprimer plutôt que de cliquer sur le bouton Imprimer, vous constaterez que, dans la zone Impression, le bouton radio Graphique sélectionné est activé (*NdT* : cette option n'est visible que dans le cas de l'impression d'un graphique intégré à une feuille de calcul et non pour une feuille de graphique). Par défaut, Excel imprime le graphique à sa taille réelle. Or, il peut arriver que la totalité du graphique ne tienne pas sur la page. C'est pourquoi vous devez d'abord vérifier la mise en page avec la commande Aperçu avant impression.

Si l'Aperçu avant impression révèle que vous devez modifier la taille d'impression du graphique et/ou son orientation, cliquez sur le bouton Page, dans la fenêtre Aperçu avant impression. Pour choisir une autre orientation de papier (ou un autre format de papier), sélectionnez l'onglet Page dans la boîte de dialogue Mise en page et modifiez ses options. Si le graphique affiché dans l'Aperçu avant impression vous paraît bien, cliquez sur le bouton Imprimer.

Chapitre 9
Les bases de données

ous les tableaux des feuilles de calcul dont il a été question jusqu'à présent étaient censés effectuer des calculs, comme les ventes mensuelles ou trimestrielles, et présenter les résultats sous une forme compréhensible. Excel permet cependant de créer un autre type de tableau : la *base de données* (ou, plus exactement, une *liste de données*). Le but d'une base de données n'est pas de calculer de nouvelles valeurs, mais plutôt de stocker un grand nombre d'informations d'une manière cohérente. Vous pouvez, par exemple, créer une base de données contenant les noms et les adresses de tous vos clients, ou des informations légales sur votre personnel.

Concevoir un formulaire

La création d'une base de données ressemble beaucoup celle d'un tableau dans une feuille de calcul. Quand vous concevez une base de données, vous commencez par entrer une ligne de titres – appelés *noms de champs* dans le jargon technique – qui identifient les différents éléments à stocker, tels que Nom, Prénom, Rue, Code postal, Ville, etc. Après avoir défini une ligne de champs, vous entrez les informations dans les colonnes et les lignes appropriées, sous les différents noms de champs.

Tout en procédant à la saisie des données, remarquez que chaque colonne de la base de données contient des informations concernant un élément particulier comme le nom de la société ou le poste du numéro de téléphone d'un employé. Chacune de ces colonnes est aussi appelée *champ*. En observant ce que vous venez de saisir, vous remarquerez que chaque ligne de la base de données contient des informations complètes sur une personne ou sur tout autre objet enregistré dans la base de données, qu'il s'agisse d'une entreprise comme Duschmoll ou d'une employée comme Ida Jones. Les personnes ou les entités décrites dans chacune des lignes d'une base de données sont appelées *enregistrements*. Chaque enregistrement (ligne) contient de nombreux champs (colonnes).

Dans Excel, la conception et la maintenance d'une base de données sont facilitées par l'utilisation d'un *formulaire de base de données* intégré (*NdT* : appelé *Grille de données* dans l'aide d'Excel). Il sert à ajouter, supprimer ou modifier les enregistrements d'une base de données. Pour créer un tel formulaire, vous devez d'abord entrer les titres qui seront utilisés comme noms de champs ainsi qu'un modèle d'enregistrement, dans la ligne qui suit (la Figure 9.1 propose une base de données de l'effectif de la société L'Oie blanche). Vous mettez ensuite en forme chaque entrée du champ telle que les autres devront apparaître, en n'oubliant pas de régler la largeur des colonnes afin que les titres qui s'y trouvent soient entièrement affichés. Placez ensuite le pointeur de cellule dans n'importe laquelle de ces deux lignes puis, dans la barre de menus, choisissez Données/Formulaire.

Dès que vous avez choisi la commande Données/Formulaire, Excel analyse la ligne des noms de champs ainsi que les entrées du premier enregistrement, puis il génère un formulaire de données contenant, à gauche, les noms de champs, et des champs de saisie à droite. La Figure 9.1 montre le formulaire d'une liste de clients ; il ressemble à une boîte de dialogue personnalisée.

Le formulaire de données créé par Excel affiche les entrées faites pour le premier enregistrement. Le formulaire contient de plus, à droite, une série de boutons servant à ajouter, supprimer ou rechercher des enregistrements. Juste au-dessus du premier bouton (Nouvelle), le formulaire indique le numéro de l'enregistrement suivi du nombre total d'enregistrements (1 sur 1 lorsque la base de données vient d'être créée).

N'oubliez pas d'effectuer la mise en forme des entrées dans les champs du premier enregistrement, et aussi celle des noms de champs dans la ligne au-dessus. Tous les formatages affectés à une ou à des entrées du premier enregistrement sont automatiquement appliqués à tous les champs subséquents. Par

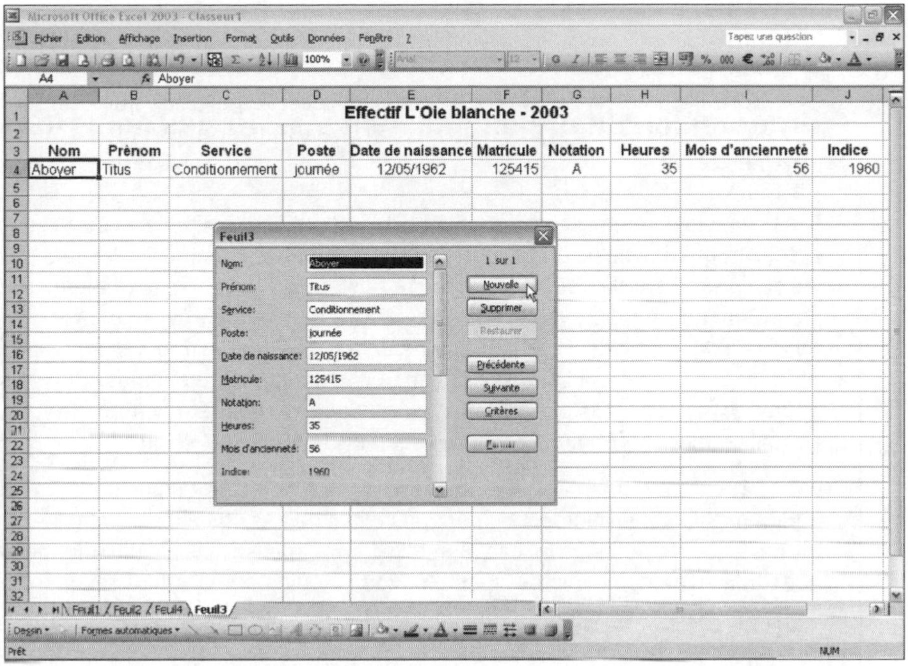

Figure 9.1
Excel crée
instantanément
un formulaire
pour une base de
données d'après
les noms de
champs et les
entrées figurant
dans le premier
enregistrement.

exemple, si la liste de données contient des numéros de téléphone, il suffit d'entrer les dix chiffres du numéro dans le champ Téléphone du premier enregistrement, puis d'appliquer à cette cellule le format de nombre spécial Numéros de téléphone (reportez-vous au Chapitre 3 pour en savoir plus sur les formats de nombre spéciaux) pour qu'une entrée effectuée sous la forme **0140214620** soit automatiquement présentée, dans la cellule, sous la forme 01 40 21 46 20.

Ajouter des enregistrements

Après avoir créé un formulaire comportant un premier enregistrement, vous pourrez l'utiliser pour en ajouter d'autres. La manipulation est des plus simples. Quand vous cliquez sur le bouton Nouvelle, Excel affiche un formulaire vierge ; la mention "Nouvel enregistrement" apparaît en haut à droite de la boîte de dialogue à compléter.

Après avoir entré les informations dans le premier champ, appuyez sur la touche Tab pour passer au suivant (*NdT* : ou cliquez dedans pour y placer la barre d'insertion).

Créer un formulaire uniquement à partir des noms de champs

Il est possible de créer un formulaire à partir d'une nouvelle base de données en n'entrant que les noms de champs, puis en plaçant le pointeur de cellule dans la première ligne avant de choisir Données/Formulaire dans la barre de menus. Ce faisant, Excel affiche une boîte d'alerte indiquant qu'il n'arrive pas à déterminer la ligne qui, dans la liste, contient des étiquettes de colonnes (c'est-à-dire des noms de champs). Pour qu'Excel utilise la ligne sélectionnée comme noms de champs, cliquez sur OK ou appuyez sur Entrée. Excel créera un formulaire de données vide contenant tous les champs, dans l'ordre où ils apparaissent dans la feuille de calcul.

La création d'un formulaire de données vierge à partir des noms de champs ne pose aucun problème, du moment qu'aucune cellule de ces noms de champs ne contient de formule, car seules les entrées manuelles sont admises. Si la nouvelle base de données doit néanmoins contenir des champs calculés, c'est-à-dire résultant d'une formule, vous devrez placer cette formule dans le champ approprié du premier enregistrement. Sélectionnez ensuite les deux lignes (noms de champs et premier enregistrement) puis cliquez sur Données/Formulaire. Excel sait quels champs sont calculés et lesquels ne le sont pas. Dans un formulaire, vous savez qu'un champ est un champ calculé car Excel affiche son nom ainsi que le résultat du calcul, mais ne propose aucune zone de texte pour effectuer une saisie manuelle.

N'appuyez surtout pas sur la touche Entrée pour passer au champ suivant ! Vous inséreriez un enregistrement incomplet dans la base de données (*NdT* : si cela vous arrivait, il vous suffirait de réafficher le formulaire de l'enregistrement et de terminer la saisie, voire de taper les données manquantes directement dans la feuille de la base de données).

Continuez à entrer des informations dans chaque champ en appuyant sur Tab pour passer au suivant.

✔ Si vous remarquez que vous avez fait une erreur dans un champ précédent, appuyez sur Maj+Tab pour reculer d'un champ.

✔ Pour remplacer une entrée, contentez-vous de taper.

> 🖝 Pour modifier l'un des caractères d'un champ, appuyez sur la touche fléchée gauche ou cliquez pour placer la barre d'insertion à côté de la lettre à corriger.

Quand vous entrez des informations dans un champ, vous pouvez recopier cette même entrée à partir de l'enregistrement précédent en appuyant sur Ctrl+2 (ce chiffre 2 en exposant se trouve en haut à gauche du clavier, à côté de la touche 1). Ce raccourci clavier est extrêmement pratique pour recopier, notamment, le code postal et le nom de la ville lors de la saisie d'une longue liste de gens qui habitent au même endroit.

Lorsque vous entrez des dates dans des champs, utilisez un format cohérent connu d'Excel comme **21/7/98**. Si vous devez entrer des codes postaux avec des zéros comme préfixe, comme **07000**, mettez la cellule en forme avec le format de nombre spécial code postal (reportez-vous au Chapitre 3 pour en savoir plus sur les formats de nombre spéciaux). Dans le cas d'autres chiffres que vous désirez faire précéder de zéros, placez une apostrophe (') devant le premier d'entre eux. Ce signe, qui n'apparaît pas dans la base de données – il n'est visible que dans la barre de formule –, indique à Excel qu'il doit considérer le nombre comme du texte.

Une fois que vous avez entré toutes les informations demandées par le nouvel enregistrement, appuyez sur la touche fléchée bas. Ou alors appuyez sur la touche Entrée ou cliquez sur le bouton Nouvelle (voir Figure 9.2). Excel place le nouvel enregistrement après le dernier, dans la feuille de calcul, et affiche un nouveau formulaire vierge dans lequel vous pourrez entrer le prochain enregistrement (Figure 9.3).

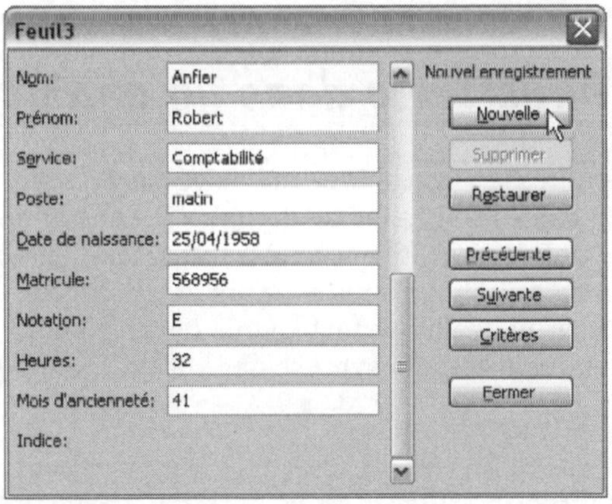

Figure 9.2
Entrez les données dans les champs du deuxième enregistrement.

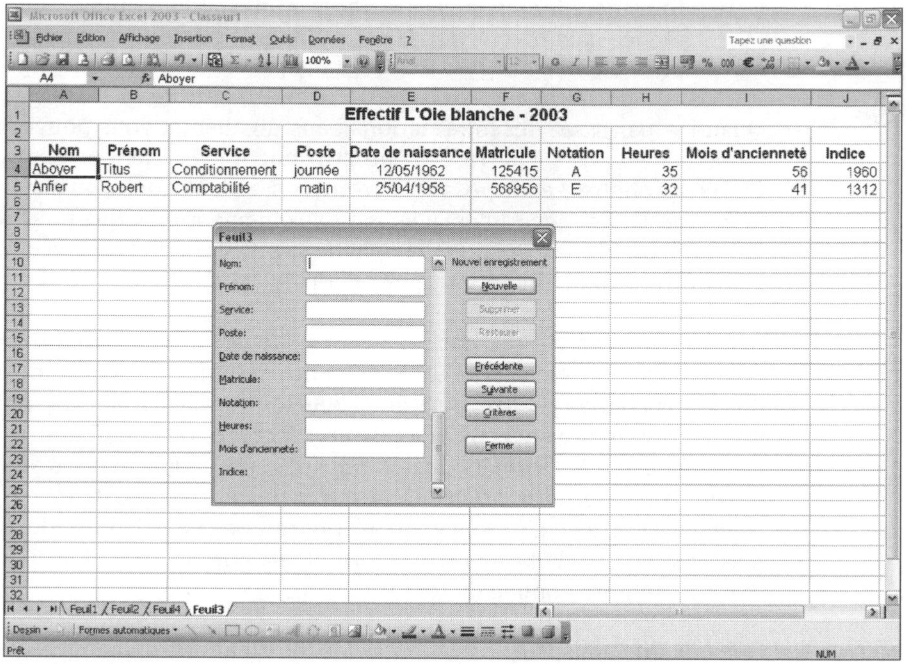

Figure 9.3
Après avoir
inséré
l'enregistrement
dans la base de
données, un
nouveau
formulaire vierge
est affiché.

Après avoir fini d'ajouter de nouveaux enregistrements dans la base de données, appuyez sur la touche Echap ou cliquez sur le bouton Fermer, en bas de la boîte de dialogue, pour quitter le formulaire. Enregistrez ensuite la feuille de calcul avec la commande Fichier/Enregistrer ou le bouton Enregistrer dans la barre d'outils Standard.

Créer un lien hypertexte dans un champ

Quand vous entrez une adresse électronique ou l'adresse d'un site Internet dans un formulaire de données (ou "grille de données"), Excel convertit cette adresse en lien hypertexte actif, reconnaissable à son soulignement bleu, et l'ajoute à la base de données sitôt que vous avez fini de saisir l'enregistrement. Pour qu'Excel puisse créer un lien hypertexte, vous devez bien sûr entrer l'adresse électronique en respectant la syntaxe de la Toile. Exemple :

        firstinfos@efirst.com

De même, vous devez entrer une adresse de page Web dans les règles ; par exemple :

        www.efirst.com

Les entrées dans les champs calculés

Si vous voulez qu'Excel calcule une entrée dans un champ à l'aide d'une formule, vous devez écrire cette formule dans le champ correspondant du premier enregistrement de la base de données. Ensuite, au moment de créer le formulaire, positionnez le pointeur de cellule dans la ligne des noms de champs ; Excel recopiera la formule de ce champ calculé dans celui de chaque nouvel enregistrement que vous créerez.

Dans la base de données contenant la liste de l'effectif de la société L'Oie blanche (voir Figure 9.1), par exemple, le champ Indice, dans la cellule J4, est calculé par la formule =Heures*Mois d'ancienneté. La cellule H3 contient le nombre d'heures de travail (Heures) et la cellule I3 le nombre de mois de présence dans la société (Mois d'ancienneté). Cette formule calcule l'indice, résultat de la multiplication du nombre d'heures de travail hebdomadaire par le nombre do mois d'ancienneté. Comme vous le voyez dans un formulaire, Excel place l'indice dans le formulaire, mais sans afficher la zone de texte correspondante, car un champ calculé ne peut être modifié. Lorsque vous entrez d'autres enregistrements dans la base de données, Excel calcule la formule du champ Indice. Ensuite, lorsque vous réaffichez les données de ces enregistrements, vous lisez la valeur Indice recalculée (que vous ne pouvez bien sûr pas modifier).

Remarquez toutefois que si Excel reconnaît la syntaxe d'une adresse électronique ou d'une adresse de site Web, rien n'indique qu'elle est *valide*. Autrement dit, le fait qu'Excel convertisse un texte en lien cliquable ne signifie pas que ce lien pointe vers la messagerie de quelqu'un ou vers une page de la Toile. Dans tous les cas, c'est à vous qu'il appartient de vérifier l'orthographe de ces liens et leur validité.

Après avoir entré une adresse de messagerie ou de site Internet dans le champ hypertexte de la base de données, vous pouvez l'utiliser pour envoyer du courrier électronique ou visiter un site. La Figure 9.4 montre des champs hypertextes pour chacun des liens de la liste. Comme les liens hypertextes sont actifs, tout ce qu'il vous reste à faire pour visiter les sites Internet préférés des employés de la société L'Oie blanche, c'est de cliquer sur les adresses. Excel démarre aussitôt votre navigateur (Internet Explorer, par exemple).

L'ajout de champs hypertextes à une base de données commerciale, qui pointe vers les adresses de collaborateurs ou de clients que vous contactez souvent,

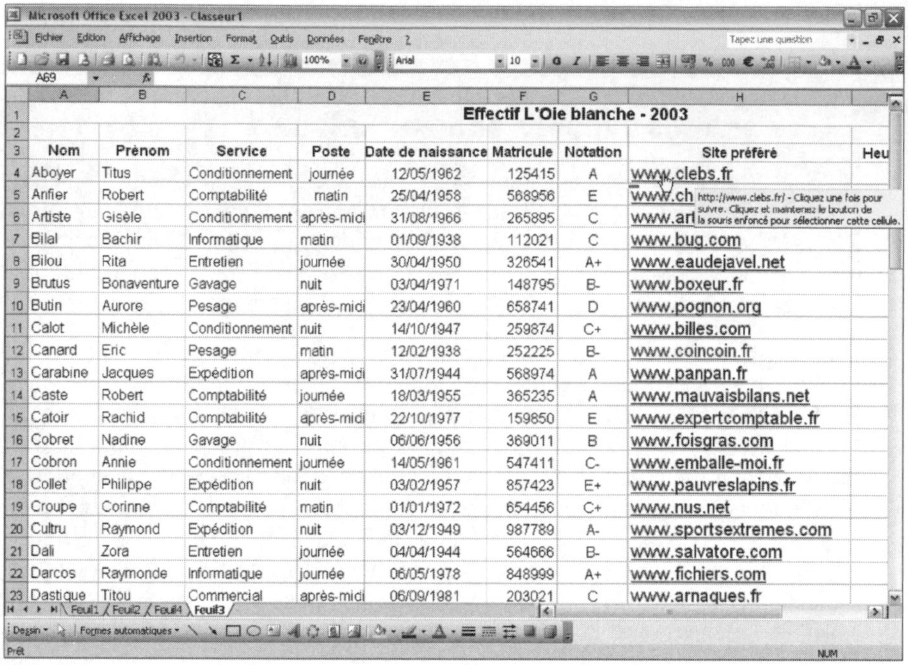

Effectif L'Oie blanche - 2003

Nom	Prénom	Service	Poste	Date de naissance	Matricule	Notation	Site préféré	Heu
Aboyer	Titus	Conditionnement	journée	12/05/1962	125415	A	www.clebs.fr	
Anfier	Robert	Comptabilité	matin	25/04/1958	568956	E	www.ch	
Artiste	Gisèle	Conditionnement	après-midi	31/08/1966	265895	C	www.ar	
Bilal	Bachir	Informatique	matin	01/09/1938	112021	C	www.bug.com	
Bilou	Rita	Entretien	journée	30/04/1950	326541	A+	www.eaudejavel.net	
Brutus	Bonaventure	Gavage	nuit	03/04/1971	148795	B-	www.boxeur.fr	
Butin	Aurore	Pesage	après-midi	23/04/1960	658741	D	www.pognon.org	
Calot	Michèle	Conditionnement	nuit	14/10/1947	259874	C+	www.billes.com	
Canard	Eric	Pesage	matin	12/02/1938	252225	B-	www.coincoin.fr	
Carabine	Jacques	Expédition	après-midi	31/07/1944	568974	A	www.panpan.fr	
Caste	Robert	Comptabilité	journée	18/03/1955	365235	A	www.mauvaisbilans.net	
Catoir	Rachid	Comptabilité	après-midi	22/10/1977	159850	E	www.expertcomptable.fr	
Cobret	Nadine	Gavage	nuit	06/06/1956	369011	B	www.foisgras.com	
Cobron	Annie	Conditionnement	journée	14/05/1961	547411	C-	www.emballe-moi.fr	
Collet	Philippe	Expédition	nuit	03/02/1957	857423	E+	www.pauvreslapins.fr	
Croupe	Corinne	Comptabilité	matin	01/01/1972	654456	C+	www.nus.net	
Cultru	Raymond	Expédition	nuit	03/12/1949	987789	A-	www.sportsextremes.com	
Dali	Zora	Entretien	journée	04/04/1944	564666	B-	www.salvatore.com	
Darcos	Raymonde	Informatique	journée	06/05/1978	848999	A+	www.fichiers.com	
Dastique	Titou	Commercial	après-midi	06/09/1981	203021	C	www.arnaques.fr	

Figure 9.4 La liste des sites Internet préférés avec les adresses inscrites sous forme de liens hypertextes.

est un excellent moyen de garder le contact et de visiter fréquemment leurs sites.

Rechercher, modifier et supprimer des enregistrements

Lorsque votre base de données se sera étoffée, au fil des nouveaux enregistrements que vous serez amené à faire, vous pourrez commencer à exécuter les inévitables tâches de mise à jour. Vous utiliserez le formulaire pour accéder à un enregistrement que vous désirez modifier, et procéder à quelques changements. Le formulaire vous servira aussi à retrouver un enregistrement que vous désirez ôter puis supprimer de la base de données.

- Localisez l'enregistrement à modifier, dans la base de données, en affichant son formulaire. Reportez-vous plus loin aux deux sections "D'un enregistrement à l'autre" et "Celui qui le trouve le garde" pour savoir comment localiser des enregistrements, et aussi au Tableau 9.1 qui fournit d'utiles conseils.

✔ Pour modifier un champ de l'enregistrement courant, allez-y en appuyant sur la touche Tab ou Maj+Tab et remplacez la donnée qui s'y trouve en tapant la nouvelle.

Vous pouvez aussi appuyer sur les touches fléchées gauche et droite ou cliquer dans un champ pour y placer la barre d'insertion, avant de procéder aux modifications.

✔ Pour vider entièrement un champ, sélectionnez-le et appuyez sur la touche Suppr.

✔ Pour supprimer la totalité d'un enregistrement de la base de données, cliquez sur le bouton Supprimer. Excel affiche une boîte d'alerte avec le message suivant :

`L'onregistrement affiché sera supprimé définitivement.`

Cliquez sur OK pour éliminer l'enregistrement affiché dans le formulaire, ou sur Annuler si vous renoncez à le supprimer.

Rappelez-vous qu'il est *impossible* de recourir à l'option Annuler pour récupérer un enregistrement ôté avec le bouton Supprimer. Excel ne rigole pas quand il prévient que l'enregistrement sera *définitivement supprimé.* Par précaution, enregistrez toujours la feuille de la base de données avant de supprimer des enregistrements.

D'un enregistrement à l'autre

Après avoir affiché le formulaire dans la feuille de calcul, en plaçant le pointeur de cellule quelque part dans la base de données, et avoir choisi la commande Données/Formulaire dans la barre de menus, vous pouvez utiliser la barre de défilement à droite des champs de saisie pour aller d'un enregistrement à l'autre, ou utiliser les diverses touches du Tableau 9.1.

✔ **Pour aller vers le prochain enregistrement, dans la base de données :** Appuyez sur la touche fléchée bas ou sur Entrée, ou cliquez sur le bouton en bas de la barre de défilement.

✔ **Pour aller vers l'enregistrement précédent, dans la base de données :** Appuyez sur la touche fléchée haut, ou sur Maj+Entrée ou cliquez sur le bouton en haut de la barre de défilement.

✔ **Pour aller au premier enregistrement de la base de données :** Appuyez sur Ctrl+touche fléchée haut ou sur Ctrl+PageHaut, ou amenez le curseur de défilement tout en haut de la barre.

✔ **Pour aller au nouvel enregistrement de la base de données qui se trouve juste après le dernier enregistrement :** Appuyez sur Ctrl+touche fléchée bas ou sur Ctrl+PageBas, ou amenez le curseur de défilement tout en bas de la barre.

Tableau 9.1 : Comment accéder à un enregistrement.

Touche ou utilisation de la barre de défilement	Résultat
Touche flèche bas ou Entrée. Clic sur le bouton en bas de la barre de défilement ou sur le bouton Suivante	Déplacement vers le prochain enregistrement de la base de données. Le même champ est sélectionné.
Touche flèche haut ou Maj+Entrée. Clic sur le bouton en haut de la barre de défilement ou sur le bouton Précédente	Déplacement vers l'enregistrement précédent, dans la base de données. Le même champ est sélectionné.
Touche PageBas.	Déplacement à 10 enregistrements plus loin, dans la base de données.
Touche PageHaut.	Déplacement de 10 enregistrements en arrière, dans la base de données.
Ctrl+touche fléchée haut ou Ctrl+PageHaut, ou déplacement du curseur de défilement jusque tout en haut de la barre.	Affichage du premier enregistrement de la base de données.
Déplacement du curseur de défilement jusque tout en bas de la barre.	Affichage du dernier enregistrement de la base de données.

Celui qui le trouve le garde

Dans une très grande base de données, retrouver un enregistrement en allant de l'un à l'autre – et même dix par dix en actionnant la barre de défilement – n'est pas une mince affaire. Plutôt que de perdre du temps à tenter de trouver manuellement un enregistrement, utilisez le bouton Critères, dans le formulaire.

Lorsque vous cliquez sur le bouton Critères, Excel vide tous les champs du formulaire et affiche le mot *Critères* à la place du compteur d'enregistrements. Vous pouvez maintenant entrer un ou plusieurs critères de recherche dans les champs vierges.

Supposons que vous désiriez afficher le site Internet préféré d'une personne que vous venez de rencontrer, mais dont vous avez oublié le nom. Vous vous souvenez simplement que son nom commence par la lettre C et qu'elle travaille à la comptabilité...

Pour trouver cet enregistrement, vous pouvez utiliser le peu d'informations dont vous disposez pour restreindre la recherche à tous les enregistrements dont le champ Nom commence par C et dont le champ Service contient la mention Comptabilité. Pour ce faire, ouvrez le formulaire de la base de données, cliquez sur le bouton Critères puis, dans le champ Nom, tapez :

    C

Ensuite, dans le champ Service, entrez :

    Comptabilité

La Figure 9.5 montre le formulaire ainsi configuré.

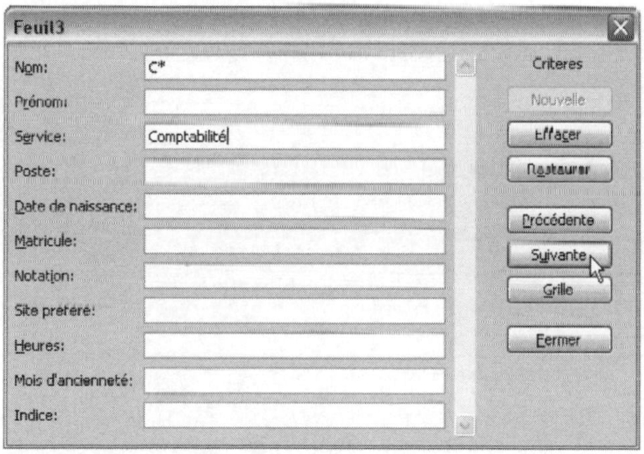

Figure 9.5
Utilisez le bouton Critères, dans le formulaire, pour effectuer une recherche spécifique.

Lorsque vous entrez des critères de recherche dans les champs vides du formulaire, vous pouvez utiliser les caractères de substitution ? (occurrence d'une lettre à cette place précise) et * (plusieurs caractères), comme nous l'avons expliqué dans le Chapitre 6.

Cliquez maintenant sur le bouton Suivante. Excel affiche les données du premier enregistrement dans lequel le champ Nom commence par C et dont le champ Service contient le mot Comptabilité. Comme le montre la Figure 9.6, le premier enregistrement qui correspond à cette recherche est la fiche de Caste Robert. Pour continuer la recherche, cliquez sur le bouton Suivante. L'enregistrement suivant apparaît dans la Figure 9.7. Il s'agit bien de la personne que vous cherchiez, ce nom vous dit quelque chose. Vous avez identifié une erreur dans la syntaxe de l'adresse du site. Il vous est maintenant possible de la rectifier. Après avoir cliqué sur le bouton Fermer, Excel enregistre cette modification dans la base de données.

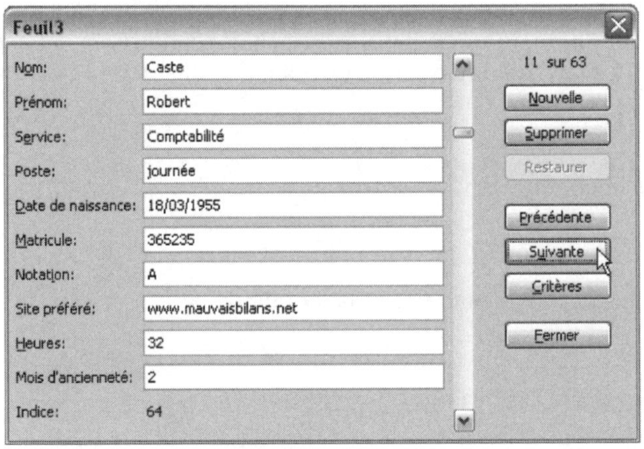

Figure 9.6
Le premier enregistrement qui correspond aux critères de recherche n'est pas encore le bon.

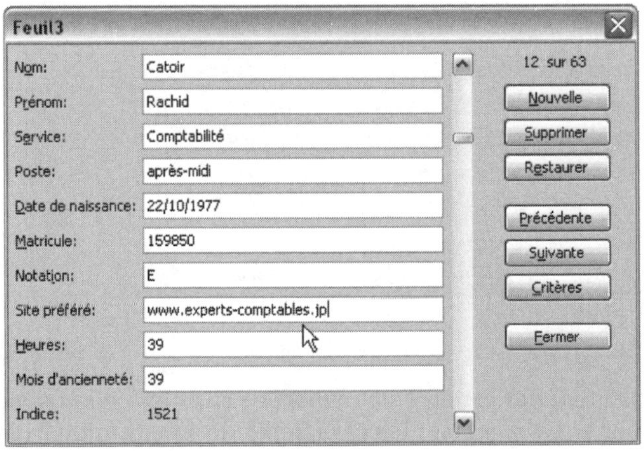

Figure 9.7
Ça y est ! L'enregistrement recherché a été trouvé !

Quand vous faites appel à des critères de recherche pour trouver des enregistrements dans la base de données, vous pouvez utiliser les opérateurs suivants pour localiser un enregistrement en particulier :

Opérateur	**Signification**
=	Egal à
>	Supérieur à
>=	Supérieur ou égal à
<	Inférieur à
<=	Inférieur ou égal à
<>	Différent de

Par exemple, pour n'afficher que des enregistrements dans lesquels le champ Indice est supérieur ou égal à 1 000, vous taperez >=**1000** dans le champ Indice, après quoi vous cliquerez sur le bouton Suivante.

Lorsque vous spécifiez un critère de recherche qui correspond à plusieurs enregistrements, vous devrez sans doute cliquer plusieurs fois sur les boutons Suivante et Précédente pour trouver la fiche que vous recherchez. Si aucun enregistrement ne répond à ce critère, l'ordinateur émet un son lorsque vous cliquez sur l'un de ces boutons.

Pour modifier les critères de recherche, videz les champs du formulaire en cliquant de nouveau sur le bouton Critères, puis sur le bouton Effacer. Sélectionnez ensuite les champs appropriés et effacez les anciens critères avant d'entrer les nouveaux (vous ne pouvez que remplacer des critères si vous utilisez les mêmes champs).

Pour revenir à l'enregistrement courant sans utiliser les critères de recherche, cliquez sur le bouton Grille (ce bouton de retour à la grille de données se substitue au bouton Critères pendant une recherche).

On trie tout !

Dans chaque base de données créée dans Excel, les données sont de préférence disposées dans un ordre cohérent qui facilite l'affichage des informations et leur maintenance. Vous désirerez par exemple voir les informations en ordre alphabétique, selon les noms. Dans notre exemple de base de données, nous avons trié les données d'après le nom des employés.

Quand vous entrez des enregistrements pour la première fois dans une base de données, vous les entrez certainement dans l'ordre alphabétique ou bien dans l'ordre où ils se présentent. Cependant, dès la deuxième saisie d'enregistrements, vous constaterez qu'il est impossible de continuer à les entrer ainsi. Chaque fois que des fiches sont ajoutées avec le bouton Nouvelle, Excel place le nouvel enregistrement dans une nouvelle ligne, à la suite de ceux déjà existants.

Supposons que vous ayez commencé par entrer tous les enregistrements dans l'ordre alphabétique, par nom (de *Aboyer* à *Zorro*), et que vous deviez maintenant ajouter un nouveau client, *Ficker*. Excel le placera dans une nouvelle ligne, juste après *Zorro*, au lieu de le glisser au bon endroit, parmi les fiches dont le nom commence par un "F".

Ce problème n'est pas le seul auquel vous risquez d'être confronté lorsque des enregistrements doivent être entrés dans un ordre donné. Même si les enregistrements présents dans une base de données restent relativement stables, l'ordre que vous avez défini est celui qui vous conviendra la plupart du temps. Mais qu'en est-il si vous voulez classer les enregistrements dans un ordre complètement différent ?

Par exemple, bien que vous préfériez travailler avec une base de données triée par numéros de matricule, il vous arrivera de vouloir la trier alphabétiquement selon le nom des clients afin de les localiser plus efficacement dans une sortie imprimante.

La souplesse dans l'ordre des enregistrements est une qualité indispensable pour répondre aux différents besoins. C'est là qu'intervient la commande Données/Trier.

Pour qu'Excel trie correctement les enregistrements d'une base de données, vous devez lui indiquer les champs à prendre en compte. De tels champs sont appelés *clé de tri* dans le jargon des bases de données. Il vous faudra aussi spécifier dans quel ordre le tri doit s'effectuer :

- **Croissant :** Les textes sont triés alphabétiquement de A à Z et les valeurs numériques de la plus faible à la plus élevée.

- **Décroissant :** Les textes sont triés dans l'ordre alphabétique inverse de Z à A et les valeurs numériques de la plus élevée à la plus faible.

Lors d'un tri, il est possible de spécifier jusqu'à trois champs de tri, chacun pouvant être trié en ordre croissant ou décroissant. Le tri sur plusieurs champs est nécessaire lorsque le premier comporte des doublons qui exigent un tri supplémentaire sur un deuxième, voire un troisième champ. Sans cette possibilité de tri sur plusieurs champs, Excel classerait tout simplement les doublons dans l'ordre où ils ont été entrés.

L'exemple le plus classique d'un tri sur plusieurs champs est celui où le tri doit s'effectuer sur des noms de famille. Supposons que votre base de données soit truffée de noms comme Dupont, Martin ou d'autres noms très fréquents. Si vous spécifiez uniquement le champ Nom, en utilisant le tri croissant proposé par défaut, tous les Dupont et Martin seront classés dans l'ordre où leurs enregistrements auront été entrés. Pour affiner le tri de ces doublons, vous indiquerez le champ Prénom comme deuxième clé de tri (toujours dans l'ordre croissant), ce qui placera Dominique Dupont avant Jean Dupont et Sandra Martin après Claude Martin.

Procédez comme suit pour trier une base de données dans Excel :

1. **Positionnez le pointeur de cellule dans le premier nom de champ de la base de données.**

2. **Dans la barre de menus, choisissez Données/Trier.**

   Excel sélectionne tous les enregistrements de la base de données – hormis la ligne des noms de champs – et ouvre la boîte de dialogue Trier que montre la Figure 9.8. Par défaut, le premier nom apparaît dans la liste déroulante Trier par, et le bouton radio Croissant est sélectionné.

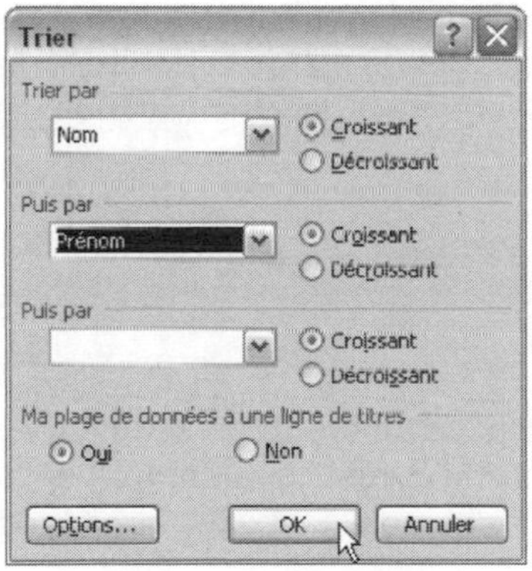

Figure 9.8 Configurez le tri alphabétique des noms et des prénoms.

3. **Dans la liste Trier par, sélectionnez le nom du champ sur lequel le tri doit être effectué en premier.**

Si les enregistrements doivent être triés par ordre décroissant, sélectionnez le bouton Décroissant.

4. **Si le premier champ contient des doublons, et si vous voulez affiner le tri, sélectionnez une deuxième clé de tri dans la liste déroulante Puis par. Sélectionnez un ordre de tri croissant ou décroissant.**

5. **Si nécessaire, spécifiez un troisième champ pour trier les enregistrements ; choisissez-le dans la deuxième option Puis par, et spécifiez l'ordre de tri.**

6. **Cliquez sur OK ou appuyez sur Entrée.**

Excel trie les enregistrements sélectionnés. Si le tri s'est effectué sur un mauvais champ ou dans un ordre erroné, choisissez la commande Annuler Trier dans la barre de menus, ou appuyez immédiatement sur Ctrl+Z pour rétablir l'ordre d'origine de la base de données.

Lors d'un tri, ne sélectionnez pas par inadvertance le bouton radio Ma plage de données a une ligne de titre/Non (voir Figure 9.8), car Excel déplacerait les noms de champs en les triant en même temps que les données des enregistrements.

Observez comment le tri a été configuré dans la boîte de dialogue que montre la Figure 9.8 : dans la liste des employés, j'ai défini le champ Nom (Trier par) comme première clé de tri et le champ Prénom comme deuxième clé (Puis par) afin de trier les noms identiques par leur prénom. L'ordre de tri Croissant a été appliqué aux opérations. Dans la Figure 9.9, remarquez comment les trois Cobron – Annie, Nathalie et Pierrre – ont été correctement triés par leurs prénoms.

Vous pouvez utiliser les boutons Tri croissant et Tri décroissant dans la barre d'outils Standard pour effectuer un tri des enregistrements de la base de données sur un seul champ.

✔ Pour trier la base de données en ordre croissant selon un seul champ, placez le pointeur de cellule sur le nom de champ, tout en haut de la liste, puis, dans la barre d'outils Standard, cliquez sur le bouton Tri croissant.

✔ Pour trier la base de données en ordre décroissant selon un seul champ, placez le pointeur de cellule sur le nom de champ, tout en haut de la liste, puis, dans la barre d'outils Standard, cliquez sur le bouton Tri décroissant.

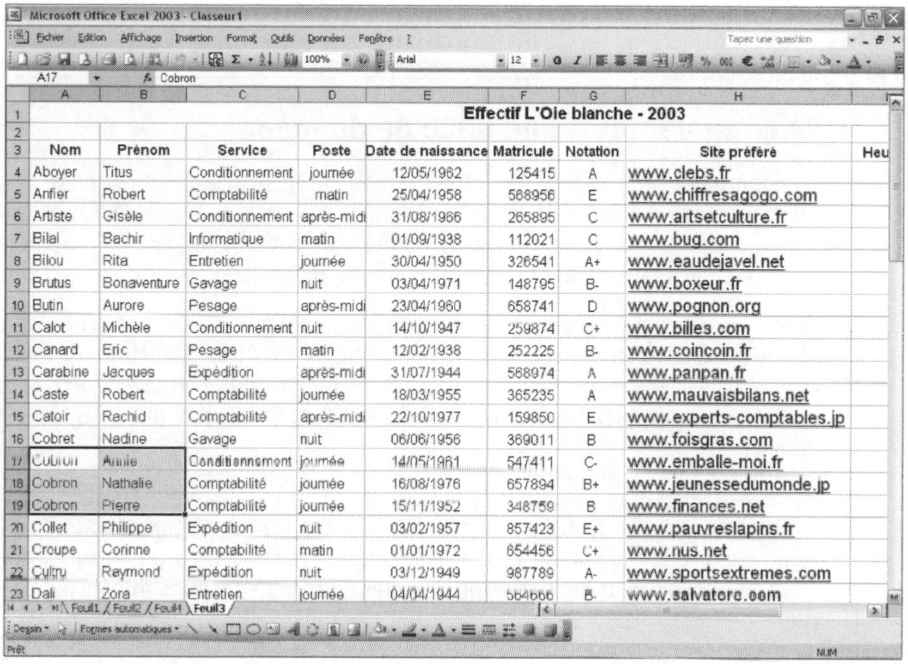

Figure 9.9
La base de
données des
effectifs a été
triée
alphabétique-
ment par nom et
par prénom.

	A	B	C	D	E	F	G	H	
1					Effectif L'Oie blanche - 2003				
2									
3	Nom	Prénom	Service	Poste	Date de naissance	Matricule	Notation	Site préféré	Heu
4	Aboyer	Titus	Conditionnement	journée	12/05/1962	125415	A	www.clebs.fr	
5	Anfier	Robert	Comptabilité	matin	25/04/1958	568956	E	www.chiffresagogo.com	
6	Artiste	Gisèle	Conditionnement	après-midi	31/08/1966	265895	C	www.artsetculture.fr	
7	Bilal	Bachir	Informatique	matin	01/09/1938	112021	C	www.bug.com	
8	Bilou	Rita	Entretien	journée	30/04/1950	326541	A+	www.eaudejavel.net	
9	Brutus	Bonaventure	Gavage	nuit	03/04/1971	148795	B-	www.boxeur.fr	
10	Butin	Aurore	Pesage	après-midi	23/04/1960	658741	D	www.pognon.org	
11	Calot	Michèle	Conditionnement	nuit	14/10/1947	259874	C+	www.billes.com	
12	Canard	Eric	Pesage	matin	12/02/1938	252225	B-	www.coincoin.fr	
13	Carabine	Jacques	Expédition	après-midi	31/07/1944	568974	A	www.panpan.fr	
14	Caste	Robert	Comptabilité	journée	18/03/1955	365235	A	www.mauvaisbilans.net	
15	Catoir	Rachid	Comptabilité	après-midi	22/10/1977	159850	E	www.experts-comptables.jp	
16	Cobret	Nadine	Gavage	nuit	06/06/1956	369011	B	www.foisgras.com	
17	Cobron	Amie	Conditionnement	journée	14/05/1961	547411	C-	www.emballe-moi.fr	
18	Cobron	Nathalie	Comptabilité	journée	16/08/1976	657894	B+	www.jeunessedumonde.jp	
19	Cobron	Pierre	Comptabilité	journée	15/11/1952	348759	B	www.finances.net	
20	Collet	Philippe	Expédition	nuit	03/02/1957	857423	E+	www.pauvreslapins.fr	
21	Croupe	Corinne	Comptabilité	matin	01/01/1972	654456	C+	www.nus.net	
22	Cultru	Raymond	Expédition	nuit	03/12/1949	987789	A-	www.sportsextremes.com	
23	Dali	Zora	Entretien	journée	04/04/1944	564666	B-	www.salvatore.com	

Le tri croissant et décroissant

Quand vous appliquez l'ordre de tri croissant à un champ contenant différents types d'entrées, Excel place les chiffres triés – des plus faibles aux plus élevés – avant les lettres triées par ordre alphabétique, qu'il fait suivre des valeurs logiques (VRAI et FAUX), elles-mêmes suivies par les valeurs d'erreurs et enfin les cellules vides. Si l'ordre décroissant a été sélectionné, Excel change l'ordre de la disposition : les chiffres sont triés en premier, du plus élevé au plus faible, suivis par les lettres de Z à A, puis par les valeurs logiques VRAI suivies des valeurs logiques FAUX.

TRUC

Trier en dehors d'une base de données

La commande Trier ne sert pas qu'à trier les enregistrements d'une base de données. Vous pouvez l'utiliser pour trier des données financières ou des titres. Lorsque vous appliquez un tri dans une feuille de calcul conventionnelle, veillez à ne sélectionner que les cellules contenant les données à trier, puis cliquez sur Données/Trier.

Remarquez aussi qu'Excel exclut automatiquement du tri la première ligne de cellules, car il considère que cette ligne est une ligne de titres qui contient des noms de champs qui ne doivent pas être triés. Pour inclure cette première ligne dans le tri, sélectionnez Ma plage de données a une ligne de titres/Non, puis cliquez sur OK pour démarrer le tri.

Pour trier les données d'une feuille de calcul par colonnes, cliquez sur le bouton Options de la boîte de dialogue Trier. Dans la zone Orientation, sélectionnez le bouton radio De la gauche vers la droite, puis cliquez sur OK. Vous pouvez maintenant indiquer dans la boîte de dialogue Trier le nombre de lignes sur lesquelles le tri sera effectué.

Le filtrage automatique des enregistrements de la base de données

La fonction Filtre automatique d'Excel permet de masquer en un clin d'œil le contenu d'une base de données pour ne laisser apparaître que les informations utiles. Pour bénéficier de cette remarquable fonctionnalité, il suffit de placer le pointeur de cellule quelque part dans la base de données puis de choisir, dans la barre de menus, Données/Filtrer/Filtre automatique. Lorsque le filtre automatique a été activé, Excel ajoute des boutons à listes déroulantes à chacun des noms de champs, comme le montre la Figure 9.10.

Pour filtrer une base de données afin que seuls les enregistrements contenant une certaine valeur soient affichés, cliquez sur le bouton de liste déroulante du nom de champ approprié. La liste qui apparaît contient la totalité des entrées effectuées dans ce champ ; sélectionnez celle sur laquelle le filtrage doit être fait (les autres enregistrements seront tous masqués).

Dans l'exemple de la Figure 9.10, le filtrage de la base de données des employés a été effectué sur le nom de champ Service. Dans la liste déroulante, le service

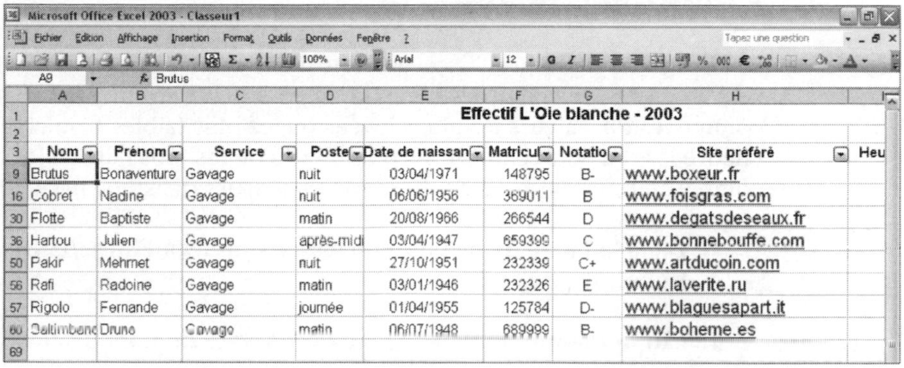

Figure 9.10
La base de données des effectifs après le filtrage automatique des enregistrements. Seuls apparaissent les employés appartenant au service Gavage (ce critère est choisi dans la liste déroulante associée au bouton).

A	B	C	D	E	F	G	H	Heu
Nom	Prénom	Service	Poste	Date de naissan	Matricu	Notatio	Site préféré	
Brutus	Bonaventure	Gavage	nuit	03/04/1971	148795	B-	www.boxeur.fr	
Cobret	Nadine	Gavage	nuit	06/06/1956	389011	B	www.foisgras.com	
Flotte	Baptiste	Gavage	matin	20/08/1966	266544	D	www.degatsdeseaux.fr	
Hartou	Julien	Gavage	après-midi	03/04/1947	659399	C	www.bonnebouffe.com	
Pakir	Mehmet	Gavage	nuit	27/10/1951	232339	C+	www.artducoin.com	
Rafi	Radoine	Gavage	matin	03/01/1946	232326	E	www.laverite.ru	
Rigolo	Fernande	Gavage	journée	01/04/1955	125784	D-	www.blaguesapart.it	
Saltimband	Bruno	Gavage	matin	06/07/1948	689999	B-	www.boheme.es	

Gavage a été sélectionné. C'est pourquoi seuls les enregistrements concernant ce service sont affichés. C'est aussi simple que ça...

Après avoir filtré une base de données pour ne faire apparaître que certains enregistrements, vous pouvez les copier ailleurs dans la feuille de calcul ou, mieux, dans une autre feuille, en les sélectionnant et en choisissant Edition/Copier (Ctrl+C) en plaçant le pointeur de cellule là où les enregistrements recopiés doivent être placés et en appuyant sur Entrée. Après avoir copié les enregistrements filtrés, vous pouvez réafficher l'intégralité de la base de données ou appliquer un autre filtrage.

Si vous estimez que le filtrage sur une seule valeur d'une liste déroulante produit un trop grand nombre d'enregistrements, vous pouvez restreindre l'affichage en effectuant un deuxième filtrage. Par exemple, si le filtrage selon le service Gavage a produit des centaines d'enregistrements, vous pouvez en réduire le nombre en effectuant un filtrage sur le nom de champ Poste, en choisissant les employés travaillant 32 heures par semaine. Dès que vous avez fini de travailler sur ce filtrage, vous pouvez en effectuer un autre avec un tarif différent.

Dès que vous voudrez de nouveau afficher tous les enregistrements de la base de données, choisissez Données/Filtrer/Afficher tout. Le filtre d'un nom de champ particulier peut être supprimé en cliquant sur son bouton de liste déroulante et en sélectionnant Tous, tout en haut de la liste.

Retenez que, si vous n'avez appliqué qu'un seul filtre à la base de données, le choix de l'option Tous ne diffère en rien du choix Données/Filtrer/Afficher tout.

Visualiser le Top 10

Le filtrage automatique d'Excel est doté d'une option nommée 10 premiers. Elle sert à limiter l'affichage des enregistrements à un certain nombre d'éléments comme les dix valeurs les plus élevées ou les plus faibles d'un champ, ou encore les dix pourcentages les plus élevés ou les plus faibles. Procédez comme suit pour filtrer les dix premières valeurs dans une base de données :

1. **Dans la barre de menus, choisissez Données/Filtrer/Filtre automatique.**

2. **Cliquez sur le bouton de liste déroulante du nom de champ à filtrer.**

3. **Dans la liste déroulante, sélectionnez l'option 10 premiers.**

   Excel ouvre la boîte de dialogue Les 10 premiers que montre la Figure 9.11.

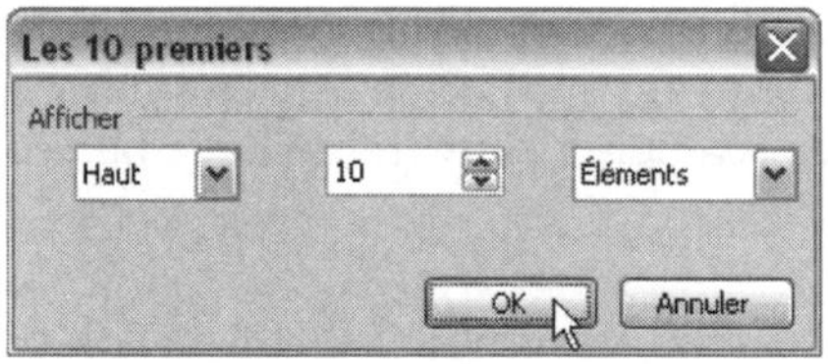

Figure 9.11
La boîte de dialogue de filtrage des dix premières valeurs dans un champ.

Par défaut, la boîte de dialogue Les 10 premiers propose d'afficher le "Top 10" des éléments présents dans le champ sélectionné. Il est cependant possible d'afficher un nombre d'éléments différent.

4. **Pour ne montrer que les dix enregistrements dont les valeurs sont les plus faibles, choisissez Bas dans la liste déroulante de gauche.**

5. **Pour afficher plus ou moins d'enregistrements que les dix prévus – pour obtenir un Top 50, par exemple –, entrez la valeur désirée dans la zone de texte centrale.**

6. **Pour afficher les dix enregistrements (ou le nombre spécifié) selon leur pourcentage par rapport à la valeur maximale, choisissez Pourcentage dans la liste déroulante de droite.**

7. **Cliquez sur OK ou appuyez sur Entrée pour filtrer la base de données selon les paramètres que vous venez de spécifier.**

Dans la Figure 9.12, la base de données des effectifs a été filtrée pour montrer les enregistrements des dix employés dont l'indice est le plus élevé (champ Indice).

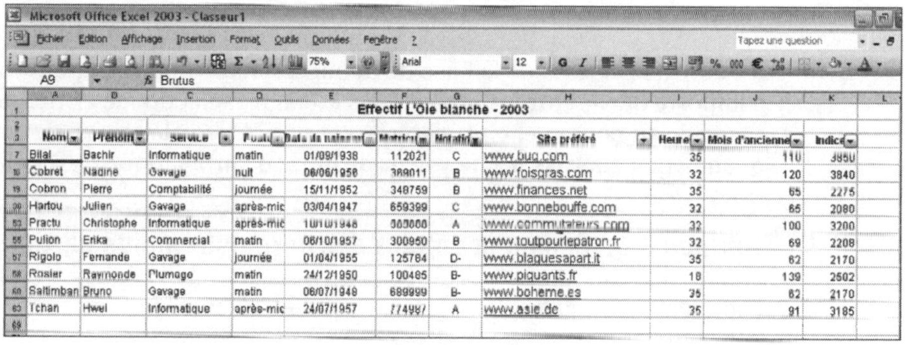

Effectif L'Oie blanche - 2003

Nom	Prénom	Service	Poste	Date de naissa	Matricu	Notatio	Site préféré	Heure	Mois d'ancienne	Indice
Bilal	Bachir	Informatique	matin	01/09/1938	112021	C	www.bug.com	35	110	3850
Cobret	Nadine	Gavage	nuit	06/06/1958	369011	B	www.foisgras.com	32	120	3840
Cobron	Pierre	Comptabilité	journée	15/11/1952	348759	B	www.finances.net	35	65	2275
Hartou	Julien	Gavage	après-mic	03/04/1947	659399	C	www.bonnebouffe.com	32	65	2080
Practu	Christophe	Informatique	après-mic	10/10/1948	505000	A	www.commutateurs.com	32	100	3200
Pulion	Erika	Commercial	matin	06/10/1957	300950	B	www.toutpourlepatron.fr	32	69	2208
Rigolo	Fernande	Gavage	journée	01/04/1955	125784	D-	www.blaguesapart.it	35	62	2170
Rosier	Raymonde	Plumage	matin	24/12/1950	100485	B-	www.piquants.fr	18	139	2502
Saltimban	Bruno	Gavage	matin	06/07/1948	689999	B-	www.boheme.es	35	62	2170
Tchan	Hwei	Informatique	après-mic	24/07/1957	774987	A	www.asie.de	35	91	3185

Figure 9.12 La base de données après le filtrage des dix employés présentant l'indice le plus élevé.

Etre efficace avec les filtres automatiques personnalisés

Outre la possibilité de filtrer les enregistrements d'une base de données selon des entrées particulières (comme Gavage dans le champ Service), vous pouvez créer des filtres automatiques personnalisés qui permettent de n'afficher que les enregistrements correspondant à des critères de moindre exactitude comme les prénoms commençant par *M* ou des plages de valeurs (indice entre 560 et 2080).

Pour créer un filtre personnalisé pour un champ, cliquez sur son bouton déroulant et choisissez l'option Personnalisé. Excel affiche la boîte de dialogue de la Figure 9.13.

Dans cette boîte de dialogue, vous sélectionnez d'abord, dans la liste du haut, le premier opérateur à utiliser. Reportez-vous au Tableau 9.2 pour connaître leurs noms et leurs actions. Tapez ensuite à droite la valeur (textuelle ou numérique) qui doit correspondre, dépasser, ne pas dépasser ou ne pas exister dans

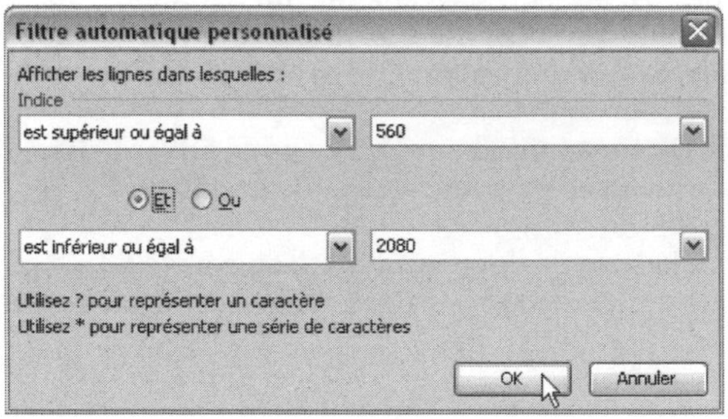

Figure 9.13
Le filtre
automatique
personnalisé va
être utilisé pour
afficher tous les
employés dont
l'indice est égal
ou supérieur à
560 et inférieur
ou égal à 2080.

Filtre automatique personnalisé

Afficher les lignes dans lesquelles :
Indice

| est supérieur ou égal à | ▼ | | 560 | ▼ |

◉ Et   ○ Ou

| est inférieur ou égal à | ▼ | | 2080 | ▼ |

Utilisez ? pour représenter un caractère
Utilisez * pour représenter une série de caractères

[OK]   [Annuler]

les enregistrements de la base de données. Notez que vous pouvez choisir
n'importe quelle entrée figurant dans le champ sélectionné en déroulant la liste
associée au bouton et en la choisissant parmi les valeurs (un peu comme
quand vous choisissez une valeur de filtrage automatique).

Tableau 9.2 : Comment obtenir des enregistrements particuliers.

Opérateur	Exemple	Ce qui est trouvé
Egal	Indice égal à 560 €	Tous les enregistrements dont la valeur dans le champ Indice est égale à 560.
Différent de	Services autres que Sécurité	Tous les enregistrements dont le champ Service est différent de "Sécurité".
Est supérieur à	Mois d'ancienneté supérieurs à 50	Tous les enregistrements dont l'ancienneté est de plus de 50 mois.
Est supérieur à ou égal à	Mois d'ancienneté supérieurs ou égaux à 50	Tous les enregistrements dont l'ancienneté est de 50 mois ou plus.
Est inférieur à	Matricule inférieur à 235986	Tous les enregistrements dont la valeur dans le champ Matricule est inférieure à 235986.
Est inférieur à ou égal à	Matricule inférieur ou égal à 235986	Tous les enregistrements dont la valeur dans le champ Matricule est égale ou inférieure à 235986.

Tableau 9.2 : Comment obtenir des enregistrements

Opérateur	Exemple	Ce qui est trouvé
Commence par	Première lettre : "d"	Tous les enregistrements, dans le champ spécifié, qui commencent par la lettre "d" comme Dominique.
Ne commence pas par	Première lettre différente de "d"	Tous les enregistrements, dans le champ spécifié, qui ne commencent pas par la lettre "d".
Se termine par	Dernières lettres : "ret"	Tous les enregistrements, dans le champ spécifié, dont les dernières lettres sont "ret" comme Cobret.
Ne se termine pas par	Dernières lettres différentes de "ret"	Tous les enregistrements, dans le champ spécifié, qui ne se terminent pas par les lettres "ret".
Contient	Cobret	Tous les enregistrements, dans le champ spécifié, qui contiennent le mot Cobret.
Ne contient pas	Hormis Cobret	Tous les enregistrements, dans le champ spécifié, qui ne contiennent pas le mot Cobret.

Si vous ne voulez filtrer que les enregistrements dont les entrées correspondent, dépassent, ne dépassent pas ou sont simplement différentes de celle tapée dans la zone de texte, cliquez sur OK ou appuyez sur Entrée pour appliquer ce filtrage à la base de données. Il est toutefois possible d'utiliser la boîte de dialogue Filtre automatique personnalisé pour afficher les enregistrements dont les entrées, dans un champ, correspondent à une plage de valeurs ou à l'un ou l'autre des critères.

Pour spécifier une plage de valeurs, sélectionnez l'opérateur "Est supérieur à" ou "Est supérieur ou égal à", puis indiquez la valeur plancher. Assurez-vous ensuite que le bouton radio Et est activé puis, comme deuxième opérateur, choisissez "Est inférieur à" ou "Est inférieur ou égal à" et indiquez la valeur plafond.

Reportez-vous aux Figures 9.13 et 9.14 pour voir comment le filtrage des enregistrements de la base de données des clients a mis en évidence les enregistrements dont le champ Indice est égal ou supérieur à 560 et inférieur ou égal à 2080. Comme on le constate dans la Figure 9.13, cette plage de valeurs a été spécifiée grâce aux opérateurs "Est supérieur ou égal à" et "Est inférieur ou égal à", avec le bouton radio Et sélectionné. La Figure 9.14 montre le résultat de ce filtrage.

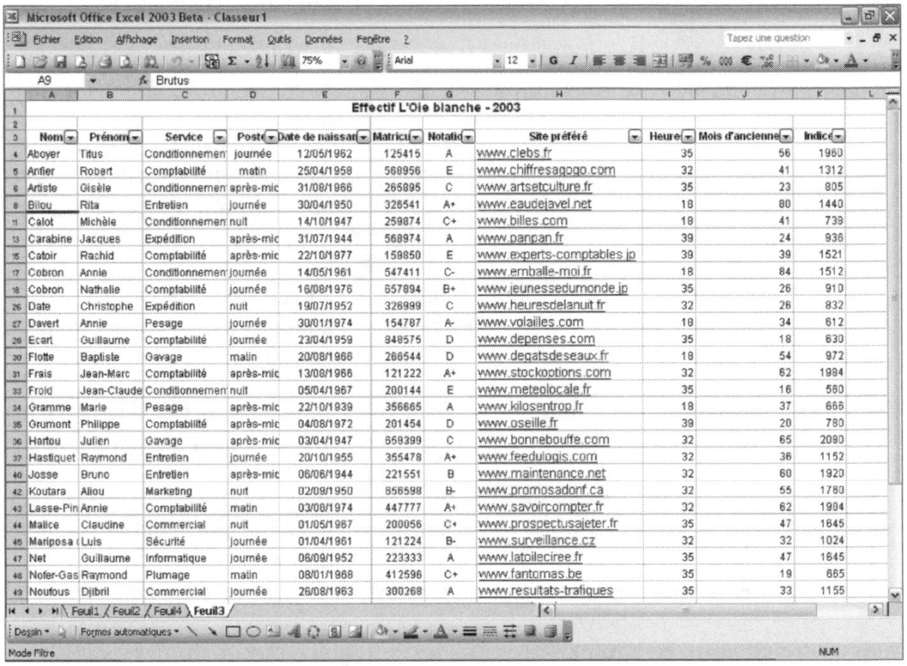

	Nom	Prénom	Service	Poste	Date de naissan	Matricu	Notatio	Site préféré	Heure	Mois d'ancienne	Indice
4	Aboyer	Titus	Conditionnemen	journée	12/05/1962	125415	A	www.clebs.fr	35	56	1960
5	Anfier	Robert	Comptabilité	matin	25/04/1958	568956	E	www.chiffresagogo.com	32	41	1312
6	Artiste	Gisèle	Conditionnemen	après-mic	31/08/1966	265895	C	www.artsetculture.fr	35	23	805
8	Bilou	Rita	Entretien	journée	30/04/1950	326541	A+	www.eaudejavel.net	18	80	1440
11	Calot	Michèle	Conditionnemen	nuit	14/10/1947	259874	C+	www.billes.com	18	41	738
13	Carabine	Jacques	Expédition	après-mic	31/07/1944	568974	A	www.panpan.fr	39	24	936
15	Catoir	Rachid	Comptabilité	après-mic	22/10/1977	159850	E	www.experts-comptables.jp	39	39	1521
17	Cobron	Annie	Conditionnemen	journée	14/05/1961	547411	C-	www.emballe-moi.fr	18	84	1512
18	Cobron	Nathalie	Comptabilité	journée	16/08/1976	657894	B+	www.jeunessedumonde.jp	35	26	910
26	Date	Christophe	Expédition	nuit	19/07/1952	326999	C	www.heuresdelanuit.fr	32	26	832
27	Davert	Annie	Pesage	journée	30/01/1974	154787	A-	www.volailles.com	18	34	612
28	Ecart	Guillaume	Comptabilité	journée	23/04/1959	848575	D	www.depenses.com	35	18	630
30	Flotte	Baptiste	Gavage	matin	20/08/1966	266544	D	www.degatsdeseaux.fr	18	54	972
31	Frais	Jean-Marc	Comptabilité	après-mic	13/08/1966	121222	A+	www.stockoptions.com	32	62	1984
33	Froid	Jean-Claude	Conditionnemen	nuit	05/04/1967	200144	E	www.meteolocale.fr	35	16	560
34	Gramme	Marie	Pesage	après-mic	22/10/1939	356665	A	www.kilosentrop.fr	18	37	666
35	Grumont	Philippe	Comptabilité	après-mic	04/08/1972	201454	D	www.oseille.fr	39	20	780
36	Hartou	Julien	Gavage	après-mic	03/04/1947	659399	C	www.bonnebouffe.com	32	65	2080
37	Hastiquet	Raymond	Entretien	journée	20/10/1955	355478	A+	www.feedulogis.com	32	36	1152
40	Josse	Bruno	Entretien	après-mic	06/06/1944	221551	B	www.maintenance.net	32	60	1920
42	Koutara	Aliou	Marketing	nuit	02/09/1950	656598	B-	www.promosadonf.ca	32	55	1760
43	Lasse-Pin	Annie	Comptabilité	matin	03/08/1974	447777	A+	www.savoircompter.fr	32	62	1984
44	Malice	Claudine	Commercial	nuit	01/05/1967	200056	C+	www.prospectusajeter.fr	35	47	1645
45	Mariposa (	Luis	Sécurité	journée	01/04/1961	121224	B-	www.surveillance.cz	32	32	1024
47	Net	Guillaume	Informatique	journée	06/09/1952	223333	A	www.latoilecirée.fr	35	47	1645
48	Nofer-Gas	Raymond	Plumage	matin	08/01/1968	412596	C+	www.fantomas.be	35	19	665
49	Noufous	Djibril	Commercial	journée	26/08/1963	300268	A	www.resultats-trafiques	35	33	1155

Figure 9.14 La base de données après l'application d'un filtre automatique personnalisé.

Pour établir une condition "l'un et l'autre/ou" dans la boîte de dialogue Filtre automatique personnalisé, vous choisissez normalement entre les opérateurs "Egal" ou "Différent de", selon le cas, puis vous entrez ou sélectionnez la première valeur qui doit correspondre ou non. Vous activez ensuite le bouton Ou et sélectionnez l'opérateur approprié, suivi de la deuxième valeur qui doit être égale ou différente.

Par exemple, pour filtrer une base de données de manière que seuls les enregistrements des services Conditionnement et Entretien soient affichés, vous sélectionnez "Egal" comme premier opérateur et vous tapez Conditionnement à côté. Vous sélectionnez ensuite le bouton radio Ou, puis le deuxième opérateur "Egal" et tapez Entretien comme deuxième critère. Après avoir cliqué sur OK ou appuyé sur Entrée, Excel affiche uniquement les enregistrements dont le champ Service contient soit Conditionnement, soit Entretien.

Chapitre 10

Liens hypertextes et pages Web

- -

Dans ce chapitre :

▶ Créer des liens hypertextes vers d'autres documents Office, vers d'autres classeurs et feuilles de calcul Excel, et vers d'autres plages de cellules.

▶ Créer un lien hypertexte vers une page Web.

▶ Modifier les styles Lien hypertexte et Lien hypertexte visité.

▶ Enregistrer les données des feuilles de calcul et des graphiques dans des pages Web statiques.

▶ Créer des pages Web avec des feuilles de calcul et des graphiques interactifs.

▶ Modifier des pages Web avec votre éditeur de pages Web favori ou Word.

▶ Envoyer des feuilles de calcul par courrier électronique.

- -

*E*tant donné l'engouement des foules pour l'Internet, et parce que la Toile passe pour la plus grande invention depuis le fil à couper le beurre, nul ne sera surpris d'apprendre qu'Excel propose une grande quantité de fonctions Web. Les principales sont incontestablement la possibilité d'ajouter des liens hypertextes aux cellules de la feuille de calcul et celle de convertir des feuilles de calcul en pages Web téléchargeables sur un serveur.

Les pages Web créées à partir des feuilles de calcul d'Excel permettent de montrer les données calculées par le tableur, les listes et les graphiques à quiconque possède un navigateur Web ainsi qu'une connexion à l'Internet (c'est-à-dire beaucoup de monde, par les temps qui courent...), et ce indépendamment du type d'ordinateur utilisé et sans qu'Excel y ait été installé. Quand vous enregistrez des feuilles de calcul Excel sous forme de pages Web, vous pouvez rendre les données statiques ou interactives.

Quand vous enregistrez une feuille de calcul sous la forme d'une page Web statique, les visiteurs ne peuvent que la voir, sans pouvoir la modifier. Mais quand la page est enregistrée comme page interactive, les visiteurs peuvent non seulement voir les données, mais aussi les modifier, à condition toutefois qu'ils possèdent la version 4.0 ou ultérieure d'Internet Explorer. Par exemple, si vous enregistrez un formulaire qui calcule des sous-totaux et des totaux dans une page interactive, les visiteurs peuvent modifier les quantités commandées. La page recalculera automatiquement les totaux. Ou, si vous avez enregistré une base de données – comme celle décrite dans le Chapitre 9 – comme page Web interactive, les visiteurs pourront trier et filtrer les données dans leur navigateur, exactement comme ils le feraient dans Excel !

Ajouter des liens hypertextes à une feuille de calcul

Dans une feuille de calcul, un lien hypertexte permet d'ouvrir d'autres documents Office ou d'autres classeurs et/ou feuilles de calcul Excel d'un seul clic de souris. Que ces documents se trouvent sur le disque dur de l'ordinateur, sur le serveur d'un réseau local ou soient des pages Web sur l'Internet ou sur l'intranet de votre société. Il est aussi possible de configurer des liens hypertextes qui envoient automatiquement des messages aux collègues avec lesquels vous travaillez quotidiennement ; ou encore vous pouvez joindre un classeur Excel ou d'autres fichiers Office à ces courriers.

Les liens hypertextes placés dans une feuille de calcul Excel peuvent être de différents types :

- Liens hypertextes qui apparaissent dans la cellule sous la forme d'un texte bleu souligné.

- Cliparts et graphismes insérés dans le classeur.

- Graphismes obtenus avec les outils de la barre d'outils Dessin (en fait, transformation des images en boutons).

Quand vous créez un lien hypertexte textuel ou graphique, vous créez un lien vers un autre classeur Excel ou tout autre fichier Office, ou vers l'adresse d'un site Web – en utilisant son URL, vous savez, cette monstruosité qui commence par http:// –, vers un emplacement nommé dans le même classeur (reportez-vous au Chapitre 6 pour en savoir plus sur l'attribution d'un nom à une plage de cellules), voire vers la messagerie de quelqu'un.

Procédez comme suit pour affecter un lien hypertexte au contenu textuel d'une cellule :

1. **Sélectionnez la cellule, dans la feuille de calcul du classeur, qui doit contenir le lien hypertexte.**

2. **Tapez du texte dans la cellule. Cliquez ensuite sur le bouton Entrer dans la barre de formule ou appuyez sur la touche Entrée.**

Procédez comme suit pour insérer un clipart ou une image dans la feuille de calcul avant de leur attacher un lien hypertexte :

1. **Dans la barre de menus, choisissez Insertion/Images/Images clipart ou bien Insertion/Images/À partir du fichier. Localisez ensuite l'image ou le fichier graphique qui devra recevoir le lien hypertexte.**

   Après avoir inséré l'image clipart ou le fichier graphique dans la feuille de calcul, l'image est sélectionnée, comme le prouvent les poignées de redimensionnement qui l'entourent.

2. **Actionnez les poignées de redimensionnement pour mettre l'image à la taille désirée ; faites-la ensuite glisser jusqu'à l'emplacement qu'elle doit occuper.**

Procédez comme suit pour ajouter un lien hypertexte à du texte ou à une image :

1. **Sélectionnez la cellule contenant le texte ou l'image à lier.**

2. **Dans la barre de menus, choisissez Insertion/Lien hypertexte ou appuyez sur Ctrl+K, ou encore cliquez sur le bouton Insérer un lien hypertexte (celui avec l'icône qui montre un globe terrestre et des maillons de chaîne) dans la barre d'outils Standard.**

   Excel ouvre la boîte de dialogue Insérer un lien hypertexte (voir Figure 10.1) dans laquelle vous indiquez le fichier, l'adresse Web (URL) ou un emplacement nommé dans le classeur.

3a. **Pour qu'un lien hypertexte ouvre un autre document, une page Web sur l'intranet de votre société ou sur l'Internet, cliquez sur le bouton Fichier ou page Web existant(e), s'il n'est pas déjà sélectionné, puis entrez le chemin du répertoire du fichier ou l'URL de la page Web dans la zone de texte Adresse.**

   Si le document à lier se trouve sur le disque dur ou sur le disque dur mappé sur l'ordinateur, cliquez sur le bouton déroulant Regarder dans,

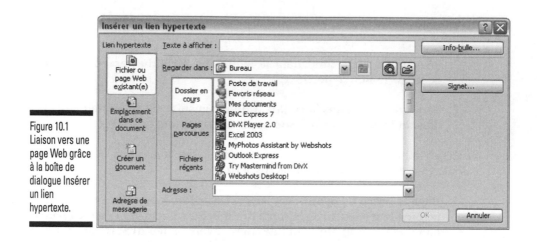

Figure 10.1
Liaison vers une page Web grâce à la boîte de dialogue Insérer un lien hypertexte.

puis sélectionnez son dossier puis le fichier dans la zone de liste qui se trouve en aval. Si vous avez récemment ouvert le document vers lequel le lien doit pointer, cliquez sur le bouton Fichiers récents, puis sélectionnez-le dans la liste.

Si le document à lier se trouve sur un site Web et que vous connaissez son adresse (www.pourlesnuls.com/excel2002.htm, par exemple), tapez-la dans le champ Adresse. Si vous avez récemment visité la page vers laquelle vous désirez faire pointer le lien, cliquez sur le bouton Pages parcourues, puis sélectionnez l'adresse de la page dans la liste.

3b. **Pour que le lien hypertexte déplace le pointeur de cellule vers une autre cellule ou plage de cellules dans le même classeur, cliquez sur le bouton Emplacement dans ce document. Indiquez ensuite l'adresse de la cellule ou de la plage dans la zone de texte Tapez la référence de la cellule, ou sélectionnez le nom de feuille ou de plage dans la fenêtre Ou sélectionner un emplacement dans ce document (Figure 10.2).**

3c. **Pour démarrer l'écriture d'un courrier électronique adressé au destinataire spécifié par le lien, cliquez sur le bouton Adresse électronique, puis tapez l'adresse dans la zone de texte Adresse électronique (Figure 10.3).**

Dans la plupart des cas, votre logiciel de messagerie sera Outlook Express. Il fait partie d'Internet Explorer 6.0, qui est livré avec Office 2003.

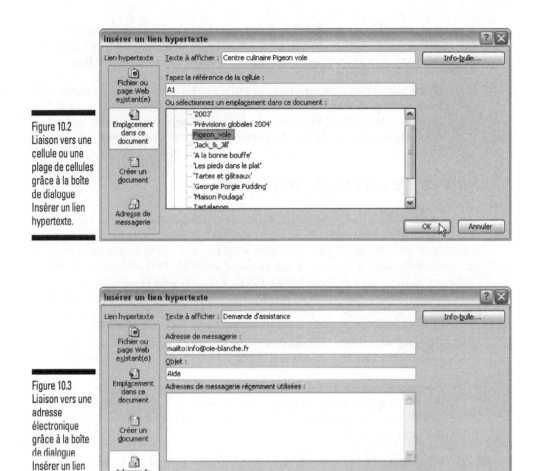

Figure 10.2
Liaison vers une
cellule ou une
plage de cellules
grâce à la boîte
de dialogue
Insérer un lien
hypertexte.

Figure 10.3
Liaison vers une
adresse
électronique
grâce à la boîte
de dialogue
Insérer un lien
hypertexte.

Dès que vous commencez à taper l'adresse du correspondant dans la
zone de texte Adresse électronique, Excel insère devant le mot mailto:
(mailto: est une balise HTML qui démarre le logiciel de messagerie dès
que vous cliquez sur le lien hypertexte).

Si vous voulez que le lien hypertexte ajoute automatiquement l'objet du
message dans la boîte de dialogue d'envoi d'un courrier électronique,
tapez-le dans la zone de texte Objet.

Si l'adresse du destinataire se trouve dans la liste Adresses électroniques utilisées récemment, sélectionnez-la à cet endroit.

4. **(Facultatif) Pour modifier le lien hypertexte qui apparaît dans la cellule de la feuille de calcul (il est bleu et souligné) ou pour ajouter du texte si la cellule est vide, tapez ce texte dans Texte à afficher.**

5. **(Facultatif) Pour ajouter une info-bulle au lien hypertexte qui apparaît lorsque le pointeur de la souris s'attarde sur le lien, cliquez sur le bouton Info-bulle et tapez le texte dans la boîte de dialogue Définir une info-bulle pour le lien hypertexte. Cliquez ensuite sur OK.**

Suivez ces liens hypertextes !

Après avoir créé un lien hypertexte dans une feuille de calcul, vous l'utiliserez pour aller directement à l'adresse vers laquelle il pointe. Pour ce faire, placez le pointeur de la cellule sur le texte bleu souligné, si c'est un texte qui a reçu le lien, ou sur l'image, si c'est un graphisme qui a été lié ; le pointeur se transforme en main dont l'index est tendu. Cliquez : Excel effectue le saut vers la cellule, le document externe, la page Web ou l'adresse de messagerie indiquée par le lien. Ce qui se produit réellement dépend du contenu du lien hypertexte :

- **Adresse de cellule :** Excel active la feuille de calcul du classeur courant, puis il sélectionne la cellule ou la plage indiquée dans le lien hypertexte.

- **Document externe :** Excel ouvre le document dans sa propre fenêtre. Si le logiciel qui a créé ce document (comme Word ou PowerPoint) n'est pas en cours d'utilisation, Windows l'ouvre en même temps qu'il charge le document cible.

- **Page Web :** Excel ouvre la page Web dans le navigateur Web par défaut. Si l'ordinateur n'est pas connecté, Windows ouvre la boîte de dialogue Connexion à. Vous devrez ensuite cliquer sur le bouton Connecter. Si le navigateur n'est pas ouvert au moment où vous cliquez sur ce bouton, Windows le démarre puis effectue la connexion avec la page visée.

- **Adresse de messagerie :** Excel démarre votre logiciel de messagerie et ouvre le formulaire d'envoi d'un courrier adressé au correspondant dont le nom figure dans le lien.

Après avoir cliqué sur un lien hypertexte, sa couleur passe du bleu à un pourpre foncé (le souligné subsiste) ; cette couleur indique que le lien a été visité. Remarquez que si un lien a été affecté à un graphisme, aucun changement de couleur n'indique que ce lien a été utilisé. Excel réaffecte la couleur d'origine au lien – lien non visité – lorsque vous rouvrez le classeur.

Les boutons de la barre d'outils Web que montre la Figure 10.4 gèrent les liens. Pour afficher cette barre, cliquez sur Affichage/Barre d'outils/Web dans la barre de menus.

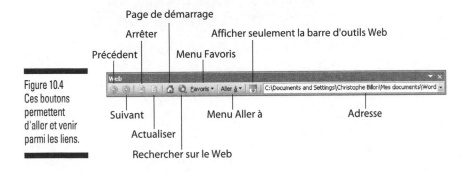

Figure 10.4
Ces boutons
permettent
d'aller et venir
parmi les liens.

Les Figures 10.5 à 10.7 montrent comment utiliser des liens hypertextes pour aller à différents endroits d'un même classeur. Dans la Figure 10.5, la feuille de calcul contient un tableau de données interactif vers tous les tableaux de prévision du classeur. Un lien hypertexte vers les feuilles et les plages de cellules appropriées a été ajouté à chacune des entrées de la plage B11:B20 (le quadrillage a été supprimé dans cette feuille de calcul pour mieux faire ressortir les liens hypertextes).

En cliquant sur le lien de la cellule Pigeon vole, visible dans la Figure 10.5, Excel place immédiatement le pointeur à la cellule A1 de la feuille de calcul Pigeon vole. Cette feuille contient, à droite de la cellule A1, l'image extraite d'une page d'accueil qui représente une maison (voir Figure 10.6). Ce graphisme contient un lien hypertexte qui, en cliquant dessus, ramène à la cellule A1 de la feuille de la table des matières (celle de la Figure 10.5).

Après avoir cliqué sur le lien hypertexte Prévisions globales 2004, Excel affiche la feuille de calcul de la Figure 10.7. Ce lien est relié à une plage de cellules qui s'étend des cellules C7 à G19, dans la feuille Prévisions globales 2004. Vous remarquerez que le seul fait de cliquer sur ce lien hypertexte sélectionne toutes les cellules de la plage nommée. Il se trouve que ce sont justement celles qui se trouvent sous le graphique des prévisions des frais et dépenses d'exploitation. Comme il n'a pas été prévu d'attacher un lien hypertexte directement à un graphique, vous devez sélectionner les cellules qui se trouvent dessous, si vous voulez qu'un lien hypertexte affiche un graphique contenu dans une feuille de calcul.

A droite du graphique, se trouve un graphisme en forme d'explosion. Il a été créé à partir de l'option Etoiles et bannières du menu déroulant Formes auto-

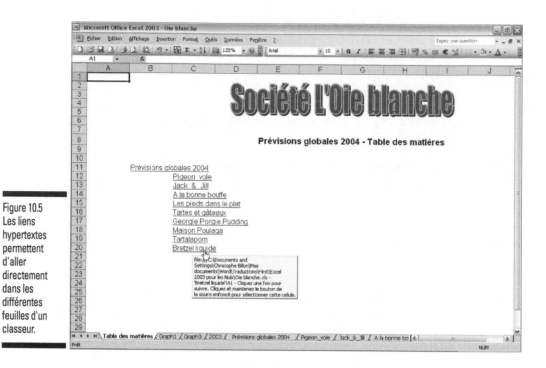

Figure 10.5
Les liens hypertextes permettent d'aller directement dans les différentes feuilles d'un classeur.

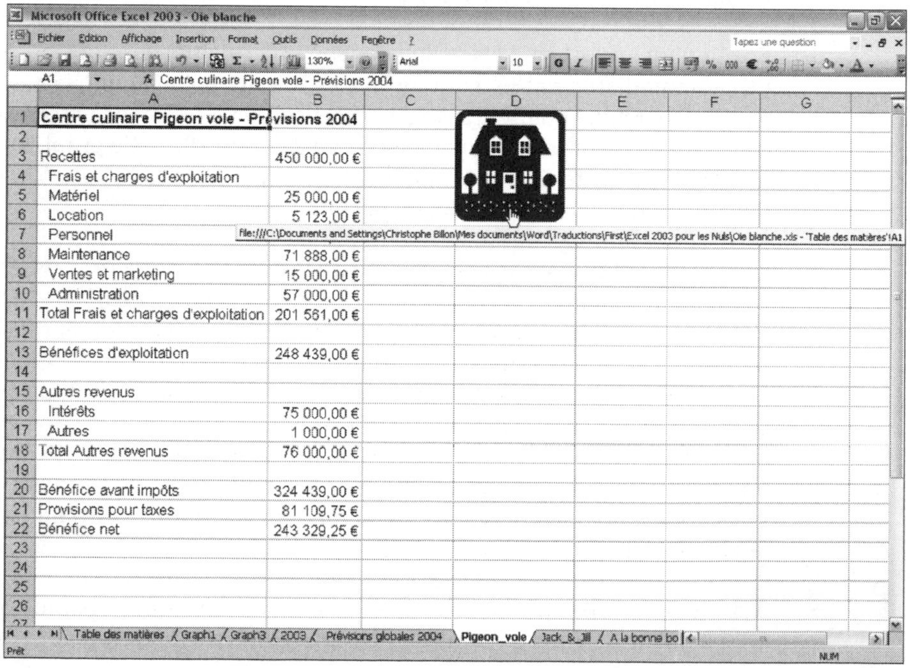

Figure 10.6
Le lien défini dans la photo pointe vers la feuille de calcul Table des matières.

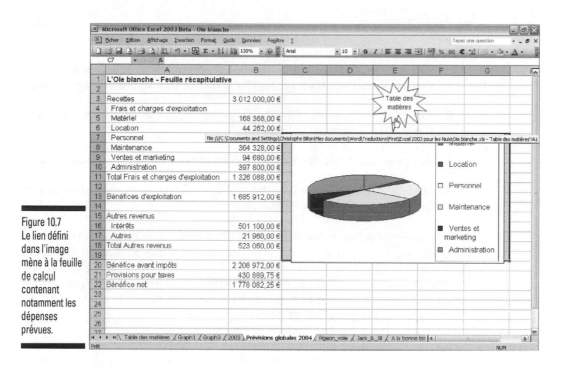

Figure 10.7
Le lien défini
dans l'image
mène à la feuille
de calcul
contenant
notamment les
dépenses
prévues.

matiques de la barre d'outils Dessin, et contient le même lien hypertexte que celui de la photographie visible Figure 10.6. En cliquant dessus, chacun de ces deux liens ramène à la feuille Table des matières.

Éditer et formater des liens hypertextes

Le contenu des cellules ayant reçu un lien hypertexte est mis en forme selon deux styles intégrés : Lien hypertexte et Lien hypertexte visité. Le premier de ces deux styles est appliqué à tout nouveau lien hypertexte défini dans une feuille de calcul, et qui n'a pas encore été utilisé. Le style Lien hypertexte visité est appliqué à tout lien qui a été utilisé. Pour modifier l'apparence des liens dans un classeur, vous devez modifier leur mise en forme dans les deux styles Lien hypertexte et Lien hypertexte visité (reportez-vous au Chapitre 3 pour savoir comment modifier des styles).

Si vous devez modifier le contenu d'une cellule ayant reçu un lien hypertexte, vous devez faire attention, au moment de passer en mode Edition, de ne pas suivre le lien par inadvertance. Autrement dit, vous ne devez en aucun cas cliquer dans la cellule, car le lien s'activerait et vous transporterait aussitôt à destination. Le meilleur moyen de contourner ce problème consiste à procéder ainsi :

1. **Cliquez dans une cellule adjacente à celle contenant le lien hypertexte (à condition bien sûr qu'elle n'en contienne pas elle-même un).**

2. **Appuyez sur la touche fléchée appropriée pour sélectionner la cellule à modifier contenant le lien.**

3. **Appuyez sur la touche de fonction F2 afin de passer en mode Edition.**

4. **Modifiez le contenu de la cellule. Cliquez ensuite sur le bouton Entrer ou appuyez sur la touche Entrée.**

Si vous devez modifier la destination d'un lien hypertexte (et non le contenu de la cellule auquel le lien est attaché), cliquez dans la cellule avec le bouton droit de la souris et choisissez la commande Modifier le lien hypertexte. Excel ouvre la boîte de dialogue Modifier le lien hypertexte qui ressemble étonnamment à celle de la Figure 10.1. Modifiez dans cette boîte de dialogue le type du lien hypertexte et/ou l'emplacement de la destination.

Pour vous débarrasser d'un lien hypertexte tout en conservant le contenu de la cellule, cliquez sur le lien avec le bouton droit de la souris et, dans le menu contextuel, choisissez Supprimer le lien hypertexte. Cette commande est l'équivalent d'Edition/Effacer/Tout, dans la barre de menus.

Modifier et mettre en forme les graphismes dotés d'un lien hypertexte

Lorsqu'il s'agit de modifier des graphismes ayant reçu un lien hypertexte, vous pouvez éditer l'image en cliquant dessus avec le bouton droit de la souris et en choisissant dans le menu contextuel l'option Afficher la barre d'outils Image. Le graphisme est sélectionné ; vous pourrez dès lors intervenir dessus avec les commandes de la barre d'outils Image. Elles permettent de modifier les couleurs et le remplissage, de régler le contraste et la luminosité, de la recadrer et de faire en sorte ou non qu'une image soit déplacée ou redimensionnée lorsque les cellules qui se trouvent dessous sont modifiées. Il est aussi possible d'accéder à la boîte de dialogue de mise en forme de l'image en cliquant sur le graphisme avec le bouton droit de la souris et en choisissant l'option Format de l'image. Les options qui s'y trouvent permettent de modifier certaines propriétés du graphisme, notamment la couleur, le remplissage, la transparence, le style de trait, la taille et la protection.

Pour redimensionner manuellement une image ou la déplacer dans la feuille de calcul, cliquez dessus en maintenant la touche Ctrl enfoncée et manipulez-la à la souris. Pour la redimensionner, tirez sur l'une des poignées. Pour la déplacer, faites-la glisser sur la feuille de calcul (le pointeur se transforme en flèche à quatre pointes).

Pour copier une image ainsi que son lien hypertexte, cliquez dessus en maintenant la touche Ctrl enfoncée puis, cette touche toujours enfoncée, faites-la glisser à son nouvel emplacement. Il est aussi possible de cliquer sur l'image avec le bouton droit de la souris et de la placer dans le Presse-papiers en choisissant, dans le menu contextuel, la commande Copier. Elle pourra ensuite être collée dans la feuille de calcul en choisissant Edition/Coller dans la barre de menus d'Excel ou en cliquant dans la barre d'outils Standard sur le bouton Coller, ou encore en appuyant sur les touches Ctrl+V.

Pour supprimer à la fois une image et son lien hypertexte, cliquez dessus en maintenant la touche Ctrl enfoncée et appuyez ensuite sur la touche Suppr. Pour ôter un lien hypertexte sans supprimer l'image, cliquez dessus avec le bouton droit de la souris puis, dans le menu contextuel, choisissez l'option Supprimer le lien hypertexte.

Pour modifier la destination d'un lien hypertexte, cliquez dessus avec le bouton droit de la souris et choisissez Modifier le lien hypertexte. La boîte de dialogue du même nom apparaît, dans laquelle vous pourrez indiquer une autre cible.

Des feuilles de calcul sur le Web ?

En raison de la conception tabulaire des données dans la feuille de calcul, et du fait que cette feuille contient des données calculées, la publication des données d'un tableur sur le Web n'est pas une mince affaire. Excel permet de créer des pages Web contenant des données affichées en mode statique (on regarde mais on ne touche pas) ou en mode interactif dans lequel les données peuvent être modifiées. Lorsqu'une page Web est créée en mode statique, le visiteur peut uniquement visualiser la feuille de calcul dans son navigateur Web. Mais si la page est interactive, le visiteur peut manipuler les données, c'est-à-dire les modifier et changer les valeurs contenues dans les cellules. Selon la nature de la feuille de calcul, le visiteur pourra même effectuer des calculs et, dans le cas d'une liste de données, manipuler les données grâce à des tris et des filtrages.

L'enregistrement d'une feuille de calcul comme page Web s'effectue très facilement en cliquant, dans la barre de menus, sur Fichier/Enregistrer en tant que page Web. Quand vous sélectionnez cette commande, Excel ouvre la boîte de

dialogue Enregistrer sous que montre la Figure 10.8. Comme vous le remarquez, elle contient les mêmes commandes de base que la version "classeur",
avec les commandes suivantes :

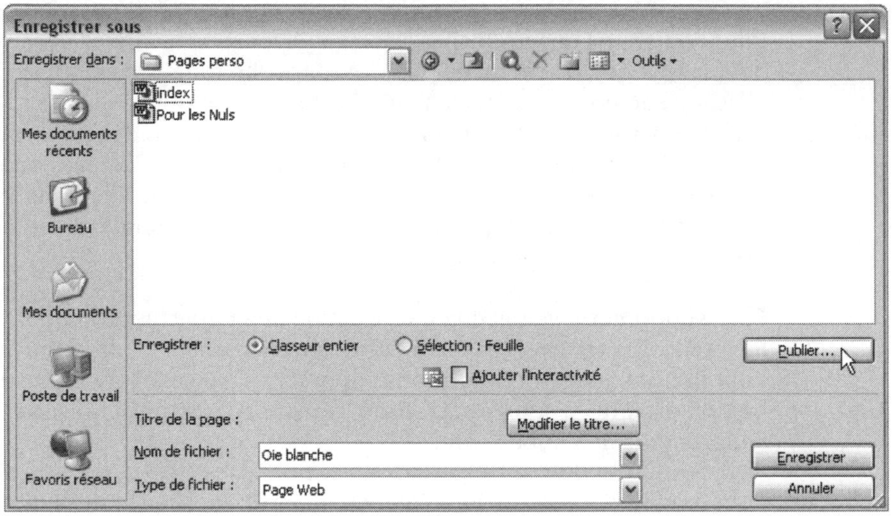

Figure 10.8
Cette boîte de
dialogue
apparaît lorsque
vous
sélectionnez la
commande
Fichier/
Enregistrer en
tant que page
Web.

✔ **Classeur entier** ou **Sélection : Feuille** : Quand vous cliquez sur Fichier/
Enregistrer en tant que page Web, Excel vous laisse le choix entre la
sauvegarde de toutes les données de toutes les feuilles (grâce au bouton
radio Classeur entier, sélectionné par défaut) ou uniquement des
données sélectionnées présentes dans la feuille de calcul courante
(bouton radio Sélection : Feuille). Si Sélection : Feuille est actif, et si
aucune plage de cellules ou graphique n'est sélectionné dans la feuille
de calcul courante, toutes les données de cette feuille sont placées dans
la nouvelle page Web. Si vous avez sélectionné un graphique, ce bouton
prend le nom de Sélection : Graphique. Si une plage de cellules est sélectionnée, A1:D20 par exemple, il devient Sélection : $A$1:$D$20.

✔ **Publier :** Cliquer sur ce bouton ouvre la boîte de dialogue Publier en
tant que page Web (voir Figure 10.9). Elle contient plusieurs options de
publication qui permettent de :

Sélectionner les éléments du classeur à placer dans la nouvelle page
Web.

Définir le type d'interactivité à utiliser (le cas échéant).

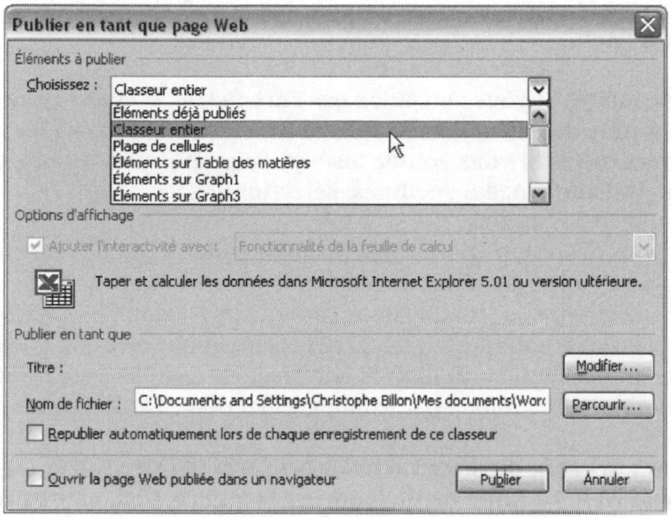

Figure 10.9
Choisissez les
options de
publication Web
dans cette boîte
de dialogue.

Modifier le nom de fichier de la nouvelle page Web.

Décider si la page Web doit être ouverte avec le navigateur de votre ordinateur.

✔ **Ajouter l'interactivité :** Pour que les visiteurs de la page puissent modifier et recalculer les données de la feuille de calcul, ou les trier ou les filtrer, cochez la case Ajouter l'interactivité avec. Excel 2003 ajoute automatiquement l'interactivité lorsque vous choisissez de publier le classeur entier.

✔ **Titre :** Cliquez sur le bouton Modifier, à droite de Titre, pour ouvrir la boîte de dialogue Définir le titre dans laquelle vous indiquerez le titre de la page Web. Il apparaîtra centré en tête de la page, juste au-dessus des données ou du graphique (ne confondez pas cette fonctionnalité avec l'en-tête de page Web qui apparaît dans la barre de titre du navigateur du visiteur). Après avoir cliqué sur OK, le titre mentionné dans la boîte de dialogue Définir le titre est affiché à droite du mot Titre, dans la boîte de dialogue Publier en tant que page Web.

Enregistrer une page statique

Les pages Web statiques permettent au visiteur de voir les données mais pas de les modifier. Procédez comme suit pour créer une telle page :

1. **Ouvrez le classeur contenant les données à enregistrer en tant que page Web.**

2. **(Facultatif) Si vous ne voulez pas enregistrer le classeur tout entier ou la feuille de calcul courante tout entière, sélectionnez les cellules concernées. Si vous voulez insérer un graphique, cliquez dessus ; s'il s'agit d'une plage de cellules, sélectionnez-les.**

   Si vous devez enregistrer une plage de cellules donnée ou un graphique en particulier, procédez à la sélection avant d'ouvrir la boîte de dialogue Enregistrer sous (comme nous l'indiquons à l'étape 3). La sélection préalable d'un graphique fait apparaître la mention Sélection : Graphique à la place de Sélection : Feuille. Si une plage de cellules a été sélectionnée, le bouton radio indique par exemple Sélection : $A$1:$D$12.

3. **Dans la barre de menus, choisissez Fichier/Enregistrer en tant que page Web. La boîte de dialogue de la Figure 10.8, montrée précédemment, s'ouvre.**

4. **Indiquez la partie du classeur qui doit être enregistrée dans la nouvelle page Web.**

   Pour n'enregistrer que les données de la feuille de calcul courante, choisissez plutôt le bouton radio Sélection : Feuille. **Remarque :** si, avant d'ouvrir la boîte de dialogue Enregistrer sous, vous avez cliqué sur le graphique présent dans la feuille que vous désirez convertir en page Web, vous devrez choisir le bouton radio Sélection : Graphique (il se substitue au bouton Sélection : Feuille). Si vous avez d'abord sélectionné une plage de cellules, vous devrez choisir le bouton radio Sélection, suivi de l'adresse de cette plage. Souvenez-vous que si vous choisissez l'option Classeur entier, la page Web créée est automatiquement interactive.

   Pour enregistrer le contenu d'une autre feuille de calcul que celle présentement sélectionnée, cliquez sur le bouton Publier, puis choisissez une feuille selon sa description dans la liste déroulante Choisissez.

   Pour enregistrer un graphique que vous n'avez pas préalablement sélectionné avant d'ouvrir la boîte de dialogue Enregistrer sous, cliquez sur le bouton Publier puis, dans la liste Choisissez, sélectionnez Graphique (identifiable grâce à sa description).

   Pour enregistrer une plage de cellules spécifique que vous n'avez pas enregistrée avant d'ouvrir la boîte de dialogue Enregistrer sous, cliquez sur le bouton Publier et sélectionnez Plage de cellules dans la liste déroulante Choisissez. Tapez ensuite l'adresse de cette plage dans la zone de texte située juste en dessous, ou sélectionnez les cellules directement dans la feuille de calcul.

5. Donnez un nom de fichier à la nouvelle page Web.

Tapez un nom dans la zone de texte Nom de fichier. Remarquez qu'Excel ajoute l'extension .htm (abréviation de HyperText Markup qui indique que ce fichier texte est en fait un programme HTML – langage hypertexte) ou .xml (Extensible Markup Language – langage de balisage extensible), en fonction du type choisi (voir étape 8). Si vous envisagez de publier la page Web sur un serveur Unix, rappelez-vous que ce système d'exploitation est sensible à la casse (typographique, bien sûr, pas matérielle, ou du moins pas trop) alors que les systèmes d'exploitation Windows et Macintosh ne différencient par les majuscules des minuscules dans les noms de fichiers.

6. Indiquez le dossier dans lequel la page Web doit être enregistrée.

Quand vous enregistrez la nouvelle page Web sur le disque dur de l'ordinateur, vous devez indiquer le lecteur et le répertoire dans la zone de texte Enregistrer dans, comme vous le feriez lors de l'enregistrement conventionnel d'un classeur Excel (reportez-vous au Chapitre 2 pour en savoir plus sur les fichiers de classeurs) :

Si la page Web doit être enregistrée directement dans le site Web ou dans l'intranet de votre société, cliquez sur le bouton Favoris réseau, puis ouvrez le dossier dans lequel vous désirez stocker la page.

Pour enregistrer la nouvelle page sur un site FTP (File Tranfer Protocol) que l'administrateur ou un programmeur a préparé, sélectionnez l'option Adresses Internet (FTP) dans la liste déroulante Enregistrer dans et ouvrez le dossier FTP dans lequel la page doit être enregistrée.

Dans les deux cas, vous ou un programmeur Web qualifié devez avoir préparé les dossiers Web ou FTP avant de pouvoir y enregistrer les pages Web à base de feuilles de calcul.

7. (Facultatif) Spécifiez un titre pour la page Web.

Si vous désirez qu'Excel ajoute un titre qui apparaîtra centré en haut des données ou du graphique, cliquez sur le bouton Modifier le titre, en bas de la boîte de dialogue Enregistrer sous. Tapez ensuite le titre dans la boîte de dialogue Définir le titre de la page, puis cliquez sur OK. Remarquez qu'il est aussi possible d'ajouter un titre ou de le modifier à partir du bouton Modifier, dans la boîte de dialogue Publier en tant que page Web (à laquelle vous accédez en cliquant sur le bouton Publier, dans la boîte de dialogue Enregistrer sous).

8. Précisez le type de page Web.

Excel enregistre par défaut les données sélectionnées en tant que page Web (*.htm, *.html). Vous pouvez également choisir l'option Page Web à fichier unique (*.mht) ou Feuille de calcul XML (*.xml) dans la liste déroulante Type de fichier.

9. Enregistrez la page Web.

Pour enregistrer la nouvelle page Web telle que vous venez de la configurer dans les étapes précédentes, cliquez sur le bouton Enregistrer (voir Figure 10.8). Pour visionner la page Web juste après son enregistrement, cliquez sur le bouton Publier afin d'ouvrir la boîte de dialogue Publier en tant que page Web. Cochez ensuite la case Ouvrir la page publiée dans un navigateur, puis cliquez sur le bouton Publier ou appuyez sur la touche Entrée.

Remarque : lors de l'enregistrement des données de la feuille de calcul dans une nouvelle page Web, Excel crée automatiquement un nouveau dossier comportant le même nom que le fichier .htm ; il y place, parmi les données numériques, divers éléments tels que les fichiers d'image et les graphiques. C'est pourquoi, afin que les visiteurs du site arrivent à télécharger la page Web complète, vous devez également copier les fichiers qui accompagnent la page – appelés "fichiers de prise en charge" –, si jamais vous déplacez une page Web du lecteur local vers un serveur Web ou vers tout autre support.

Si vous préférez qu'Excel ne crée pas un dossier distinct pour les fichiers de prise en charge, vous devrez le préciser dans la boîte de dialogue des options Web (que vous ouvrez en cliquant dans la barre de menus sur Outils/Options puis, sous l'onglet Général, sur le bouton Options Web). Dans la boîte de dialogue des options Web, sous l'onglet Fichiers, ôtez simplement la coche de l'option Regrouper les fichiers de prise en charge dans un dossier.

Enregistrer une page interactive

La page Web interactive est l'une des plus remarquables fonctionnalités d'Excel. Elle permet en effet au visiteur qui a chargé la page Web avec le navigateur Microsoft Internet Explorer (version 4.0 ou ultérieure) de modifier les données de la feuille de calcul, et ce sans aucune programmation ni script de votre part. Ces modifications concernent divers éléments évoqués par ailleurs dans cet ouvrage :

- ✔ **Les tableaux de données d'une feuille de calcul :** Un tableau de feuille de calcul interactive permet de modifier des valeurs et de recalculer automatiquement ou manuellement les formules. Il est aussi possible de modifier la mise en forme des données et de définir la partie de la feuille qui sera affichée sur la page Web (reportez-vous aux Chapitres 3 et 4 pour en savoir plus sur la mise en forme et la modification des données et des formules).

- ✔ **Les listes de données :** Dans une base de données interactive, il est possible de trier et filtrer les enregistrements comme vous le feriez normalement dans Excel (reportez-vous au Chapitre 9 pour en savoir plus sur la création et la maintenance d'une base de données), et aussi de modifier les données ainsi que leur mise en forme.

- ✔ **Les graphiques :** Dans un graphique interactif, vous pouvez éditer les données qu'il représente, car le graphique est automatiquement mis à jour. Il est aussi possible de modifier le graphique lui-même, notamment son type, ses titres et certaines mises en forme.

Pour créer une page Web, vous suivez les mêmes étapes que celles décrites ci-avant dans la section "Enregistrer une page statique", mais avec cette exception cependant : si vous n'enregistrez pas l'intégralité du classeur, vous devez impérativement cocher la case Ajouter l'interactivité avant d'enregistrer ou de publier la nouvelle page Web.

Rappelez-vous que, en créant une page Web comportant un graphique interactif, il vous suffit de cliquer sur le graphique juste avant de cliquer sur Fichier/Enregistrer en tant que page Web pour accéder à la boîte de dialogue Enregistrer sous. Excel ajoutera automatiquement les données associées au graphique dans la nouvelle page Web, juste sous le graphique (en supposant évidemment que vous n'avez pas omis de cocher la case Ajouter l'interactivité avant d'enregistrer ou de publier la page).

(*NdT* : N'oubliez pas que les fichiers Excel sont censés être téléchargés depuis le Web. Si vous devez mettre une feuille de calcul en ligne, vous devez impérativement proscrire l'utilisation d'espaces et de signes diacritiques [accents, cédilles..." dans les noms figurant sur les onglets de feuille. Autrement, Internet Explorer refuserait de charger la feuille. Si un nom doit être composé, utilisez le signe de soulignement [exemple : Ventes_2001". Limitez la longueur d'un nom de feuille à moins de 31 caractères.)

Retenez que, si vous publiez tout un classeur, Excel vous permet de sélectionner des feuilles et graphiques individuels dans l'équivalent page Web du classeur en cliquant sur l'onglet feuille (sélecteur de feuille), en bas du tableau Web interactif, puis sur le nom de la feuille dans le menu contextuel qui apparaît.

Agir sur une feuille de données interactive

La Figure 10.10 montre une nouvelle page Web contenant un tableau des ventes du premier trimestre totalement interactif, tel qu'il apparaît après avoir été chargé dans Microsoft Internet Explorer 6.0, la version de ce navigateur livrée avec Office 2003. Cette page interactive a été créée en sélectionnant la plage de cellules A1:G20 avant de cliquer sur Fichier/Enregistrer en tant que page Web et de cocher la case Ajouter l'interactivité.

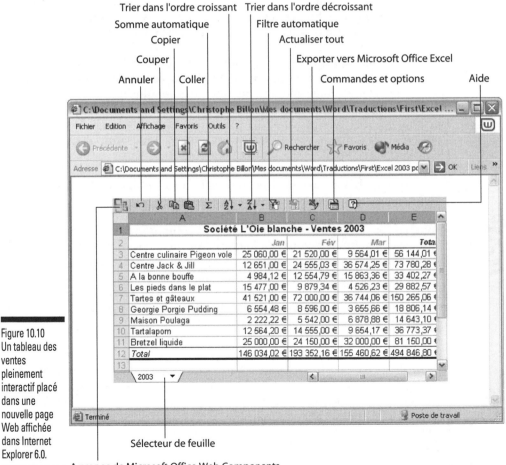

Figure 10.10
Un tableau des ventes pleinement interactif placé dans une nouvelle page Web affichée dans Internet Explorer 6.0.

Ce qui distingue un tableau interactif d'un tableau statique, c'est la barre d'outils qui se trouve en haut des données. Elle sert à modifier les données et aussi à changer leur présentation.

Les barres de défilement qui apparaissent à droite et en bas du tableau permettent d'amener d'autres données dans le champ de vision. La largeur des colonnes et la hauteur des lignes sont réglables manuellement, en faisant glisser le bord de leurs en-têtes ou en utilisant la fonction Ajustement automatique (pour l'enclencher, double-cliquez sur le bord droit d'un en-tête de colonne ou le bord haut d'un en-tête de ligne [reportez-vous au Chapitre 3 pour en savoir plus sur le redimensionnement des colonnes et des lignes"]).

Modifier le contenu

Pour modifier une cellule de la feuille de calcul, double-cliquez dessus afin d'en sélectionner le contenu. Si la cellule contient une étiquette ou des valeurs, ce texte est sélectionné et vous pouvez le remplacer en tapant une nouvelle étiquette ou de nouvelles valeurs. Si elle contient une formule, le résultat calculé est remplacé par la formule, qui peut désormais être modifiée.

Pour empêcher les visiteurs de modifier certaines cellules de la feuille de calcul téléchargée, vous devez la protéger avant de l'enregistrer comme page Web. Vous pouvez autoriser les visiteurs à modifier des cellules particulières, comme celles contenant les quantités d'un produit à commander, mais pas d'autres, comme celles qui contiennent des prix ou des totaux. Pour cela, vous devez déverrouiller les cellules modifiables avant de protéger la feuille. Reportez-vous au Chapitre 6 pour les détails sur la protection des données.

Modifier la présentation des données

La boîte de dialogue Commandes et options est au cœur de toutes les modifications d'affichage des données dans une page Web interactive. Pour l'ouvrir, cliquez sur le bouton Commandes et options, dans la barre d'outils placée juste au-dessus des données (si elle n'est pas visible, cliquez dans le tableau avec le bouton droit de la souris puis, dans le menu contextuel, choisissez Commandes et options).

La Figure 10.11 montre le tableau des ventes téléchargé, avec la boîte de dialogue Commandes et options et ses quatre onglets : Format, Formule, Feuille et Classeur. Ils contiennent chacun différentes options permettant de modifier l'apparence et les fonctionnalités du tableau des ventes interactif.

Bien que la boîte de dialogue Commandes et options contienne bon nombre de fonctions de mise en forme et de formatage, vous devez garder à l'esprit que toutes ces actions sont temporaires : il est impossible d'enregistrer les modifi-

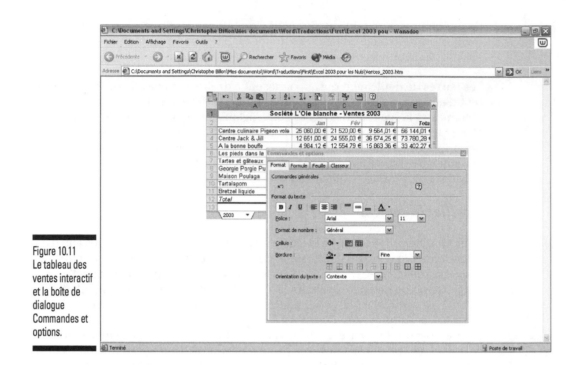

Figure 10.11
Le tableau des
ventes interactif
et la boîte de
dialogue
Commandes et
options.

cations d'une page Web. Ce que vous pouvez faire de mieux est d'imprimer le fichier en cliquant, dans le navigateur, sur Fichier/Imprimer afin d'obtenir une sortie montrant toutes les mises en forme que vous avez effectuées. Ou alors, si Excel est installé dans l'ordinateur, exportez la page Web sous la forme d'un classeur en lecture seule en cliquant, dans la barre d'outils qui surmonte les données, sur le bouton Exporter vers Microsoft Excel (pour les détails, reportez-vous à la section "Exporter une page interactive vers Excel", plus loin dans ce chapitre).

Dans la Figure 10.12, observez le tableau des ventes après la suppression de l'onglet de feuilles, des en-têtes de lignes et de colonnes, et du quadrillage après avoir désélectionné les cases dans la zone Afficher/Masquer, sous l'onglet Feuille. J'ai également supprimé le sélecteur de feuille en décochant la case Sélecteur de feuille de la boîte de dialogue Commandes et options, sous l'onglet Classeur.

Le plus souvent, ce n'est pas la présentation que vous changerez, mais les données, à l'instar de ce que montrent les Figures 10.13 et 10.14. Dans la première, une nouvelle page Web a été créée à partir d'une feuille de calcul Excel. Elle contient un bon de commande vierge de la société Tartes et Gâteaux avec toutes les formules nécessaires pour calculer le prix de chaque type de

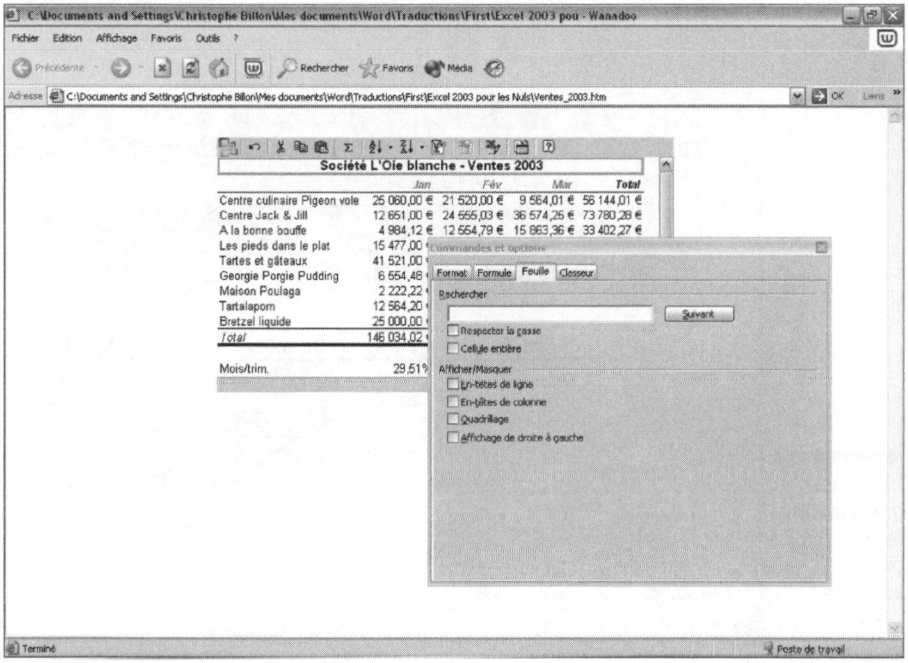

Figure 10.12
La page Web
interactive après
quelques
changements de
présentation.

produit vendu, ainsi que les sous-totaux par produit, l'application de la TVA et le total général. La Figure 10.14 montre la même page Web après avoir rempli les différents champs du bon de commande.

Pour éviter les modifications intempestives – pour ne pas dire malintentionnées – du bon de commande, veillez que le visiteur ne puisse modifier que les cellules en grisé du tableau visible dans les Figures 10.13 et 10.14. Dans ce formulaire, elles l'ont été en déverrouillant les cellules en grisé puis en activant la protection de la feuille de calcul (reportez-vous au Chapitre 6 pour savoir comment procéder).

Agir sur une base de données interactive

Les pages Web qui contiennent une liste de données interactive organisée sous la forme d'une base de données (voir Chapitre 9) autorisent les mêmes modifications de contenu et de mise en forme que dans une feuille de calcul conventionnelle. Il est de plus possible de trier les enregistrements de la liste de données et de leur appliquer une variante du filtre automatique pour n'afficher que les enregistrements voulus.

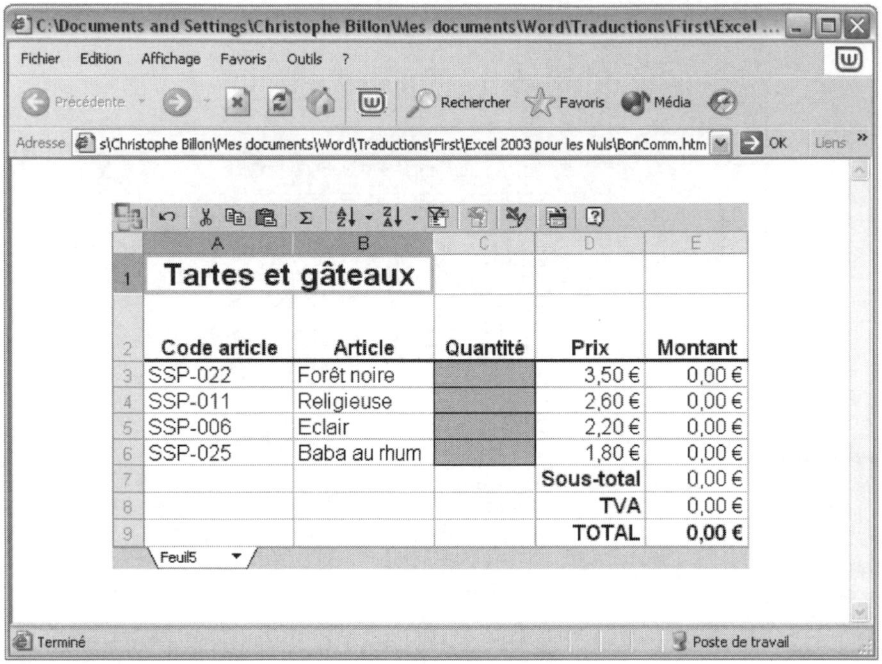

Figure 10.13
Une page Web
contenant un
bon de
commande
interactif.

Parcourez les Figures 10.15 et 10.16 pour voir le résultat de la fonction Filtre automatique sur une page Web contenant une base de données interactive. La Figure 10.15 montre la liste des employés après son enregistrement en tant que page Web interactive.

Pour trier cette base de données, vous avez le choix entre :

✔ Cliquer dans la colonne (champ) sur laquelle le tri doit être effectué, puis sur le bouton Tri croissant ou Tri décroissant dans la barre d'outils.

✔ Cliquer dans la base de données avec le bouton droit de la souris et choisir Tri croissant ou Tri décroissant dans le menu contextuel. Ensuite, dans la liste déroulante qui apparaît, choisissez le nom du champ sur lequel le tri doit être effectué.

Pour filtrer les enregistrements d'une base de données, affichez les boutons déroulants du filtre automatique en cliquant dans la barre d'outils sur le bouton Filtre automatique ou en choisissant Filtre automatique dans le menu contextuel de la base de données. Une fois que les boutons déroulants sont affichés dans les cellules contenant les noms de champs, les enregistrements

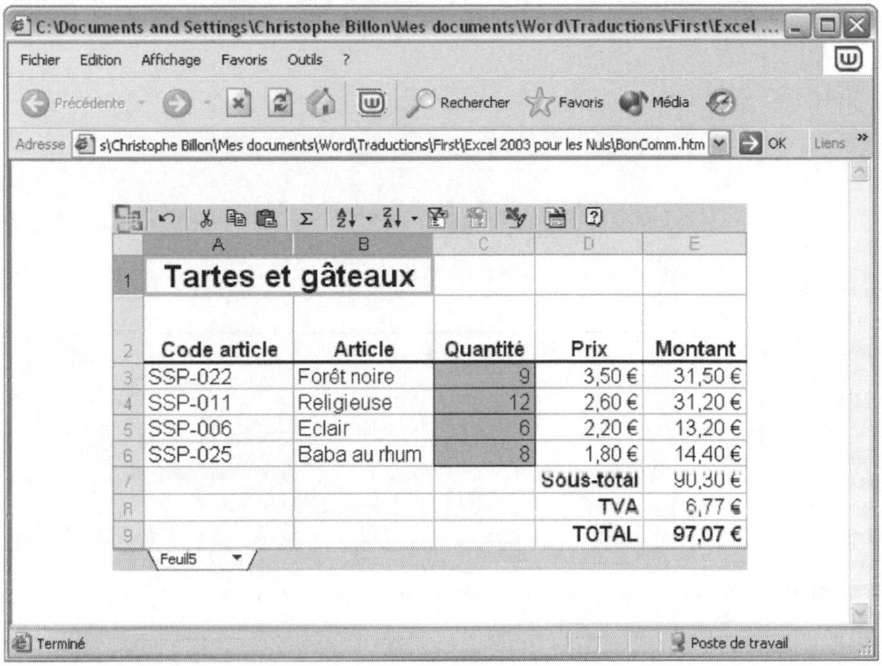

C:\Documents and Settings\Christophe Billon\Mes documents\Word\Traductions\First\Excel ...

Fichier Edition Affichage Favoris Outils ?

Précédente · · · Rechercher Favoris Média

Adresse s\Christophe Billon\Mes documents\Word\Traductions\First\Excel 2003 pour les Nuls\BonComm.htm OK Liens »

	A	B	C	D	E
1	Tartes et gâteaux				
2	Code article	Article	Quantité	Prix	Montant
3	SSP-022	Forêt noire	9	3,50 €	31,50 €
4	SSP-011	Religieuse	12	2,60 €	31,20 €
5	SSP-006	Eclair	6	2,20 €	13,20 €
6	SSP-025	Baba au rhum	8	1,80 €	14,40 €
7				Sous-total	90,30 €
8				TVA	6,77 €
9				TOTAL	97,07 €

Feuil5

Terminé   Poste de travail

Figure 10.14
Une page Web contenant un bon de commande rempli par le visiteur.

peuvent être filtrés en choisissant les entrées dans la liste déroulante proposant les différents champs.

La Figure 10.16 montre le résultat du filtrage de la liste des employés après n'avoir retenu que les enregistrements contenant les services Entretien ou Gavage. Pour ce faire, j'ai cliqué sur le bouton déroulant du champ Service pour afficher la liste des codes postaux avec la case Afficher tout cochée (ce qui coche par la même occasion toutes les entrées de codes postaux). Puis, j'ai cliqué dans la case Afficher tout afin d'ôter la coche et de désélectionner toutes les entrées, c'est-à-dire celles de chacun des services. Enfin, j'ai sélectionné les cases Entretien et Gavage avant de cliquer sur OK, tout en bas de la liste déroulante.

Pour restaurer la liste d'une base de données après avoir filtré ses enregistrements, cliquez sur le bouton Filtre automatique dans le ou les champs concernés par le filtrage, puis cochez la case Afficher tout (ce qui coche toutes les cases en aval). Cliquez ensuite sur OK, en bas de la liste déroulante.

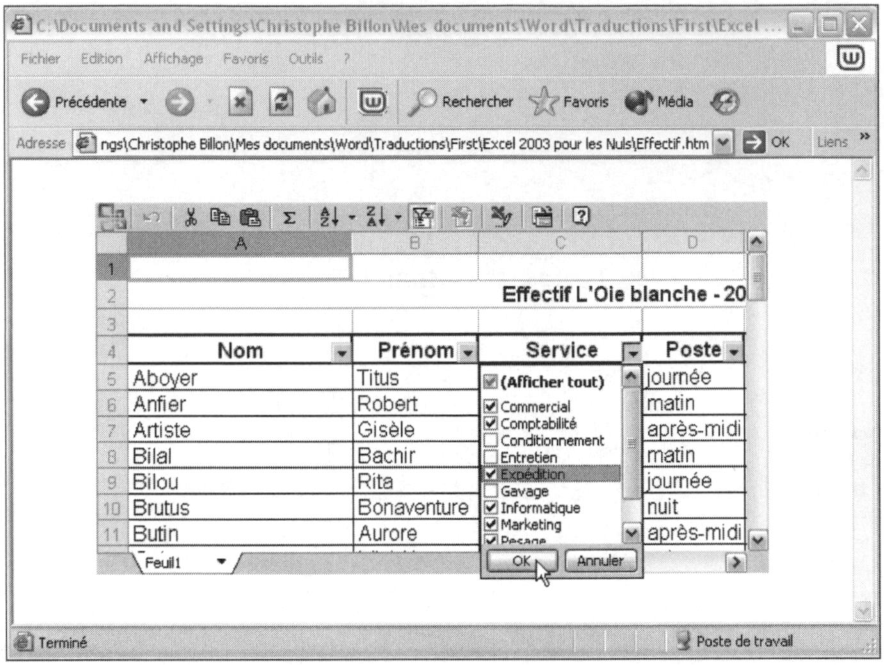

Figure 10.15
Une page Web contenant une base de données interactive ayant reçu un filtre automatique (remarquez les boutons de filtrage dans chaque nom de champ).

Agir sur un graphique interactif

Les pages Web contenant un graphique Excel interactif affichent à la fois la partie graphique et les données associées. Lorsque vous modifiez ces données, le graphique est automatiquement mis à jour dans la page Web. Outre cette fonctionnalité, le visiteur bénéficie de la possibilité de modifier certaines caractéristiques du graphique comme son type, ou d'en modifier le titre.

La Figure 10.17 montre une page Web contenant un graphique interactif créé à partir d'un histogramme groupé représentant les ventes de certaines entreprises du groupe L'Oie blanche pendant les trois premiers mois de l'année. Comme vous le voyez, les données associées apparaissent sous le graphique, accompagnées de la barre d'outils qui nous est désormais familière.

Si vous modifiez les valeurs dans la feuille de calcul associée au graphique, ce dernier est automatiquement mis à jour, comme le prouve clairement la Figure 10.18. Dans cette illustration, les ventes du Centre culinaire Pigeon vole sont passées pour le mois de février de 21 520,00 € à 40 000 €. Pour vérifier que le graphique a bien été mis à jour, comparez la hauteur de l'histogramme correspondant, dans la Figure 10.17, avec la hauteur du même histogramme dans la Figure 10.18.

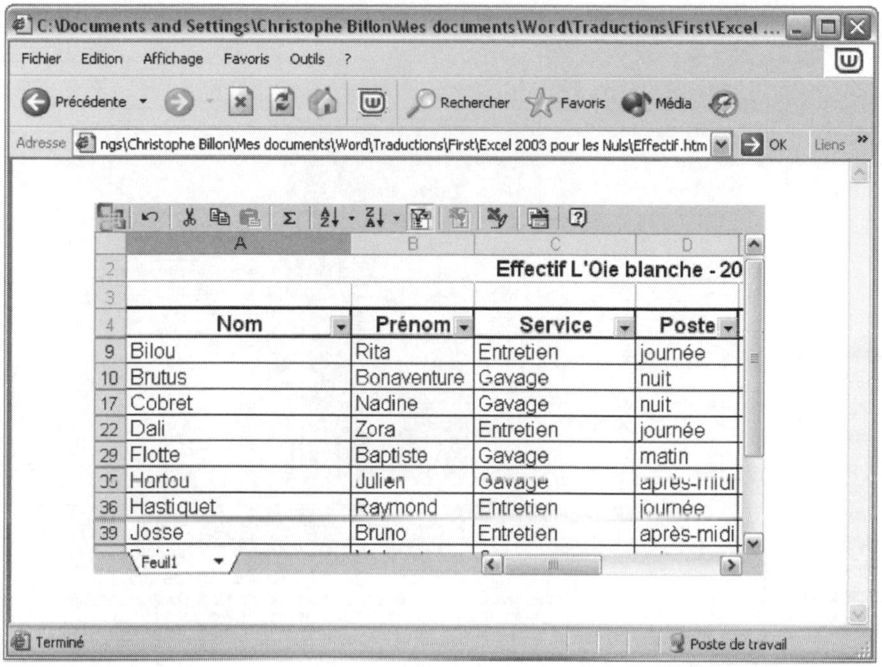

Figure 10.16
Une base de
données
interactive après
le filtrage des
enregistrements
pour ne faire
apparaître que
ceux dont le
service est
Entretien ou
Gavage.

Ajouter des données à la feuille de calcul d'une page Web existante

Vous n'êtes pas tenu d'enregistrer systématiquement les données d'une feuille de calcul dans une toute nouvelle page Web. Il est possible d'ajouter ces données à une page Web existante. Rappelez-vous que chaque fois que vous ajoutez des données à une page Web, Excel les place tout en bas de la page, à la suite des autres données. Si les données doivent précéder celles figurant déjà dans une page Web, vous devrez éditer la page, comme nous le verrons plus loin dans la section "Modifier les pages Web d'une feuille de calcul".

Pour qu'Excel place les données d'une feuille de calcul à la suite de celles déjà présentes, vous devez appliquer les mêmes étapes que pour l'enregistrement dans une nouvelle page Web, à une exception près : au lieu de spécifier un nouveau nom de fichier pour l'enregistrement des données, vous indiquez – généralement en parcourant – le nom d'un fichier déjà existant à la suite duquel les données seront ajoutées.

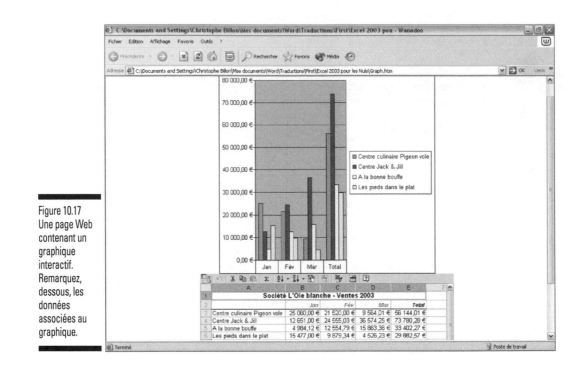

Figure 10.17
Une page Web
contenant un
graphique
interactif.
Remarquez,
dessous, les
données
associées au
graphique.

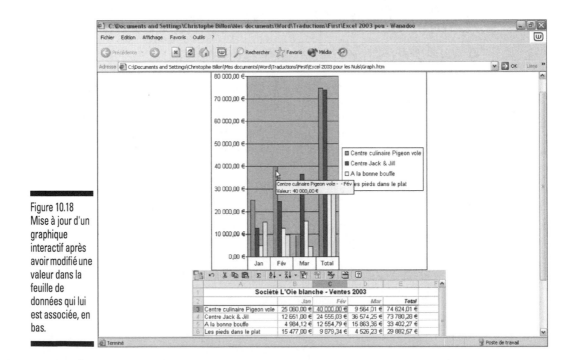

Figure 10.18
Mise à jour d'un
graphique
interactif après
avoir modifié une
valeur dans la
feuille de
données qui lui
est associée, en
bas.

Après avoir sélectionné le nom du fichier déjà existant à la suite duquel les données ou le graphique doivent être ajoutés, Excel affiche une boîte d'alerte contenant trois boutons : Ajouter au fichier, Remplacer le fichier et Annuler.

Assurez-vous d'avoir sélectionné le bouton Ajouter au fichier et non le bouton Remplacer le fichier car, dans ce cas, au lieu de placer les données à la suite de celles existantes, Excel remplacerait les anciennes par les nouvelles. Mais sachez que lorsque vous cliquez sur le bouton Publier de la boîte de dialogue Publier en tant que page Web, Excel ajoute automatiquement la feuille ou le graphique sélectionné au fichier Web sélectionné, sans afficher cette boîte d'alerte.

Modifier les pages Web d'une feuille de calcul

Vous vous demandez sûrement comment vous vous y prendrez pour ajouter des données ou un graphique Excel à une page Web existante, mais sans qu'elles se retrouvent à la fin de la page. Dans un tel cas, vous devez éditer la page Web et déplacer les données de la feuille de calcul ou le graphique à l'emplacement désiré dans la page Web.

Les nouvelles pages Web que vous avez créées dans Excel ou les pages existantes auxquelles vous avez ajouté des données peuvent être éditées avec n'importe quel éditeur de page Web tournant sous Windows. Si vous n'en possédez pas, utilisez Word – qui fait partie d'Office 2003 – comme éditeur. Il est parfaitement capable de faire le travail et vous dispense de toute programmation HTML ou de l'écriture de scripts plus ou moins ésotériques.

Rappelez-vous que le double clic sur l'icône d'une page Web, dans l'Explorateur Windows ou dans le Poste de travail, entraîne l'ouverture de la page Web dans le navigateur par défaut (qui permet de la voir, mais pas de la modifier). Pour ouvrir une page Web afin de la modifier, vous devez d'abord lancer un éditeur Web – comme Word et, dans certains cas, Excel –, puis cliquer sur Fichier/ Ouvrir pour charger la page à modifier.

Procédez comme suit pour ouvrir une page Web dans Word afin d'y apporter quelques changements :

1. **Démarrez Word.**

   Word peut être lancé en cliquant sur le bouton Microsoft Word, dans la barre d'outils Office, ou en cliquant sur le bouton Démarrer et en choisissant ensuite Programmes/Microsoft Word.

2. **Dans la barre de menus de Word, choisissez Fichier/Ouvrir, ou cliquez sur le bouton Ouvrir de la barre d'outils Standard afin d'accéder à la boîte de dialogue Ouvrir.**

3. **Dans la boîte de dialogue Ouvrir, sélectionnez le dossier contenant la page Web à ouvrir dans la liste déroulante Regarder dans. Ensuite, dans la fenêtre centrale, cliquez sur le nom du fichier de la page Web.**

   Après avoir sélectionné le fichier de la page Web à modifier, ouvrez-le dans Word en cliquant sur le bouton Ouvrir. Comme Office sait toujours quel logiciel a créé la page Web (grâce à l'ajout de l'icône du programme par-dessus l'icône de page Web normale), vous devrez peut-être utiliser la commande Ouvrir dans Microsoft Word, au lieu de simplement cliquer sur le bouton Ouvrir, si la page Web est associée à Excel plutôt qu'à Word.

4. **Si vous ouvrez une page Web qui a été créée dans Excel et n'a jamais été éditée dans Word, choisissez l'option Ouvrir dans Microsoft Word, dans le menu contextuel du bouton. Si vous ouvrez une page Web qui a été modifiée en dernier dans Word, cliquez simplement sur le bouton Ouvrir ou appuyez sur Entrée.**

Une fois que la page Web a été ouverte dans Word, vous pouvez librement éditer son contenu et modifier la mise en forme. Par exemple, pour déplacer des données ou un graphique qui ont été placés tout en bas de la page, sélectionnez les données ou le graphique puis, que ce soit en utilisant la bonne vieille technique du couper-coller ou par un glisser-déposer, amenez ces éléments à l'emplacement désiré. Gardez ces quelques recommandations à l'esprit lorsque vous déplacez un tableau Excel :

- Pour sélectionner l'intégralité d'un tableau de données dans une feuille de calcul, placez le pointeur de souris en haut du tableau, dans Word. Dès qu'il s'est transformé en flèche dirigée vers le bas, cliquez. Word sélectionne toutes les cellules du tableau.

- Pour déplacer un tableau de feuille de calcul que vous avez sélectionné dans Word par un glisser-déposer, placez le pointeur de la souris sur la boîte avec la double croix visible dans le coin supérieur gauche du tableau sélectionné. Lorsque le pointeur lui-même prend la forme d'une double croix, utilisez-le pour tracer le contour du tableau à l'emplacement désiré, dans le document de page Web. Une fois que vous faites glisser le pointeur jusqu'à l'endroit où la première ligne du tableau doit apparaître, relâchez le bouton de la souris.

- Pour déplacer une feuille de calcul sélectionnée dans Word par un couper-coller, choisissez Edition/Couper – ou appuyez sur Ctrl+X – pour placer le tableau dans le Presse-papiers de Windows. Ensuite, placez la barre d'insertion au début de l'endroit où la première ligne doit apparaître puis choisissez Edition/Coller, ou appuyez sur Ctrl+V.

Rappelez-vous ceci lorsque vous déplacez un graphique Excel :

✔ Pour sélectionner un graphique dans Word, cliquez dedans comme vous le feriez dans Excel. Des poignées de sélection apparaissent aussitôt autour du graphique et la barre d'outils Image est affichée.

✔ Pour déplacer un graphique que vous avez sélectionné dans Word par un glisser-déposer, amenez le pointeur de la souris sur le graphique. Dès qu'il prend la forme d'une pointe de flèche avec, dessous, le contour d'une minuscule boîte, tirez-le jusqu'à l'emplacement désiré dans le document de page Web. Relâchez-le dès qu'il a atteint la ligne dans le document où le dessus du graphique doit apparaître.

✔ Pour déplacer un graphique sélectionné par un couper-coller, choisissez Edition/Couper – ou appuyez sur Ctrl+X – pour placer le graphique dans le Presse-papiers de Windows. Ensuite, placez la barre d'insertion au début de la ligne où le haut du graphique doit apparaître, puis choisissez Edition/Coller ou appuyez sur Ctrl+V.

Modifier une feuille de calcul Web dans Excel

Rien n'empêche d'ouvrir et de modifier une page Web dans Excel. Cependant, si vous désirez seulement changer quelques données dans un tableau ou corriger des entrées dans une liste de données, l'ouverture de la page dans Excel afin d'y effectuer des modifications est sans doute la meilleure solution. Pour ouvrir une page Web dans Excel, il suffit de suivre la procédure habituelle d'ouverture d'un classeur standard, comme nous l'avons expliqué dans le Chapitre 4.

Si l'icône du fichier de la page Web que vous voulez ouvrir n'affiche pas un *XL* avec un globe, comme ce serait le cas si vous éditiez et enregistriez la page Web avec un autre logiciel comme Word, cliquer sur le bouton Ouvrir ne chargera pas la page dans Excel. Dans ce cas, vous devez cliquer sur le bouton déroulant situé contre le bouton Ouvrir et sélectionner dans le menu contextuel l'option Ouvrir dans Microsoft Excel.

Après avoir ouvert la page Web et procédé aux modifications des données, ces dernières peuvent être enregistrées dans le fichier Web (au format de fichier HTML standard ou XML) en choisissant la commande Fichier/Enregistrer ou en cliquant sur le bouton Enregistrer dans le menu Fichier, ou encore en appuyant sur Ctrl+S. Si la page que vous venez d'éditer se trouve sur un serveur Web, Excel établira une connexion avec le réseau local ou l'Internet afin que les modifications soient enregistrées directement sur le serveur.

Si vous devez procéder à des modifications telles que le déplacement d'un tableau de données ou d'un graphique Excel, ou si vous devez changer le fond de page ou insérer des images, vous aurez intérêt à travailler avec un véritable éditeur de page Web doté de toutes les fonctionnalités requises, comme Word, car, du fait de la structure cellulaire d'Excel, ce genre d'édition serait extrêmement difficile à mettre en œuvre.

Si vous travaillez sur une feuille que vous devez continuellement modifier puis publier après les mises à jour, Excel peut automatiser ce processus. Dans la boîte de dialogue Publier, cochez simplement la case Republier automatiquement lors de chaque enregistrement de ce classeur (référez-vous à la Figure 10.9) la première fois que vous publiez la feuille de calcul en tant que page Web. Par la suite, Excel la republiera automatiquement avec vos modifications chaque fois que vous enregistrerez le contenu du classeur.

Exporter une page Web interactive dans Excel

Vous ne pouvez pas enregistrer les modifications apportées aux données interactives d'une page Web affichée dans un navigateur. Si vous décidez d'enregistrer des modifications lors d'une simulation de différents cas de figure, vous devrez exporter la page Web vers Excel puis enregistrer les données mises à jour, que ce soit dans une page Web ou dans un classeur Excel.

Pour enregistrer les modifications faites dans un tableau de données interactif, dans une base de données ou dans des données associées à un graphique (les modifications apportées au graphique lui-même ne peuvent pas être enregistrées), cliquez sur le bouton Exporter vers Excel. Il se trouve sur la barre d'outils placée au-dessus des données et son icône montre un crayon sous un "X" vert.

Cliquer sur le bouton Exporter vers Excel démarre Excel et ouvre simultanément la page Web avec les données modifiées. Dans le cas d'un graphique interactif, le tableau contenant les données modifiées apparaît sans le graphique auquel ces données se rapportent. Vous constaterez dans la barre de titre d'Excel que la page Web exportée a reçu un nom de fichier provisoire tel que OWCSheet1.XML [Lecture seule". Les initiales OWC signifient *Office Web Components* (composants Office Web) et *Sheet1* est l'équivalent de Feuil1, en jargon Excel.

Du fait qu'Excel ouvre la page Web contenant les données mises à jour en mode "lecture seule", le seul moyen d'enregistrer ces données consiste à choisir la commande Fichier/Enregistrer sous, et à nommer le fichier différemment. Si vous choisissiez Enregistrer au lieu d'Enregistrer sous, Excel afficherait une boîte de dialogue qui vous rappellerait que le fichier est en lecture seule.

Par défaut, Excel enregistre une page Web modifiée dans un format de fichier XML. Si vous voulez que l'enregistrement se fasse sous la forme d'un classeur Excel traditionnel, vous devez modifier l'option Type de fichier dans la boîte de dialogue Enregistrez sous. Remplacez l'option Feuille de calcul XML (*.xml) par Classeur Microsoft Excel (*.xls).

Si Excel n'est pas installé sur l'ordinateur que vous utilisez, pour modifier la page Web interactive dans Internet Explorer, essayez d'envoyer la page Web OWCSheet1.XML générée par le navigateur à un collègue dont l'ordinateur est équipé d'Excel. Les fichiers OWCSheet sont stockés dans le dossier Temp de votre ordinateur. Pour communiquer un fichier de page Web à un correspondant, insérez-le comme pièce jointe au message électronique que vous lui envoyez.

Envoyer des feuilles de calcul par courrier électronique

L'une des toutes dernières fonctions Internet d'Excel est celle qui consiste à envoyer la feuille de calcul courante par courrier électronique, que ce soit dans le corps d'un message ou comme pièce jointe. Cette fonction facilite l'envoi de chiffres, de listes ou de graphiques aux collègues ou à des clients.

Pour ne partager que des données avec vos correspondants, envoyez-leur une feuille de calcul incorporée au message. Sachez cependant qu'en procédant ainsi le seul endroit où vous pouvez placer du texte de votre cru est la zone Objet du message ainsi que la zone Introduction, dans l'en-tête du message (*NdT* : ce champ n'existe pas dans Windows 98).

Si vous voulez que le correspondant puisse interagir avec les données, pour mettre des informations financières à jour ou compléter des chiffres, vous devez envoyer la feuille de calcul en pièce jointe. Le destinataire recevra ainsi le classeur tout entier et vous pourrez taper librement un message d'accompagnement. Gardez néanmoins à l'esprit que, pour ouvrir le classeur, votre correspondant doit avoir accès à Excel 97, 2000, 2002 ou 2003 (ou, sur Macintosh, à Excel 98 ou 2001) ou posséder un autre tableur capable d'ouvrir des fichiers Microsoft Excel 97, 2000, 2002 ou 2003.

Procédez comme suit pour envoyer une feuille de calcul incorporée à un message électronique :

1. **Ouvrez le classeur et sélectionnez la feuille de calcul à envoyer par courrier électronique.**

2. **Dans la barre d'outils Standard, cliquez sur le bouton Message électronique ou, dans le menu, choisissez Fichier/Envoyer vers/Destinataire.**

   Excel affiche la boîte de dialogue Message électronique, qui propose deux options : Envoyer le classeur entier en tant que pièce jointe ou Envoyer la feuille active en tant que corps du message.

3. **Cliquez sur le bouton Envoyer la feuille active en tant que corps du message, puis cliquez sur OK ou appuyez sur Entrée.**

   Excel ajoute l'en-tête d'un courrier électronique équipé de sa propre barre d'outils ainsi que des champs De, À, CC et Objet, comme le montre la Figure 10.19.

4. **Tapez l'adresse électronique de votre correspondant dans le champ À, ou cliquez sur le bouton À et sélectionnez un correspondant dans le carnet d'adresses d'Outlook ou d'Outlook Express, si vous l'avez tenu à jour.**

5. **(Facultatif) Si vous voulez envoyer des copies du message à d'autres destinataires, tapez leur adresse dans le champ CC (Copie carbone) en les séparant par des points-virgules ou utilisez le bouton CC pour sélectionner les correspondants dans le carnet d'adresses d'Outlook ou d'Outlook Express.**

   Vous pouvez aussi entrer cette information dans le champ CCi (Copie carbone invisible). Chacun des destinataires recevra un exemplaire, mais sans qu'il puisse savoir si quelqu'un d'autre que lui-même en a reçu copie.

6. **Par défaut, Excel inscrit le nom du classeur courant dans le champ Objet du message électronique. Si vous le désirez, nommez ce champ de manière plus explicite. Précisez par exemple le contenu de la feuille de calcul.**

7. **Pour envoyer le message avec la feuille de calcul qui s'y trouve, cliquez sur le bouton Envoyer cette feuille (voir Figure 10.19).**

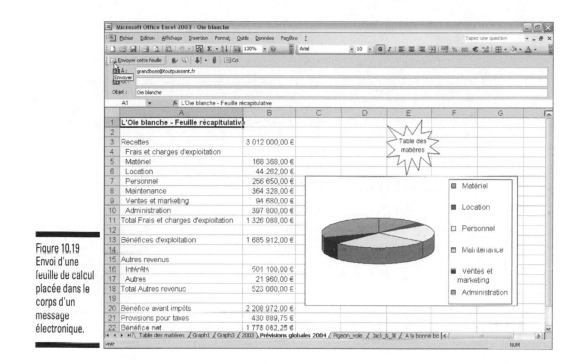

Figure 10.19
Envoi d'une
feuille de calcul
placée dans le
corps d'un
message
électronique.

Lorsque vous cliquez sur le bouton Envoyer cette feuille, Excel envoie le message électronique, en établissant au besoin la connexion avec votre fournisseur Internet, ferme la barre d'outils de la messagerie et vide les champs De, À, CC et Objet.

Pour envoyer une feuille de calcul comme pièce jointe, choisissez dans le menu Fichier/Envoyer vers/Destinataire du message (en tant que pièce jointe) ou cliquez sur le bouton Message électronique de la barre d'outils Standard, puis cliquez directement sur OK ou appuyez sur Entrée si l'option Envoyer le classeur entier en tant que pièce jointe est cochée dans la boîte de dialogue Message électronique.

La première fois que vous choisissez cette commande, Excel ouvre l'Assistant de connexion Internet, grâce auquel vous entrez vos paramètres de compte de messagerie (nom d'utilisateur, mot de passe et les adresses des serveurs entrant [POP3" et sortant [SMTP"). Cliquez ensuite sur OK : une boîte de dialogue semblable à celle de la Figure 10.20 apparaît. Remplissez les différents champs, De, À, CC, CCi et Objet, et tapez votre message. Excel joint automatiquement un exemplaire du classeur courant contenant la totalité des feuilles de calcul. Vous saurez que la pièce a bien été jointe si le nom du fichier ainsi que sa taille sont visibles dans le champ Joindre, juste au-dessus de la fenêtre de texte.

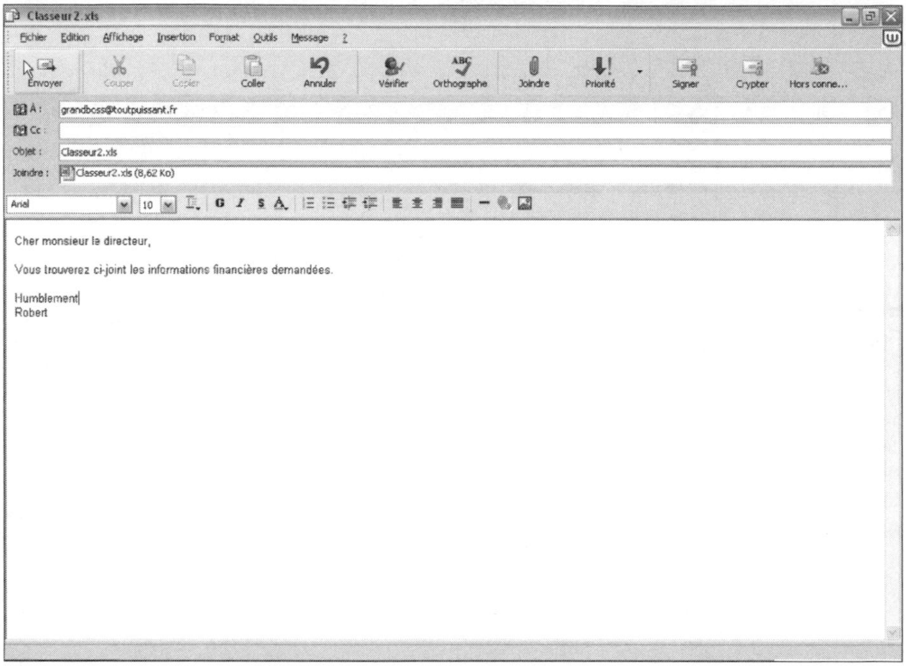

Figure 10.20
Envoi d'une
feuille de calcul
comme pièce
jointe.

Après avoir rempli les champs De, À, CC, CCi et Objet, et tapé le message, envoyez-le à vos correspondants avec la pièce jointe en cliquant sur le bouton Envoyer dans la barre d'outils. Vous pouvez aussi appuyer sur Alt+S ou choisir Fichier/Envoyer le message, dans le menu. L'envoi du message entraîne la fermeture de la fenêtre de la messagerie.

Cinquième partie
Les Dix Commandements

"Ma petite amie a créé une feuille de calcul de ma vie et elle en a tiré ce graphique. Maintenant, ce qui m'arrangerait, c'est qu'elle laisse tomber ses études d'informatique pour faire de l'aide sociale."

Dans cette partie...

*V*ous voici enfin arrivé à la partie amusante de ce livre, faite d'astuces et de conseils. Vous trouverez dans ce chapitre le Top 10 des nouvelles fonctionnalités d'Excel et le Top 10 pour les débutants. De plus, en hommage au cinéaste Cecil B. De Mille, à Moïse *et* à Excel, vous trouverez ci-après les *Dix Commandements* d'Excel 2003 qui, bien que n'ayant pas été gravés dans la pierre, vous garantiront le septième ciel bureautique si vous les appliquez scrupuleusement.

Chapitre 11

Le Top 10 des nouvelles fonctions d'Excel 2003

. . . .

*V*ous voulez savoir ce qu'il y a de neuf dans Excel 2003 ? Ne cherchez plus, c'est ici. Vous trouverez dans ces pages mon Top 10 officiel des nouvelles fonctions. Jetez un coup d'œil à cette liste numérotée à rebours et vous verrez qu'elle contient en plus des astuces.

Au cas où la brève description de chacune de ces fonctions ne vous suffirait pas, vous trouverez une référence croisée qui renvoie aux chapitres où ces fonctions sont expliquées plus en détail.

10. **Comparez facilement et rapidement en côte à côte deux fenêtres de feuille de calcul ouvertes. Accessible depuis le menu Fenêtre, cette commande place la fenêtre active au-dessus de celle qui fera l'objet de la comparaison. Tout déplacement via les barres de défilement dans la fenêtre active est automatiquement répercuté dans l'autre fenêtre (voir Chapitre 7).**

9. **Pour obtenir de l'aide sur Excel, posez votre question dans la zone de texte Tapez une question dans la barre de menus ou dans la zone de texte Rechercher du volet Office Aide sur Excel. Excel 2003 facilite l'accès à l'aide. Après avoir posé la question en quelques mots et appuyé sur la touche Entrée, Excel affiche un menu proposant des sujets relatifs au problème que vous rencontrez. Reportez-vous au Chapitre 1 pour en savoir plus.**

8. **Modification des options de collage après avoir recopié une sélection à l'aide de la poignée de recopie.** Cette remarquable fonction, toute nouvelle dans Excel 2003, permet de recopier des cellules avec la poignée de recopie puis d'appliquer des options aux éléments dupliqués. Par exemple, quand Excel recopie automatiquement une valeur dans une plage de cellules, la série ainsi obtenue peut être une simple recopie ou une série incrémentée selon l'option choisie dans le menu contextuel proposé à ce moment-là. La même icône proposant des options apparaît lorsque vous collez des objets coupés ou copiés dans le Presse-papiers de Windows. Reportez-vous au Chapitre 4 pour les détails.

7. **Recherche des classeurs à modifier dans le volet Office Recherche de fichiers de base.** Ce volet très pratique (qui s'ouvre en choisissant Fichier/Recherche de fichiers) permet entre autres de rechercher les fichiers des classeurs que vous désirez ouvrir, et ce directement depuis la zone de travail de la feuille de calcul. Vous pouvez basculer du volet Recherche de fichiers de base au volet Recherche de fichiers avancée, et inversement, pour effectuer toutes sortes de recherches, de la plus simple à la plus complexe. Pour en savoir plus sur son utilisation, reportez-vous au Chapitre 4. (*NdT* : il existe un autre volet assez semblable, d'où une confusion possible au départ, mais destiné à la recherche en ligne dans des ouvrages de référence. Il s'agit du volet Rechercher qui s'ouvre en cliquant sur le bouton Bibliothèque de recherche de la barre d'outils Standard.)

6. **Affichage et insertion d'éléments stockés dans le Presse-papiers de Windows, en utilisant le volet Presse-papiers.** Le volet Presse-papiers apparaît automatiquement chaque fois que vous copiez plus d'un objet dans le Presse-papiers à l'aide des commandes Edition/Couper ou Edition/Coller. Vous pouvez également l'ouvrir en appuyant sur Ctrl+CC (deux C à la suite). Ces objets, jusqu'à 24, sont représentés visuellement. Pour en coller un dans la feuille de calcul courante, il suffit de cliquer dessus. Cette fonction est décrite dans le Chapitre 4.

5. **Recherche et insertion d'une image grâce au volet Images clipart.** Ce volet, automatiquement affiché en choisissant Insertion/Image/ Images clipart ou en cliquant sur le bouton Insérer une image clipart de la barre d'outils Dessin, permet de rechercher différents types d'images à partir de mots clés. Le résultat de cette recherche apparaît ensuite dans le volet sous la forme d'une série de vignettes. Cliquez sur l'une d'elles pour l'insérer dans la feuille de calcul courante. Cette fonction est décrite dans le Chapitre 8.

4. **Ouverture d'un nouveau classeur, ou d'un classeur existant, à partir du volet Nouveau classeur.** Chaque fois que vous ouvrez Excel avec une nouvelle feuille de calcul vide, le logiciel affiche automatiquement le volet Accueil. Les liens qu'il contient permettent d'ouvrir un nouveau classeur ou n'importe lequel des quatre derniers classeurs que vous avez utilisés, ou d'ouvrir l'un des modèles à votre disposition. Reportez-vous aux Chapitres 1 et 4 pour en savoir plus.

3. **Valider des corrections avec la fonction Texte en paroles.** Cette fonction n'est citée ici qu'à titre indicatif, car elle n'est utilisable que sur la version américaine d'Excel 2003, ainsi que sur les versions chinoises et japonaises. La présence d'une barre d'outils Texte en paroles ainsi qu'une aide rédigée en français est cependant fournie dans Excel, ce qui laisse à penser que Microsoft n'exclut pas l'adaptation de cette fonction sur d'autres langues que celles citées.

2. **Commander Excel vocalement.** A l'instar de la fonction précédente, les fonctions vocales n'existent que sur la version américaine d'Excel 2003, ainsi que sur les versions chinoises et japonaises. L'aide en français, dans Excel, laisse à penser que Microsoft n'exclut pas l'adaptation de cette fonction sur d'autres langues que celles citées.

1. **Récupération des données non enregistrées grâce à la fonction Récupération automatique.** Cette fonction, l'une des plus utiles d'Excel 2003, sauvegarde des données non enregistrées et permet ainsi de les récupérer après un plantage de l'ordinateur. Les données de récupération sont mémorisées toutes les dix minutes, à condition cependant que vous ayez effectué au moins un enregistrement manuellement en cliquant sur Fichier/Enregistrer. Si l'ordinateur venait à planter, dès le redémarrage, Excel afficherait le volet Récupération du document, qui permet de restaurer la version la plus complète du fichier récupéré. Reportez-vous au Chapitre 2 pour savoir comment configurer la récupération automatique et vous assurer qu'elle est en fonction.

Chapitre 12

Le Top 10 pour les débutants

. . . .

Si vous ne maîtrisiez que les dix points qui suivent, vous sauriez déjà vous débrouiller honorablement avec Excel 2003. Ce Top 10 recense en effet ce qu'il faut absolument savoir pour utiliser efficacement Excel.

10. **Pour démarrer Excel 2003 depuis la barre des tâches de Windows XP ou 2000, cliquez sur le bouton Démarrer, puis mettez l'option Tous les programmes en surbrillance, enfin cliquez sur Microsoft Office Excel 2003.**

9. **Pour démarrer automatiquement Excel 2003 en même temps que le classeur que vous désirez modifier, localisez le fichier dans Mes Documents, Mes Documents récents ou dans le Poste de travail et double-cliquez sur son icône.**

8. **Pour atteindre une partie de la feuille de calcul qui n'est pas visible à l'écran, actionnez les barres de défilement à droite et en bas de la fenêtre du classeur jusqu'à ce que l'endroit voulu apparaisse.**

7. **Pour créer un nouveau classeur contenant trois feuilles de calcul vierges, cliquez sur le bouton Nouveau dans la barre d'outils Standard ou choisissez Fichier/Nouveau dans la barre de menus. Ou encore appuyez sur les touches Ctrl+N. Pour insérer une nouvelle feuille de calcul dans un classeur, choisissez Insertion/Feuille dans la barre de menus ou appuyez sur Maj+F11.**

6. **Pour activer un classeur ouvert et l'afficher à l'écran par-dessus tous ceux déjà ouverts, déployez le menu Fenêtre puis sélectionnez le nom ou le numéro de la feuille désirée. Pour localiser une feuille de calcul particulière dans le classeur actif, cliquez sur l'onglet de cette feuille,**

en bas à gauche de la fenêtre du document. Pour afficher d'autres feuilles, cliquez sur les boutons de défilement des feuilles, à gauche des onglets.

5. **Pour entrer des données dans une feuille de calcul, sélectionnez la cellule qui doit les contenir puis tapez-les. Cliquez ensuite sur le bouton Entrer de la barre de formule (celui en forme de coche) ou appuyez sur la touche Tab, sur la touche Entrée ou sur l'une des touches fléchées.**

4. **Pour modifier le contenu d'une cellule, double-cliquez sur la cellule ou placez le pointeur de cellule dessus et cliquez sur F2. Excel place la barre d'insertion au bout du contenu de la cellule et passe en mode Modifier (reportez-vous au Chapitre 2 pour les détails). Après avoir corrigé l'entrée, cliquez sur le bouton Entrer de la barre de formule ou appuyez sur la touche Tab, sur la touche Entrée ou sur l'une des touches fléchées.**

3. **Pour choisir l'une des nombreuses commandes des menus déroulants, choisissez un nom sur la barre de menus afin de déployer son volet, puis faites glisser le pointeur jusqu'à sur la commande désirée. Pour choisir une commande dans un menu contextuel, cliquez sur l'objet (cellule, onglet de feuille, barre d'outils, graphique...) avec le bouton droit de la souris.**

2. **Pour enregistrer une première fois le classeur sur le disque dur, cliquez sur Fichier/Enregistrer ou sur Fichier/Enregistrer sous, ou cliquez sur le bouton Enregistrer sur la barre d'outils Standard ou appuyez sur Ctrl+S. Dans la liste déroulante Enregistrer dans, choisissez le lecteur et le dossier qui contiendront le classeur. Dans le champ Nom, remplacez le nom Classeur1.xls proposé par défaut par un nom plus personnalisé (jusqu'à 255 caractères de long, y compris les espaces), puis cliquez sur le bouton Enregistrer. Par la suite, pour enregistrer des modifications, vous cliquerez sur le bouton Enregistrer dans la barre d'outils Standard ou choisirez Fichier/Enregistrer, ou appuierez sur Ctrl+S ou sur Maj+F12 (*NdT* : en appuyant uniquement sur F12, vous affichez la boîte de dialogue Enregistrer sous).**

1. **Pour quitter Excel, choisissez la commande Fichier/Quitter dans la barre de menus ou cliquez sur le bouton Fermer dans la barre de titre du logiciel, ou appuyez sur Alt+F4. Si le classeur a été modifié et que ces modifications n'ont pas été enregistrées, Excel 2003 demande s'il faut les enregistrer. Arrêtez l'ordinateur proprement en cliquant, dans la barre des tâches, sur le menu Démarrer (*NdT* : eh oui, c'est l'un des paradoxes les plus célèbres de Windows) et en choisissant l'option Arrêter (*NdT* : on finit par y arriver...).**

Chapitre 13

Les Dix Commandements d'Excel 2003

· ·

*V*ous découvrirez que dans Excel certaines choses se font et d'autres pas. En respectant religieusement les tables de la loi édictées ci-dessous, votre tableur vous mènera au septième ciel.

10. **Sur le disque dur tu coucheras ton travail.** En sauvegardant fréquemment le travail en cours (cliquez sur Fichier/Enregistrer ou sur Ctrl+S), vous minimiserez le risque de pertes de données. De plus, dès la première sauvegarde, Excel enclenchera la fonction de récupération automatique. Choisissez Outils/Options, puis cliquez sur l'onglet Enregistrer ; cochez ensuite la case Enregistrer les informations de récupération automatique toutes les *n* minutes et modifiez l'intervalle de la sauvegarde à votre guise.

9. **Tes classeurs tu nommeras.** La première fois que vous enregistrez un classeur, donnez-lui un nom plus descriptif que celui proposé par défaut. Vous avez droit à 255 caractères ou symboles (si un caractère interdit est utilisé, Excel ne manquera pas de vous le signaler). Choisissez ensuite judicieusement le dossier dans lequel vous stockerez le classeur afin de le retrouver facilement par la suite.

8. **Tes données tu n'éparpilleras point dans la feuille de calcul.** Il est au contraire préférable de réunir les tableaux et d'éviter les lignes et colonnes vides, à moins que ce ne soit absolument nécessaire pour la lisibilité des données. Réunir les données évite de gaspiller de la mémoire vive.

7. **Par le signe céleste = (égal) chacune des formules d'Excel 2003 tu commenceras.** Si vous apparteniez à la tribu de Lotus 1-2-3, vous bénéficieriez d'une dispense et pourriez commencer une formule par le signe + et les fonctions par le signe @.

6. **Les cellules tu sélectionneras avant d'invoquer les commandes.** Sinon, leur terrible pouvoir ne s'appliquera pas à elles.

5. **De la fonction Annuler tu useras.** Appliquez-la immédiatement après avoir commis votre très grande faute. Hormis la commande Edition/ Annuler de la barre de menus ou l'appui sur Ctrl+S, vous pouvez cliquer sur le bouton Annuler dans la barre d'outils Standard ; il offre en effet la possibilité d'annuler à plusieurs niveaux en arrière.

4. **Des lignes ou des colonnes tu ne supprimeras ou n'inséreras, à moins d'avoir vérifié que ces opérations ne détruisent ou ne déplacent pas inconsidérément des formules et des données.**

3. **Sans l'Aperçu avant impression jamais tu n'imprimeras.** Vérifiez systématiquement, en cliquant sur Fichier/Aperçu avant impression, que les données apparaissent correctement dans la page, qu'elles ne sont pas tronquées et que les sauts de page sont pertinents. Pour cela, cliquez sur Affichage/Aperçu des sauts de page.

2. **Le recalcul manuel tu utiliseras,** lorsque la feuille de calcul sera devenue si grosse qu'elle rampera comme un dromadaire enlisé dans la dune. Choisissez Outils/Option et cliquez sur l'onglet Calcul. Activez ensuite l'option Sur ordre. Otez la coche de Recalcul avant l'enregistrement si vous voulez ignorer le message Calculer dans la barre d'état et ne pas avoir à appuyer sur la touche de recalcul immédiat (F9) au moment d'imprimer des données.

1. **Les feuilles et le classeur tu protégeras de l'iniquité et de la corruption,** et surtout des maladroits et des malfaisants. Pour ce faire, cliquez sur Outils/Protection/Protéger la feuille ou Protéger le classeur. Et pour se prémunir du malin (si tant est qu'il le soit), appliquez un mot de passe : "En vérité je vous le dis, le jour où vous en viendrez à oublier le mot de passe, ce jour sera le dernier où vous aurez vu votre feuille de calcul."

Index

H

L

I

M

N

Titre	Auteur	ISBN	Code
3ds max 5 pour les Nuls	S. Mortier, phD	2-84427-454-4	65 3603 1
Access 2000 pour les Nuls	J. Kaufeld	2-84427-238-X	65 3077 8
Access 2002 pour les Nuls	J. Kaufeld	2-84427-969-4	65 3234 5
ASP.NET pour les Nuls	B. Hatfield	2-84427-331-9	65 3381 4
AutoCAD 2004 Pour les Nuls	M. Middlebrook	2-84427-512-5	65 3648 6
C# pour les Nuls	S. R. Davis	2-84427-259-2	65 3303 8
C++ pour les Nuls	S. R. Davis	2-84427-896-5	65 3159 4
Créer des pages Web pour les Nuls 6e éd.	B. Smith, A. Bebak	2-84427-261-4	65 3305 3
Créer un réseau sans fil pour les Nuls	Danny Briere, Walter R. Bruce III, Pat Hurley	2-84427-457-9	65 3606 4
Créer un site Web pour les Nuls 4e éd.	D. & R. Crowder	2-84427-262-2	65 3306 1
Dépanner et optimiser Windows pour les Nuls	D. Gookin	2-84427-452-8	65 3601 5
Design web pour les Nuls	L. Lopuck	2-84427-932-5	65 3168 5
Devenir Webmaster pour les Nuls	B. Kienan, D. A. Tauber	2-84427-930-9	65 3166 9
Dreamweaver MX pour les Nuls	J. Warner, P. Vachier	2-84427-334-3	65 3384 8
eCommerce pour les Nuls	G. Holden	2-84427-240-1	65 3079 4
Excel 2000 pour les Nuls	G. Harvey	2-84427-237-1	65 3076 0
Excel 2002 pour les Nuls	G. Harvey	2-84427-947-3	65 3194 1
Excel 2003 pour les Nuls	G. Harvey	2-84427-456-0	65 3605 6
Final Cut Express Pour les Nuls	H. Kobler	2-84427-507-9	65 3643 7
Fireworks 4 pour les Nuls	D. Sahlin	2-84427-888-4	65 3151 1
Flash 5 pour les Nuls	G. Leete, E. Finkelstein	2-84427-889-2	65 3152 9
Flash MX pour les Nuls	G. Leete, E. Finkelstein	2-84427-333-5	65 3383 0
FrontPage 2002 pour les Nuls	A. Dornfest	2-84427-973-2	65 3227 9
GoLive 5 pour les Nuls	B. Sanders	2-84427-885-X	65 3113 1
Gravure des CD et DVD pour les Nuls 2e éd.	M. L. Chambers	2-84427-421-8	65 3547 0
HTML 4 pour les Nuls 3e éd.	E. Tittel, N. Pitts, C. Valentine	2-84427-890-6	65 3153 7
Illustrator 9 pour les Nuls	T. Alspach, M. LeClair	2-84427-935-X	65 3184 2
iMac pour les Nuls 3e éd.	D. Pogue	2-84427-258-4	65 3302 0
Internet Explorer 5.5 pour les Nuls	D. Lowe	2-84427-244-4	65 3083 6
Internet Explorer 6 pour les Nuls	D. Lowe	2-84427-251-6	65 3295 6
Internet pour les Nuls 9e éd.	J. R. Levine, C. Baroudi, M. Levine Young	2-84427-422-6	65 3548 8
Java 2 pour les Nuls	B. Burd	2-84427-940-6	65 3192 5
JavaScript pour les Nuls	E. Van der Veer	2-84427-887-6	65 3115 6
La Photographie numérique pour les Nuls 4e éd.	J. A. King	2-84427-386-6	65 3495 2
La Vidéo numérique pour les Nuls	M. Doucette	2-84427-884-1	65 3112 3
Le Mac pour les Nuls 8e éd.	D. Pogue	2-84427-260-6	65 3304 6
Les réseaux pour les Nuls	D. Lowe	2-84427-886-8	65 3114 9
Linux pour les Nuls 4e éd.	Dee-Ann LeBlanc, M. Hoag, E. Blomquist	2-84427-426-9	65 3552 0
Mac OS/X Pour les Nuls	B. Levitus	2-84427-892-2	65 3155 2
Mac OSX v 10.2 pour les Nuls	B. Levitus	2-84427-390-4	65 3499 4
Money 2003 pour les Nuls	P. Weverka	2-84427-388-2	65 3497 8
Office 2000 pour les Nuls	W. Wang, R. C. Parker	2-84427-235-5	65 3074 5
Office 2001 Mac pour les Nuls	T. Negrino	2-84427-893-0	65 3156 0
Office 2003 pour les Nuls	W. Wang	2-84427-505-2	65 3641 1
Office v. X Mac pour les Nuls	T. Negrino	2-84427-311-4	65 3340 0
Office XP pour les Nuls	W. Wang	2-84427-967-8	65 3232 9
Outlook 2002 pour les Nuls	B. Dyszel	2-84427-974-0	65 3228 7
PC pour les Nuls 9e éd.	D. Gookin	2-84427-419-6	65 3545 4
Perl pour les Nuls	P. Offman	2-84427-894-9	65 3157 8
Photoshop 7 pour les Nuls	D. McClelland	2-84427-344-0	65 3404 4
Photoshop Elements 2 pour les Nuls	D. McClelland, G. Fott	2-84427-387-4	65 3496 0
PHP et MySQL pour les Nuls	J. Walace	2-84427-343-2	65 3403 6
PowerPoint 2002 pour les Nuls	D. Lowe	2-84427-968-6	65 3233 7

" ENFIN DES LIVRES QUI
VOUS RESSEMBLENT ! "

*Egalement disponibles dans
la même collection !*

Titre	Auteur	ISBN	Code
Les réseaux pour les Nuls 6e éd.	D. Lowe	2-84427-389-0	65 3498 6
Retouche Photo pour les Nuls	Julie Adair King	2-84427-353-X	65 3413 5
Sécurité des réseaux pour les Nuls	Chey Cobb	2-84427-420-x	65 3546 2
Sécurité sur Internet pour les Nuls	J.R. levine, R. Everett-Church, G. Stebben	2-84427-352-1	65 3412 7
SQL pour les Nuls	A. G. Taylor	2-84427-931-7	65 3167 7
TCP/IP pour les Nuls	C. Leiden, M. Wilensky	2-84427-241-X	65 3080 2
UNIX pour les Nuls 4e éd.	J.R. Levine, M. Levine Young	2-84427-250-9	65 3294 9
VBA pour les Nuls	S. Cummings	2-84427-971-6	65 3236 0
Vidéo numérique pour les Nuls (La)	M. Doucette	2-84427-453-6	65 3602 3
Visual Basic .NET pour les Nuls	W. Wang	2-84427-970-8	65 3235 2
Windows 2000 Professionnel pour les Nuls	A. Rathbone	2-84427-882-5	65 3110 7
Windows 2000 Server pour les Nuls	E. Tittel	2-84427-881-4	65 3109 9
Windows 98 pour les Nuls	A. Rathbone	2-84427-234-7	65 3073 7
Windows Me pour les Nuls	A. Rathbone	2-84427-239-8	65 3078 6
Toujours plus sur Windows Me pour les Nuls	A. Rathbone	2-84427-883-3	65 3111 5
Windows XP pour les Nuls 2e éd.	A. Rathbone	2-84427-391-2	65 3500 9
Word 2000 pour les Nuls	D. Gookin	2-84427-236-3	65 3075 2
Word 2002 pour les Nuls	D. Gookin	2-84427-946-5	65 3193 3
Word 2003 pour les Nuls	D. Gookin	2-84427-455-2	65 3604 9

Excel 2003
pour les Nuls

Mon opinion sur ce livre :

❏ Excellent   ❏ Moyen

❏ Satisfaisant   ❏ Insuffisant

Ce que j'aime dans ce livre :

_____

_____

_____

_____

_____

_____

_____

_____

Mes suggestions pour l'améliorer :

_____

_____

_____

_____

_____

_____

_____

En informatique, je me considère comme :

❏ Débutant   ❏ Expérimenté

❏ Initié   ❏ Professionnel

Mon équipement :

- Matériel : _____

- Système d'exploitation : _____

J'utilise mon ordinateur :

❏ Au bureau   ❏ À l'école

❏ À la maison   ❏ Autre : _____

Lieu d'achat du livre :

- Pays : _____

- Ville : _____

❏ Grande librairie   ❏ Petite librairie

❏ Grande surface   ❏ Hypermarché

❏ Magasin spécialisé   ❏ Autre : _____

Mon adresse :

Nom : _____

Prénom : _____

Adresse : _____

_____

Code postal : _____

Ville : _____

Pays : _____

J'ai vraiment adoré ce livre !

Vous pouvez citer mon témoignage dans vos documents promotionnels. Voici mon numéro de téléphone en journée :

Fiche lecteur à découper ou à photocopier, et à nous retourner à :

FIRST
> Interactive

27, rue Cassette
F-75006 Paris - France
Tél. : 01 45 49 60 00 – Fax : 01 45 49 60 01

Découvrez en exclusivité nos prochaines parutions sur internet :
http://www.efirst.com

Achevé d'imprimer par Corlet, Imprimeur, S.A. - 14110 Condé-sur-Noireau
N° d'Imprimeur : 73510 - Dépôt légal : octobre 2003 - *Imprimé en France*